# LE GUIDE DES

# VIGNOBLES ET DES VINS

Philippe Gaillard—François Gilbert

## LANGUEDOC ROUSSILLON

# LE GUIDE DES

# VIGNOBLES ET DES VINS

Philippe Gaillard—François Gilbert

## *LANGUEDOC*
## *ROUSSILLON*

**M.A. Editions**

© M.A. Éditions, 1990
8, rue Garancière - 75006 Paris
ISBN 2-86676-605-9

**GUIDE DES VIGNOBLES ET DES VINS**
Sous la direction de François Gilbert et Philippe Gaillard


C'est une collection complète de guides sur les grands vignobles de France et du Monde. Dans chaque guide :
— une présentation approfondie du vignoble : son histoire, ses terroirs, ses cépages, ses hommes et leurs techniques sous la plume des meilleurs spécialistes ;
— une présentation détaillée des différents crus de la région ;
— une sélection commentée des meilleurs producteurs confiée à des grands professionnels ;
— des remises de 3 à 5 % sur vos achats de vin sur simple présentation du guide dans toutes les caves marquées du signe ◆

Parus : Bordeaux — Languedoc-Roussillon


**Languedoc-Roussillon**


La sélection des meilleurs producteurs du Languedoc-Roussillon a été confiée à Maryse Dellis et Alain Demezon qui sont assurément deux des meilleurs connaisseurs de la viticulture du Languedoc-Roussillon. Tous deux sont œnologues et déploient leur activité dans le Midi. Maryse Dellis, née en Alsace, a longtemps occupé des fonctions importantes au sein de la chambre d'agriculture de l'Hérault avant de créer à Nîmes une Ecole de formation destinée aux sommeliers. Elle a aussi, durant plusieurs années, dirigé une exploitation viticole : le domaine du Temple à Cabrières, où son talent de vinificateur s'est manifesté avec éclat. Alain Demezon, méridional d'origine, exerce quant à lui son métier d'œnologue principalement dans le Gard. Les contacts quotidiens qu'il entretient avec les vignerons et les dirigeants des caves coopératives dans l'ensemble du Languedoc-Roussillon lui confèrent une connaissance approfondie des vins de la région.

Ont également participé à la réalisation de ce guide :
— André Domine, journaliste spécialisé qui, avec l'aide de Christine Campadieu, a rédigé la présentation des vins doux naturels et des aires d'appellation du Roussillon ;
— Sylvie Portay, œnologue et ingénieur agronome qui s'est chargée de présenter les cépages blancs ainsi que les techniques de culture et de vinification ;
— Christian Coulais, Brigitte Langbehn, Françoise Bonhoure et Jacky Picard.

# Sommaire

# PREMIÈRE PARTIE

# HISTOIRE DU VIGNOBLE

# LES FACTEURS DE LA QUALITÉ

- Les terroirs
- Les cépages
- Les hommes

# HISTOIRE
# DU VIGNOBLE

# Dionysos puis Bacchus
# se penchèrent sur son berceau

S'il est un titre de gloire dont peuvent se prévaloir le Languedoc et le Roussillon, honneur qu'ils partagent d'ailleurs avec leur sœur provençale, c'est bien celui de l'antériorité. Là en effet se trouvent les plus anciens vignobles de France. En Languedoc et en Roussillon à la différence des contrées plus septentrionales ce n'est pas à César, ambassadeur armé de la civilisation méditerranéenne, que l'on doit l'introduction de la vigne mais à Dionysos lui-même dont les pérégrinations toutes pacifiques précédèrent de cinq siècles au moins la belliqueuse incursion des légions romaines. La viticulture est ici fille de la Grèce. Quand le dieu du vin aborda-t-il ces rivages ? Quels vents, quels courants l'entraînèrent-ils si loin de sa patrie ? L'histoire mérite d'être contée ; elle constitue le premier acte de l'épopée viticole de notre pays.

## A l'origine du vignoble,
## Dionysos en personne

Vers 600 avant Jésus-Christ, des colons grecs originaires de Phocée, cité hellène d'Asie Mineure (aujourd'hui la touristique Foça en Turquie), jetèrent l'ancre au fond d'une calanque bien abritée sise à proximité du delta du Rhône et y fondèrent Marseille. Solidement fixés au débouché du grand fleuve, ils essaimèrent bientôt en divers points du littoral créant tour à tour Nice, Monaco, Antibes en Provence, Agde en Languedoc, Ampurias en Catalogne. Ces cités, qui toutes étaient des ports, ne tardèrent pas à devenir autant de postes avancés de l'hellénisme en Gaule ou, selon le mot de Cicéron, « autant de rivages grecs cousus à des campagnes barbares ».

Les Phocéens étaient avant tout des marchands. En Occident ils venaient chercher l'étain, l'or, l'argent, le plomb, le fer ou encore le basalte qu'on extrayait de la montagne volcanique d'Agde pour en façonner des meules. Ils s'approvisionnaient aussi en esclaves, denrée très recherchée sur tous les marchés méditerranéens de l'Antiquité. En échange, et pour payer leurs achats, ils proposaient toutes sortes de poteries comme celles au décor noir et ocre fraîchement sorties des ateliers d'Athènes, des objets métalliques, armes, outils, bijoux ou encore des produits agricoles : l'huile bien sûr, source d'éclairage et base de la cuisine méditerranéenne, mais surtout le vin, breuvage dont les Barbares faisaient grand cas. Leur penchant pour la dive amphore était tel que, raconte-t-on, certains chefs autochtones n'hésitaient pas à échanger un serviteur, voire un membre de leur famille, contre un peu du précieux nectar. N'a-t-on pas découvert jusqu'en des contrées fort éloignées, comme à Vix en Bourgogne, les traces de ce fructueux négoce ? Conscients des profits immenses qu'ils pouvaient tirer du commerce des vins, les Grecs eurent tôt fait de faire venir des ceps de leur patrie d'origine et de se livrer à la viticulture dans l'environnement immédiat de leurs cités. Ainsi naquit, aux dires de la plupart des historiens, la viticulture languedocienne et catalane.

La question pourtant est controversée. La vigne *(vitis vinifera)* fait, on le sait, partie depuis l'ère tertiaire du fond végétal spontané d'une large portion du continent européen. Les fossiles découverts autour de Montpellier, en Champagne et ailleurs montrent qu'elle se trouvait parfaitement à l'aise sur notre territoire. Or ces lambrusques, ou vignes sauvages, qui peuplaient encore nos forêts à la veille du désastre phylloxérique, ne laissèrent pas indifférents les peuples préhistoriques qui tiraient une part essentielle de leur subsistance de la cueillette. Mieux ! On a découvert en des sites aussi variés que Lattes en Languedoc ou les Settons dans le Morvan des amas de pépins de raisins tassés, comprimés, indiquant avec certitude que les grains avaient été pressés pour en extraire le jus. Alors ? Existait-il une viticulture indigène en Gaule avant l'arrivée des Grecs ? La thèse a été soutenue ; elle est malheureusement à coup sûr erronée. Cueillir des raisins sauvages, comme on cueille d'autres baies, ne signifie pas faire acte de vigneron. La vigne sauvage, plante surtout forestière, ne donne en effet que de maigres fruits, acides et peu abondants lorsqu'elle est laissée à elle-même. L'acte essentiel par lequel le cueilleur de raisins devient viticulteur, c'est la taille. Or aucun indice ne montre qu'avant l'installation des Grecs sur le littoral, les populations indigènes connaissaient cette pratique.

Les commerçants hellènes n'ont donc peut-être pas introduit la vigne en Occident. Peut-être ont-ils, à côté des cépages qu'ils apportèrent dans leurs cales, su tirer parti des variétés locales. Une chose est sûre néanmoins : ce sont eux qui ont enseigné sa culture et la taille aux populations ligures, ibériques et celtes touchées par leur influence. Et de fait, les traces les plus anciennes attestant l'existence d'une viticulture en Languedoc ne remontent pas au-delà du IIIe siècle. Elles figurent sur des dolia, ces amples vases à demi-enterrés de fabrication locale, qu'utilisaient les hommes de cette région pour conserver la nourriture. L'un d'entre eux, découvert sur l'oppidum d'Ensérune, porte sous le col une estampille représentant un épi de blé associé à une grappe de raisin dont la grosseur, bien loin de rappeler les pauvres fruits des lambrusques, ne laisse aucun doute sur son origine cultivée. Sur un autre, une femme est dessinée tenant à la main une lourde grappe. Image émouvante de la première vendangeuse qu'ait porté notre sol !

Tous les indices concordent donc pour attribuer aux Grecs la paternité de la viticulture méridionale. Avec l'art de tailler la vigne, de la soigner, ils ont apporté une des composantes essentielles de leur civilisation. D'autres n'allaient pas tarder à leur emboîter le pas.

## Quand Bacchus remplace Dionysos

Vers la fin du IVe siècle avant Jésus-Christ les circuits commerciaux connurent en Méditerranée de profonds bouleversements. La Grèce, affaiblie par les guerres entre cités et davantage tournée, depuis les campagnes d'Alexandre, vers l'Orient que vers les rivages du Ponant, céda la première place à l'Italie. Aux vins et aux poteries de la mer Egée succédèrent progressivement ceux de Campanie et de Toscane, aux marchands grecs les négociants romains. Ces contacts répétés ouvrirent la voie aux légions qui, en 121 av. Jésus-Christ, s'emparèrent de la Provence, du Languedoc et du Roussillon.

Le vignoble pourtant ne s'étendit guère avant le règne d'Auguste car le sénat, dans le but d'en réserver les colossaux bénéfices aux seuls citoyens romains, interdit la pratique de la viticulture aux indigènes. Dans ces conditions le commerce d'importation continua sans faiblir. A partir de Marseille, d'Agde, d'Emporion, vieilles cités grecques, mais de plus en plus depuis Narbonne promue capitale de la Province, les vins en provenance d'Italie étaient acheminés à travers toute la Gaule et au-delà. Les vestiges abondent de cet intense trafic : des amphores ont été retrouvées par dizaines de milliers dans le Midi comme sur l'ensemble du territoire national. Un historien a récemment calculé que la Gaule absorbait à cette époque 120 000 hectolitres de vin par an, volume considérable lorsqu'on songe aux conditions de transport d'alors. Des magistrats romains peu scrupuleux ne demeurèrent pas indifférents aux profits qu'ils pouvaient tirer de tels flux. L'un d'entre eux, Fonteius, qui gouverna la Narbonnaise de 76 à 74, accumula même une gigantesque fortune en prélevant des taxes sur les vins qui empruntaient la route de Narbonne à Toulouse. Accusé de concussion par ses administrés il dut, à son retour à Rome, répondre de ses actes devant le Sénat. Défendu par le meilleur avocat, Cicéron, il gagna son procès.

Au premier siècle de notre ère tout changea. La Narbonnaise fut prise d'une véritable fièvre de plantation. Strabon, Pline et beaucoup d'autres mentionnent alors des vignobles autour de Narbonne, de Béziers, dans le Vivarais... Dès l'époque d'Auguste ils prospéraient dans la vallée du Rhône jusqu'à hauteur de Vienne (la Vineuse). On en trouvait encore à Gaillac, au débouché de l'autre grande voie qui s'échappait de Narbonnaise. Les temps étaient proches où la viticulture allait partir à l'assaut des régions les plus septentrionales. La production s'accrut dans des proportions considérables. Non seulement la Province pourvoyait désormais à ses besoins mais encore elle pouvait exporter. Les vins du Languedoc et du Roussillon parvenaient jusqu'en Germanie où ils contribuaient à entretenir le moral des légions stationnées sur le limes. Rome même fut au nombre des clients. De nombreuses trouvailles l'attestent comme ce débris d'amphore découvert à Ostie en 1878 qui porte l'inscription suivante : SUM VET.V. BAETER. L. MARTI. SATULLI. (Je suis du vin de Béziers, vieux de cinq ans, produit par L. Martius Satullus.) Afin de répondre à la demande, les ateliers de production de récipients vinaires s'étaient en effet multipliés : à Saint-Côme-du-Gard, Corneilhan et Aspiran dans l'Hérault... Au total plus d'une trentaine ont été dénombrés dans le sud de la France. Dans le but de mieux conserver leurs vins, les négociants y ajoutaient diverses résines telles que la poix et l'aloès ou encore les traitaient à la fumée. Pline s'en plaint qui reproche à certains vins de Narbonnaise leur amertume désagréable. Tous les consommateurs ne devaient pas cependant avoir le palais aussi délicat ou alors comment expliquer le brillant succès commercial de ces vins ?

La viticulture italienne en tout cas souffrit de cette concurrence de la Province qui, non seulement lui ôtait ses débouchés traditionnels, mais encore venaient lui disputer ses propres clients dans Urbs même. Par ailleurs le développement inconsidéré des surfaces plantées en vigne faisait craindre à juste titre une dramatique pénurie de produits vivriers en même temps qu'elle provoquait une crise de surproduction (déjà !) et une baisse des prix du vin. Il faut dire que les ceps le disputaient aux céréales sur les meilleures terres du Languedoc. Les autorités devaient intervenir. C'est ce que fit en 92 de notre ère l'empereur Domitien en promulguant son fameux édit. Par cette décision qui nous est connue grâce à l'historien des douze César, Suétone, Domitien interdit toute nouvelle plantation dans l'empire. Mesure protectionniste certes, destinée à porter secours à une viticulture italienne malmenée, mais aussi acte politique de défense de la viticulture de qualité, celle qui croît sur les sols pauvres impropres à toute autre spéculation agricole. En ce sens le dernier des Flavien fait figure de précurseur. L'édit de Domitien fut-il observé et pendant combien de temps ? Les sources sont discrètes à ce sujet. Un fait est certain : il fut abrogé en 280 par l'empereur Probus, un Gaulois !

Jusqu'au second siècle de notre ère la viticulture méridionale connut donc, en dépit de quelques périodes de surproduction, son premier âge d'or. En même temps qu'elles assuraient leur prospérité, Languedoc et Roussillon affirmèrent dès cette époque leur vocation viticole et leur aptitude à produire des vins de qualité appréciés très au-delà de leurs frontières. Toute construction humaine est cependant éphémère. Avec la fin de la *Pax romana,* dès la seconde moitié du III$^e$ siècle, commença une longue période de décadence.

## La fin de la Pax romana

En 253 (ou 257) les Francs furent les premiers à franchir le limes. Ils traversèrent toute la Gaule et poussèrent jusqu'à Tarragone en Espagne, semant sur leur passage la mort et la désolation. L'empire n'était plus à l'abri. La priorité fut donnée à la défense des frontières et dans ce domaine rien n'était à négliger. La politique de Probus visant à autoriser les régions les plus septentrionales, c'est-à-dire les plus exposées aux incursions des hordes germaniques, à planter de la vigne s'inscrivait dans cette stratégie. Il s'agissait de renforcer le sentiment d'attachement à Rome de ces populations afin de leur donner des raisons supplémentaires de participer à sa défense.

Rien de tout cela n'était favorable à la viticulture méridionale. Le développement de vignobles dans les régions du Nord ajouté à l'insécurité ambiante, ennemie du grand commerce, provoquèrent le déclin économique de l'antique Narbonnaise. Victime de la guerre, mais aussi des famines et des épidémies qui communément l'accompagnent, la population se clairsema. Les friches prirent possession des terroirs autrefois cultivés et s'adjugèrent de vastes espaces, aussi bien dans la plaine que sur le pourtour montagneux. Privée de ses débouchés commerciaux, manquant de bras, la vigne ne fut pas épargnée. Elle se rétracta à l'image des cités. Elle ne disparut certes jamais mais on est en droit de penser que ses produits, désormais destinés à la consommation locale et non plus comme autrefois à une clientèle internationale, perdirent en qualité. Jusqu'à l'avènement de Charlemagne, si l'on excepte quelques périodes de répit, un voile épais s'abattit sur la viticulture du Languedoc et du Roussillon.

# Les bénédictins au chevet de la viticulture du Midi

Les méthodes de culture et de vinification en usage à l'époque romaine furent sauvées de l'oubli par l'Eglise, seule institution à avoir survécu au chaos. Dans cette affaire le premier rôle revint aux monastères qui, dès le VIIIe siècle, se multiplièrent en Languedoc et en Roussillon.

## Saint Benoît d'Aniane restaurateur du vignoble

Languedocien d'origine, puisque fils du comte de Maguelonne, Benoît (de son vrai nom Witiza) fut élevé à la cour du roi Pépin le Bref. En 787 il créa un premier monastère à Aniane sur une propriété de sa famille et entreprit d'y réformer la règle bénédictine. Des disciples accoururent de partout qui bientôt, le maître ayant été appelé à des tâches supérieures, l'imitèrent en fondant à leur tour de nouveaux établissements : Saint-Chinian, Saint-Jean-de-Caunes, Saint-Saturnin, Cabrières, Saint-Thibéry, Lagrasse... virent ainsi le jour. En 806 Guillaume d'Orange, comte de Toulouse, qui avait rencontré Benoît à la cour d'Aix-la-Chapelle, jeta les bases des abbayes de Gellone (Saint-Guilhem-le-Désert) et de Goudargues. Il mourut dans la première six ans plus tard. Sur le même élan naquirent les abbayes de Saint-Gilles, Villemagne, Saint-Hilaire, Cuixa, plus tard celles de Montredon (897), Saint-Pons-de-Thomières, Lodève (980)... Touchés au Xe siècle par la réforme partie du Cluny, le Languedoc et le Roussillon se montrèrent également perméables au mouvement cistercien. Des moines se réclamant de saint Bernard y élevèrent ou y rattachèrent les abbayes de

Franquevaux, Fontfroide (1146), Valmagne (1155), Gigean (1167), Vignogoul (1178), Les Ollieux à Narbonne (1200)...

Dans le choix des sites retenus pour l'édification des établissements monastiques, la possibilité de produire sur place des vins de bonne qualité comptait parmi les priorités. La prière n'était pas en effet la seule fonction dévolue aux moines. Il leur incombait aussi, en ces temps d'insécurité, d'assurer l'hospitalité à toute personne, pèlerin ou voyageur, qui la leur demandait. Obligation coûteuse mais qui pouvait s'avérer profitable lorsque, d'aventure, se présentait quelque grand personnage. En ces occasions il était essentiel de ne pas décevoir et le vin, dans ce domaine, valait plus que tous les discours de bienvenue. En remerciements, le puissant, qui avait toujours quelque péché sur la conscience, savait faire preuve de générosité. Et de fait, par le jeu d'innombrables donations, les possessions monastiques s'élargirent sans cesse. Source de prestige et d'enrichissement pour les abbayes, le vin était aussi une précieuse monnaie d'échange grâce à laquelle elles pouvaient se procurer tout le nécessaire à l'entretien de leurs communautés. Enfin les moines eux-mêmes, chez qui le travail physique occupait une part importante de la journée, ne se privèrent jamais d'en faire usage. Estomacs rebondis, faces rubicondes sous la tonsure ne sont pas des images d'Epinal. Il n'est pas étonnant dans ces conditions que les monastères soient à l'origine, ici comme ailleurs, de la plupart des vignobles de cru actuels : Corbières, Minervois, Limouxin, Saint-Chinian, Cabrières, Saint-Saturnin, Costières-de-Nîmes...

Dans l'immédiat les moines ne furent pas étrangers au climat de renouveau qui caractérisa les beaux siècles du Moyen Age.

## Les beaux siècles du Moyen Age

Dès le X$^e$ siècle la population, rudement éprouvée aux siècles précédents, entamait une nouvelle phase de croissance. La soif de terre qui en résulta provoqua un ample mouvement de défrichements. Les bénédictins avaient déjà montré l'exemple au temps de Benoît d'Aniane quand, de lieux déserts, ils avaient su faire des campagnes prospères. Mais la vague de mise en valeur des XI$^e$-XIII$^e$ siècles eut une ampleur bien plus considérable. Des milliers d'hectares de garrigues furent essartés tandis qu'en plaine les étendues marécageuses où sévissait la malaria cédèrent le pas devant le travail acharné des moines de Saint-Gilles, de Psalmodi et de Franquevaux. Templiers et hospitaliers, chassés de Terre sainte, prirent part à cette conquête de terres nouvelles tout comme les évêques et les seigneurs laïcs désireux de valoriser leur patrimoine. C'est de cette époque que date le célèbre finage en « étoile » de Montady.

Les villes aussi sortirent de leur torpeur. Rapidement à l'étroit dans leurs remparts, Narbonne, Carcassonne, Nîmes débordèrent sur le plat pays en populeux faubourgs. De nouveaux centres virent le jour à partir d'un château, d'une abbaye, d'un lieu de pèlerinage : Beaucaire, Saint-Gilles, Saint-Pons et enfin Montpellier qui, simple domaine rural en 985, comptait déjà 5 000 habitants en 1180. Des foires actives s'y développèrent où s'échangeaient, en plus des productions locales : blé, vin, huile, draps, des marchandises en provenance des Flandres, d'Italie et d'Orient. Le commerce connut en effet à cette époque un vif renouveau. Parcourues par les pèlerins se rendant à Saint-Jacques-de-Compostelle ou en Terre sainte, les routes se remirent à vivre. La « réouverture » de la Méditerranée consécutive aux croisades stimula quant à elle le trafic des ports languedociens, donnant à ces cités l'aspect cosmopolite qui devait avoir déjà été le leur du temps de Rome. Aigues-Mortes fut fondée en 1246 par Saint-Louis.

La viticulture ne pouvait rester indifférente à des circonstances démographiques et économiques aussi favorables. Le vignoble s'étendit à la périphérie des villes. Dans la plaine du Biterrois, en Narbonnais, aux portes de Montpellier et de Perpignan, les ceps s'installèrent en force au milieu des champs de blé et des olivettes. Les terres pauvres du Piémont ne furent pas en reste. Ruffes du Lodévois, schistes de Cabrières et de Faugères, « grès » de la Costière portèrent bientôt d'importants vignobles. Jamais depuis l'époque d'Auguste le Languedoc et le Roussillon n'avaient présenté un aussi plaisant visage qu'en ces XI\ :sup:`e` et XII\ :sup:`e` siècles. Nulle hégémonie de la vigne pourtant. Au temps des comtes de Toulouse et du drame cathare, comme plus tard jusqu'à l'avènement du chemin de fer et de la navigation à vapeur, la règle demeura celle de la polyculture méditerranéenne : *ager, saltus, silva* (champs, parcours, forêt). Dans cette économie traditionnelle où chaque province devait d'abord compter sur elle-même, priorité était toujours donnée aux cultures de subsistance. 10 %, 20 % peut-être de l'espace cultivé, voilà tout ce à quoi la vigne pouvait prétendre. En tout état de cause, elle ne devait constituer, sauf exception, qu'un élément secondaire du paysage.

D'ailleurs, l'essentiel de la production méridionale était alors consommé sur place ou à faible distance. De la plaine du Roussillon et du Bas-Languedoc les vins gagnaient par convois de mules les hauts bassins pyrénéens ou le Massif central, montagnes peuplées de solides buveurs qui, de tout temps, furent les clients attitrés du Midi. A partir des ports de la côte, on les transportait aussi jusqu'à Gênes et Livourne sur de méchantes barques. A l'exception de quelques vins médicinaux à base d'épices, spécialité des apothicaires de Montpellier qui s'exportait fort loin, les horizons commerciaux étaient donc devenus singulièrement étroits.

Les rares exemples qui semblent prouver le contraire n'infirment en rien cette conclusion. Ainsi à plusieurs reprises les rois de France firent venir à Paris des vins de Montpellier : Philippe le Bel en 1300 acheta de la sorte 17 tonneaux et une queue de vin, soit 150 hectolitres. Charles VI fit de même en 1389. Mais il faut voir dans ces commandes l'expression d'un calcul politique. Montpellier demeura en effet possession du roi d'Aragon jusqu'en 1349. Il importait donc aux Capétiens de s'attirer la bienveillance des édiles municipaux. D'ailleurs d'autres indices montrent que Montpellier croule sous le vin et rencontre bien des difficultés à écouler sa production. En 1316, par exemple, une décision municipale interdit aux vins étrangers de pénétrer dans la ville ; une autre en 1369 prohiba l'usage du fumier dans les vignes.

Quel contraste avec le temps béni de la Paix romaine, lorsque Languedoc et Roussillon, intégrés à l'espace économique de l'empire, expédiaient leurs vins dans toutes les directions !

# Un vignoble sans débouchés

## Des entraves de toutes sortes

C'est que depuis l'époque romaine la situation avait considérablement évolué. Désormais les vins du Midi rencontraient sur leur chemin les vignobles de Bordeaux, ceux du Lyonnais, de Bourgogne, de Champagne, d'Ile-de-France qui, parce qu'ils occupaient une position plus septentrionale, étaient devenus les fournisseurs attitrés du royaume d'Angleterre, de Paris ou des Flandres et se montraient peu disposés à laisser échapper des débouchés aussi rémunérateurs. Tous les moyens étaient bons pour décourager la concurrence.

Les bourgeois de Bordeaux, dont la fortune reposait pour une large part sur l'exportation des vins du même nom, se montrèrent à ce sport les plus redoutables. Jouant habilement de leur appartenance au royaume d'Angleterre, puis négociant avec à propos leur retour dans le giron du roi de France, ils surent arracher à leurs souverains successifs des privilèges exorbitants. Dès 1241, les vins étrangers (c'est-à-dire non bordelais) se virent interdire l'accès au port girondin avant la Saint-Martin (11 novembre). Un siècle et demi plus tard, la date fatidique fut même reculée jusqu'à la Noël. De ce fait, seuls les vins de Bordeaux étaient disponibles à la vente lorsque se tenait la foire d'automne, la plus importante de l'année puisque c'est au cours de celle-ci que se négociaient les vins nouveaux. Confirmé par les rois de France, renforcé à plusieurs reprises, le « Privilège de Bordeaux » resta en vigueur jusqu'en 1776, date de son abolition par Turgot. Il aboutit à exclure les vins du Midi, comme d'ailleurs une partie de ceux du « Haut Pays » aquitain et toulousain, du fructueux commerce atlantique.

Ce genre d'entraves n'était pas seulement le fait de Bordeaux. Toutes les villes placées à la tête d'un vignoble exportateur agissaient de même. Lyon par exemple, qui commandait l'autre grande route du Languedoc vers Paris, percevait de lourdes taxes sur les vins en provenance de la vallée du Rhône qualifiés avec mépris de « vins d'en bas ». Ces derniers étaient en outre entourés d'une détestable réputation qu'entretenaient complaisamment les vignerons lyonnais et bourguignons. Jean Liébault, auteur de la *Maison rustique*, était victime de cette propagande quand il affirmait vers 1600 : « Or quoique les vins étrangers que l'on fait venir des régions chaudes nous semblent gracieux de goût, si est-ce qu'il n'en faut user que le plus sagement que l'on pourra, d'autant que outre leurs qualités manifestes, encore en ont-ils des occultes, qui à la vérité peuvent être familières et amies par une sympathie aux habitants du terroir où tels vins croissent, mais à nous, nous sont ennemis par une antipathie qu'ils ont avec nous qui sommes de pays et terroirs dissemblables. »

Pour cet ensemble de raisons le vignoble méridional était désormais excentré, coupé des grands foyers de consommation de l'Europe du Nord. L'intégration politique du Languedoc au royaume de France après la croisade albigeoise et le traité de Meaux de 1229 (Montpellier ne le fut qu'en 1349 et le Roussillon qu'en 1659 après la signature du traité des Pyrénées) ne changea rien à l'affaire. S'ils pouvaient guérir les écrouelles, les Capétiens n'avaient pas le pouvoir d'abolir les distances et moins encore les barrières protectionnistes qu'érigeaient leurs bonnes villes. Cet éloignement, cette « quarantaine » fut tout à fait préjudiciable au vignoble du Midi. Un vignoble replié sur lui-même peut difficilement échapper aux ornières de la routine. La qualité n'est pas seulement un don de la Nature ; elle est surtout le fruit du labeur acharné de vignerons résolus à toujours mieux faire pour améliorer leur vin et satisfaire les exigences de la clientèle. Cette règle ne souffre aucune exception : sans grand commerce il n'y a pas de viticulture digne de ce nom. Languedoc et Roussillon en souffrirent plus que de raison.

# Le vignoble au XVIᵉ siècle

Les « beaux siècles » du Moyen Age n'avaient pas été exempts de drames. Aux exactions des troupes de Simon de Montfort, aux crimes de l'Inquisition chargée d'extirper l'hérésie cathare succédèrent aux XIVᵉ et XVᵉ siècles les famines, la peste et la guerre de Cent Ans. On n'ose imaginer le visage que devait présenter le Midi au terme de cette sombre période. Comme autrefois au temps des grandes invasions, c'était celui de la désolation. Les villes, jadis grouillantes de vie, se trouvèrent subitement trop vastes pour leur maigre population. A Montpellier, aux dires d'un contemporain, « les fossés... où naguère étaient jardins, vergers et arbres, sont pleins de ronces et d'épines, de serpents et de lézards. » Les campagnes ne devaient pas offrir un spectacle très différent. Le maquis, la forêt à nouveau régnaient en maîtres. Celle-ci devint à ce point envahissante que les forestiers, dont la vocation première est de préserver les surfaces boisées, encouragèrent les paysans à abattre les arbres. La chasse également, activité d'ordinaire réservée aux seigneurs, fut rendue totalement libre afin de lutter contre la prolifération du gibier et des « bestes fauves » qui saccageaient les récoltes et terrorisaient les villages. Dans la plaine littorale le marais progressa et avec lui les anophèles, vecteurs du paludisme. En bordure des étangs saumâtres le sel stérilisa les terroirs si péniblement conquis aux siècles précédents et les livra à la salicorne, halophyte dont on extrayait la soude. Le vignoble n'échappa pas à cette dynamique d'abandon. Les surfaces plantées diminuèrent. La vigne se concentra sur les terres les plus fertiles dont les rendements élevés permettaient d'escompter, au prix d'un moindre effort, un revenu supérieur.

Avec le XVIᵉ siècle débuta une nouvelle phase de croissance démographique. La fin de la guerre anglaise, la moindre virulence du bacille pesteux, mais aussi la meilleure nutrition d'une population désormais au large combinèrent leurs effets. Avec les cavaliers de l'Apocalypse qui s'éloignaient, c'était la vie qui reprenait le dessus. Dès 1570 le niveau de peuplement d'avant-peste était sur le point d'être atteint tandis que la vigne retrouvait ses positions du XIIIᵉ siècle. Autour de Montpellier les ceps occupaient environ 10 % du sol, à Nîmes 16 %. Seuls quelques villages du littoral fréquentés par les barques marseillaises et génoises affichaient une spécialisation plus poussée : à Serignan, Bessan, Frontignan, le vignoble s'adjugeait plus du tiers du finage. A Vendres il constituait même, semble-t-il, la principale source de revenus de la population.

Depuis le temps des cathédrales, la situation du vignoble méridional n'avait guère évolué. La plupart des sources nous le présentent comme un vignoble sans envergure dont la majorité des produits, incapables de voyager, continuaient d'être consommés sur place par une clientèle populaire au palais peu exigeant et à la bourse plate. Le raisin était vendangé trop tôt, dès les premiers jours de septembre. Manquant de maturité, encore vert, il ne pouvait manquer de donner des vins qui tournaient rapidement à l'aigre. Par ailleurs, les viticulteurs attachaient peu de soin à la vinification. Les caves étaient souvent mal tenues, les tonneaux non soufrés et les cuves grouillantes de rats. Pour se débarrasser de ces rongeurs et « bannir l'infection provenant de la charoigne de tel bestail », on ne voyait guère d'autre solution que de leur offrir une voie de sortie en disposant dans les cuves de longues perches de bois. C'est en tout cas ainsi qu'agissait le célèbre agronome Olivier de Serres, propriétaire d'un grand domaine en Vivarais. Ces traits décrits par maints observateurs de l'époque sont ceux, rappelons-le, d'un vignoble coupé de l'extérieur, sans client, échappant donc à la sanction du marché.

Et pourtant ! Peut-on assimiler toute la viticulture méridionale du XVIe siècle à ces détestables pratiques ? Répondre par l'affirmative serait mentir par omission. Car enfin, le Languedoc et le Roussillon n'étaient pas seulement peuplés de rustres et de boit-sans-soif (les Méridionaux étaient d'ailleurs, et sont toujours, moins portés sur la bouteille que d'autres). Il existait bien en ces provinces quelques gosiers délicats, des gentilshommes, des clercs, des bourgeois qui, assurément, ne savaient se contenter du tout-venant ! Suffisamment en tout cas pour justifier l'existence d'un certain nombre de crus de qualité.

Tels étaient par exemple les vins de Mirevaux (Mireval), Canteperdrix (Beaucaire) et Frontignan qui firent les délices du jeune Rabelais à l'époque où il fréquentait l'université de médecine de Montpellier. Ou encore l'Estabel, ou vin vermeil, produit sur les schistes ingrats du terroir de Cabrières. La blanquette de Limoux, qui était peut-être déjà un vin effervescent, jouissait également d'une certaine notoriété. On sait que vers 1633 les Allemands de passage dans la région ne manquaient jamais d'y faire une visite « pour les goûter plus à loisir ». Et que dire des vins de l'actuelle côte du Rhône gardoise : Chusclan, Lirac, Tavel, Laudun qui avaient souvent figuré sur la table des papes d'Avignon et qui, depuis que la curie avait réintégré ses pénates romaines, conservaient d'excellentes relations avec les successeurs de saint Pierre ? Exemple parmi d'autres, trente-deux pièces de vin de Châteauneuf et de Laudun commandées par le pape en 1561 furent acheminées jusqu'à Rome. Tous ces vins pouvaient certainement voyager ou alors, comment expliquer cette autre commande, cette fois-ci d'un marchand rouennais contemporain de François I$^{er}$, portant sur mille tonneaux de vin (pas un de moins) de Provence et du Languedoc ?

## Le triomphe des muscats

On ne peut achever une « tournée » des quelques bons vins du Languedoc et du Roussillon au XVI$^e$ siècle sans parler des vins liquoreux : muscats et grenache qui, assurément, en étaient les fleurons. On ne sait pas exactement à quelle date ces types de vins commencèrent à être produits dans le Midi. Pour certains qui assimilent les cépages muscats aux « apianae » des Romains (variété ainsi nommée car ses raisins très sucrés attiraient les abeilles), leur culture remonterait à l'Antiquité. Pourtant on ne peut manquer avec le professeur Roger Dion d'être étonné par le fait que ces vins liquoreux ne soient pas mentionnés dans la littérature avant l'époque des croisades. Leur origine était alors certainement orientale car ils apparurent en Occident sous les noms de Malvoisié (ville grecque), de vin de Crète ou de Chypre. Au XIII$^e$ siècle ils étaient déjà produits en Espagne, notamment en Andalousie dans ce qui fut jusqu'en 1492 le sultanat de Grenade (d'où vient probablement le nom de grenache). Ils devaient l'être aussi en Catalogne puisque c'est là, dans les caves du Mas Deu, siège d'une commanderie de Templiers des environs de Perpignan, que le savant Arnaud de Villeneuve (qui enseigna plus tard à l'université de Montpellier) eut l'idée d'adjoindre au moût en cours de fermentation une quantité définie d'alcool dans le but d'y laisser subsister une partie du sucre résiduel. Le principe du mutage (muter signifie en ancien français rendre muet, c'est-à-dire stopper la fermentation d'un vin) est encore aujourd'hui la base du procédé qui permet d'obtenir les vins doux naturels.

D'Espagne, la production de vins liquoreux fut donc vraisemblablement introduite en Roussillon au XIII$^e$ siècle et en Languedoc au XIV$^e$ siècle. Ces vins donnèrent lieu rapidement à un très important commerce. Olivier de Serres témoigne que sous le règne d'Henri IV on les « faisait transporter par tous les recoins du Royaume ». Un demi-siècle plus tard, comme l'écrit l'intendant du Languedoc d'Aguesseau, sa réputation « est espandue aux quatre coins de l'Europe ».

Les muscats, comme les vins à base de grenache, étaient des boissons de prix élevé. Elles ne craignaient donc pas les longs et coûteux voyages. Mieux ! parce que ces vins ne concurrençaient pas directement les productions des régions septentrionales, ils pouvaient aisément franchir les barrières protectionnistes qui hérissaient les abords des grandes villes. Enfin, argument non négligeable, on leur prêtait des vertus médicinales. Jean Liébault, auteur déjà cité de la fin du XVIe siècle, en parlait en ces termes : « Nous les expérimentons fort singuliers és froides maladies causées d'humeurs froides sans occasion d'intempérie chaude de foie ou d'autre partie noble : Principalement le vin de Malvoisie, lequel nous observons journellement être souverain és crudités d'estomach et és choliques, pour la vertu singulière qu'il a de cuire les crudités et dissoudre les vents et flatuosités. » Lecteur qui souffrez de brûlures d'estomac ou d'aérophagie, pensez donc aux vins liquoreux !

Le Languedoc et le Roussillon, on le voit, ne se limitaient donc pas à la production de petits vins qui ne passaient pas l'année. Des vignobles d'élite coexistaient avec la viticulture populaire et leurs produits, pour de petits volumes certes, trouvaient preneur au-delà des limites provinciales. Il est toutefois inutile de se voiler la face. Ces vins étaient très largement minoritaires. Pour la majorité des vignerons méridionaux la qualité n'était pas encore à l'ordre du jour. Victime de son éloignement et de l'exiguïté de ses débouchés, la viticulture du Languedoc et du Roussillon, à quelques exceptions près, végéta dans une tranquille médiocrité jusqu'à ce que les portes du grand commerce, après s'être entrouvertes, s'effacent complètement.

# Le grand vignoble exportateur du XVIIIe siècle

Déjà, au début du XVIIe siècle, passée la tourmente des guerres de religion, les plantations s'étaient multipliées, mais cette première croissance avait avorté en raison de la crise économique contemporaine du règne de Louis XIV : troubles intérieurs de la Fronde, guerres étrangères, fiscalité sans cesse alourdie ne plaidaient guère en faveur d'une croissance prolongée. Le spectre de la surproduction était réapparu et le processus s'était bloqué. La seconde moitié du XVIIe siècle et plus encore le XVIIIe siècle ouvrirent en revanche un nouveau chapitre de l'histoire viticole méridionale. Grâce à une politique de

grands travaux d'infrastructure et aux progrès du libéralisme, l'isole-
ment dont souffrait si cruellement la viticulture du Languedoc et du
Roussillon fut peu à peu rompu. L'environnement économique redeve-
nait enfin favorable.

## L'ouverture sur l'extérieur

En 1681 fut inauguré le canal des Deux-Mers, ainsi nommé parce qu'il
mettait en relation l'Atlantique et la Méditerranée. Ce fut l'œuvre de
Pierre Paul Riquet, un grand propriétaire du Lauragais enrichi par la
perception de la gabelle, qui engloutit sa fortune dans ce projet
titanesque. Ses retombées sur la viticulture furent pourtant longtemps
décevantes en raison de l'attitude hostile des édiles bordelais qui mirent
tout en œuvre pour renforcer le Privilège dont bénéficiait leur ville.
Du côté de la Méditerranée, en revanche, il y eut du nouveau avec la
construction du port de Cette (Sète) en 1673. Avant cette date le
Languedoc était dépourvu de rade capable d'accueillir les navires de
haute mer : Aigues-Mortes, création de saint Louis, était ensablée
depuis longtemps ; Narbonne, reliée à la mer par le canal de la Robine
depuis qu'une violente crue médiévale avait rejeté vers le nord
l'embouchure de l'Aude, présentait un maigre intérêt en dépit de la
construction en aval de Port-la-Nouvelle. Agde, malgré la largeur et la
profondeur de l'Hérault, restait un port fluvial ; le Roussillon disposait
bien, avec Collioure et Port-Vendres, des criques de la Côte Vermeille,
mais celles-ci occupaient une position trop méridionale. Sète, construction entièrement artificielle, comblait enfin cette lacune. Le port
commandait en outre la navigation du canal du Midi. Des travaux
furent entrepris pour le relier aussi au Rhône par les étangs, mais ils
traînèrent en longueur et ne furent achevés qu'après la Révolution.
Le réseau routier ne fut pas oublié. La grande route reliant la Garonne
au Rhône, dont plusieurs tronçons empruntaient le tracé de l'antique
voie Domitienne, fut profondément rénovée. Empierrée sur toute sa
longueur, elle fut même pavée en maints endroits. Les voies en direction
du nord reçurent également d'importants crédits. Trois surtout : celle
de Toulouse à Rodez par Albi ; celle de Nîmes au Puy par Aubenas ;
enfin la route d'Auvergne joignant Montpellier à Millau par Lodève et
le Pas de l'Escalette dont Arthur Young, le grand voyageur anglais
qui parcourut la France à la fin du XVIIIe siècle, dit qu'elle était « la
plus belle des routes taillées dans la montagne ».
Comme au Moyen Age l'activité des foires bénéficia de l'amélioration

des conditions de circulation et du retour à la croissance. A Pézenas, où convergeaient les productions de la vallée de l'Hérault, se tenait le plus important marché des vins et eaux-de-vie de la région. Mais surtout Beaucaire, dont la foire de la Sainte-Madeleine (21-28 juillet) ne cessa de prendre de l'ampleur durant tout le XVIIIe siècle. Une semaine par an elle attirait entre trente et cinquante mille personnes ; on y vendait les productions languedociennes mais davantage encore on y échangeait des marchandises en provenance de l'Europe du Nord et de l'ensemble du bassin méditerranéen.

## Le siècle de l'eau-de-vie

La viticulture profita de ces conditions favorables. De nouveaux comportements se firent jour en même temps que s'ouvraient de nouveaux horizons. Et tout d'abord l'habitude fut prise dès 1660 — on avait alors de la peine à écouler les vins — de distiller une partie de la production. On connaît le rôle que jouèrent les Hollandais, ces « rouliers des mers », dans le développement des vignobles d'Armagnac en Gascogne et surtout de Cognac en Aunis et Saintonge. Leur soif d'eau-de-vie eut des répercussions jusqu'en Languedoc. Les Méridionaux connaissaient certes cette pratique depuis fort longtemps et ils y recouraient de temps en temps pour de petits volumes. Après 1660 la demande du marché, mais aussi la nécessité de se débarrasser des excédents, donnèrent un coup de fouet à ce type de production.

Avec l'alcool, marchandise de prix élevé, de faible encombrement, ne redoutant ni le transport ni le vieillissement, Languedoc et Roussillon tenaient enfin un produit susceptible d'intéresser, et pour de gros volumes, le grand commerce. Dès 1750, près de la moitié de la production régionale était distillée et exportée par le port de Sète. En 1820, cette proportion frôla même les deux tiers. Les eaux-de-vie languedociennes présentaient une grande variété ; les plus courantes étaient les trois-six, qui titraient 33°, et les cinq-six de 22° seulement mais il en existait beaucoup d'autres. Les meilleures étaient celles dites « à la preuve de Hollande ». Une partie était destinée à la consommation mais le reste servait à « fortifier » les vins afin de les rendre aptes au transport : les vins méridionaux d'abord, mais aussi ceux de Bordeaux dont les Hollandais, avec les Anglais, étaient les acheteurs privilégiés.

Ce spectaculaire développement n'aurait pas été possible sans le perfectionnement des techniques de distillation. D'abord artisanales — des bouilleurs ambulants se déplaçaient avec leur alambic de village en village — elles devinrent une affaire industrielle dans la seconde moitié du XVIII<sup>e</sup> siècle. Divers procédés comme ceux d'Edouard Adam et de Baglioni permettaient désormais de tirer tout l'alcool contenu dans le vin en un seul passage alors que le vieil alambic d'Arnaud de Villeneuve, hérité des Arabes, en exigeait au moins six. D'énormes distilleries virent alors le jour à Béziers, Montpellier, Lunel, Mèze, Ouveillan, Narbonne... dont les émanations empestaient l'air ambiant à des lieues à la ronde. En 1820 le seul département de l'Hérault en comptait 264. Leurs besoins en combustibles étaient gigantesques et épuisèrent bien vite les maigres ressources en bois de la région. Aussi dut-on y substituer très tôt du charbon qu'on se mit à extraire de petites mines locales.

Le développement des exportations d'eau-de-vie eut encore un mérite, celui d'ouvrir de nouveaux débouchés aux autres productions viticoles du Midi. Les Hollandais, par exemple, prirent l'habitude de s'approvisionner en vin blanc dans la région. Celui qu'ils recherchaient le plus était le « picardan » produit dans la vallée de l'Hérault. Il est intéressant de voir à ce propos que la plupart des vignerons languedociens étaient à cette époque, et après plusieurs siècles de quasi-autarcie, peu expérimentés en matière de commerce international. Certains commirent même des « maladresses » qu'on peut tout bonnement qualifier de fraude (grossière), ainsi qu'en témoigne cette plainte parvenue en 1730 aux Etats du Languedoc à propos de pratiques peu orthodoxes exercées sur des picardans et des muscats à destination de Hambourg. Des négociants avaient additionné leur vin d'eau : « de deux barriques ils en firent trois ». Le résultat ne se fit pas attendre. Le vin aigrit en route et la Compagnie du Nord qui avait passé commande fit faillite. La réputation des vins méridionaux, on s'en doute, devait souffrir de ce genre de malversations. Toutefois, les contacts avec l'extérieur se multipliant, vignerons et négociants locaux eurent tôt fait d'apprendre les règles élémentaires des affaires et entreprirent de s'y conformer.

Le trafic du port de Sète doubla de 1735 à 1775. A cette date il exportait 150 000 hectolitres de vin et 33 000 hectolitres d'eau-de-vie. L'Europe du Nord représentait désormais l'essentiel des débouchés. Les vins du Languedoc, ceux du Roussillon s'y exportaient jusqu'en Ecosse et en Russie ; ils parvenaient parfois jusqu'en Amérique. La liste des navires entrés dans le port en 1822-1823 évoque mieux qu'un long discours ces nouveaux et vastes horizons : « Sur 221 bateaux, 102 étaient français et 119 étrangers parmi lesquels un américain, 15 anglais, 13 danois, 27 hanovriens, 36 hollandais et 27 suédois. » Il s'agissait là de navires au long cours. Mais il faudrait y ajouter plus d'un millier de caboteurs tant français « qu'espagnols, autrichiens (l'Autriche d'alors atteignait l'Adriatique), sardes, napolitains, toscans, romains...» qui continuaient comme aux époques précédentes de déverser les vins du Languedoc et du Roussillon sur toutes les côtes de la Méditerranée occidentale.

Parallèlement, le marché parisien s'était peu à peu ouvert aux productions méridionales. Celles-ci furent aidées par la catastrophe climatique de 1709. Cette année-là, l'hiver fut si terrible que la quasi-totalité des vignobles septentrionaux périrent du gel, compromettant toute récolte pour cinq ans. Le négoce se tourna alors tout naturellement vers le Languedoc, le Roussillon, la Provence et la vallée du Rhône, seules régions à avoir été en partie épargnées. Afin de faciliter l'acheminement des vins du Midi vers la capitale le gouvernement, conscient du danger qu'il y avait à priver de vin le turbulent peuple de Paris, décida de contraindre les villes situées sur le trajet à abaisser temporairement les droits de douane et les octrois qu'elles percevaient habituellement. Des circonstances identiques se reproduisirent à plusieurs reprises au cours du XVIIIe siècle : en 1725, 1737, 1740, 1770, jusqu'à ce qu'en 1776 la liberté de circulation des marchandises à travers tout le royaume fut décrétée sous l'impulsion de Turgot.

## Tour d'horizon au début du XIXe siècle

La multiplication des contacts avec l'extérieur, fait qui n'était pas survenu depuis l'époque romaine, provoqua un fort accroissement des surfaces en vigne. Le pouvoir tenta au début de s'y opposer car il craignait de voir les ceps s'étendre au détriment des céréales. Un arrêt de 1731 interdit toute nouvelle plantation dans le royaume. Mais cette décision, comme celle de Domitien, son lointain devancier, put difficilement être appliquée et, dès 1759, elle fut abrogée. Le vignoble s'étendit donc. A la veille de la Révolution il occupait 170 000 hectares, c'est-à-dire environ le quart de l'espace cultivé, deux fois plus peut-être qu'au XVIe siècle.

L'ouverture sur l'extérieur fut aussi à l'origine d'une amélioration sensible de la qualité des vins du Languedoc et du Roussillon. Et d'abord de l'encépagement. De nouvelles variétés furent introduites : l'aramon et le carignan que les viticulteurs destinèrent en partie à la production d'eau-de-vie, mais surtout l'espar, ou mataro du Roussillon (le mourvèdre) qui, implanté en Provence depuis au moins le XVIe siècle, prit de l'extension dans bon nombre de vignobles de cru au XVIIIe siècle. Sur la costière de Nîmes il se développa tellement qu'on finit par l'appeler plant de Saint-Gilles et croire qu'il était autochtone. Avec ce dernier, comme avec le grenache, arrivé lui aussi d'Espagne probablement à la même époque, les vignerons du Midi disposaient à présent de cépages capables de se mêler harmonieusement, tout en leur donnant plus de corps, aux vins souples qu'ils tiraient des variétés traditionnelles : aspiran, terret, piquepoul, clairette, œillade, saint-antoine...

Le souci qualitatif transparaît aussi dans les dates de vendanges. A Lunel au début du XVIIIe siècle, elles débutaient en moyenne avant le 20 septembre (le 17 statistiquement) ; à Montpellier autour du 22. Au siècle suivant elles ne commencent qu'au début du mois d'octobre (le 4 en moyenne dans ces deux villes). Ce recul est directement lié aux nouvelles orientations prises par la viticulture méridionale. Désormais producteurs d'eau-de-vie et de vins promis à l'exportation (dont certains nous le verrons étaient destinés à renforcer les vins trop faibles des autres régions), les viticulteurs du Languedoc et du Roussillon ne pouvaient plus travailler comme autrefois, lorsque l'essentiel de leur production était consommée sur place. Depuis longtemps déjà les autorités des villes où un tel commerce existait de longue date avaient tenté de les empêcher de récolter les raisins trop tôt afin d'éviter que les vins ne fussent « verts se gastant... ce qui eut produit un rabalement du bon bruit et renommée de la ville ». Un pas décisif fut franchi en 1708 quand l'intendant Basville décida de fixer de manière autoritaire un ban des vendanges.

L'appel des marchés lointains, rendu possible par les grands aménagements lancés sous Colbert et la conjoncture économique favorable du XVIIIe siècle, transforma donc profondément le visage du vignoble méridional. Au vignoble autarcique du Moyen Age et du début des Temps modernes s'était substitué un vignoble exportateur aux productions diversifiées dont une part non négligeable, à côté des eaux-de-vie, était constituée de vins de qualité.

# Les grands vins du Languedoc et du Roussillon

Il est possible, grâce aux écrits des auteurs de cette époque, de reconstituer cette géographie viticole riche et complexe. André Jullien, qui publia en 1816 la première édition de sa *Topographie de tous les vignobles connus,* sera dans ce périple notre principal guide.

Au sommet de la hiérarchie se trouvaient les vins liquoreux qui, vendus très cher (les muscats de Lunel et de Frontignan trouvaient preneur à

50 F l'hectolitre vers 1820 quand les vins de chaudière se bradaient à 6 F) étaient exportés jusqu'aux Etats-Unis et à la cour de Saint-Pétersbourg. Les meilleurs muscats provenaient de Rivesaltes, de Frontignan et de Lunel, le premier étant sans conteste « le meilleur du Royaume, plein de finesse, de feu et de parfum, il embaume la bouche et la laisse toujours fraîche ». Il faut dire que leur rendement oscillait entre 8 et 12 hl/ha. De qualité et de prix légèrement inférieurs étaient les muscats de Montbazin, Maraussan, Sauvian, Cazouls-les-Béziers, Bassan, Creissan... Le Roussillon produisait aussi des vins de liqueur très appréciés comme ceux de Cosperon, Collioure et surtout Banyuls, « vin de grenache seul, vin exceptionnel et très recherché ». Jullien ne tarit pas d'éloge à propos du Banyuls : ce sont « des vins d'une couleur très foncée, pleins de corps et de spiritueux (...) En vieillissant ils acquièrent de la finesse et du bouquet. Après dix ans de garde leur couleur est celle de l'or et ils ont un goût de vieux qui les fait nommer vins rancio (...) Leur qualité augmente jusqu'à l'âge de trente ans, et ils se conservent jusqu'à cinquante ans sans dégénérer (...) On en expédie pour Paris, pour le nord de la France et pour l'Allemagne. » Salses, à la limite des deux provinces, élaborait un autre vin de liqueur, à base de maccabeu, que Jullien comparait au tokay.

Le Languedoc était aussi connu comme producteur de vins blancs. Le cru donnant lieu au commerce le plus actif était toujours le picardan, produit autour de Marseillan et de Pomerols dans la vallée de l'Hérault : « Ils sont liquoreux sans être muscats, ont un très bon goût, beaucoup de sève, de bouquet et surtout de spiritueux. Ils se conservent longtemps et supportent les plus longs voyages sans s'altérer... Le vin de picardan perd sa douceur en vieillissant ; il devient sec et participe alors de ceux de même espèce que nous tirons à grands frais de l'Espagne. » Le picardan faisait l'objet, comme le muscat, de cotations permanentes sur le grand marché de Hambourg.

Jullien cite aussi la blanquette de Limoux : « Elle a de la douceur, de la légèreté, assez de spiritueux et un joli bouquet. » On s'étonne qu'il ne signale pas son caractère effervescent. Le docteur Guyot, qui écrit un demi-siècle plus tard, en parle quant à lui, mais sans éloge excessif : « La blanquette de Limoux, vin blanc doux et crémant, est faite avec la blanquette et la clairette ; mais c'est par ses vins rouges, et non par sa blanquette, que Limoux figure et doit légitimement figurer parmi les crus à bons vins. » Les choses ont heureusement changé aujourd'hui grâce aux progrès de l'encépagement et de la technologie.

Dans le Gard, Jullien cite les vins blancs de Calvisson « légers et fort agréables ; ils sont connus sous le nom de Clairette ». Il évoque aussi ceux de Laudun « légers, pétillants et d'un très bon goût ».

Plus variée encore était la production de vins rouges à laquelle Jullien consacre plusieurs pages. Après ceux de la Côte du Rhône (Chusclan, Lirac, Tavel... dont nous aborderons l'étude dans un autre volume) il présente les vins des actuelles Costières du Gard. Les meilleurs étaient ceux de Beaucaire dont le célèbre Canteperdrix qui existait déjà du temps de Rabelais, les vins de Saint-Gilles « très colorés, corsés, fermes, assez spiritueux et francs de goût » (on reconnaît là les qualités du cépage mourvèdre), enfin ceux du vignoble dit de « Lacostière » et de Langlade. Ce dernier, nous dit-il, faisait l'objet d'un grand commerce avec la Hollande. « Lorsqu'ils ont vieilli il en est que l'on boit avec plaisir et qui sont très propres à donner du ton à l'estomac. »

Le département de l'Hérault comptait un grand nombre de bons crus. A commencer par ceux de Saint-Georges-d'Orques : « Ils ont du corps, du spiritueux et font, après deux ou trois ans de garde, des vins d'ordinaire distingués qui peuvent aller de pair avec ceux de la haute Bourgogne dits passe-tout-grain ; ils ont même plus de spiritueux que ces derniers. » D'excellente qualité étaient aussi les vins de Vérargues, Saint-Drezery, Saint-Genies, Castries et Sauvian. Jullien parle enfin des vins de Garrigues, Préols, Villeveyrac, Bouzigues, Frontignan, Poussan qu'il qualifie comme ceux de Béziers de « vins de montagne ».

Dans l'Aude notre auteur cite d'abord les vins de Narbonne : « Ils ont une belle couleur sans être durs, beaucoup de corps, de la moelle, du spiritueux et un fort bon goût. » Les meilleurs se récoltent dans les cantons de Sigean, de Narbonne et de Ginestas (c'est-à-dire pour l'essentiel dans les Corbières, le Fitou et le Minervois). La région de Narbonne était aussi célèbre pour ses eaux-de-vie : « On les préfère à beaucoup d'autres pour la franchise de leur goût et le moelleux qui les distingue. »

Dans les Pyrénées orientales pour finir, les meilleurs vins rouges, après ceux de Banyuls et de Collioure, étaient les vins dits « de la plaine », originaires des environs de Perpignan : Espira de l'Agly, Rivesaltes, Salses, Baixas, Corneilla-de-la-Rivière, Pezilla et Villeneuve. Jullien note leur ressemblance avec les vins de Porto « qui les fait expédier aussi pour l'Amérique méridionale, et surtout pour le Brésil ». Pour le reste, le Roussillon produisait des vins communs : « Ils sont très colorés et lourds ; plusieurs ont une douceur fade et un goût pâteux désagréable : mais, lorsque ceux des premières classes de ce pays sont épuisés ou à des prix trop élevés, on en expédie beaucoup dans les diverses parties de la France, et surtout à Paris, où ils sont employés pour donner aux vins qui se vendent au détail la couleur, le corps, le goût qui plaisent au consommateur. »

Au total, Languedoc et Roussillon pouvaient se targuer, en ce début du XIXᵉ siècle, d'un large éventail de productions viticoles. Cette grande diversité, où coexistaient bien sûr le meilleur et le pire, ne devait pas survivre à la révolution industrielle et à l'avènement du chemin de fer. Les prémices de cette évolution sont d'ailleurs déjà perceptibles dans le tableau que brosse Jullien : si le négoce continue de s'approvisionner en vins de cru, il cherche de plus en plus des vins foncés et alcoolisés pour ses coupages. Sous la pression de la demande qui répercute les nouveaux goûts des consommateurs urbains, le vignoble de masse ne devait pas tarder à submerger ce bel ensemble, substituant à l'archipel des crus traditionnels, un océan de vins anonymes. Au point d'en effacer chez certains tout souvenir.

---

### Le logement des vins en Languedoc-Roussillon

En Languedoc et en Roussillon, les grosses cuves de bois utilisées traditionnellement pour vinifier et stocker le vin sont appelées foudres. Leur contenance est variable : de 150 à 300 hl en moyenne. Les foudres sont toujours couchés. Ils ont été remplacés au début du XXᵉ siècle par des cuves fixes en ciment puis, plus récemment, par des cuves en inox qui permettent une meilleure maîtrise des températures de fermentation. Les foudres, s'ils sont encore parfois utilisés pour la vinification, le sont davantage pour le stockage des vins.

L'unité de mesure traditionnelle pour les vins rouges était ici le muid qui valait 685 litres, ou le demi-muid qui en contenait la moitié. D'autres mesures divisionnaires étaient utilisées : la tiercerole (un tiers de muid) et le sixain (un sixième de muid) étaient utilisés pour loger le muscat. Les tonneaux pour les eaux-de-vie et les esprits-de-vin se nommaient « pipes ». Leur contenu variait de 535 à 609 litres.

Avant le chemin de fer, le courtier qui achetait du vin à un vigneron devait aussi payer le bois ou le fournir lui même. A titre indicatif le muid de Saint-Georges-d'Orques, vin rouge réputé de l'Hérault, se négociait 100 F en 1822, mais 125 F avec le bois. Qu'on refasse le calcul aujourd'hui !

# Splendeur et décadence du vignoble de masse

## Le raz de marée viticole

C'est dans la seconde moitié du XIXe siècle que le Midi s'orienta vers la monoviticulture et la production exclusive (ou presque) de vins anonymes destinés à la clientèle populaire. L'époque alors s'y prêtait. Dans le nord de la France, à travers toute l'Europe, la révolution industrielle battait son plein. Partout des usines sortaient de terre à l'ombre des terrils et des cheminées sales. Les villes grossies des ruraux dont les campagnes, elles aussi touchées par le progrès, ne voulaient plus, débordaient sur le plat pays dans le plus grand désordre. Une nouvelle civilisation voyait le jour : celle du charbon et de l'industrie, des cités et du chemin de fer. Ces foules laborieuses avaient faim. Déracinées, exploitées, contraintes de vivre dans des conditions souvent misérables, elles regrettaient parfois de s'être laissé prendre aux lumières de la ville. Elles avaient soif aussi. Le travail était dur, l'horizon borné. L'absinthe bien sûr, mais aussi le vin leur apportèrent l'énergie nécessaire et la part de rêve qui manquait à leur existence. La consommation de vin s'accrut.

Les vignobles du Nord n'y suffirent plus et bientôt il fallut aller s'approvisionner ailleurs. Le Midi présentait dans cette affaire de multiples atouts : le climat garantissait des récoltes abondantes et régulières ; l'espace et les capitaux étaient largement disponibles. Le chemin de fer arriva à point nommé. Il quadrilla la France, mit en relation le Nord et le Sud, l'Est et l'Ouest. Dès 1839 la ligne Montpellier-Sète était achevée. En 1856, Languedoc et Roussillon étaient reliés à Paris par la vallée du Rhône. Deux ans plus tard ils le furent par Bordeaux. Le dessin des lignes maîtresses fut achevé en 1889 par l'ouverture de la ligne Béziers-Neussargues en direction du nord par le Massif central. La question du transport, qui avait si longtemps bridé la viticulture méridionale, était résolue et son coût abaissé de 80 %. Sur ces artères principales vinrent se greffer des milliers de kilomètres de voies secondaires. Des convois de wagons-foudres se mirent à sillonner le Midi, s'arrêtant dans toutes les gares transformées en entrepôts.

La région se couvrit de vignes. Tel un raz-de-marée que rien ne peut endiguer, les ceps noyèrent les champs de blé et les olivettes, submergèrent une économie traditionnelle depuis des siècles vouée à la polyculture. Chacun, dans la mesure de ses moyens, s'efforça d'en profiter : les paysans bien sûr qui, sans regret, se muèrent en viticulteurs ; les habitants des villes, artisans, commerçants, ouvriers même, désireux de toucher leur part, ne serait-ce qu'avec quelques ares, de l'enrichissement général ; les bourgeois et la vieille noblesse enfin, trop heureux de trouver là un placement lucratif autant qu'inespéré. Les chiffres parlent d'eux-mêmes. De 1820 à 1870 le vignoble vit sa superficie plus que doubler pour atteindre le chiffre considérable de 467 000 hectares à la veille du phylloxera. Quant à la production, grâce à la mise en culture des riches terres de la plaine, à la fumure systématique des sols, à la modification de l'encépagement et des modes de conduite, elle fut multipliée par sept, passant de 3 millions à 21 millions d'hectolitres. Formidable mutation qui vit en quelques décennies une région entière se jeter à corps perdu dans la viticulture de masse au moment précis où d'autres, partout en Europe, se couvraient d'usines.

## Oïdium, mildiou et phylloxera

Mais toute monoactivité recèle des dangers. Déjà dans les années 1850, un champignon inconnu, l'oïdium, s'était abattu sur les grappes et avait causé des dégâts considérables. La récolte avait chuté de moitié provoquant une envolée des prix. Le remède fut cependant rapidement découvert grâce à la sagacité d'Henri Marès, un grand propriétaire gardois, qui mit au point le procédé du soufrage des vignes. En 1879, ce fut au tour du mildiou, un autre champignon microscopique, de coloniser les sarments et les baies. La réponse vint cette fois de Gironde avec la bouillie bordelaise, une solution de sulfate de cuivre dont il fallait badigeonner les grappes.

Mais la grande affaire fut le phylloxera. *Phylloxera vastatrix* (le qualificatif est suffisamment clair) est un insecte originaire d'Amérique qui s'attaque aux racines et entraîne à brève échéance la mort du cep. Apparu en 1863 dans le Gard, il balaya toute la région d'est en ouest en une vingtaine d'années. Les conséquences de cette invasion furent catastrophiques, surtout dans le Gard et dans l'est de l'Hérault, les premiers touchés. Les trois quarts du vignoble disparurent en moins de dix ans. En revanche le Biterrois, l'Aude et le Roussillon eurent davantage de chance car, atteints plus tard par le fléau, ils purent accumuler des réserves financières en vue de la reconstitution du vignoble. Après de multiples tâtonnements, une solution fut en effet trouvée : le greffage de cépages français sur des plants américains dont la caractéristique est d'être immunisés contre les piqûres du phylloxera. A partir de 1880 le Midi se lança dans un immense mouvement de replantation. On en profita pour étendre le vignoble dans les plaines inondables et sur les sols sableux du cordon littoral et de la Camargue où on avait remarqué que l'insecte ne pouvait se reproduire. C'est que le vin se vendait bien au cours de ces années de pénurie : 40 francs l'hectolitre en moyenne. La demande restait immense et l'offre parcimonieuse. Dans la région de Béziers on pouvait amortir l'achat d'une exploitation en deux récoltes ! Les nouveaux riches, ivres de succès et de puissance, voulurent arborer celle-ci de manière plus ostensible. Ils se firent construire des demeures splendides d'un luxe inouï, les « folies » dont le style parfois douteux (mais pas toujours) évoque plus le goût de familles parvenues que celui des vieilles lignées terriennes.

Le vignoble, en tout cas, avait réussi à surmonter ces terribles obstacles. Rien ne semblait plus pouvoir désormais l'arrêter dans sa marche conquérante. Certaines régions du Nord ne s'étaient pas relevées du phylloxera ; la consommation continuait de s'accroître. La prospérité était bien installée en Languedoc et en Roussillon. L'âge d'or pourtant ne devait pas durer longtemps. Dès la fin du XIXᵉ siècle, des nuages lourds et menaçants s'amoncelaient à l'horizon.

## Le temps des crises

Avec le XXᵉ siècle, le vignoble de masse méridional pénétra dans une zone de turbulence. Lui qui avait su négocier avantageusement les écueils jusque-là semés sur sa route s'apprêtait à affronter de nouveaux et redoutables périls.

Le tournant du siècle fut marqué par une crise sans précédent. Les cours du vin, déjà peu élevés depuis 1895, s'effondrèrent brutalement après 1900 à moins de 8 F l'hectolitre. A ce prix, chacun en était d'accord, les frais de culture n'étaient même plus couverts ! La responsable de cette crise se nommait surproduction. Le vignoble méridional, entièrement reconstitué avec des variétés productives comme l'aramon, le carignan, l'alicante Bouschet et les hybrides producteurs directs, donnait à présent à plein. Vinrent s'ajouter à cette production déjà pléthorique, les vins en provenance d'Algérie, pays où, depuis le phylloxera, un imposant vignoble avait vu le jour. La fraude se mêla de la partie. Plusieurs millions d'hectolitres de vins artificiels, savante alchimie d'alcool, de sucre, de raisins secs et d'eau étaient déversés annuellement sur le marché. Assurément de mauvaises habitudes avaient été prises au temps de la pénurie.

La chute des cours entraîna le Midi au bord de la misère. Les « gueux », comme ils se nommaient eux-mêmes, se révoltèrent. A leur tête Marcelin Albert, un vigneron et cabaretier d'Argeliers dans l'Aude, devint le symbole du mouvement qui souleva toute la région. Les manifestations monstres succédèrent aux manifestations monstres. Celle de Montpellier, le 9 juin 1907, rassembla près de 500 000 personnes, le quart de la population régionale ! Le 20 juin à Narbonne il y eut des morts. Par centaines des municipalités démissionnèrent à commencer par Ferroul, le maire socialiste de Narbonne. Un régiment, le 17e de ligne de Béziers, se mutina au cours de manœuvres. Composé de recrues originaires de la région, il craignait d'être envoyé réprimer les manifestants. Le Midi était au bord de la guerre civile.

Puis le mouvement retomba. Clemenceau sut habilement exploiter la naïveté de Marcelin Albert qui avait commis la maladresse de « monter à Paris » seul et sans argent. Il poussa même le cynisme jusqu'à offrir au leader viticole 100 F pour le billet de retour. Cette affaire, habilement divulguée par la presse gouvernementale, jeta le discrédit sur « l'apôtre d'Argeliers ». Quelques lois, dont celle instituant le Service de la répression des fraudes, des mesures de clémence à l'égard de manifestants arrêtés par la police désamorcèrent les revendications. Le calme revint. La très faible récolte de 1910, l'augmentation de la consommation, puis la Première Guerre mondiale firent le reste. Ce n'était que partie remise.

La crise de 1907 eut une conséquence importante : le développement du mouvement coopératif. La naissance du vignoble de masse avait eu pour effet d'accroître considérablement les coûts de production : la contrainte du greffage, des traitements anti-cryptogamiques, la recherche de rendements toujours plus élevés, la nécessité d'investir pour acquérir cuves et matériel vinaire, représentaient des dépenses nouvelles qui n'étaient pas à la portée de tous. Dans ce contexte la grande propriété, qui disposait de réserves de capitaux et pouvait réaliser des économies d'échelle, se trouvait avantagée. Les petits viticulteurs en revanche éprouvaient de grandes difficultés à suivre le mouvement et menaçaient de disparaître, victimes de la concurrence. En cas de mévente, ils étaient les premiers touchés. La solution ? S'unir pour partager les frais et faire jeu égal avec les grosses exploitations. La première cave coopérative fut créée à Maraussan, près de Béziers, en 1901. Dix ans plus tard on en comptait déjà 41 dans la région.

Aujourd'hui elles sont 545, regroupent 55 000 viticulteurs et vinifient les deux tiers de la production méridionale. Nous en reparlerons.

En résorbant les excédents et en ouvrant de nouveaux débouchés aux vins du Midi (l'armée pendant le conflit avait passé des commandes massives pour assurer leur quart de rouge aux poilus), la Première Guerre mondiale avait relégué la crise de 1907 au rang des mauvais souvenirs. Les prix avaient retrouvé de hauts niveaux. Ils dépassaient 100 F l'hectolitre, cours tout à fait acceptable en dépit de l'érosion monétaire. La paix revenue, les viticulteurs méridionaux entreprirent de remettre le vignoble en état et n'hésitèrent pas à l'étendre encore par de nouvelles plantations. En 1935, au terme de quinze années de croissance, la vigne couvrait 489 000 hectares, record absolu ! Malheureusement cette nouvelle période d'euphorie (et d'inconscience) ne pouvait pas durer. Dès 1932, les cours retombèrent.

Cette fois l'Etat intervint avant que la situation ne devienne explosive. Sous l'impulsion d'Edouard Barthe, député de l'Hérault, la Chambre vota une série de mesures destinées à rétablir l'équilibre sur le marché (et de préserver le calme sur le terrain). Le « statut viticole » de 1935 comportait trois axes : blocage de la récolte, échelonnement des sorties et distillation des excédents. La prospérité ne revint pas pour autant mais le pire fut tout de même évité. Comme vingt ans auparavant, la Seconde Guerre mondiale vint fort opportunément mettre fin au marasme.

La tourmente passée, chacun se mit à espérer le retour de l'âge d'or. Ce ne fut qu'un répit. En 1951 le marché croulait à nouveau sous les excédents. La troisième crise de mévente commençait et avec elle l'agitation sociale renaissait. Une nouvelle fois, le Midi viticole appelait les pouvoirs publics au secours. Le statut viticole, qui avait perdu sa raison d'être pendant la guerre, fut partiellement remis en vigueur. Pourtant la dimension structurelle de la crise apparaissant désormais clairement, l'Etat tenta cette fois d'aller plus loin en s'attaquant aux racines mêmes du mal. Un Institut des vins de consommation courante (I.V.C.C., aujourd'hui O.N.I.V.I.N.S.) fut créé auquel furent confiées plusieurs missions, dont deux essentielles : réduire le vignoble grâce à une incitation financière à l'arrachage ; améliorer l'encépagement... Il s'agissait là d'un revirement important, lequel coïncidait avec la prise de conscience chez certains vignerons que seule une véritable politique de qualité pouvait apporter une solution durable à ces crises en cascade. Pour la première fois le vignoble de masse était contesté dans son existence même.

Malheureusement on perdit encore du temps. Les fortes gelées de 1956, l'amorce du processus de décolonisation en Afrique du Nord et la vigueur d'un syndicalisme viticole partisan du statu quo sauvèrent une fois de plus la viticulture industrielle. Les primes d'arrachage furent supprimées dès 1956 et la politique de qualité, sauf dans quelques coteaux ayant obtenu leur classement en V.D.Q.S., fut mise en sommeil. En fait d'amélioration de l'encépagement, on se contenta de substituer à l'aramon le carignan. En revanche, l'intervention de l'Etat, sans cesse sollicitée, se fit de plus en plus forte. Le Midi tout entier prenait l'habitude de vivre sous perfusion, remettant toujours au lendemain sa nécessaire autocritique. Fuite en avant ? Politique de l'autruche ? Manque de courage des autorités politiques de l'époque ? Vingt ans furent alors perdus qui sont aujourd'hui lourds de conséquences.

## Le coup de grâce et la victoire de la qualité

Jusqu'aux années 1970, l'illusion d'un retour de l'âge d'or pouvait sans trop de peine être entretenue par autopersuasion. Ce n'est plus le cas depuis.

La vérité statistique est tombée tel un couperet. Le vin ordinaire, celui qui fit autrefois la fortune du Midi, n'intéresse plus les Français. S'il est encore apprécié dans quelques bastions géographiques, tels la Bretagne ou le Massif central, il déserte la table quotidienne de la majorité des foyers. Plus grave, les jeunes et les citadins, c'est-à-dire les catégories montantes de la société, le boudent. Ils lui préfèrent la bière, les sodas ou tout simplement l'eau minérale. On veut des chiffres ? Ils sont cruels. En 1960, un Français adulte consommait en moyenne 120 litres de vin de table par an. En 1990, il n'en absorbe plus que la moitié. Et cette évolution n'est pas propre à la France ; elle concerne aussi les autres pays à tradition viticole, l'Italie, l'Espagne, le Portugal, la Grèce... Certes, la consommation augmente dans certains pays, notamment chez les Ango-Saxons, mais ces modestes progrès sont loin de compenser les pertes enregistrées sur les grands marchés d'Europe du Sud.

Qu'on ne s'y trompe pas. Cette désaffection n'est pas un phénomène de mode. C'est au contraire une tendance structurelle, inscrite dans l'évolution globale de la société et des modes de vie nouveaux qu'elle engendre. Et à ce titre elle est irréversible.

Les pouvoirs publics l'ont bien compris. Après avoir soutenu à bout de bras la viticulture méridionale, dans le cadre national d'abord puis, à partir de 1970, dans celui de la Communauté européenne, ils ont décidé de faire machine arrière. Aux mesures visant à soutenir les cours du vin, primes de stockage, régimes de distillation attractifs... a petit à petit succédé une réglementation contraignante et dissuasive : incitations à l'arrachage, distillation obligatoire à bas prix frappant les hauts rendements... Le virage ne fut pas facile à négocier tant les habitudes étaient ancrées. Il y fallut du temps et un certain doigté politique, précautions qui ne parvinrent d'ailleurs à éviter ni les mouvements de contestation, ni les drames : en 1976, deux hommes, un viticulteur audois et un officier de gendarmerie le payèrent de leur vie au terme d'une manifestation qui dégénéra à Montredon dans les Corbières.

Ce désengagement des pouvoirs publics se doubla d'une politique visant à encourager l'amélioration de l'encépagement, l'équipement des caves ainsi que la modernisation des structures de production et de commercialisation.

Confronté à ce nouvel environnement économique et législatif, le vignoble du Languedoc-Roussillon s'est profondément transformé depuis une vingtaine d'années. D'abord il a rétréci comme peau de chagrin, passant de 430 000 à 350 000 hectares. C'est la première fois depuis le phylloxera qu'on enregistre un tel recul. Signe des temps qui pourrait bien annoncer à terme la fin du vignoble de masse. Principales victimes des arrachages : le vignoble de plaine, notamment aux alentours des villes et du littoral ; mais aussi celui qui s'accrochait aux versants les plus âpres et les plus pentus de la bordure montagneuse. Le vignoble s'est en quelque sorte recentré sur les terroirs intermédiaires des soubergues et des garrigues, c'est-à-dire dans son berceau géographique originel. Le phénomène n'est pas sans soulever de graves interrogations. Dans de nombreux secteurs, la disparition des vignes menace l'existence des caves coopératives privées d'une partie de leurs apports ; certes des regroupements sont possibles mais ils ne sont pas toujours aisés. Dans ces cas l'arrachage des vignes signifie tout simplement la mort des villages.

Mais le vignoble méridional ne fait pas que diminuer en surface ; il s'oriente résolument vers la qualité. Le chemin parcouru depuis deux décennies est considérable. L'existence même de ce guide en est la preuve. Au vignoble de masse pourvoyeur de vins anonymes et sans grand intérêt est en train de se substituer un archipel de crus personnalisés : appellations d'origine contrôlée (A.O.C.), vins délimités de qualité supérieure (V.D.Q.S.), vins de pays qui chaque année progressent pour le plus grand plaisir du consommateur averti.

Parallèlement les producteurs se sont organisés. Des groupements de producteurs, rassemblant caves coopératives et caves particulières, ont été créés. Ils tentent, avec des fortunes diverses, de coordonner les efforts de leurs adhérents mais surtout de contrôler et de développer la commercialisation de leurs produits. Certains ont pris une ampleur considérable : Val d'Orbieu, U.C.C.O.A.R., S.I.C.A. de Peyriac, Vignerons Catalans...

En un mot : le vignoble du Languedoc et du Roussillon bouge. Il change à une vitesse qui laisse pantois les observateurs. Certes tout n'est pas rose. Des résistances, des mauvaises habitudes, des erreurs subsistent qui freinent les efforts des plus dynamiques. Mais que de chemin parcouru ! La suite de ce guide devrait vous en convaincre.

# Evolution du vignoble du Languedoc-Roussillon 1800-1990

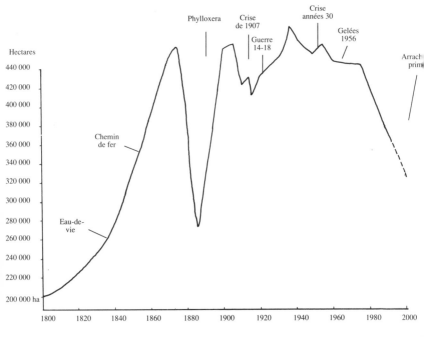

*On distingue clairement sur cette courbe les grands événements qui ont marqué l'histoire du vignoble méridional. La croissance du vignoble en liaison avec le marché de l'eau-de-vie (XVIII<sup>e</sup>, début XIX<sup>e</sup> siècles) et le chemin de fer (après 1850), l'effondrement phylloxérique, les chocs des guerres et des crises, et enfin le reflux actuel provoqué par la chute de la consommation et les incitations à l'arrachage. C'est vraiment une époque qui semble s'achever : celle du vignoble de masse.*

# LES FACTEURS
# DE LA QUALITÉ

- Les terroirs
- Les cépages
- Les hommes

# Les terroirs

Le célèbre agronome Olivier de Serres, auteur du *Théâtre de l'agriculture et du mesnage des champs*, écrivait à la fin du XVIᵉ siècle que la qualité d'un vin tient en trois mots : « l'air, la terre et le complant », autrement dit le climat, le sol et le cépage. On serait tenté d'ajouter, le vin étant d'abord une œuvre humaine, « de l'art du vigneron et du talent du vinificateur », mais cela n'ôterait rien à la pertinence des propos de notre illustre auteur.

Il est des définitions qui, de prime abord, peuvent sembler hermétiques. Celle du terroir en est une. Que lit-on sous la plume des spécialistes ? « Un terroir est une unité morpho-pédoclimatique considérée sous le rapport de ses aptitudes agricoles » (donc dans le cas qui nous préoccupe, viticoles). En français cela veut dire que terroir n'est pas seulement synonyme de sol. C'est le sol, bien sûr, qui peut être argileux, limoneux, graveleux..., plus ou moins apte à retenir l'eau, plus ou moins riche en éléments assimilables par la plante..., mais le sol replacé dans son environnement. Sous quel climat ? méditerranéen ou océanique ? Est-il au fond d'une vallée ? Dans ce cas le drainage sera problématique et les gelées fréquentes. Est-il adossé à un coteau ? Alors il se ressuiera vite mais l'exposition jouera un grand rôle...

Bref, étudier un terroir viticole ce n'est pas seulement disserter de pédologie et de géologie ; c'est aussi s'intéresser au climat qui l'entoure et au relief qui le porte. De la combinaison des trois, et du travail des hommes, résulteront les caractéristiques du milieu qui accueillera la vigne, du « biotope » comme disent les écologues, « de l'air et de la terre » pour parler comme Olivier de Serres.

# Atouts et servitudes du climat méditerranéen

## Des calories généreusement distribuées

Il est rare qu'en Languedoc et en Roussillon la vigne souffre du froid. Les hivers sont en effet plutôt doux : 6° à Montpellier, 7° à Perpignan au mois de janvier. C'est beaucoup plus qu'en Champagne (1°), qu'en Touraine (3°) et même qu'à Bordeaux (5°). Mais rare ne signifie pas impossible. Des vignes ont péri des gelées en 1709, en 1956 et plus récemment en 1984, année qui vit aussi disparaître les magnifiques mimosas de Berlou. A Perpignan, ville dont le nom évoque des images généralement estivales, le thermomètre est descendu jusqu'à − 11° en février 1956. Le risque augmente bien sûr avec l'altitude et la position topographique. Au nord de Montpellier, dans le bassin de Saint-Martin-de-Londres (200 mètres d'altitude) on a enregistré − 29° le 4 février 1963 ! Les gelées printanières, moins spectaculaires mais plus dangereuses encore, sont également connues et craintes. Une année sur cinq il peut geler à Montpellier en avril, époque à laquelle la vigne a généralement déjà débourré. Il convient pourtant de ne rien exagérer. Languedoc et Roussillon sont avec la Provence et la Corse, les régions viticoles françaises les mieux préservées de ce type d'accidents.

En été moins de fantaisies. La chaleur est au rendez-vous et les touristes le savent bien qui viennent lézarder sur les plages. Il fait 23° à Béziers au mois de juillet, 24° à Nîmes et à Perpignan, 6° de plus qu'à Paris ! Certaines journées peuvent être torrides, le mercure n'hésitant pas en ces occasions à flirter avec les 40° (à l'ombre). Inutile alors de s'échiner à travailler les vignes. Les viticulteurs du Midi sont hommes qui se lèvent tôt en été, et travaillent tard le soir pour profiter de la fraîcheur.

La vigne n'a cependant pas les mêmes rythmes biologiques que l'homme. L'hiver l'intéresse peu : c'est sa période de repos. La saison végétative débute avec le printemps, généralement durant le mois de mars lorsque la température moyenne de la journée dépasse 10°. En calculant la somme des températures quotidiennes supérieures à cette valeur pendant toute la période végétative (d'avril à septembre inclus pour simplifier) on a donc une idée de la quantité de chaleur dont la vigne dispose pour accomplir son cycle : débourrement, floraison, nouaison, véraison, maturation du raisin. Dans le Midi cette somme est élevée : 1 687° à Montpellier, 1 785° à Nîmes, 1 883° à Perpignan,

1 969° à Rivesaltes, valeurs à comparer aux 1 381° de Bordeaux, aux 1 260° de Beaune et aux malheureux 993° de Reims.

Ces calories généreusement dispensées permettent au Midi de pouvoir accueillir tous les types de cépages : les cépages méditerranéens bien sûr, exigeants en chaleur tels que le carignan, le grenache ou le mourvèdre..., mais aussi les variétés exploitées dans les régions plus fraîches où elles ne mûrissent pas toujours. La liste serait longue : cabernet, pinot, chardonnay, sauvignon... et elle n'est pas limitative. Judicieusement implantés, convenablement conduits et intelligemment vinifiés, ces cépages donnent des résultats remarquables et souvent méconnus.

Il ne faudrait cependant pas accréditer l'idée qu'une région aussi vaste que le Languedoc-Roussillon baigne tout entière dans cette atmosphère torride. Si la plaine, les coteaux bien orientés et certains bassins de garrigue bénéficiant d'un effet de serre ne manquent de rien, la quantité de chaleur reçue décroît sensiblement avec l'altitude : Bédarieux, à 212 mètres d'altitude, doit se contenter de 1 482° ; Avène-les-Bains à 301 mètres de 1 259°. Quant à Roqueredonde, perchée à 680 mètres sur le massif de l'Escandorgue, elle n'a droit qu'à 870° (mais on n'y trouve point de vigne). De la même façon, quoique plus modestement, elle diminue lorsque l'on quitte à l'ouest le domaine méditerranéen strict : 1 556° à Carcassonne ; 1 452° à Castelnaudary ; 1 419° au seuil de Naurouze où finit la région. Dans certaines de ces situations limites les cépages méditerranéens peinent à mûrir. Mais pas les autres qui continuent de trouver là des conditions thermiques tout à fait favorables. En conclusion le facteur thermique est rarement limitant dans le Midi. Il n'en est malheureusement pas de même pour l'eau.

## Une sécheresse tyrannique

Les prospectus touristiques destinés à « vendre » le Languedoc et le Roussillon ne perdent jamais une occasion de vanter leur ensoleillement : 2 693 heures par an à Perpignan ; 2 722 à Montpellier ; 2 815 à Nîmes ! La comparaison avec Paris est cruelle : 1 785 heures, soit 1 000 de moins ! Beaune avec 1 927 heures et Bordeaux avec 2 059 heures apparaissent un peu mieux lotis, mais quel écart tout de même avec les rivages de la Grande Bleue ?

Cet ensoleillement exceptionnel a pour corollaire un faible nombre de jours de pluie. On en compte 88 seulement à Montpellier, 73 à Sète et 65 à Narbonne (à comparer aux 162 de Bordeaux). Les précipitations

## Distribution annuelle des précipitations

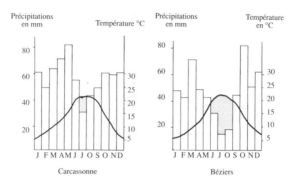

Carcassonne                    Béziers

*Le climat du Languedoc-Roussillon est de type méditerranéen c'est-à-dire doux et arrosé en hiver, très chaud et très sec en été. Toutefois on note des différences sensibles d'une région à l'autre. Sur le pourtour montagneux, la température diminue tandis que les précipitations augmentent. De même, les influences méditerranéennes s'atténuent dans l'ouest de l'Aude au fur et à mesure que se renforce l'influence océanique. Carcassonne est ainsi nettement plus arrosée que Béziers et la période de sécheresse y est diminuée de moitié. Ces considérations ne sont pas sans conséquences sur le choix des cépages. Le carignan est ainsi interdit dans les côtes de la Malepère et le Cabardès alors que le merlot et le cabernet sauvignon y sont autorisés.*

sont concentrées en automne, saison de loin la plus arrosée, et au printemps. L'été en revanche est sec. Tant que l'anticyclone des Açores prend ses quartiers au-dessus de la Méditerranée, les perturbations d'origine atlantique ne peuvent se frayer un chemin. De juin à août le ciel est donc presque invariablement bleu et il ne faut pas compter durant cette période sur les quelques orages pour étancher la soif de la végétation. Cette terrible sécheresse est encore accentuée par les vents violents, surtout les vents de terre, qui se déchaînent à loisir. Le Midi, pays du soleil, est aussi le royaume d'Eole. A Perpignan la tramontane souffle un jour sur trois. Si elle rend « fous » les Catalans, elle assèche aussi le sol en quelques heures, tout comme le fait le cers entre Narbonne et Béziers et le mistral dans la vallée du Rhône.

Et pourtant les quantités d'eau tombées au cours de l'année pourraient, si l'on n'y prenait garde, induire en erreur. Si Narbonne et certaines portions du Roussillon comptent, avec moins de 500 millimètres de pluie par an, parmi les régions les moins arrosées de France, quelle surprise de constater qu'il pleut autant à Perpignan qu'à Paris (630 mm), et à Montpellier qu'à Quiberon (750 mm). Mais ces pluies, on l'aura compris, tombent ici de manière irrégulière. Point de crachin mais des averses violentes, quasi tropicales, qui peuvent sans crier gare déverser en quelques heures la lame d'eau qui s'abat sur la Bretagne en trois mois ! Les effets de ces pluies diluviennes défraient de temps à autre la chronique : parkings souterrains inondés dont il faut sortir à la nage, promeneurs emportés par la crue soudaine d'un « oued » ou aspirés par une bouche d'égout, ville entière enfin submergée par un fleuve de boue. Les vignerons des coteaux connaissent de longue date les effets dévastateurs de ces orages, eux qui doivent régulièrement « remonter » la terre dans leurs vignes pour rechausser les ceps mis à nu par l'érosion.

S'adapter à un climat aussi fantasque n'est pas toujours chose aisée pour la vigne, plante dont les exigences en eau sont très spécifiques, en particulier parce qu'elles varient considérablement à l'intérieur du cycle végétatif.

Celui-ci débute généralement au mois de mars par les « pleurs », écoulements de sève à la faveur des plaies de taille, qui matérialisent la reprise de la circulation interne. Début avril a lieu le débourrement, c'est-à-dire la sortie des bourgeons, puis, dans le courant de juin, la floraison. Les grappes apparaissent peu après (nouaison). Dans le mois qui suit (juillet, début août), les grappes grossissent par multiplication cellulaire. Elles contiennent alors peu de sucre et présentent une très forte acidité. Durant cette première phase les besoins en eau de la plante sont importants puisque c'est aussi la période de croissance de la végétation : feuilles et sarments. Elle n'en manque pas en général car le printemps est bien arrosé dans le Midi et le sol, au sortir de la saison froide, a généralement accumulé des réserves. Autre avantage, la rapide élévation de la température à la fin du printemps, le tarissement précoce des précipitations et la bonne aération due au vent du Nord favorisent une floraison rapide (ce qui atténue les risques de coulure) et limitent les attaques de mildiou et d'oïdium. En année moyenne on traite moins souvent la vigne dans le Midi que dans les régions septentrionales plus sujettes à ce type d'agressions. Cela ne veut pas dire bien sûr qu'il n'y ait pas de temps en temps en Languedoc et en Roussillon des printemps « pourris ». Ils sont simplement moins nombreux que dans d'autres régions.

Une étape décisive est franchie au mois d'août avec la véraison. Les raisins changent alors de couleur. Les blancs, jusqu'alors verts, deviennent translucides ; les rouges commencent à foncer. Ces transformations sont le signe d'une modification profonde du métabolisme de la plante. La teneur en sucre des baies augmente brutalement tandis que certains acides (comme l'acide malique) commencent à être brûlés par la respiration cellulaire. La véraison est, disions-nous, une étape décisive. Si après cette date la vigne continue d'être alimentée activement en eau, cas fréquent dans les sols trop humides ou lorsque la parcelle est irriguée sans retenue, les sarments vont poursuivre leur croissance et concurrencer les baies qui ne pourront mûrir convenablement. Le rendement, surtout si la taille a été généreuse et la fumure abondante, sera élevé et les raisins peu sucrés, peu colorés ne pourront donner qu'un vin médiocre. Leur teneur en matières sèches sera insuffisante. Si à l'inverse la vigne est sevrée trop brutalement,

## Pluies et températures en Languedoc-Roussillon

⌣ 600 : isohyète 600 mm de pluie

1507 : Bilan thermique 1er avril-31 octobre (somme des températures supérieures à 10 °C.)

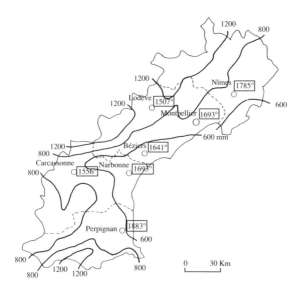

Cette carte illustre bien les variations régionales des totaux pluviométriques et des bilans thermiques enregistrés dans le Midi. On lit parfaitement l'influence du relief, de la latitude et celle des vents d'ouest d'origine atlantique qui s'engouffrent par le seuil du Lauragais.
En revanche la carte laisse sous silence un phénomène pourtant décisif : ces valeurs sont des moyennes, sujettes à de fortes variations interannuelles. Sous climat méditerranéen une moyenne de 600 millimètres de pluie ne signifie pas grand chose. Une année, il peut tomber 300 mm et l'année suivante plus d'un mètre.

phénomène courant lorsqu'elle est implantée dans des sols trop superficiels, elle risque de subir un stress hydrique : les raisins ne grossiront plus, les acides seront mal transformés et la synthèse des substances aromatiques s'effectuera difficilement. Au pire, ils se dessécheront sur pied.

Entre ces deux extrêmes, l'idéal est une raréfaction progressive de l'alimentation en eau, raréfaction juste suffisante pour stopper la croissance de la végétation sans interrompre la migration des sucres vers les baies et la fixation dans celles-ci des principes colorants, tanniques et aromatiques : anthocyanes, tannins, polyphénols... Tout l'art du vigneron consiste précisément à savoir utiliser le milieu dont il dispose en jouant des différents paramètres qu'il contrôle : adaptation du meilleur cépage, choix du porte-greffe, détermination de la densité de plantation et du mode de conduite, recours raisonné (et raisonnable) à l'irrigation quand cela est possible... Ce faisant, il peut non seulement tirer le meilleur parti d'un terroir donné mais encore le modifier en le pliant (en partie) à ses désirs.

La qualité du raisin, et donc dans une large mesure du vin, est aussi bien sûr liée à son état sanitaire au moment de la récolte. Souvent passé le 15 août, le ciel se voile et l'atmosphère devient plus lourde. Le marin, vent venu de la mer, entretient alors un fort taux d'hygrométrie qui, combiné à la chaleur ambiante, active la prolifération des parasites de la vigne. Si les traitements préventifs n'ont pas été faits à temps, les dégâts peuvent être considérables. Les vignerons redoutent plus encore la pourriture grise qui peut en quelques jours envahir des tènements entiers.

Les orages sont aussi plus fréquents du fait de la dislocation de l'anticyclone. S'il pleut abondamment à la veille des vendanges ou pendant celles-ci, les grappes se gonflent d'eau : les moûts seront alors dilués et perdront en qualité. Le vin en souffrira. Ainsi, les conditions météorologiques catastrophiques de la vendange 1987 furent responsables de vins en général clairs et aqueux. Seuls les meilleurs vinificateurs surent cette année-là élaborer des vins satisfaisants. En revanche les crus 1988 et 89 bénéficièrent des meilleures conditions d'ensoleillement. Les raisins étaient parfaitement sains et mûrs, les vins sombres, pleins, concentrés... La notion de millésime, contrairement à certaines idées reçues, n'est donc pas inconnue en Languedoc et en Roussillon. Si la chaleur est toujours (ou presque) au rendez-vous, le volume et la distribution des pluies sont fort irréguliers. Imprévisible climat méditerranéen !

# Une mosaïque de sols

Peu de régions possèdent une aussi grande variété de sols que le Languedoc et le Roussillon. La dimension de cet ensemble géographique en est certes responsable mais aussi la complexité de son histoire géologique.

## Petite histoire géologique

Les terrains les plus anciens qui constituent la région remontent à l'ère primaire (550-220 millions d'années). Ce sont les granites du massif de l'Agly près de Caramany et de Latour-de-France, les gneiss et les micaschistes des Albères, les calcaires métamorphisés en marbre que l'on exploite à Laurens et à Caunes-Minervois et surtout les schistes d'âges variés qui à Faugères, Saint-Chinian, dans les hautes Corbières et à Banyuls constituent le support d'excellents vignobles. A cette époque une puissante chaîne de montagnes occupait toute la région. Elle fut détruite à la fin de l'ère primaire et une partie de ses débris s'accumulèrent dans des dépressions où ils ont été conservés. Les plus caractéristiques sont les « ruffes », ces grès rouges qui tapissent le secteur de Lodève, vignoble inclus aujourd'hui dans les Coteaux-du-Languedoc.

Dès le début de l'ère secondaire, le Languedoc et le Roussillon présentaient un relief presque entièrement nivelé. La mer s'y avança à plusieurs reprises, déposant en alternance d'épaisses couches de calcaires et de marnes. Les calcaires du jurassique forment le soubassement des garrigues de Montpellier et Saint-Martin-de-Londres, fragments détachés du causse du Larzac ; ceux du crétacé arment les garrigues gardoises et les prolongent vers le nord jusqu'en Ardèche. On les retrouve plus à l'ouest dans le secteur de Saint-Chinian et surtout dans une grande partie des Corbières et du Rivesaltais.

A l'ère tertiaire les mouvements orogéniques reprirent et aboutirent au soulèvement des Pyrénées. La nouvelle chaîne se prolongeait en fait jusqu'en Provence, occupant l'emplacement actuel du golfe du Lion. Cette surrection entraîna de violents plissements et surtout de gigantesques glissements du manteau sédimentaire déposé précédemment. Les Corbières orientales, l'arc de Saint-Chinian et même les Alpilles en Provence ne seraient que des lambeaux isolés du formidable front de charriage qui s'avança alors vers le nord en chevauchant les terrains sous-jacents et en déformant, comme au pic Saint-Loup, ceux contre lesquels il vint buter. L'érosion se déchaîna sur ce relief tout neuf lui arrachant toutes sortes de matériaux : gros blocs cimentés en poudingues, éclats anguleux rassemblés en brèches, éléments plus fins argileux, sableux ou calcaires compactés en grès... vinrent ainsi s'entasser en contrebas. Ils affleurent aujourd'hui sur de vastes surfaces en Minervois, Limouxin et au nord des Corbières.

Mais les mouvements ne cessèrent pas pour autant. A l'oligocène (milieu du tertiaire), la pression orogénique se relâcha, entraînant l'effondrement de larges pans de l'édifice le long de failles probablement très anciennes qui rejouèrent à cette occasion. Ainsi apparut le golfe du Lion, mais aussi le fossé d'Alès tandis que les garrigues se dissociaient des grands causses. A l'inverse certaines portions se virent portées en altitude. Cévennes et Montagne Noire, déjà bien usées, rajeunirent d'un coup.

La mer revint au miocène lécher la bordure des reliefs. Elle déposa entre Béziers et le Rhône des calcaires sableux, parfois mêlés de grès, généralement désignés sous le nom de molasse. Elle s'avança plus timidement au pliocène mais laissa encore des argiles et des sables au sud de Nîmes et de Montpellier ainsi qu'entre Orb et Hérault. Ces dépôts marins tardifs constituent, avec d'autres, les sites privilégiés d'implantation du vignoble de masse.

Le quaternaire fut, quant à lui, marqué par deux événements importants : la constitution des terrasses caillouteuses et le développement de manifestations volcaniques.

La succession de phases climatiques chaudes et froides eut pour conséquence de modifier à plusieurs reprises le tracé et surtout le régime des cours d'eau. Périodes d'alluvionnement, lorsque le niveau de la mer était élevé, alternèrent avec des périodes de creusement contemporaines des glaciations. Ainsi se mirent en place les systèmes de terrasses fluviatiles qui encadrent les vallées actuelles du Roussillon, du Minervois, de l'Hérault et d'ailleurs. C'est au Rhône qu'il convient d'attribuer l'origine des dépôts de galets alpins qui forment aujourd'hui les Costières de Nîmes. Il s'agit de vestiges d'une époque où le fleuve se jetait dans la mer entre Nîmes et Montpellier (jusque vers − 600 000 ans). Ces épandages caillouteux, fréquemment siliceux car ils proviennent des massifs environnants, sont presque toujours colonisés par la vigne qui y trouve des conditions souvent favorables à une production de qualité.

Le second événement marquant du quaternaire fut l'apparition du volcanisme. Il débuta en fait plus tôt, il y a plus de trois millions d'années, mais très au nord, en des zones où, comme le sud du Larzac, on ne rencontre pas de vigne. Des coulées de lave très fluides s'épanchèrent en direction de la mer. On les suit aujourd'hui dans le massif de l'Escandorgue, près de Lodève et aux abords du lac du

# Géologie simplifiée du Languedoc-Roussillon

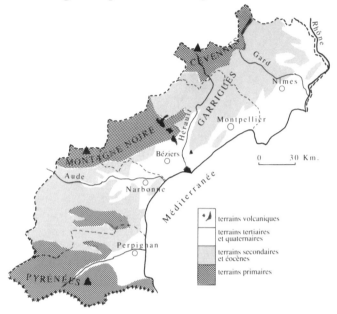

*Les terrains géologiques affleurant en Languedoc-Roussillon sont d'une incroyable diversité. Pratiquement tous les étages géologiques et tous les types de roches y sont représentés. La vigne y rencontre donc toutes les conditions possibles, pour le meilleur... et pour le pire. Mais n'oublions pas que l'homme a toujours le dernier mot.*

Salagou... Ces basaltes portent parfois des vignes. Plus au sud, vers Saint-Thibéry et Agde, on peut voir des vestiges de vrais édifices stromboliens qui, en leur temps (il y a 650 000 ans), crachèrent des cendres et des laves beaucoup plus visqueuses. Ces projections se mêlent aujourd'hui aux terrains encaissants, notamment dans la région de Vias, l'aéroport de Béziers.

Au total les vignerons ont su tirer parti de la plupart des terrains dont la nature a doté le Midi. Reste à savoir si tous sont aptes à la viticulture de qualité.

## Sols classés et sols exclus

Les experts de l'I.N.A.O. (Institut national des appellations d'origine), chargés de délimiter les aires d'appellation, ont ainsi défini les sols favorables à la production de vins de qualité dans le Midi : « Ces sols sont assez profonds pour qu'ils assurent une alimentation en eau régulière au cours de l'année : ni trop fertiles, ni trop fertilisables dans leur zone superficielle ; ni asphyxiants par temps de pluie, ni trop desséchés par temps sec. » Cela ressemble assez à la quadrature du cercle. Et pourtant !

Les différents terrains géologiques qui viennent d'être présentés ont souvent beaucoup évolué au cours des âges. Le gel, particulièrement agressif pendant les périodes glaciaires, les a attaqués et débités en blocs de toutes tailles. Par gravité, ou sous l'action des eaux courantes, certains de ces débris ont été entraînés en bas de pente. L'alternance des saisons sèches et humides les a appauvris par lessivage des argiles, carbonates et autres minéraux, ou par rubéfaction. Les plantes, la faune et enfin l'homme ont achevé de les transformer. En bref il est assez courant de rencontrer des sols qui présentent à la fois une certaine profondeur, une proportion non négligeable de cailloux et une faible fertilité. Les experts en tout cas en ont trouvé un certain nombre puisqu'ils ont classé en A.O.C. tout ou partie des territoires de 432 communes en Languedoc et de 130 en Roussillon.

On peut rapidement distinguer plusieurs types de sols d'appellation :

— **Les sols sur schistes** : à Faugères, Cabrières, dans les Hautes-Corbières, la vigne croît sur des schistes siluriens, viséens ou stéphaniens (primaire). Ceux-ci sont habituellement débités en plaquettes qui, lorsqu'elles sont profondément altérées, s'effritent en cailloutis centimétriques et en argile. Sur ce type de roche l'épaisseur du sol est liée à sa position topographique. Sur les versants, seules subsistent les plaquettes et parfois la roche en place. En contrebas s'empilent les colluvions fines qu'ont entraînées les eaux de ruissellement. Les racines de la vigne peuvent en outre s'enfoncer profondément à la faveur des diaclases qui dilascèrent la roche et retiennent un peu d'humidité.

— **Les sols sur grès** : on les rencontre par exemple autour du lac du Salagou dans l'Hérault. Eux datent du permien (fin de l'ère primaire). Comme les schistes ils se décomposent superficiellement en un sol sablo-argileux rouge ou noir qui se mêle aux blocs sous-jacents un peu mieux conservés. Dans le Minervois les grès sont plus récents (début du tertiaire) et aussi moins épais. Ils alternent avec des molasses du même âge pour donner un paysage de buttes très caractéristiques appelées là-bas « mourrels ». Si la molasse se dissout facilement en une terre ocre ou jaune, les bancs de grès viennent limiter la profondeur exploitable par les racines et réduire de ce fait la réserve utile en eau du sol.

— **Les sols sur plateaux calcaires** : les calcaires non plus ne sont pas insensibles aux agressions des agents atmosphériques. Les eaux chargées de gaz carbonique parviennent à dissoudre le carbonate de chaux et à libérer les impuretés contenues dans la roche : silex, argile, etc. Celles-ci viennent alors se déposer dans les dépressions de toutes tailles qui crèvent la surface du causse. Les possibilités d'enracinement de la vigne, qui conditionnent l'alimentation de la plante, dépendent de la nature du calcaire sous-jacent. Si celui-ci est tendre et friable, ou simplement très fracturé, le régime hydrique de la vigne n'est guère perturbé. En revanche, un calcaire massif et peu diaclasé, faisant obstacle à la pénétration des racines, favorise les stress'hydriques qui peuvent nuire à la qualité, surtout si le cépage concerné est sensible à la sécheresse (syrah par exemple). Ces sols rouges, souvent appauvris en surface, sont très répandus dans la région. On les trouve par exemple sur le causse de Minerve, dans le sud du Saint-Chinianais ou à La Clape où ils constituent une part notable de l'aire classée.

— **Les sols de terrasses alluviales** : il s'agit de vastes épandages de cailloutis ou de galets qu'ont apportés les cours d'eau au villafranchien (charnière tertiaire-quaternaire) et au quaternaire. Vigoureusement attaquées par l'érosion, ces terrasses ont été souvent disséquées en plateaux étagés. Plus elles sont anciennes, plus les sols sont évolués, c'est-à-dire appauvris. Leur couleur tire alors vers le rouge. Des blocs de tailles variées se mêlent à des éléments plus fins, argileux ou limoneux qui parfois les cimentent en poudingues. En profondeur, un horizon concrétionné peut faire obstacle aux racines. De tels sols concernent d'importantes surfaces. Ils forment le principal support de la vigne en Roussillon et sur la Costière de Nîmes. Ils sont également bien représentés en Minervois. En fait ils jalonnent la plupart des cours d'eau.

— **Les sols sur éboulis** : à diverses époques, mais surtout au cours de l'ère quaternaire, des coulées de roches, de graviers et de boue se sont échappées des reliefs et disposées à leur débouché immédiat. Simples éboulements circonscrits dans l'espace comme au pied de l'Escalette, ils peuvent, lorsqu'ils sont coalescents, couvrir plusieurs dizaines de kilomètres carrés. Les sols ainsi créés associent presque toujours éléments fins et grossiers. On les rencontre un peu partout comme support de vignobles de qualité.

Au-delà de leur diversité liée à la nature de la roche mère et aux conditions de leur formation, ces sols présentent donc un air de famille. En gros, ce sont les plus pauvres du Midi. A l'inverse les experts de l'I.N.A.O. ont exclu des zones d'appellation tous les sols susceptibles de porter des forts rendements : les marnes, les argiles, les grès et les calcaires trop friables qui après défonçage se résolvent rapidement en une terre fine, les alluvions récentes enfin se retrouvent donc interdites d'A.O.C. Cela ne signifie pas pourtant qu'il soit impossible d'y produire de bons vins. Si l'on excepte les sols hydromorphes, c'est-à-dire baignés en permanence par la nappe phréatique, dans lesquels la vigne est asphyxiée, aucune malédiction ne pèse sur eux. Un vigneron compétent et consciencieux est parfaitement capable d'y implanter le cépage adéquat et, pour peu qu'il maîtrise ses rendements, conduise sa vigne de telle sorte que tous les paramètres (densité de plantation, vigueur des ceps, surface foliaire...) soient en harmonie avec le milieu, et qu'enfin il effectue la vendange dans de bonnes conditions, son vin pourra être un grand vin. Miracle du climat méditerranéen où l'ensoleillement n'est pas mesuré et où le raisin mûrit toujours ! Il ne faut pas s'étonner dans ces conditions si certains « vins de pays » valent largement leurs collègues classés A.O.C. L'homme a le dernier mot et c'est heureux.

Mais si tel est le cas, la sévérité des experts de l'I.N.A.O. se justifie-t-elle ? Certains vont même plus loin et affirment que les sols sélectionnés ne sont pas toujours aptes à la production de vins de qualité : sols trop secs, trop superficiels qui multiplient les stress hydriques et nuisent comme nous l'avons vu à une maturation optimale des raisins. Les mêmes affirment, prenant le contrepied de la doctrine officielle de l'Institut national, qu'il est plus facile de produire des vins de qualité en plaine que sur les défriches de garrigue. Alors ?

Nous pensons qu'il faut distinguer deux aspects du problème. Sur le plan technique, il est clair que ces contestataires n'ont pas tort et qu'un excellent vigneron pourra faire dans des sols profonds un vin peut-être supérieur à celui qu'il produit sur des sols sans réserve hydrique (ce qui est le cas dans certains secteurs classés). Seulement voilà, on ne peut faire abstraction de l'environnement économique et humain. Le Midi vit depuis plus d'un siècle à l'heure du vignoble de masse. Ce type de viticulture a généré des comportements, des habitudes, une psychologie particulières qui sont aux antipodes de ceux d'une production orientée vers la qualité. Ces comportements sont d'ailleurs directement liés aux prix du vin. Comment imposer à un viticulteur de plaine une limitation volontaire et draconienne de ses rendements si une rémunération convenable ne vient pas récompenser ses efforts ? L'I.N.A.O., en ne retenant que les sols les plus pauvres, a voulu placer des garde-fous ; mieux, il a suscité chez les vignerons une prise de conscience, un choc psychologique qui étaient nécessaires pour sortir des ornières de la routine. Quant aux sols exclus, dont certains, rappelons-le, peuvent fort bien produire d'excellents vins, la législation des vins de pays (sur laquelle nous reviendrons) leur offre un moyen de personnaliser leurs productions.

On voit ainsi s'esquisser à grands traits le cadre réglementaire à l'intérieur duquel évolue la viticulture de qualité en Languedoc et en Roussillon : appellation d'origine contrôlée et vin de pays. Aux premiers ont été attribués les sols pauvres des coteaux ; aux seconds on a laissé une plus grande liberté. Il convient de ne pas opposer systématiquement ces deux catégories. Les deux démarches sont différentes certes, et pas seulement à propos des sols, mais elles sont complémentaires. Toutes deux permettent aux vignerons du Midi d'exploiter au mieux des terroirs variés dont beaucoup ont « quelque chose à dire ».

# Les cépages

En s'orientant résolument vers la qualité, le Languedoc et le Roussillon n'ont fait que renouer avec une tradition qui avait été la leur autrefois, avant qu'ils se laissent aller à la viticulture de masse. L'évolution actuelle de l'encépagement traduit d'une certaine manière ce retour aux sources. Mais les temps ont changé et avec eux les connaissances oenologiques et le goût des consommateurs. Une sélection s'est opérée parmi le vieux fond de cépages méditerranéens : certains sont en cours de réimplantation, d'autres moins intéressants ou moins bien étudiés, sont restés dans l'oubli. Parallèlement des variétés extraméridionales ont été introduites (en fait souvent réintroduites car elles n'étaient pas totalement inconnues de certains vignerons). Cette double évolution confère à l'encépagement actuel du Midi une diversité et une richesse uniques en France. L'avenir le montrera, nous en sommes persuadés.

## L'évolution de l'encépagement

### Les cépages d'autrefois

Avant que le Midi se couvre de vignes et devienne une usine à vins ordinaires, ses productions étaient non seulement variées, mais aussi réputées. Le docteur Guyot, évoquant les vins de l'Hérault à la veille du phylloxera, disait que ce département était « le premier de France par l'abondance de ses produits et par la variété de ses liquides, comprenant depuis les vins de chaudière (vins destinés à être distillés), les vins ordinaires, les grands vins, les vins de liqueur, jusqu'aux eaux-de-vie et aux trois-six ».
Les meilleurs vins, ceux de Saint-Georges d'Orques, de Saint-Drezery ou de Saint-Gilles (ne parlons pas ici des muscats dont la renommée

était internationale) étaient à base de mourvèdre (appelé spar ou espar), de grenache (parfois baptisé alicante), de piquepoul, d'aspiran, de morrastel, de cinsault (communément nommé maroquin)... A Langlade on cultivait en plus la syrah, sur les bords de l'étang de Thau, le piquepoul blanc, dans la vallée de l'Hérault et à Bellegarde près de Nîmes, la clairette. En Roussillon le mourvèdre (appelé là-bas mataro) se mêlait au grenache, au piquepoul noir et au carignan (ou crignane). Maccabeu, malvoisié (ou bourboulenc) et muscat complétaient ce riche éventail.

Dans certains domaines, propriétés d'hommes passionnés par le vin, on se livrait en outre à de nombreuses expérimentations. Henri Marès, qui est par ailleurs l'inventeur du procédé du soufrage des vignes, cultivait dans son mas de Launac à Montbazin du pinot, du gamay, du merlot, du cabernet, du chardonnay, du sauvignon... Chez Cazalis-Allut, autre grand érudit viticole propriétaire du domaine des Aresquiers à Frontignan, on trouvait « tous les cépages du Monde ». Même chose au château Gléon dans les Hautes-Corbières chez Gaston Bonnes. Dans ce dernier domaine on peut encore voir des étiquettes de tokay du siècle dernier. Le Tokay princesse du docteur Beaumes de Saint-Gilles, élaboré avec du furmint valait, nous dit Guyot, le tokay impérial de Hongrie.

Dans les terres plus riches de la plaine du Languedoc, la production était destinée à la chaudière pour la fabrication d'eau-de-vie. Le terret-bourret, l'aramon et parfois le carignan étaient cultivés à cette fin en raison de leurs rendements élevés. Certaines eaux-de-vie jouissaient d'ailleurs d'une grande réputation comme celles de Montpellier, de Narbonne ou de Faugères. Il est vrai que c'est avec des vins neutres de goût qu'on fait les meilleurs alcools. L'exemple de Cognac est probant à cet égard.

Jusque vers le milieu du XIX<sup>e</sup> siècle, Languedoc et Roussillon étaient donc de grandes régions viticoles.

## De la diversité à la standardisation

L'avènement du vignoble de masse devait substituer à cette riche palette de cépages une pâle cohorte de variétés productives. L'invasion phylloxérique, qui détruisit la majeure partie des ceps, accéléra cette reconversion dans le dernier quart du XIX<sup>e</sup> siècle.

Le nouvel encépagement témoignait des préoccupations qui désormais étaient celles des viticulteurs : le marché demandait de gros volumes de vins ordinaires colorés, alcoolisés et de faible prix destinés à étancher la soif des foules laborieuses. Les différents terroirs du Midi furent mis à contribution. En plaine, l'aramon, le terret, le carignan, mais aussi les hybrides gagnèrent du terrain. Grâce à une fumure systématique et à un système de taille approprié, on obtint des rendements considérables (Guyot parle de souches portant jusqu'à trente sarments de 4 à 6 mètres de longueur qui pouvaient donner 420 hl/ha !). De tels vins étaient évidemment clairs, acides et faiblement alcoolisés. Il fallait donc les couper avec d'autres. Dans ce but Henri Bouschet, propriétaire du domaine de la Calmette à Mauguio, mit au point des métis teinturiers en croisant des cépages locaux avec le teinturier du Cher. Il obtint ainsi l'alicante bouschet, le petit bouschet, le grand noir de la Calmette..., cépages qu'on se mit à planter un peu partout pour obtenir de la couleur. Restait l'alcool. Les négociants pouvaient bien sûr s'approvisionner à l'étranger : Espagne, Italie et surtout Algérie où un important vignoble était né à l'époque du phylloxera. Mais le Midi aussi était capable de livrer des vins alcoolisés. Les coteaux furent à cet effet uniformément plantés en carignan et en métis bouschet ; dans le Roussillon et l'Aude d'abord, où le carignan était implanté depuis au moins un siècle, mais aussi dans l'Hérault et le Gard où il s'était montré jusque-là, quand il n'était pas inconnu, fort discret. C'est dans le Roussillon, grâce au carignan et au grenache que ce commerce des vins forts prit sans aucun doute le plus d'ampleur. Afin de les « noircir » encore on n'hésitait pas à saupoudrer les raisins de plâtre au moment du foulage ; pour en accroître le degré on ajoutait au vin fait entre 2 et 15 % d'eau-de-vie. Le docteur Guyot lui-même n'en revient pas : « Dans plusieurs échantillons (...) j'ai versé jusqu'à six fois leur volume d'eau claire, et la coloration du mélange aurait encore pu rivaliser avec celle des vins rouges de Bourgogne et de Beaujolais » ; mais Guyot n'est pas dupe et désigne clairement les coupables : « Aujourd'hui la spéculation industrielle, mise en présence d'un vin supérieur par ses qualités sensuelles et physiologiques, mais léger de couleur et de spirituosité convenable, et d'un autre vin de six couleurs, noir comme de l'encre, alcoolisé à vingt degrés, véritable poison de l'estomac et de la tête, offre 50 % de plus de vin grossier et dangereux, et méprise le vin naturel excellent pour le consommateur. » Les temps avaient en effet bien changé.

Evidemment les cépages fins traditionnels disparurent dans la tourmente et ne furent pas replantés : le mourvèdre ne laissa aucune trace ; cinsault et grenache (sauf en Roussillon comme nous venons de le voir) furent réduits à la portion congrue... Dans le Minervois en 1956, ils ne représentaient plus respectivement que 0,7 % et 1,1 % de l'encépage-ment (contre 57 % au carignan, 16 % à l'aramon, 10 % aux métis bouschet). Fort heureusement, quelques rares secteurs avaient su, en préservant une partie de leur héritage, conserver une certaine originalité au milieu de cet océan de vignes. La clairette s'était maintenue à Paulhan et à Bellegarde, le mauzac autour de Limoux, le grenache sur plusieurs terroirs du Roussillon, le muscat enfin en divers lieux. Il ne faut pas s'étonner si ces vignobles furent les premiers à obtenir leur classement en appellation d'origine contrôlée : Banyuls, Maury, Rivesaltes, Frontignan en 1936. Limoux en 1939, Lunel en 1943, Fitou et la Clairette du Languedoc en 1948, Bellegarde en 1949... Pour les autres en revanche la route menaçait d'être longue.

## Retour à la qualité

Dans les autres coteaux, certains vignerons avaient finalement compris que la production de masse, non seulement n'était pas adaptée à leurs terroirs mais encore n'avait pas d'avenir. On créa pour eux au lendemain de la Seconde Guerre mondiale une catégorie de vins intermédiaire entre les A.O.C. et les vins de table : les vins délimités de qualité supérieure (V.D.Q.S.). Dans ce cadre aramon, métis Bouschet et hybrides furent déclarés indésirables. On encouragea leur arrachage au profit du carignan (le moins mauvais des cépages existants), du grenache et du cinsault. Il s'agissait d'un progrès mais on était loin encore d'avoir brisé tout lien avec la viticulture de masse. Les vins obtenus par l'assemblage de ces cépages (et de quelques autres comme le terret et l'aspiran) possèdent une personnalité certaine : ils présentent une bonne charpente, sont aptes au transport et capables de vieillir quelques années. Cependant les dégustateurs leur reprochent, outre leur lourdeur, un manque de complexité aromatique.

En prévision de leur passage en A.O.C., les experts de l'I.N.A.O. pensèrent donc que ces vins gagneraient à être modifiés par l'adjonction d'une faible proportion de cépages nouveaux retenus précisément pour leurs qualités aromatiques. Objectivement, l'éventail des choix était fort large et certains syndicats de cru, se basant sur des expériences ponctuelles menées çà et là et sur les précédents du siècle dernier, se mirent à espérer pouvoir planter du cabernet-sauvignon, du cot, de la marsanne, du chenin ou du chardonnay. La réponse de l'I.N.A.O. ne se fit pas attendre. Se retranchant derrière la lettre de la loi de 1919 qui définit les vins d'appellation d'origine comme devant être issus « de cépages consacrés par les usages loyaux, locaux et constants », l'Institut national repoussa ces prétentions. Seules furent admises des variétés implantées de longue date dans la région. Deux seulement, pour les vins rouges, correspondaient aux objectifs fixés : la syrah et le mourvèdre. Les décrets qui fixent les conditions de production des nouveaux A.O.C. du Languedoc-Roussillon présentent ainsi tous un air de famille.

— Pour les vins rouges : l'incontournable carignan constitue la base de l'encépagement. Sa proportion varie de 25 % à Collioure à 80 % en Corbières. On prévoit néanmoins presque partout une diminution de sa part, jugée excessive. C'est ainsi qu'à Faugères sa présence n'est plus tolérée depuis 1990 qu'à hauteur de 40 % (alors que le décret de 1982 autorisait 50 %). Même chose en Minervois où, primitivement fixée à 70 %, sa présence est aujourd'hui limitée à 60 %. A côté du carignan on trouve toujours le cinsault, parfois accompagné du piquepoul, de l'aspiran et du terret qui sont tous considérés comme des cépages d'appoint. Le grenache en revanche (auquel on peut substituer le lladoner pelut, cépage catalan très faiblement répandu) est obligatoire. Il doit constituer généralement un quart de l'encépagement. Enfin on trouve la syrah et le mourvèdre qui le plus souvent doivent atteindre au moins 10 % du total (sauf à Fitou ou au contraire ils ne doivent pas dépasser cette proportion).

— Pour les vins blancs, la réglementation est un peu plus variée. Dans certains cas (Picpoul de Pinet, Clairette du Languedoc, Clairette de Bellegarde) le cépage est unique : picpoul blanc dans le premier ; clairette blanche pour les autres. Mais en général on en compte plusieurs, assortis de proportions minimales ou maximales. Les cépages encouragés sont presque toujours le bourboulenc, le maccabeu, parfois la clairette, le grenache blanc et la marsanne ; on essaie au contraire (quand on ne les interdit pas) de limiter la présence du terret blanc, de l'ugni blanc et du picpoul.

L'I.N.A.O. a pourtant quelquefois transgressé les fameux « usages ». Ainsi la Blanquette de Limoux s'est vue autoriser à hauteur de 10 % l'introduction du chardonnay et du chenin à côté du traditionnel mauzac. Les Coteaux du Languedoc blancs peuvent également abriter à titre expérimental une petite proportion de chenin. Enfin deux crus encore classés V.D.Q.S., les Côtes de la Malepère et les Coteaux du Cabardès et de l'Orbiel, tous deux dans l'ouest de l'Aude, ont obtenu le droit d'utiliser, à côté des cépages méditerranéens classiques, du cabernet sauvignon, du merlot, du cot et même, pour le second, de la négrette. Il faut dire qu'on est ici aux marges du Bas-Languedoc méditerranéen, sous un climat déjà en partie aquitain.

Cette attitude de l'I.N.A.O., globalement hostile aux innovations, a laissé perplexes certains vignerons méridionaux persuadés que l'adjonction de cépages bordelais, bourguignons ou ligériens améliorerait notablement la qualité des vins qu'ils produisent. Quelques-uns n'hésitent d'ailleurs pas à le faire, ce n'est un secret pour personne. En fait ce refus s'explique aisément. La notion d'appellation d'origine se fonde en France sur la tradition, garante d'une certaine typicité. Cette typicité, si l'on en croit les défenseurs de cette théorie, provient pour partie du cépage et pour partie du terroir. Ainsi chaque région aurait tiré parti de son héritage : Le Sud-Ouest des cépages aquitains, la Bourgogne du pinot et du chardonnay, le Val de Loire du cabernet franc et du chenin, le Beaujolais du gamay... Jusque-là, rien à dire, si ce n'est que la notion de tradition est une des plus floues qui soit. A Bordeaux par exemple, d'après le grand et regretté Henri Enjalbert dont les travaux font autorité, ce n'est guère avant la première moitié du XVIIIᵉ siècle en Médoc, et la seconde à Saint-Emilion que le cabernet et le merlot ont commencé d'être plantés de manière homogène de façon à produire les « new french clarets » réclamés à cette époque par les Anglais (ils allaient auparavant les chercher au Portugal). Avant cette date, plusieurs dizaines de cépages, tant rouges que blancs, nobles et médiocres, coexistaient sur une même parcelle dans le plus grand désordre. Le terme « claret » lui-même, employé par les Anglais pour désigner les vins de Bordeaux, rappelle d'ailleurs qu'ils étaient rosés et non rouges. Les vins noirs, tanniques, complexes que nous connaissons aujourd'hui sont donc, à l'échelle historique, une nouveauté.

En outre cette référence à la tradition, aux usages, recèle des effets pervers. Non pas tant parce qu'elle protège les qualités des Bordeaux, Bourgogne et autres Chinon. De ce point de vue notre législation fait des envieux dans le monde entier. Mais parce qu'elle interdit aux autres régions viticoles, dont le passé pour des raisons diverses est moins prestigieux, d'utiliser dans le cadre de l'appellation des cépages dont chacun sait qu'ils sont meilleurs que d'autres. Défendre les usages s'apparente alors à défendre des rentes de situation. Cet état de fait est d'autant plus regrettable que dans le même temps des grands vignobles se développent à travers le monde qui déjà concurrencent à l'étranger nos produits : en Californie, en Australie, en Afrique du Sud, au Chili... Or que plantent les vignerons (ou plutôt les hommes d'affaires) de ces pays ? Les grands cépages français. Et les résultats obtenus sont fameux ! On peut s'en assurer en étudiant les résultats de certaines expériences de dégustation à l'aveugle. En conséquence, non seulement la législation fondée sur la notion d'usages défend incomplètement (et défendra de moins en moins) les grands vignobles français contre la concurrence, mais encore elle favorise indirectement les vignobles étrangers aux dépens des jeunes vignobles français, dont le prototype est précisément le Languedoc-Roussillon.

Tout cela ne signifie pas bien sûr qu'il n'existe pas de bons cépages parmi ceux des A.O.C. méridionaux : la syrah, le mourvèdre, le grenache le sont assurément. Il est simplement dommage qu'à ces cépages qui, pour des raisons climatiques, ne mûrissent que sous climat méditerranéen, ne puissent pas être adjoints, même en petite quantité, quelques variétés extérieures susceptibles d'enrichir encore les vins du Midi. Le Languedoc-Roussillon, tout comme la Provence (seuls l'A.O.C. Coteaux d'Aix et le V.D.Q.S. Coteaux Varois ont droit au cabernet, on peut se demander pourquoi) sont les seules régions de France à pouvoir tenter de tels assemblages. Leur interdire de profiter de cet atout est de notre point de vue regrettable. Il fallait, avant de poursuivre, que cela fut dit.

Mais s'ils sont indésirables sur les terroirs classés A.O.C., aucune loi n'empêche les vignerons du Languedoc et du Roussillon d'implanter ces cépages en vue de produire des vins de pays. Ils ne s'en sont d'ailleurs pas privés : les premiers dès la fin des années 60, le plus grand nombre depuis les années 80.

S'il porte encore les séquelles d'un siècle de viticulture de masse, l'encépagement languedocien et catalan a connu ces dernières années une amélioration spectaculaire. Celle-ci a été facilitée depuis 1978 par l'octroi de primes destinées à encourager les productions de qualité. L'aramon, les hybrides et les cépages teinturiers ont aujourd'hui quasiment disparu ; le carignan, après son envolée des décennies 60 et 70, décline à présent rapidement tout comme stagne désormais le cinsault. En revanche la syrah, absente il y a vingt ans, occupe maintenant plus de 15 000 hectares et progresse chaque année d'environ 2 000 hectares. L'engouement est tel que les pépiniéristes manquent de plants ! Le mourvèdre aussi renaît de ses cendres ; il s'adjuge aujourd'hui au moins 2 000 hectares. Le cabernet sauvignon détient quant à lui 5 000 hectares et le merlot plus de 10 000.

Les scores des cépages blancs sont plus modestes mais néanmoins encourageants : clairette, bourboulenc et maccabeu développent leur implantation. Chenin, sauvignon et surtout chardonnay apparaissent un peu partout. Chez certains vignerons passionnés le viognier, ce remarquable cépage qui fait la renommée des vins de Château-Grillet, donne ses premiers raisins. Toutefois la part des blancs dans l'encépagement total du Languedoc-Roussillon n'augmente guère ; elle ne représente que 10 % environ. On peut le regretter car il est tout à fait possible, contrairement aux idées reçues, d'élaborer de grands vins blancs en milieu méditerranéen. De plus le marché est porteur.

Cette dernière faiblesse ne doit pas masquer la réalité des progrès en cours. Les chiffres permettent de mesurer le chemin parcouru en un peu plus d'une décennie. Ils sont porteurs d'espoir, celui de voir renaître un grand vignoble en Languedoc et en Roussillon.

---

## L'encépagement du Languedoc-Roussillon

Le Languedoc-Roussillon est le vignoble français dont l'encépagement a connu l'évolution la plus rapide depuis ces vingt dernières années. Une évolution vers la qualité qui se poursuit à un rythme soutenu. Hybrides et aramon ont quasiment disparu ; le carignan, après avoir tenté de prendre leur place, régresse à son tour. Grenache, mais surtout syrah et mourvèdre progressent partout. Enfin, merlot, cabernet sauvignon et, dans une moindre mesure, chardonnay, chenin, sauvignon... font une entrée remarquée.

|  | 1958 | 1979 | 1988 |
|---|---|---|---|
| Aramon | 130 000 | 57 000 | 32 000 |
| Hybrides | 41 000 | 13 000 | 5 000 |
| Carignan | 146 000 | 175 000 | 143 000 |
| Cinsault | 4 000 | 33 000 | 33 000 |
| Grenache N | 8 000 | 31 000 | 38 000 |
| Syrah | 30 | 4 000 | 15 000 |
| Mourvèdre | 0 | 100 | 2 000 |
| Merlot | 0 | 2 300 | 9 000 |
| Cabernet sauvignon | 0 | 1 400 | 4 700 |
| Total | 410 000 | 396 000 | 350 000 |

Face émergée de l'iceberg, l'amélioration de l'encépagement ne doit cependant pas masquer les autres progrès réalisés par les vignerons méridionaux : maîtrise des rendements, contrôle des températures, élevage sous bois...

# Caractéristiques des principaux cépages

Il n'est pas question ici de présenter tous les cépages cultivés en Languedoc-Roussillon. La liste serait trop longue. On étudiera seulement les plus importants et les plus intéressants.

## Le carignan

Rarement cépage a fait couler autant d'encre et de salive ! Le carignan compte des partisans inconditionnels et des détracteurs acharnés. Pour les premiers c'est le cépage traditionnel du Midi par excellence. Ses vertus sont multiples : facile à cultiver, à l'aise partout, régulièrement productif... Quant aux vins, ils ont du corps, une belle couleur et une solide personnalité. Pour les seconds au contraire, les vins de carignan ne possèdent aucune classe ; ils sont acides, astringents dans leur jeunesse et se dessèchent en vieillissant ; ses arômes sont grossiers. Ses adversaires vont même plus loin : le carignan est un usurpateur. Son implantation est récente et il n'entra jamais dans la composition de l'immense majorité des grands vins languedociens d'autrefois. Bref c'est un second rôle tard venu !

Tant de passion est aisément compréhensible. Le carignan est le cépage le plus répandu dans le Midi. Présent sur 150 000 hectares, il s'adjuge à lui seul 40 % du vignoble et dépasse sur certains coteaux catalans et des Corbières le seuil des 80 %. S'il recule aujourd'hui, il a connu dans les années 60 et 70 un vif engouement. Techniciens et oenologues voyaient en lui le cépage de qualité appelé à remplacer les aramons et autres hybrides. Où est la vérité (s'il y en a une) ?

D'abord il est clair qu'il y a carignan et carignan. Cultivé à hauts et même à moyens rendements (plus de 50 hl/ha), ce cépage donne en effet des vins d'un intérêt limité tout juste bons à servir aux coupages. En revanche, conduit avec de faibles rendements sur de vieilles souches, ce qui est le cas dans les terroirs les plus pauvres (notamment schisteux) des Corbières, de Faugères ou du Roussillon, il devient un vin ample, corsé, aux arômes puissants. Une technique de vinification particulière, la macération carbonique, permet en outre de développer encore son potentiel aromatique tout en arrondissant ses tannins souvent agressifs. Le choix de son implantation, du mode de conduite, de la vinification sont donc des facteurs déterminants malheureusement trop peu souvent pris en compte dans le passé.

La question de l'antériorité du carignan peut également trouver une réponse satisfaisante. Ce cépage semble être originaire d'Espagne (son nom viendrait de la ville de Carinena dans le bassin de l'Ebre). Il paraît être arrivé dans le courant du XVIIIᵉ siècle en Roussillon où, mêlé au mourvèdre et au grenache, il entrait dans la composition de vins estimés. C'est en tout cas ce qu'écrit Jullien en 1816 : « Les cépages les plus généralement cultivés sont le grenache, le mataro et la crignane. » On remarquera que son nom n'est cité qu'en dernière position. Guyot, qui écrit 60 ans plus tard, le place en premier et précise que l'encépagement a récemment changé. L'information est d'importance. Elle signifie que l'implantation massive du carignan est un fait récent, contemporain du vignoble de masse.

Du Roussillon, il fut introduit dans les Corbières puis dans le reste du Languedoc au XIXᵉ siècle seulement. On sait qu'il était présent dans l'Hérault en 1821, mais classé parmi les plants du Roussillon nouvellement arrivés : « bois dur, calignan ou carignan ». En revanche on n'en voit pas trace dans les grands crus des coteaux à l'est de Narbonne. Quand Creuzé de Lesser, préfet de l'Hérault sous la Restauration, nous présente les cépages qu'il rencontre à Saint-Georges d'Orques, il ne cite que « le terret noir : raisins fort gros à grains allongés et serrés ; l'œillade noire au produit abondant ; le spiran : vin rouge clair, grains gros et allongés ; le verdal : vin rouge à grains ronds. » Il semble également inconnu plus à l'est en ce début du XIXᵉ siècle. Ni Jullien, ni Guyot (pourtant en 1876) ne le mentionnent dans leur description de l'encépagement du Gard. Le premier énumère pourtant « trente et une espèces de raisins dont dix de noirs, sept de rouges et quatorze de blancs » ; le second, quatorze.

Quelle conclusion tirer ? Le carignan, cépage parmi d'autres du Roussillon, s'est avancé progressivement en Languedoc à partir du XIXᵉ siècle (peut-être la fin du XVIIIᵉ dans l'Aude) où ses atouts culturaux l'ont fait choisir d'abord par la grande propriété en vue de produire de solides vins de table et des vins de chaudière. Longtemps fort discret dans les coteaux, il n'a colonisé ceux-ci qu'après l'avènement du vignoble de masse dans le but d'obtenir des « vins médecins », charpentés, colorés et alcoolisés dont le négoce était friand pour « remonter » les vins d'aramon de la plaine. Sa progression ne s'est arrêtée qu'à la fin des années 1970.

La polémique à propos du carignan commence d'ailleurs à dater. Dans nombre d'aires d'appellation, les syndicats s'efforcent de limiter progressivement sa présence. Les primes de replantation ne sont plus aujourd'hui accordées pour lui. Des vignerons, chaque année plus nombreux dans les aires classées A.O.C., élaborent deux cuvées au moins : un rouge traditionnel (avec une forte proportion de carignan) ; un rouge « sélection » où sont privilégiés les cépages nobles et améliorateurs (grenache, syrah, mourvèdre). En un mot, après l'heure du doute est venue celle de la disgrâce.

## Le cinsault

Le cinsault lui, fait moins de vagues. Il appartient incontestablement aux cépages traditionnels du Languedoc et du Roussillon. Avant le vignoble de masse on le trouvait dans la plupart des coteaux producteurs de vins fins mais toujours en faible proportion. Comme à tant d'autres, le développement de la viticulture industrielle lui fut fatale mais, contrairement au mourvèdre, il ne disparut jamais complètement. Le cinsault a en effet besoin, pour exprimer toutes ses qualités, d'être conduit à bas rendements. Il donne alors un vin « moelleux, fin, délicat, d'une jolie couleur rouge vif, plutôt clair, légèrement parfumé ». Sa caractéristique éminente est en effet sa faible acidité, sa souplesse, si bien qu'on l'assemble souvent au carignan dont il gomme l'astringence. Mais le cinsault se marie mieux encore avec le mourvèdre, la syrah, le grenache ou le cabernet sauvignon. Seul il peut donner d'excellents rosés pourvu que la technique soit bien maîtrisée, à boire dans l'année si l'on veut préserver son fruité. Sa finesse le fait encore apprécier comme raisin de table. Comme le servant, autre variété languedocienne, ou le chasselas, le cinsault est en effet un cépage à double fin.

Le cinsault est parfois confondu à tort avec l'œillade, cépage lui aussi anciennement implanté dans le Midi qui a aujourd'hui disparu. Il existait une œillade noire et une blanche, cette dernière étant aussi nommée picardan ou araignan. Elle était, aux côtés de la clairette, à la base des vins blancs du même nom que s'arrachaient les Hollandais du XVIIIᵉ siècle.

Le cinsault n'a de son côté jamais été aussi cultivé qu'aujourd'hui. Avec 35 000 hectares il se place en troisième position juste derrière le carignan et le grenache. Mais sa progression, rapide depuis les années 1950, s'essouffle à présent. On l'arrache en plaine, secteur où de toute façon il n'était guère à sa place. On déconseille sa plantation dans les coteaux classés en A.O.C. où l'on juge son extension actuelle suffisante.

## Le grenache

Lui aussi est originaire d'Espagne comme l'indique son nom et celui d'Alicante qu'on lui donne parfois. Comme le carignan, mais sans doute plus précocement que lui, il s'est d'abord implanté en Roussillon puis, de là, a gagné le Languedoc lorsqu'on s'est mis dans les coteaux à produire des vins de fort degré alcoolique. Guyot de passage à Saint-Gilles vers 1870 s'en plaignait, lui qui préférait les vins légers : « ... il est à regretter que le grenache, qui donne un excellent vin d'entremets ou de liqueur, se répande beaucoup et entre de plus en plus dans la composition des meilleurs vins du département. » Nous ne partagerons pas son jugement cette fois, le grenache étant à notre avis un cépage de grande qualité pourvu qu'il soit convenablement conduit et vinifié.

Extrêmement vigoureux, il faut impérativement limiter la fructification sous peine de voir sa matière sèche se diluer à l'excès. Aussi donne-t-il ses meilleurs résultats sur les terroirs pauvres des coteaux et ce d'autant plus qu'il supporte remarquablement la sécheresse. Il est en revanche très sensible à la coulure ainsi qu'à la pourriture grise.

Il existe trois variétés de grenache : le noir, le rose (ou gris) et le blanc, mais la plus répandue est la première. Cultivé avec de faibles rendements le grenache noir produit des vins fortement colorés, riches en alcool, aux arômes à la fois puissants et fins. Il peut être vinifié seul (n'oublions pas qu'à Châteauneuf-du-Pape, en dépit de la « légende » des treize cépages, il représente souvent jusqu'à 80 % de l'encépagement) mais en général on l'assemble au carignan, au cinsault, à la syrah ou au mourvèdre. En effet le vin de grenache présente la particularité de s'oxyder rapidement si l'on n'y prend garde. Sa robe vire alors au tuilé et ses arômes au rancio. Ce sont d'ailleurs ces propriétés spécifiques qui l'ont fait rechercher en Roussillon pour la production de vins doux naturels.

Le blanc et le gris sont aussi utilisés à cette fin. Ils sont pour cela vendangés en surmaturité, parfois à plus de 15°. Toutefois les responsables catalans estiment qu'en dehors de quelques exceptions, les vins doux naturels obtenus à partir de ces deux variétés manquent un peu de caractère. Aussi encouragent-ils actuellement leur arrachage. Le grenache blanc peut enfin être destiné à la production de vin blanc sec, soit seul, soit en assemblage. Il convient alors de le vendanger avant surmaturité, de l'acheminer rapidement à la cave et de limiter au maximum le contact de l'air. Mieux vaut le boire sans tarder si l'on veut profiter de son fruité et de sa fraîcheur. Passé quelques mois, au mieux un ou deux ans, il risque de madériser et ne se prête plus qu'à la cuisine.

## La syrah

Elle est à n'en point douter l'un des quelques très grands cépages noirs avec le pinot et les deux cabernets. Il n'est pas étonnant qu'on l'ait implanté aux quatre coins du monde : en Afrique du Sud, en Australie, aux Etats-Unis... (ce qui n'est pas le cas du carignan, n'en déplaise à ses zélateurs). Comme tous les grands ses origines sont mythiques. Vient-elle de Shiraz en Perse ou de Syracuse en Sicile comme pourrait l'indiquer son nom ? Une chose est sûre, elle est implantée de longue date dans les Côtes du Rhône septentrionales où elle a donné ses lettres de noblesse aux somptueux Hermitage et Côte rôtie. Son installation en Languedoc (et encore plus en Roussillon) paraît tardive et ne pourrait remonter qu'au XIXe siècle, époque où on la voit à Langlade près de Nîmes ainsi qu'aux environs de Montpellier. Cette discrétion n'a pas empêché l'I.N.A.O. d'inclure la syrah dans la liste des cépages traditionnels du Midi. Nul ne s'en plaindra même si on peut noter au passage le caractère finalement assez subjectif de la notion « d'usages loyaux, locaux et constants ».

Un bon vin de syrah présente plusieurs qualités qui expliquent l'engouement dont ce cépage est l'objet dans le Midi depuis une dizaine d'années : robe d'un beau rouge sombre, nez intense de fruits rouges et de violette, structure tannique puissante mais non desséchante s'affinant avec le temps... En revanche sa culture est délicate et exigeante. Du fait de son port retombant elle nécessite un palissage, technique que beaucoup de viticulteurs méridionaux maîtrisent mal car elle est plus complexe que le traditionnel gobelet (cf. pp. 88-89). Mais surtout sa maturation est précoce (10 à 15 jours avant le carignan) et rapide. Si la vendange n'est pas effectuée prestement, le taux d'acidité s'effondre et la syrah perd l'essentiel de ses qualités aromatiques. Elle est de surcroît la proie de multiples parasites et, comme le grenache, de la pourriture grise.

La syrah est actuellement le cépage le plus planté en Languedoc. Par la force des choses, les vignes sont donc encore très jeunes sauf dans quelques exploitations orientées précocement vers la qualité. Leurs qualités ne feront que croître avec le temps. La syrah n'a pas fini de nous donner du plaisir.

## Le mourvèdre

C'est encore un cépage espagnol, originaire probablement de Murviedro près de Valence. Mais sa présence en France est attestée depuis au moins le XVIe siècle, date à laquelle il apparaît dans des documents provençaux sous le nom de morved ou de morvégué. En Languedoc il s'appelait espar, spar ou plant de Saint-Gilles ; en Roussillon, mataro...
Le phylloxera le fit complètement disparaître à l'est du Rhône car il se greffait difficilement sur les plants américains utilisés alors et parce que ses rendements, viticulture de masse oblige, furent jugés insuffisants. Comme la syrah, le mourvèdre est considéré comme un cépage « améliorateur », c'est-à-dire destiné à apporter à l'assemblage classique carignan-cinsault-grenache la complexité aromatique et la finesse qui lui font si souvent défaut. Il remplit d'ailleurs ce rôle à merveille. Ses vins présentent une bonne tannicité, gage d'un vieillissement prolongé, mais on apprécie surtout l'originalité de ses arômes qui mêlent poivre, épices, œillet...
Pourtant le mourvèdre a été ces dernières années beaucoup moins replanté que la syrah. Il traîne en effet derrière lui la réputation d'être peu fertile, c'est-à-dire de développer peu d'inflorescences par œil, et de ne pas mûrir toujours convenablement parce qu'il serait très exigeant en chaleur. Il est vrai que ce cépage n'est pas un « gros porteur » (mais qui veut produire des vins de qualité doit en assumer les conséquences) et qu'il parvient en général à maturité plus d'une semaine après le carignan.
Mais alors comment expliquer qu'on l'ait trouvé, jadis, à travers tout le Midi et au-delà jusqu'en Charentes et en Anjou ? Comment expliquer aussi que Guyot, énumérant les cépages du Roussillon, dise du mataro « qu'il fleurit le dernier et mûrit le premier » ? Ne souffrirait-il pas plutôt de la sécheresse et de la faible sympathie qu'il entretient à l'égard des sols superficiels où certains l'implantent aujourd'hui ? Ou encore de modes de conduite qui, à vouloir à tout prix et dans tous les cas limiter la vigueur des ceps, ne parviennent qu'à inhiber le métabolisme de la plante ? Les expériences menées avec succès par des chercheurs et quelques vignerons éclairés sur le flanc nord du pic Saint-Loup ou dans le Minervois occidental, donc dans une ambiance thermique « fraîche », montrent que la défiance actuelle à l'égard du mourvèdre n'est pas justifiée. Une telle attitude est même regrettable car, dans la situation de crise qu'il traverse, le Languedoc-Roussillon ne peut pas se permettre de négliger un cépage de cette classe. Certes, le mourvèdre est un cépage de luxe : ses rendements sont souvent très

bas, sa vinification est difficile mais les résultats sont à la hauteur de ces efforts et de ces risques.

## Merlot et cabernet sauvignon

Ils ont été largement plantés ces dernières années. Tous deux d'origine bordelaise, ils ne participent pas à la typicité, à la tradition des vins de la région.

Pourtant, comme nous l'avons vu, ils n'étaient pas inconnus de tous les viticulteurs au siècle dernier. Le docteur Guyot, qui goûta les vins issus de ces cépages vers 1870, en donne un témoignage des plus intéressants : « Plusieurs éminents viticulteurs de l'Hérault ont essayé les pineaux, les cabernets, les cots, et la plupart des cépages à bons vins ; ils en ont fait et ils en font encore des vins d'échantillon, de qualité exquise, mais ils soumettent ces cépages au traitement commun usité dans l'Héraut, et leur stérilité relative ne permet pas d'en étendre la culture : pourtant ils ont constaté qu'en les conduisant à longs bois ou en treilles plusieurs de ces cépages produisent beaucoup de fruits. »

Si les viticulteurs du siècle dernier avaient écouté le docteur Guyot, le cabernet serait devenu un « cépage traditionnel » du Midi. Mais tel n'a pas été le cas et l'I.N.A.O. l'a exclu, tout comme le merlot, de la liste des cépages aptes à produire des A.O.C. Seuls les Côtes de la Malepère et le Cabardès ont obtenu ce droit.

Ces cépages ont cependant leurs adeptes dans la région. Les vins produits sont labellisés sous l'étiquette « Vin de Pays » et portent le plus souvent la mention « Vin de Cépage ».

Ces cépages bordelais ont un cycle végétatif différent de la majorité des variétés du Languedoc-Roussillon, et notamment du carignan, servant de référence en la matière. Le merlot débourre toujours quelques jours avant le carignan et le grenache. Par contre, le cabernet sauvignon connaît un débourrement plus tardif. Il présente donc l'avantage, dans les zones où les gelées de printemps sont fréquentes, de ne pas s'exposer trop tôt aux risques de dégâts dus au froid. Lors de son développement, le merlot va accentuer son avance par rapport aux cépages méridionaux rouges. Ainsi, il arrive souvent à maturité deux semaines avant le carignan. Le cabernet sauvignon rattrape son « retard » lors de son développement, pour mûrir quelques jours avant le carignan.

Lors de leur introduction, ces cépages ont souvent gardé leur mode de conduite traditionnel bordelais : la taille longue (en Guyot simple ou double). De plus en plus, le mode de conduite évolue dans la région vers une taille courte (cordon de Royat), avec un palissge à deux ou trois hauteurs de fils.

Ces cépages se sont adaptés à la plupart des terroirs du Languedoc-Roussillon. Il existe cependant quelques réserves. Ainsi, ils sont tous deux sensibles à la sécheresse. Le millésime 1989 a montré, si besoin était, leur souffrance face au manque d'eau. Ceci est particulièrement grave pour le merlot.

Ainsi, les sols maigres, peu profonds, de coteaux, les zones très sèches, sont peu favorables à ces cépages. Dans de telles conditions, la notion de cépage « améliorateur » ne rime plus à grand-chose !

Dans le vignoble bordelais, le merlot est souvent sensible à la coulure, dans les terroirs les plus froids. Dans le Midi, sur la plus grande majorité des vignobles, ce problème ne se rencontre pas.

Les vins de merlot et de cabernet sauvignon dans cette région sont intéressants. En effet, le merlot présente un potentiel alcoolique élevé, une couleur prononcée et des arômes souvent fins. La maturité doit être cernée avec beaucoup de précision pour ne pas être dépassée. En effet, dans le cas contraire, le vin perd beaucoup de son équilibre et de ses arômes. Le cabernet sauvignon donne au vin, en Languedoc-Roussillon, une couleur très prononcée, un bon potentiel alcoolique, des arômes souvent intenses. Pourtant, les hauts rendements sont particulièrement préjudiciables aux vins de ce cépage. En effet, souvent marqué par l'arôme pyrazique (poivron vert), le vin de cabernet sauvignon du Languedoc-Roussillon peut devenir exagérément typé par cet arôme devenu grossier dans le cas de hauts rendements.

L'introduction de ces cépages « améliorateurs » bordelais n'est pas forcément allée de pair avec celui de leurs porte-greffes habituels. Or, le cabernet-sauvignon doit, pour donner un vin fin de qualité, être absolument greffé sur des porte-greffes faibles. Cela n'a pas toujours été réalisé à la plantation, en Languedoc-Roussillon, où des porte-greffes plus vigoureux sont traditionnellement employés.

Le problème des hauts rendements est parfois à relier à celui du choix des clones. Les clones, ces copies conformes en tous points, sont des variations, à l'intérieur de la notion de cépage. Ainsi, le cabernet sauvignon en compte environ 27, le merlot 15. Ceux-ci sont agréés, reproduits par les pépiniéristes et revendus aux viticulteurs.

La qualité des clones est très variable ! Or, il s'avère que les clones de cabernet-sauvignon et de merlot répandus en Languedoc-Roussillon sont les plus productifs, les moins propices à l'élaboration de vins de qualité. Par contre, ces clones sont souvent les plus faciles à multiplier en pépinières...

Pour planter des clones qualitatifs, au rendement modéré, le vigneron méridional doit quelquefois s'adresser à des pépiniéristes du Bordelais... Pour le vigneron, la connaissance des « classements » des clones est facilement accessible. Si l'information existe, il est pourtant difficile pour le vigneron de s'assurer que le clone acheté est vraiment celui qu'il a commandé : les différences morphologiques sont faibles, mais les effets sur le rendement et la qualité du vin sont importants.

Ces cépages bordelais, malgré les quelques problèmes d'adaptation climatique et de choix des clones, donnent de très bons résultats en Languedoc-Roussillon.

Ainsi, le cabernet sauvignon donne un vin structuré, pouvant vieillir en barriques, assez typé. Par contre, dès que la maturité n'est pas optimale, ou que le rendement est élevé, il perd beaucoup en finesse dans la région.

Il présente cependant moins de risques que le merlot, sous ce climat.

Le merlot, bien que très sensible à la sécheresse donne bien souvent de meilleurs résultats. Le vin obtenu, moins typé, est plus rond. Sa finesse et ses arômes le font parfois rentrer dans les assemblages de primeurs.

# Les cépages blancs

Ils représentent trois grands groupes : les cépages musqués, les blancs traditionnels du Languedoc-Roussillon, et les cépages blancs importés d'autres régions vinicoles...

## Les muscats

Ces cépages sont essentiellement destinés à la production de vin doux naturel muscat de Frontignan, de Lunel, Rivesaltes, Maury, Banyuls, muscat de Saint-Jean de Minervois...).

Deux cépages musqués sont plantés en Languedoc-Roussillon : le muscat de Frontignan (également appelé muscat à petits grains, muscat de Lunel...) et le muscat d'Alexandrie.

Ils sont à l'origine de vins différents sur le plan aromatique.

Seuls les muscats de Frontignan, Lunel, Mireval et de Saint-Jean-de-Minervois sont produits exclusivement à partir du muscat blanc à petits grains.

Les autres vins doux naturels du Roussillon (Banyuls, Grand Roussillon, Maury, Rivesaltes) sont produits à partir des deux cépages de muscat. Le muscat d'Alexandrie domine pourtant dans beaucoup de terroirs catalans.

## Les cépages blancs traditionnels du Languedoc-Roussillon

Il s'agit du grenache blanc, de l'ugni blanc, du maccabeu blanc, du terret, de la clairette, du bourboulenc, du tourbat, du picpoul, du mauzac...

Si la liste est assez longue, les aptitudes de ces cépages, leur potentialité aromatique ne sont pas toujours exceptionnels, excepté quelques-uns tels que le bourboulenc, la clairette en assemblages, le grenache blanc, le maccabeu blanc dans les terroirs très chauds.

Ces cépages constituent le fondement de la majorité des vins blancs d'appellation du Languedoc-Roussillon : Corbières blanc, Costières de Nîmes blanc, Coteaux du Languedoc blanc, Côtes-du-Roussillon blanc (maccabeu et tourbat uniquement), Minervois blanc...

On ne saurait oublier que la matière première n'est rien sans le vigneron ; c'est par son travail de la vigne puis du vin qu'il parviendra à engendrer un produit empreint de finesse.

Ainsi, les cépages locaux, boudés pour leur image productive et peu aromatique, tendent à être redécouverts, avec une volonté de contrôler les rendements, de privilégier les arômes et la finesse du vin lors des vinifications.

A travers eux, le vigneron tente de retrouver la typicité de la région, associée à une forte volonté qualitative.

## Des cépages venus d'ailleurs

Pour diversifier son encépagement blanc et accentuer ses potentialités aromatiques, le Languedoc-Roussillon a accueilli d'autres cépages.

Venus de régions voisines, la marsanne (plantée en Provence, Savoie...), le vermentino ou rolle (planté en Provence, Corse...), se sont implantés en Languedoc-Roussillon.

S'ils n'ont pas été accueillis à bras ouverts par les appellations de la région, (seule la marsanne est acceptée... en Costières de Nîmes !) ces .cépages sont reconnus pour certaines aptitudes.

Sensibles à la sécheresse, ils peuvent s'adapter dans des sols assez profonds, lorsqu'on limite sérieusement leur rendement. Le volume de la production doit impérativement être maîtrisé, pour préserver à ces cépages leur typicité aromatique. Dans ce cas, les vins produits sont souvent d'une bonne qualité, présentant des arômes fins et intenses.

Venus de vignobles plus éloignés, le sauvignon et le chardonnay sont apparus dans le vignoble du Languedoc-Roussillon. Palissés (sur deux ou trois fils), ces cépages apportent incontestablement des qualités au vin (struture, arômes).

N'entrant pas dans la lignée de la typicité locale des A.O.C., ils ne sont pas acceptés pour la production des vins blancs d'appellation.

Ces cépages ne peuvent garantir une amélioration qualitative du vin à eux seuls. La technicité, la conduite du vignoble sont des éléments indispensables à maîtriser de la part du vigneron. En effet, il demandent des opérations œnologiques souvent différentes par rapport aux cépages traditionnels (macération pelliculaire, pressurage pneumatique etc.).

En outre, les critères de maturité (acidité et sucres) ne sont plus forcément les mêmes. Ainsi, une fois de plus, le vigneron s'adapte.

Ces cépages, dits « aromatiques », sont un outil, mais celui-ci ne peut être optimisé si le vigneron ne l'utilise pas au mieux...

La plantation de cépages blancs aromatiques s'est accompagnée ces derniers temps d'un effort d'adaptation technique de la part du vigneron... Certains vins blancs du Midi commencent à recueillir aujourd'hui les fruits de cette double évolution.

# Les hommes

En viticulture le terroir et le cépage ne font pas tout. L'homme est l'acteur essentiel. Sa connaissance du milieu, du vignoble, son savoir-faire déterminent largement la qualité du vin que dégustera le consommateur. On le vérifie tous les jours, notamment à l'occasion d'un changement de propriétaire ou d'oenologue. Deux personnes placées dans les mêmes conditions ne font pas le même vin.

Or ce savoir-faire, l'homme du vin le puise à deux sources. D'abord dans l'expérience. Il n'y a pas, sauf rarissime exception, de grande réussite viticole sans une certaine durée. Des régions viticoles comme le Bordelais, la Bourgogne, le Val de Loire et quelques autres, où la tradition de qualité n'a pas connu d'éclipses ces derniers siècles, tout au plus quelques relâchements, recueillent aujourd'hui les fruits de ce passé : le comportement des cépages, leur adaptation à tel ou tel terroir y sont connus depuis longtemps. Il est toujours possible bien sûr d'améliorer tel ou tel maillon de la chaîne qualitative, mais au moins les bases sont-elles assurées. En Languedoc et en Roussillon rien de tel. La tradition de qualité qui s'était développée au XVIIIᵉ siècle y fut brutalement interrompue au siècle suivant. Le système de production de masse a submergé les connaissances patiemment accumulées au fil des générations. Tout dans le Midi est à réinventer. Cela signifie-t-il qu'on ne puisse pas produire de bons vins, et même de grands vins en Languedoc et en Roussillon ? Non, fort heureusement, car la tradition n'est pas tout. Elle doit être à l'écoute des progrès de la science. Ce terme, associé au vin, ne doit pas effrayer. Bien au contraire. La viticulture, l'œnologie n'ont cessé depuis Pasteur, qui découvrit au siècle dernier les secrets de la fermentation, de progresser. Le comportement de la vigne, les constituants du vin (on en connaît aujourd'hui près de 300), les différentes phases de la vinification et du vieillissement sont aujourd'hui bien mieux connus qu'autrefois. S'il subsiste des zones d'ombre, et c'est heureux pour le « mystère » du vin (et les générations futures), elles sont beaucoup moins nombreuses. Dans le même temps, les techniques, les matériels ont connu des améliorations considérables. Le vigneron compétent contrôle aujourd'hui bien mieux que ses ancêtres les différents maillons du processus qui conduit à l'élaboration du vin. Encore faut-il qu'il ait l'esprit ouvert et le bagage intellectuel nécessaire. De nos jours les viticulteurs doivent aller à l'école. Ne pouvant tout connaître eux-mêmes, ils s'entourent des services de techniciens viticoles et d'oenologues. On ne fait plus le vin en 1990 comme on le faisait en 1950, et *a fortiori* au siècle dernier. Celui que nous buvons actuellement est bien meilleur. Tous ceux qui ont analysé de très vieux millésimes vous le diront.

Les plus grands vins du monde sont donc le produit d'une tradition (qui peut s'exporter) et des acquis de la science. En Languedoc et en Roussillon, on l'a dit, la tradition n'a pas grand-chose à offrir. Pis ! Qui veut produire des vins de qualité doit lui tourner le dos dans une large mesure. Les modèles où puiser son inspiration ne manquent pas. Tout est possible dans le Midi : le milieu permet de marier tous les cépages de la terre, la technique de mener à bien leur maturation et leur transformation en conjuguant tous les styles. Une bonne maîtrise de tous ces paramètres exige seulement du temps. Le Languedoc et le Roussillon sont les laboratoires viticoles et oenologiques de la France de demain. On y rencontre des hommes et des femmes exceptionnels. Ils préparent les vins du XXIe siècle.

# Le premier maillon : l'exploitation viticole

En Languedoc et en Roussillon les exploitations viticoles se comptent par dizaines de milliers : 60 000 exactement qui se partagent les 350 000 hectares du plus grand vignoble du monde. Autant dire qu'ici, la vigne n'est pas qu'un simple élément du paysage. Elle est une réalité économique et sociale incontournable. Son poids diminue pourtant sous les assauts conjugués du progrès et de la crise. On dénombrait plus de 100 000 exploitations à la fin des années 50.

La sécheresse et l'anonymat des statistiques masquent pourtant, comme c'est souvent le cas, une réalité multiforme. Bien audacieux, ou ignorant, celui qui voudrait définir l'exploitation viticole méridionale type (ou standard comme disent les économistes) ! Quoi de commun, par exemple, entre ces grands domaines de plusieurs centaines d'hectares, véritables usines à vin, et les quelques ares cultivés en fin de semaine par l'ouvrier, le petit commerçant ou le retraité coopérateur ?

Trois catégories, mais cette classification est évidemment réductrice, peuvent être distinguées.

## Un millier de grands domaines

Les grands domaines méridionaux sont très minoritaires — ils représentent moins de 2 % de l'ensemble des exploitations — mais leur poids économique est loin d'être négligeable. A eux seuls, ils exploitent environ 65 000 hectares, soit 17 % du vignoble régional. Si les domaines de plus de deux cents hectares sont rares, ceux cultivant de 35 à 100 hectares sont monnaie courante.

Tous ou presque présentent le même air de famille qu'annonce de loin l'élégante silhouette d'un bouquet de pins d'Alep. Les bâtiments d'exploitation frappent par leur dimension. Parfois alignés, ils encadrent le plus souvent une cour intérieure. Une partie était autrefois réservée au logement des ramonets (ouvriers) mais le cas est moins fréquent aujourd'hui. La main-d'œuvre s'est raréfiée et ces logements ont été transformés en garage, en entrepôt ou en caveau de dégustation. On y abrite encore parfois les vendangeurs, mais plus communément la machine à vendanger.

Le bâtiment le plus impressionnant est sans conteste un énorme parallélépipède de pierre blanche ou de schistes coiffé de tuiles rouges qui fait de prime abord immanquablement songer à une grange. C'est la cave. Pour s'assurer qu'elle abrite bien du vin et non de vulgaires bottes de paille, il faut y pénétrer et découvrir dans la pénombre l'alignement des foudres.

Point d'opulence pourtant. La maison de maître, inoccupée la plus grande partie de l'année, fait souvent grise mine : façade décrépie, toitures fatiguées, pigeonnier délabré ou dévoré par le lierre ; quant au parc, lorsqu'il existe, il évoque davantage la forêt du château de la Belle au bois dormant que les jardins de Versailles. Témoins d'une splendeur passée, les grands domaines du Languedoc et du Roussillon transpirent, par tous les pores de leurs pierres, les difficultés qui les assaillent.

Car ces domaines ont une histoire. Leur implantation n'est pas le fait du hasard. Nombreux sont ceux dont le site abrita tour à tour une villa gallo-romaine, une grange de Templiers, un prieuré.

Beaucoup sont passés à la Révolution dans l'escarcelle de la bourgeoisie triomphante, mais nombre de possessions aristocratiques n'ont pas changé de main et sont toujours détenues par des membres de la noblesse. Les grands propriétaires à particule se comptent par centaines.

Ces vieux domaines, à l'image du Languedoc-Roussillon tout entier, étaient autrefois couchés en céréales, plantés en oliviers ou abandonnés au pacage des moutons. La vigne y était très minoritaire. Lors de la naissance du vignoble de masse, leurs propriétaires les couvrirent de ceps et en firent de véritables « usines à vin ». Le phylloxera entraîna une nouvelle poussée de la grande propriété. Parce que le puceron ne peut se reproduire, ni dans les sols sableux, ni dans les parcelles inondées en hiver, on se mit à implanter la vigne sur le cordon littoral et dans les portions submersibles de la plaine. De tels aménagements exigeaient bien sûr d'importants capitaux. C'est à cette époque que la compagnie des Salins du Midi, aujourd'hui le plus grand propriétaire du Languedoc, planta en vignes le lido sableux qui s'étire entre mer et étangs de la Camargue à l'Aude.

Puis vint le temps des crises de mévente. Elles secouèrent durement la grande propriété assoupie sur sa splendeur d'antan. Les rapatriés d'Afrique du Nord acquirent nombre de ces grands vaisseaux dans les années 60 mais peu, en dépit d'un incontestable dynamisme, parvinrent à les remettre à flot. Beaucoup de grands propriétaires ont, ces dernières années, arraché des vignes, vendu une partie de leurs terres et tenté une reconversion ou une diversification dans les fruits, les légumes ou les céréales. Longtemps cantonné au Gard en raison des possibilités d'irrigation offertes par le canal du Bas-Rhône, ce mouvement s'est récemment étendu, primes d'arrachage aidant, à une grande partie de la région. A Béziers, par exemple, on dénombrait une dizaine de « campagnes » de plus de 75 hectares en 1975 ; il n'y en a plus une seule aujourd'hui.

Il ne faudrait pourtant pas noircir le tableau à l'extrême. Tous les grands propriétaires n'ont pas baissé les bras. Beaucoup ont relevé le défi et se sont engagés dans la voie de la viticulture de qualité ; avec passion parfois. Les grands domaines assurent une part non négligeable de la production des vins A.O.C. des Corbières, du Minervois ou de la Méjanelle (Coteaux du Languedoc). Beaucoup ont joué à fond la carte des vins de pays et réalisent des prodiges. Leur dimension, leur surface financière leur ont en effet permis de renouveler leur encépagement et leur équipement plus rapidement que les exploitations plus modestes. Aujourd'hui ils s'organisent et contre-attaquent. Des associations ont été créées : Delta Domaines, Languedoc Châteaux, Club des Grands

Vins de Châteaux du Languedoc... qui tentent de marier la noblesse du vin à celle de ces vieilles demeures chargées d'histoire.

## Onze mille exploitations moyennes

Une exploitation viticole sur six cultive en Languedoc-Roussillon entre 10 et 35 hectares. Leur poids économique est considérable puisqu'elles détiennent 193 000 hectares, 51 % du vignoble régional. Et leur emprise tend d'ailleurs à s'accroître encore, soit parce que, comme nous venons de le voir, certains grands domaines se débarrassent d'une partie de leurs vignes, soit parce que les petites exploitations, viabilité oblige, se voient contraintes de s'agrandir. Il faut convenir que cette surface, autour de vingt hectares, correspond à une réalité économique et sociale, celle de l'exploitation familiale. Un vigneron peut aujourd'hui travailler seul plus d'une quinzaine d'hectares ; aidé de sa famille, il parvient à limiter ses charges de main-d'œuvre, des charges qui représentent, lorsque celle-ci est salariée, la moitié environ des coûts de production.

Les exploitations moyennes ne constituent pas pour autant une catégorie homogène. Certaines sont de petites « campagnes » isolées, à l'allure charmante. Elles ne se distinguent alors du grand domaine que par leur dimension plus modeste. D'autres sont des exploitations de village au parcellaire — c'est là leur caractéristique fondamentale — très émietté.

Les villages du Midi méritent une description même sommaire. Tous ou presque sont bâtis sur un plan identique qui témoigne de préoccupations anciennes et signale les étapes de leur croissance. Au centre se trouve toujours le vieux noyau d'habitation, morceau d'Espagne ou d'Italie du Sud égaré sur les rives de la Têt ou de l'Orb. Les maisons étroites s'y pressent les unes contre les autres le long des ruelles tortueuses où la circulation automobile est souvent impossible. L'entassement s'explique ici par le fait que le village, construit sur une butte, était autrefois ceint de murailles. Ces remparts furent abattus au XVIIIe siècle et remplacés par un boulevard circulaire qui existe toujours.

Le long de ce boulevard, comme en bordure des routes qui viennent s'y greffer, l'habitat est plus aéré, plus cossu aussi. Maisons rectangulaires, à deux étages, le second donnant sur une terrasse ou des balcons de fer forgé, elles sont généralement flanquées d'un jardinet clos de murs. Le boulevard s'ouvre d'ordinaire sur une place ou une promenade qui sont le centre de la vie villageoise. Le marché s'y tient, tout comme le bal du 14 juillet. Les soirs d'été, on vient y deviser sous les platanes.

Plus loin, à la périphérie, s'étalent les lotissements de maisons neuves, des villas construites pour les nouveaux habitants, retraités ou travailleurs des villes voisines.

Le viticulteur se sent généralement à l'étroit dans sa maison de village, surtout s'il habite le centre médiéval. Celle-ci relève en effet d'une conception ancienne, inadaptée car antérieure à la viticulture de masse. Une partie quand ce n'est pas la totalité du rez-de-chaussée est occupée par le « magasin » qui s'ouvre sur la rue par une large porte voûtée. Autrefois local polyvalent, on y entreposait le train de culture, les sacs d'avoine, quelques bottes de foin, les tonneaux d'huile et de vin. Une mule ou un cheval, quelques lapins parfois, y trouvaient également refuge. Le développement de la monoviticulture a transformé ce magasin. Des foudres ou des cuves de ciment y ont été disposées. La plupart sont aujourd'hui désaffectées, bon nombre de viticulteurs ayant adhéré à une cave coopérative. Le magasin retrouve alors sa vocation première, celle d'une remise et d'un garage. Le vigneron y range son tracteur interligne ou son motoculteur, sa benne à vendange ou ses comportes, son pulvérisateur, ses sacs d'engrais, de soufre, des bidons de produits de traitement...

En revanche, s'il continue de vinifier lui-même, notre homme se heurte au manque de place. Il doit pour stocker son vin, acquérir ou faire construire de nouveaux locaux, souvent à l'autre bout du village. La dispersion des bâtiments d'exploitation répond alors à l'éclatement du parcellaire viticole, situation qui occasionne pertes de temps et dépenses supplémentaires. Qui ne facilite pas non plus l'accueil des visiteurs : « Allez voir à la cave, il doit y être, à moins qu'il ne soit dans les vignes... » Une dégustation s'apparente souvent au parcours du combattant.

Ces handicaps hérités d'un autre âge n'ont pourtant pas condamné toutes les exploitations familiales au déclin. Elles constituent même, avec les grands domaines, les fers de lance de la viticulture de qualité. Sur la trace des pionniers qui, dès les années 50, avaient compris dans quelle direction soufflait le vent, des jeunes prennent aujourd'hui la relève. Ils sont courageux, compétents, passionnés et leurs vins leur ressemblent.

## La masse des petits

Si l'on en restait là, le Midi viticole apparaîtrait sous un jour flatteur et l'on se laisserait volontiers aller à l'optimisme. On oublierait pourtant ce qui fait son originalité et explique bien des choses : la masse des petits et des micro-exploitants.

En Languedoc-Roussillon, six exploitations sur dix comptent moins de cinq hectares, proportion considérable qui ne diminue que fort lentement. Avec une aussi faible superficie, la culture de la vigne ne peut évidemment pas suffire à nourrir une famille. On n'est pas en Bourgogne ou en Champagne. Les petits et les micro-exploitants ne subsistent dans le Midi que parce qu'ils perçoivent d'autres revenus. La moitié d'entre eux travaille à l'extérieur : ouvriers, employés, commerçants, ils consacrent leurs fins de journée et leurs week-ends à l'entretien de leur parcelle. Quand ce n'est pas le chef d'exploitation lui-même qui exerce cette activité d'appoint, c'est sa femme ou ses enfants. On dénombre aussi parmi eux plus d'un tiers de viticulteurs retraités qui ont conservé quelques vignes autant pour occuper leurs loisirs que pour arrondir des pensions souvent bien maigres.

En raison de leur âge, ou du caractère partiel de leur activité viticole, ces petits sont pour l'essentiel ancrés dans la routine. Leurs pieds de vigne sont aussi âgés qu'eux et les cépages améliorateurs quasiment inconnus. Tous, à quelques exceptions près, étant adhérents d'une cave coopérative, on mesure l'inertie que doivent affronter les directeurs de ces structures lorsque, en accord avec les coopérateurs les plus dynamiques, ils entreprennent d'investir et de fixer des règles strictes en matière d'apport dans le but d'améliorer la qualité de leurs vins. Les micro-exploitants représentent un boulet souvent lourd à traîner. Ils ne sont en général que des producteurs de raisin, plus préoccupés par leur intérêt immédiat — « ne pas faire la queue à la cave », « être payés à temps » — que par les perspectives aléatoires d'une politique à long terme.

Ils n'en constituent pas moins une réalité incontournable du Midi viticole.


## Les caves coopératives

Encore moins incontournables sont les caves coopératives. Leur poids économique est considérable. Qu'on en juge : les caves coopératives sont au nombre de 550 environ en Languedoc-Roussillon. Elles regroupent les trois quarts des exploitations viticoles et vinifient les deux tiers de la production régionale.

Leur puissance n'a cessé de s'accroître depuis qu'en 1901, Jean Jaurès lui-même vint à Maraussan dans l'Hérault inaugurer la première d'entre elles. Les noms que certaines arborent encore fièrement rappellent les idées généreuses qui présidèrent à leur fondation : « Les petits vignerons », « Le Progrès » « L'Espérance ». Les caves coopératives sont en effet des filles des crises de mévente. Elles ont été des refuges vers lesquels ont conflué tous les exploitants menacés de disparition.

De ce passé la coopération a gardé des traces. Les deux tiers de ses adhérents sont des viticulteurs exploitant moins de cinq hectares. La proportion de personnes âgées y est, comme on l'a vu, fort élevée. Autant d'indices qui pourraient conduire à des jugements hâtifs et péremptoires. Gardons-nous cependant de tomber dans ce piège. A vouloir opposer systématiquement caves particulières et caves coopératives, on a toutes les chances de passer à côté de la réalité. Celle-ci est bien plus complexe, heureusement.

Les caves coopératives participent efficacement et pour une large part au processus d'amélioration qualitative de la production. Quelques-unes font même figure de locomotives : Berlou, La Livinière, Embres-et-Castelmaure, Lesquerde, Rivesaltes pour n'en citer que quelques-unes, élaborent des produits remarquables qui sont régulièrement récompensés dans les concours les plus prestigieux. Ces réussites ne relèvent pas du miracle mais de la volonté des coopérateurs et de la compétence de leurs dirigeants. En matière de coopération, les recettes du succès sont toujours les mêmes : choix raisonné des investissements, stricte politique en matière d'apports de vendange, recrutement d'un personnel formé et motivé... Nous reviendrons un peu plus loin sur ces différents aspects techniques.

Il est vrai en revanche que toutes les caves coopératives du Languedoc-Roussillon n'affichent pas une santé éclatante. Beaucoup ont accumulé des retards considérables et se débattent aujourd'hui dans d'insolubles difficultés financières. L'ère des subventions massives, qui pouvaient masquer il y a peu encore le déséquilibre (pour ne pas dire plus) des bilans annuels, est en passe de s'achever et le réveil est parfois douloureux. Les arrachages massifs de ces dernières années n'arrangent rien, bien au contraire. Dans les secteurs les plus touchés, l'heure est désormais aux fusions de caves coopératives.

# Dans la vigne

## Les modes de plantation

Un coup d'œil rapide sur un champ de vignes nous permet de saisir des rangées de vignes sagement alignées remplissant le plus avantageusement possible l'espace imparti.

Derrière la banalité d'une telle observation se cache le fruit de réflexions techniques et de multiples évolutions.

Dans le Midi, au début du siècle, et jusqu'en 1940, on observe généralement une plantation au carré ; les pieds de vigne sont tous distants de 1,50 m. Le travail du sol (labours, chaussage, déchaussage) est réalisé par un attelage tiré par un cheval de trait. Pratiqué dans tous les sens, il garantit un travail homogène de la parcelle.

Dans les années 50, la motorisation de l'agriculture gagne la viticulture. Nécessitant un écartement plus important, elle génère une plantation en lignes. Les rangées se dessinent nettement, distantes de deux mètres. Sur le rang, 1,25 m sépare les ceps. Le mode de travail change aussi : seul le rang est travaillé (désherbé, labouré, fumé) à la machine. C'est l'ère des « vignerons », petits tracteurs étroits circulant entre les rangs. Ceux-ci sont travaillés à la main.

L'époque est marquée par l'apogée des hauts rendements. Le palissage fait son apparition. Il revient environ à 50 F de l'époque par pied, mais l'investissement est justifié par le rendement supérieur permis. N'oublions pas que le vin produit est destiné au coupage, vendu au degré hectolitre. On comprend aisément que l'accroissement du volume soit recherché.

Dans les années 60, la tendance s'accentue et la distance entre les rangs passe de 2 à 3 mètres. Le Languedoc suit l'exemple suisse : un tel écartement, associé au palissage, à un tronc élevé permet d'utiliser des tracteurs courants et non plus des tracteurs spécialisés. Le vignoble ainsi palissé sera par la suite tout prêt à accueillir les premières machines à vendanger.

L'évolution de la disposition modifie par ailleurs les densités. De 4 444 pieds par hectare au début du siècle, avec les plantations au carré, la densité passe à 2 666 pieds par hectare en plantation en ligne de 3 m × 1,25 m.

Aujourd'hui, on tend à revenir à des densités plus élevées, préférant une charge par pied plus faible, mais générant une production beaucoup plus équilibrée.

En outre, la compétition entre les souches favorise l'obtention des produits plus fins, au détriment du volume. Une des conditions nécessaires est un bon rapport entre la surface foliaire et le poids de la récolte. Le palissage bien raisonné est une arme pour la qualité : la répartition du feuillage conditionne considérablement la qualité de la production.

En 1973 déjà, les schémas directeurs dessinés par les autorités techniques agricoles préconisent des espacements de 2,5 m × 1,50 m à 1,25 m dans la région.

La densité est encore trop faible pour les tenants de la qualité. Les Bourguignons montrent la voie vers une densité plus forte ; la tradition est pour eux riche d'enseignements. Les vignerons du Languedoc-Roussillon ont pour eux l'expérience des autres et la science viticole.

Au critère d'une production moindre par pied vient s'ajouter l'implantation de nouveaux cépages, moins productifs, tels que le cabernet sauvignon, le merlot, la syrah, le sauvignon, le chardonnay... Leur productivité, inférieure à celles des cépages méridionaux traditionnels, impose une densité plus forte, dans un souci d'équilibre économique.

Entre-temps, la sélection clonale et les travaux de recherche isolent des « souches » aux aptitudes pudiquement qualifiées d'« intéressantes ». Ainsi, ces cépages améliorateurs ont aujourd'hui dans le vignoble des « jumeaux » nettement plus productifs. Le choix des clones est déterminant pour le vigneron. Il n'est pas toujours aisé : les plus productifs sont bien souvent les plus « intéressants » à multiplier pour les pépiniéristes...

Ces éléments illustrent la complexité rencontrée dans le vignoble lors de la quête de la qualité.

Les études scientifiques, rendues accessibles aux vignerons grâce aux organismes techniques peuvent éclairer leurs décisions. Néanmoins, seul le vigneron peut les prendre. Ainsi s'affirme d'ores et déjà la différence entre ceux qui s'engagent et ceux qui les regardent. Cela explique les deux visages de la viticulture du Languedoc-Roussillon : dynamique pour une production résolument tournée vers la qualité, attentiste pour la seconde, enracinée dans un système de production au kilo degré.

## La taille

C'est une phase prépondérante dans le cycle de la vigne. Sa réalisation conditionne non seulement la récolte à venir, mais aussi les suivantes. A l'automne ou en hiver, la taille élimine les sarments qui ont porté la récolte de l'année, en ne laissant subsister qu'un nombre restreint de bourgeons. Ceux-ci, les « yeux francs », donneront les prochaines branches à fruits.

La taille conditionne la pérennité de la vigne. Sans elle, les bourgeons trop nombreux donneraient une multitude de rameaux chétifs quasiment improductifs. La quantité de bourgeons laissés détermine l'orientation quantitative de la production, le nombre de branches à fruits.

Les multiples opérations afférentes à la conduite de la vigne sont intimement liées ; la taille en est une nouvelle illustration : taille, mode de plantation et rendement s'influencent mutuellement.

Ainsi, à l'époque des plantations à 2 m × 1,25 m, la taille traditionnelle des gobelets est la suivante : il reste cinq « bras » (rameaux), portant deux yeux francs. Cet agencement en couronne, au-dessus du pied de vigne, ménage un creux central et évoque la forme d'un gobelet.

Ceci est la taille courte par excellence. Le palissage a quelque peu condamné le gobelet, dont l'encombrement spatial est peu compatible avec la disposition plane imposée. Une taille dite « longue », ou « en Guyot » s'y substitue : un bras court à deux bourgeons et un bras long à 6 ou 8 bourgeons.

Elle permet, avec une densité moindre, d'atteindre des rendements équivalents. En zone d'appellation, seuls certains cépages (syrah, chardonnay par exemple) sont autorisés en taille longue : les yeux de la base sont réputés peu fertiles chez ces cépages. Encore faut-il moduler ces données avec les nouveaux clones...

Le cordon de Royat permet de s'adapter au palissage, tout en respectant une taille courte : c'est un gobelet mené dans un plan.

La taille peut être précédée d'une prétaille, les sarments sont grossièrement sectionnés à mi-hauteur. Appelée « espoudassage » en Languedoc, elle se déroule en octobre ou novembre. Elle facilite la taille proprement dite, en dégageant la végétation. La taille n'est reprise qu'après les premières gelées (fin novembre). Elle peut être réalisée jusqu'en février.

## Travaux en vert

La vigne exige des soins quotidiens. Il faut bien sûr effectuer les traitements contre les maladies, mais aussi sans cesse intervenir pour réprimer sa vigueur et créer les conditions d'une production de qualité. Non content de ne laisser que peu d'yeux francs lors de la taille il faudra éliminer les bourgeons importuns au printemps : profitant des remontées de sève, ils débourrent sans y avoir été invités ; ils appartiennent à la couronne (base du sarment).

Plus avant dans la saison, il conviendra de supprimer les « gourmands » et les « sagattes » (repousses incontrôlées sur le tronc du greffon ou du porte-greffe). Toutes ces excroissances de végétation concurrencent les futures branches à fruits et diminuent leur ration nutritionnelle.

## Les labours

Traditionnellement trois labours étaient pratiqués au cours du cycle cultural de la vigne ; leurs objectifs étaient multiples : assurer le désherbage en détruisant les mauvaises herbes, protéger du froid la base du cep en le « chaussant » de terre, fragmenter le sol pour qu'il emmagasine mieux l'eau.

Avec beaucoup de variations terminologiques locales le premier labour, d'automne, était désigné par le terme de « fonché », le suivant au printemps par la « majenque », et celui d'été par la « tierce ».

La conduite du vignoble de masse a favorisé la multiplication des labours parfois jusqu'à neuf par an ! Ils visaient à détruire toute adventice détournant les matières nutritives.

On pouvait profiter du premier labour d'automne et du déchaussage de février pour apporter les engrais (azote, potasse à l'époque). Cette pratique est à proscrire dans toute politique de qualité. Dans certaines situations, malgré l'arrêt des apports, la richesse des sols, acquise au fil des années, est encore responsable d'une vigueur excessive de la vigne, néfaste à la qualité.

Pratique quasiment disparue aujourd'hui, les labours de « chaussage » puis de « déchaussage » créaient une butte autour de la souche pour protéger la soudure porte-greffe-greffon des rigueurs hivernales. On la faisait disparaître au printemps.

Dans certaines conditions, le labour a été complètement abandonné aujourd'hui : on parle de non-culture. Il ne faut pas y voir un abandon pur et simple de la vigne, mais celui des labours. La destruction des mauvaises herbes se fait alors par des pulvérisations de produits chimiques. Les exploitants de parcelles exiguës (et d'autres) y ont vu une amélioration non négligeable des conditions de travail : plus de charrues à entretenir, d'heures à labourer à des époques froides. Hélas ! l'emploi répété de produits chimiques a souvent provoqué l'apparition d'espèces végétales résistantes, et par là même envahissantes !

En situation pentue, les pluies torrentielles fréquentes en nos régions ont raviné tant et plus les parcelles. L'absence de labour ne permet pas de lutter contre ce phénomène. Les eaux s'engouffrent alors dans les « gouttières » ainsi formées et n'ont plus le temps de s'infiltrer dans le sol desséché. En dévalant les pentes, elles entraînent la terre fine chargée d'éléments mineraux vers le bas des coteaux, lessivant littéralement le sol. Ainsi, la pluie, souvent attendue, peut dévaster plus qu'apporter aux sols. L'absence de labour conduit à laisser sur le sol les sarments. C'est ainsi que l'on assiste à une recrudescence des maladies cryptogamiques : les bois de taille abritent les formes résistantes des champignons.

La pratique de la non-culture économise certes les passages de charrue, une certaine pénibilité de travail... Mais, au bout du compte, on se demande si les économies faites ne sont pas inférieures aux dépenses en produits chimiques et en travaux supplémentaires nécessaires pour ramener la terre sur la parcelle.

## La vendange

La phase de récolte est primordiale pour la qualité du vin à venir. La vendange est le moment où le vigneron va recevoir le salaire d'une année de labeur. En effet, dans cette région de tradition plus « récoltante » que « manipulante », les vendanges sont synonymes de paiement du raisin. Ceci explique le plus souvent la réticence des viticulteurs adhérents des coopératives à repousser les dates de récoltes. Ils craignent l'équinoxe du 23 septembre, souvent vectrice de pluies... Pourtant, un produit de qualité s'obtient avec une matière première parvenue à pleine maturité.

Ici, le fossé entre caves particulières et coopératives se creuse. Si la qualité pour le vigneron indépendant est l'affaire de son optique propre, il n'en est pas de même en cave coopérative. Regroupant souvent des dizaines de personnes, et donc d'optiques différentes le choix des dates de récolte des caves coopératives n'est pas toujours simple.

Aujourd'hui, des grilles de rémunération ont été instaurées. Certaines sont plus ou moins complexes, mais toutes visent à réactualiser le mode de paiement. Grâce à des systèmes de bonifications, les raisins issus de cépages de qualité sont mieux payés que les raisins d'aramon par exemple, pour une même quantité apportée. Les faibles degrés alcooliques sont pénalisés.

Ces initiatives ne permettent pas encore de sortir du carcan du kilo degré, et la qualité n'y trouve pas une garantie suffisante. Le rendement, pourtant primordial, est encore absent de cette évaluation. Pour l'instant, ces mesures constituent un garde-fou ; mais, la progression véritable ne se réalise que par la prise de responsabilités des hommes.

Nombre de viticulteurs sont trop étrangers à la marche de leur coopérative, et encore plus à la commercialisation de leur produit. Pourtant, il existe à ce jour des hommes revendiquant le titre de vigneron et refusant de se considérer seulement comme des viticulteurs.

Ce pas franchi, caves particulières et coopératives peuvent s'impliquer dans la voie de la qualité de façon égale.

Il n'y a pas d'incompatibilité entre la structure coopérative et la qualité ! Une plus grande inertie tout au plus peut ralentir l'avancée de la coopérative.

Quelle que soit la structure de production, individuelle ou collective, le moteur de la qualité est l'homme : le vigneron.

# A la cave

Deux grandes structures évoluent en parallèle en Languedoc-Roussillon, d'un point de vue oenologique : les caves particulières et coopératives. Leurs contraintes sont différentes ; mais, au sein de chacune de ces structures, certains avancent, et d'autres... stagnent !

Le vin rouge était la production quasi exclusive du Languedoc-Roussillon au début du siècle. C'est donc surtout à travers lui que s'illustre l'évolution de la production.

## L'héritage industriel

La demande était au début du siècle celle d'un vin de coupage. Le cahier des charges était celui d'un vin de faible prix, ce qui pouvait expliquer l'évolution de la viticulture ébauchée plus haut (rendements élevés, choix de cépages productifs, d'une densité de plantation faible, etc.). Les vinificateurs de la région se sont tournés vers des modes de vinification permettant l'obtention de tels vins.

C'est ainsi que s'est développée la vinification continue, sous diverses formes :

Le procédé « Super 4 » consistait à ajouter du vin sur la vendange fraîche, jusqu'à obtention d'un degré alcoolique de 4 % vol. Il permettait d'accélérer l'extraction de la couleur et la dissolution des composés des pellicules du raisin. De plus, ce taux d'alcool éliminait des levures peu favorables (type apiculées), sensibles à l'alcool.

Cette méthode très ancienne fut à l'origine de la véritable vinification continue, visant à « industrialiser » la production de vin de masse : faire rentrer la vendange à un bout de la chaîne, et récupérer le vin fini à la sortie.

Dans ces procédés, la vendange pénètre au tiers inférieur de la cuve.

Le vin fini étant moins dense que le jus de raisin, il remonte dans la partie supérieure de la cuve. Il peut alors être évacué à ce niveau, au fur et à mesure que l'on introduit de la vendange fraîche par le bas de la cuve.

De 1950 à 1960, plusieurs systèmes se sont développés (procédés Crémaschi, Ladousse-Pujol, Vico, etc.). Ces « machines à vin » nécessitaient des cuves énormes (de 1 000 à 5 000 hl) que l'on vit alors apparaître à l'extérieur des plus grosses caves coopératives de la région. Ces « vinificateurs » fonctionnent pendant trois semaines à un mois et permettent de vinifier des volumes importants, avec une économie de main-d'œuvre, un seul nettoyage par campagne, etc. Par contre, cette méthode ne permet pas de procéder à des sélections qualitatives de la vendange : il faut « nourrir » le vinificateur : cela revient à la production d'un seul type de vin, du début à la fin de la campagne.

De plus, en cas d'accident microbiologique toute la cuve étant menacée, la surveillance technique due au volume doit être encore plus pointilleuse.

Ce procédé ne s'est plus développé et a subi une large perte de vitesse aujourd'hui : interdit pour les vins d'appellation, il ne permet pas de proposer une large palette de vins produits et s'est avéré délicat à maîtriser parfaitement (vitesse d'alimentation, suivi microbiologique, etc.).

La thermovinification, macération à chaud des raisins rouges puis fermentation classique, est une conception plus récente. La macération à température élevée (70 à 80 °C) accélère l'extraction des substances des pellicules responsables de la couleur, de la structure, de l'arôme du vin. En revanche, elle détruit enzymes et levures qu'il faudra restituer ultérieurement.

Permettant une économie de main-d'œuvre et de la durée de macération, cette méthode a progressivement remplacé la vinification continue dans les grosses unités de production de vin de table de la région. Cette pratique ne s'est jamais développée en vin de garde (réglementation des appellations et incertitude quant à l'évolution de la couleur des vins extraite à chaud).

A ces deux procédés les plus importants sont venus s'ajouter d'autres techniques régionales peu développées par la suite : la vinomacération (proposée en 1971 par des œnologues biterrois, la macération Villeneuve, la macération sulfitique (1934, d'origine biterroise également, destinée alors aux petits domaines).

La macération carbonique, technique plus moderne, exploite des phénomènes se déroulant naturellement dans des baies de raisin entières (non foulées), placées à l'abri de l'air par une saturation des cuves en gaz carbonique. Elle a vu le jour en 1933 à Narbonne, par hasard, lors d'un essai de conservation du raisin de table dans du gaz carbonique ambiant.

Dans les années 1960, les caves coopératives installant une unité de vinification en rouge trouvaient des devis inférieurs pour s'équiper pour la macération carbonique plutôt que traditionnelle. Cela a contribué à son évolution dans la région.

De plus, cette méthode « type » les vins produits : les arômes variétaux des cépages disparaissent pratiquement. On peut alors comparer un carignan et une syrah vinifiés par macération carbonique. Cela est avantageux... pour la vinification de cépages peu aromatiques, cultivés à gros rendements, sans typicité.

## Types de vinification rouges-rosés-blancs
## Schéma simplifié

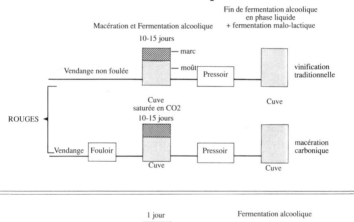

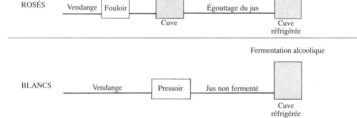

Cette recherche de nouveaux procédés de vinification, si elle n'a pas toujours été une réussite qualitative, montre bien le formidable esprit d'adaptation des vignerons du Languedoc-Roussillon aux conditions du marché.

Cette volonté et cet effort pour sortir la viticulture régionale de son image de marque encore moyenne ne datent donc pas d'aujourd'hui !

Et la vinification traditionnelle ? Malgré l'évolution technique décrite plus haut, celle-ci est restée largement maîtresse des procédés oenologiques du Languedoc-Roussillon. C'est surtout à travers elle que s'est négocié le « virage qualité ».

## Des progrès tous azimuts

La production, d'abord monolithique, du Languedoc s'est diversifiée, à l'image des terroirs existants. Les objectifs « volumes » se sont transformés en volonté « équilibre-arômes-couleur ». Cela a imposé des orientations spécifiques pour chaque terroir, dans chaque cave, concernant les multiples choix offerts au vinificateur : taux d'éraflage, durée de macération, moment du décuvage, températures de fermentation, fermentation malolactique, collages, etc.

La cave a énormément évolué en deux ou trois générations de vignerons.

Le raisin était autrefois rentré à la cave écrasé. Un foulage aux pieds était même pratiqué à la vigne dans les petites exploitations. Par la suite, des fouloirs mécaniques, puis des foulo-pompes ont joué ce rôle. Aujourd'hui, dans le Languedoc-Roussillon, on préfère respecter l'intégrité de la vendange, dans un souci qualitatif. Les fouloirs sont devenus des rouleaux en plastique comprimant légèrement le raisin, sans dilacération.

L'éraflage n'était pas autrefois une pratique courante. Aujourd'hui, il se rencontre de plus en plus souvent.

Un progrès vient également de la gestion de la population levurienne : celle-ci, incontrôlée et donc non sélectionnée autrefois devient aujourd'hui plus maîtrisée, avec un levurage pratiqué presque systématiquement.

Les précautions oenologiques et l'hygiène sont venues à l'aide des vignerons. Ainsi, les doses d'antiseptiques ont beaucoup diminué ces dernières décennies.

Une des évolutions qualitatives majeures est la maîtrise des températures de fermentation. En effet, les levures dégagent en fermentant une chaleur qui serait, sans intervention, responsable d'une grave élévation de température. Au début du siècle, les températures n'étaient pas maîtrisées. On maintenait tout au plus une certaine fraîcheur par une aération nocturne des caves. Cela était insuffisant et amenait des échauffements du vin en fermentation, néfastes aux arômes et provoquant une accélération du processus fermentaire... ou un arrêt brutal sans épuisement complet des sucres ! La fermentation ainsi emballée durait deux à trois jours, ou s'arrêtait en cours ! Par la suite, un système de ruissellement d'eau sur les cuves en acier a permis une première « régulation » des températures pour les vignerons disposant d'eau à volonté. Depuis, le recours aux groupes frigorifiques, généralisé dans la région, permet une véritable gestion des températures, avec automatisation éventuelle...

L'évolution du matériel de pressurage est un très bon exemple des orientations diverses des vignerons. Le pressoir à vis, mû à la main, était utilisé au début du siècle. Il s'est ensuite quelque peu maintenu dans la petite propriété, mais nécessitait une main-d'œuvre importante, et était lent. Le pressoir hydraulique horizontal, à moteur à essence puis électrique, est apparu. Il permet un meilleur rendement de pressurage et une économie de main-d'œuvre. Dans les vignobles de vin de table se développa parallèlement le pressoir continu, alimenté régulièrement par une vis sans fin, et permettant de supprimer les pertes de temps occasionnées par le chargement et le déchargement du pressoir à chaque pressée. Ce matériel, exclu des zones d'appellation, est en perte de vitesse aujourd'hui dans la région.

La « philosophie » du pressurage a également évolué. On cherchait autrefois à extraire le plus possible de jus de la vendange. Aujourd'hui, les prestations viniques aidant alliées à une volonté qualitative, le pressurage se veut plus léger, privilégiant structure et arômes plutôt que volume.

Une des nouvelles données de l'effort qualitatif est le développement dans le Languedoc-Roussillon des pressoirs pneumatiques. Ces matériels onéreux caractérisent bien souvent un investissement vers la qualité. Ils permettent une pressée plus douce, mieux exercée, sans trituration.

L'évolution de la clarification des vins est moins nette que celle des vinifications proprement dites. Les collages étaient pratiqués depuis longtemps, avec des colles semblables.

Le matériel de filtration a évolué : dans un premier temps, la cellulose a remplacé l'amiante et le Kieselguhr s'est généralisé dans les caves. Les filtrations très fines, dites « serrées », sont apparues, provenant de l'industrie des boissons : filtration sur membrane, ultracentrifugation, etc. Ces dernières pratiques, conférant une limpidité remarquable, voire une brillance, sont parfois utilisées par des négociants.

Les matériaux des caves ont connu une grande évolution depuis le début du siècle : les cuves en béton qui avaient remplacé les foudres en bois ont connu la concurrence sans cesse accrue des cuves en acier revêtu, puis du plastique armé et enfin de l'acier inoxydable. Ce dernier est devenu le matériau roi des caves investissant dans la qualité.

Ainsi, les tôles de cuivre des anciens égrappoirs, les parties en bois des anciens pressoirs, fouloirs, des bennes de transport de la vendange, les tuyauteries, les robinets et raccords en laiton sont remplacés par des pièces en acier inoxydable. Ce matériau permet un entretien aisé (surface lisse), offre une neutralité chimique et gustative au vin, une bonne résistance mécanique.

Ce matériau, par son coût, constitue un effort considérable de qualité pour les vignerons.

## Les vins rosés

Les vins rosés et gris ont également subi une évolution qualitative importante, marquée par des techniques nouvelles et une énorme volonté des vignerons. Ainsi, le débourbage, sorte de « mise au clair » du jus avant de le faire fermenter, est aujourd'hui réalisé de façon plus efficace et surtout plus rapide (utilisation du froid, collages, centrifugation...).

La maîtrise des températures de fermentation a offert aux vinificateurs la possibilité de préserver les arômes fruités, la fraîcheur des vins rosés. Une détermination des potentialités régionales des cépages a permis de repérer les plus propices à la réalisation de bons vins rosés (grenache, cinsaut...).

Des études de marché ont aidé les vinificateurs à cerner les couleurs préférées des consommateurs. Ainsi, on a assisté ces dernières années à la vogue de la teinte « pétale de rose » ! Certains se positionnent sur un marché de vins rosés plus foncés, plus structurés, « charnus », assez appréciés sur le marché régional.

Le vinificateur joue sur la couleur en choisissant son temps de macération, c'est-à-dire de contact entre le jus peu (pas) coloré, et les pellicules des baies, riches en composés de couleur. Il pratique alors la saignée (écoule le jus), le séparant ainsi des pellicules. La couleur est pratiquement définitive à cet instant.

Un autre procédé, moins répandu dans la région, est le pressurage direct : il s'agit de presser la vendange fraîche. La couleur est plus difficile à maîtriser, les possibilités de choix du vinificateur moins importantes. Ce second procédé est moins répandu en Languedoc-Roussillon que la saignée.

Le vin gris tire sa couleur originale d'une alliance entre le terroir et les cépages. Dans la zone des sables (d'Aigues-Mortes à Sète), le grenache gris, le carignan, le cinsaut sont la base de la production du gris-de-gris. La méthode de vinification est analogue à celle du rosé.

## Les vins blancs

Si la production de vin blanc du Languedoc-Roussillon était jadis réservée à quelques terroirs particuliers (Bellegarde, Pinet, Limoux, Frontignan, Lunel...), elle a connu depuis une évolution quantitative face à la demande croissante (surtout en provenance de l'Europe du Nord, mais aussi locale). Traditionnellement, les vins blancs étaient produits sur des terroirs froids. Le Languedoc-Roussillon est une des régions à avoir rejeté ce préjugé au rang des idées reçues sans fondements.

Si beaucoup de vins blancs sont produits en Languedoc-Roussillon, ils ne représentent que 5 à 6 % du volume. En moyenne, en France, la part du vin blanc représente 15 à 20 % du volume.

Le vin blanc peut être considéré comme un élément dynamique de diversité de la production en Languedoc-Roussillon. La volonté qualitative est peut-être encore plus affirmée en ce qui le concerne. Cela est sans doute lié à son évolution récente.

Le vin blanc de la région doit, pour s'adapter à son nouveau marché, être qualitativement irréprochable, et affirmer sa typicité, sa personnalité. Celle-ci provient notamment du vaste éventail de cépages disponibles dans la région (picpoul, maccabeu, grenache blanc, mauzac, clairette, bourboulenc, terret, listan, rolle, tourbat, roussanne, marsanne...), des terroirs et des modes de vinification.

Devant l'avance technologique de certains pays, et de régions françaises dans l'élaboration du vin blanc, le Languedoc-Roussillon a dû réagir très vite, s'adapter pour être performant et reconnu. C'est en partie le développement des vins blancs qui a conduit les caves à investir et à évoluer dans un but qualitatif.

Ainsi, l'utilisation du froid a apporté ces dernières années dans les caves au moins trois conséquences très importantes pour le vin blanc : la maîtrise des températures s'est généralisée. Sans elle, le vin blanc aromatique aurait connu un développement compromis dans la région. De plus, le débourbage, phase préfermentaire d'élimination des substances grossières du jus, a été rendu beaucoup plus rapide et efficace avec l'utilisation du froid. En outre, la conservation du vin blanc à température contrôlée (12 à 15 °C environ) avant la mise en bouteilles accélère sa clarification naturelle et permet de ralentir son vieillissement. Des investissements nouveaux ont participé à l'évolution qualitative des vins blancs : le développement de l'acier inoxydable dans la chaîne d'élaboration du vin, l'égrappage et le recours au pressoir pneumatique. Celui-ci se répand de plus en plus dans les caves de la région, malgré son coût. Il permet, par une pressée homogène et plus douce, de respecter l'intégrité du moût et d'obtenir des produits plus fins.

Au schéma de vinification classique se substituent aujourd'hui dans certaines caves des procédés nouveaux d'élaboration du vin blanc.

Ainsi, la macération pelliculaire, ou « Skin Contact », provient de l'exemple californien. Elle repose sur l'idée selon laquelle les arômes sont principalement situés dans les pellicules. Or, la vinification en blanc classique, en pressant immédiatement le raisin, élimine très tôt les pellicules,... et donc une partie importante du potentiel aromatique.

En revanche, la macération pelliculaire consiste en un encuvage du raisin foulé, égrappé, durant 8 à 20 heures environ. Cette première phase permet une plus grande extraction aromatique des pellicules vers le jus. Par contre, elle demande un suivi permanent pour ne pas extraire des substances conférant au vin un mauvais goût (herbacé...). Après cette étape, le moût est pressé.

La macération, globalement positive, ne valorise pas toujours tous les vins. Le résultat semble variable selon les cépages, les terroirs et bien d'autres paramètres. Le vigneron du Languedoc-Roussillon témoigne ici encore d'un formidable pouvoir d'adaptation à la technologie, au terroir, aux cépages... et au marché.

L'hyperoxygénation est une seconde technique nouvelle dans la région. La forte aération du jus de raisin provoque une certaine évolution de l'arôme, et surtout une meilleure tenue à l'air du vin blanc. Ici encore, cette technique n'est pas utilisée systématiquement, mais au cas par cas.

L'évolution oenologique concernant les vins blancs a donc amené les caves à s'équiper. Une certaine « industrialisation » s'est alors opérée.

Depuis quelques années, une évolution différente semble se manifester. Après avoir appris à maîtriser la production d'un vin blanc de qualité, certains veulent aller beaucoup plus loin. Pour cela, ils reviennent à des procédés anciens, traditionnels : fermentation du vin blanc en barriques de chêne, batonnage des lies, etc. Ces procédés demandent beaucoup de maîtrise de la part du vinificateur. Par contre, ils peuvent assurer, dans les meilleurs cas, une typicité, une finesse au vin blanc.

Production récente, le vin blanc a été l'enjeu d'une formidable adaptation de certaines caves du Languedoc-Roussillon. Il a conduit les vignerons à optimiser leur outil de production, en intégrant dans la chaîne d'élaboration les cépages, le terroir, les modes de vinification. Ces derniers sont devenus dans certains domaines des équilibres très fins entre une technologie moderne et la tradition vinicole.

La production de vin doux naturel n'a pas subi une grande évolution des techniques ces dernières années. Basée sur une tradition importante, elle profite néanmoins des recherches et études de la station viti-vinicole du Roussillon (Tresserre).

Les mousseux blancs (Blanquette de Limoux, Clairette de Bellegarde...) ont subi une évolution. En effet, devant la concurrence des mousseux d'appellation français et étrangers, des mousseux de marque, les vins mousseux d'appellation du Languedoc-Roussillon se sont trouvés devant l'obligation d'affirmer leur spécificité, leur qualité. C'est ainsi que des efforts technologiques ont été consentis concernant les arômes, la finesse de bulle, la tenue de mousse, etc.

# Commercialisation

La consommation locale en Languedoc-Roussillon n'a jamais représenté qu'une faible part de la production régionale. Dans les années 50, les vignerons en réservent environ 9 % pour leur usage personnel. Globalement, seulement 15 à 20 % du volume produit est consommé à l'époque.

Ainsi, un volume considérable est alors destiné à transiter, par des circuits commerciaux variés, pour arriver dans les verres des consommateurs extra-méridionaux.

## Le poids traditionnel du négoce

Commercialement, le Languedoc-Roussillon n'occupait pas une position stratégique favorable. L'apparition du chemin de fer, reliant le Midi à la région parisienne, ouvre les portes d'un important marché du vin languedocien.

Les premiers rails sont posés en 1839, reliant Montpellier à Sète (encore écrit « Cette » alors, comme l'indiquent certains vieux fûts d'expédition utilisés pour le vieillissement, chez Noilly Pratt). La ligne Nîmes-Beaucaire suit, la même année.

En 1857, la Méditerranée est en communication avec l'Atlantique (Montpellier-Béziers-Toulouse). En 1860, la ligne Paris-Béziers met la capitale aux portes du Languedoc-Roussillon. Ce réseau crée alors des conditions de transport très rapides vers le grand centre de consommation que représente Paris.

Le vignoble languedocien, alors producteur d'eau-de-vie, n'a guère à changer ses techniques de production pour répondre à la nouvelle demande. Malgré les frais d'expédition, les prix de vente sont encore avantageux, et le Languedoc porte vite ombrage aux vignobles voisins de Paris.

Pour répondre à cette organisation de marché nouvelle pour l'époque, le Midi donne naissance à un négoce expéditeur local, parfaitement complémentaire du négoce distributeur installé sur les places de consommation (la région parisienne et l'Ouest sont les principales).

Les expéditions de vin s'effectuent surtout par trains complets, au départ des gares de concentration (Narbonne, Béziers, Sète, Saint-Césaire-lès-Nîmes...) et en majeure partie à destination de gares de la région parisienne. Dans les années 30, le vin est acheminé par des charrettes portant les muids (274 l), les barriques bordelaises (225 l)... Par la suite, des camions-citernes collectent le vin et viennent le vider dans les wagons-réservoirs des gares du littoral. C'est l'occasion de remplir la cruche de vin des cheminots ; à Villeneuve-les-Béziers, ou Vias, on se souvient du casse-croûte sur le pouce sensiblement amélioré par le « petit rouge du jour », bu à la régalade (technique permettant de boire à la cruche, sans qu'elle touche les lèvres).

Les négociants locaux constituent alors les opérateurs prépondérants dans la région. Ils achètent pour leur compte le vin aux propriétaires. Ils possèdent leurs propres chais, dans lesquels ils réalisent filtrages et coupages. Leur objectif est de réaliser un vin aux caractéristiques données : « sans vice ni vertu », au degré alcoolique fixé, au plus bas prix possible !

La majeure partie des négociants, les négociants forfaiteurs, expédient les vins en vrac vers les places de consommation. Ces « entonneurs » ou « chargeurs » s'adressent à d'autres négociants, en gros ou demi-gros. Ceux-ci, après avoir effectué les traitements de finition conditionneront le vin. D'autres négociants, surnommés les barriquailleurs, s'adressent directement à la clientèle bourgeoise, achetant le vin en fûts et le mettant en bouteilles dans la cave du client. Les négociants expéditeurs envoient les vins par wagons-réservoirs entreposés dans les gares du littoral. En 1973, plus d'un million de tonnes de vin transite encore par le rail (source S.N.C.F.). Ces négociants possédaient dans le quartier des gares des « docks », ou des chais importants, équipés d'installations « modernes » : pompes électriques, filtres, cuverie importante...

Dans les années 50, ces maisons traitent en moyenne 50 000 hl par an. On en dénombre plusieurs centaines. Les plus importantes manipulent 200 000 à 500 000 hl ; « les Fils de Louis Huc », installés à Béziers, possèdent des succursales à Gaillac, Perpignan, et même Oran. Mais, la concurrence est présente : citons les établissements Guy, Granaud à Béziers, Déjan à Villeneuve-lès-Béziers...

La domination des négociants locaux est forte jusque dans les années 20. Maîtres des cours du vin, ils sont en position de force et tiennent souvent lieu de banquiers aux vignerons.

Leur puissance diminue au lendemain de la Première Guerre mondiale par suite des taxes sur les vins et du prix du transport.

Dans le même temps, les maisons de négoce des places de consommation tendent à venir acheter directement leur vin. La concentration du commerce s'amorce à leur profit. La maison Nicolas, fondée en 1922, correspond à ce nouveau type de négociants d'alors.

De plus, des groupements d'acheteurs (coopératifs ou administratifs) constituent des bureaux d'achat et court-circuitent le négoce local.

Ce dernier va cependant réagir et tenter de créer des dépôts dans les places de consommation. Malgré cela, leur nombre ne va plus cesser de diminuer. La Fédération méridionale du commerce en gros des vins et spiritueux voit le nombre de ses adhérents passer de 1 200 en 1920 à 700 en 1952. Les négociants régionaux opèrent alors de plus en plus « à la commission ».

Parallèlement au négoce, un autre type d'opérateur agit et évolue : ce sont les courtiers de village. Sillonnant les campagnes, ils « pèsent », repèrent les vins, avant de les proposer au négoce. On compte alors en général un courtier par village. Son rôle est de mettre en rapport l'acheteur (négociant ou commissionnaire) et le vendeur (propriétaire ou coopérative).

Dans cette organisation du début du siècle, un seul oubli : le vin personnalisé ! Malgré la transformation de la production d'eau-de-vie en vin, les critères n'ont guère changé : le vin est toujours un produit anonyme, pesé et monnayé en kilodegré. Il est destiné à être coupé avec d'autres vins ; qu'importent les équilibres et les arômes !

## L'évolution récente du négoce

Les années 1960 marquent un changement important dans la structure du négoce méridional, et des circuits commerciaux nationaux. L'évolution du commerce, les réactions des viticulteurs, les événements politiques et la conjoncture économique sont autant d'éléments concourant à ces mutations.

## Les éléments du changement

Le vin de table du Languedoc-Roussillon doit affronter alors la surproduction générale, les prix peu rémunérateurs, et le désaveu du consommateur pour un produit de « consommation courante ». Les professionnels de la vigne prennent conscience de leur handicap : leur produit manque de personnalité.

A cette époque, 85 % des vins du Midi sont commercialisés anonymement. De ce fait, leur poids économique est faible. Cet état de fait profite alors surtout au négoce dont l'intérêt est de perpétuer cette situation.

Le vin du Midi sert de vin de base, ne bénéficiant pas de la plus-value ni de la valeur ajoutée d'un produit fini.

Les années 60 voient l'avènement de la Communauté économique européenne. La clause de préférence communautaire ainsi que la récente indépendance de l'Algérie modifient considérablement les circuits commerciaux : les vins d'Italie se substituent à ceux d'Algérie sur le marché français. Or, l'Italie possède un potentiel viticole important et des conditions favorables à la production viticole de masse. Non seulement elle produit 65 millions d'hectolitres par an dans les années 1960-70, mais elle possède des structures de vinification originales où près de 25 % de la récolte dépend d'acheteurs de vendanges. L'industrie vinicole, ou « œnopole » existe et traite industriellement des produits semi-élaborés. Ce sont alors surtout des vins en vrac qu'offre l'Italie dans la CEE. Ils concurrencent donc directement le vignoble du Languedoc-Roussillon.

Les vins d'Italie utilisent en outre des circuits plus directs, et ne transitent plus par les ports méditerranéens.

La consommation française de vin de table diminue. Les études montrent déjà que les Français ont tendance à boire peu, mais un vin meilleur. Leur préférence va dans un premier temps vers les vins de qualité. Les vins de table voient leur part de marché singulièrement diminuer. L'activité du négoce méridional s'en ressent alors.

De plus, les producteurs régionaux s'organisent déjà en groupements. Ils sont alors capables de proposer des volumes importants sur lesquels ils effectuent les assemblages et le conditionnement. Ils s'adressent directement aux centrales d'achat et au négoce distributeur.

Les premiers touchés par ces évolutions sont les négociants expéditeurs. La concurrence des groupements et la régulation des cours réduisent considérablement les marges. Les expéditeurs n'apportant pas de valeur ajoutée au produit, ils vont être purement et simplement éliminés en une décennie. Certains ont tenté de s'adapter et sont devenus commissionnaires. Ils ne stockent ni ne travaillent plus guère le vin, rejoignant l'activité des courtiers traditionnels.

Le négoce traditionnel a dû également affronter l'avènement du commerce intégré : les supermarchés voient le jour. En 1955, les établissements Leclerc apparaissent en Bretagne. En 1961, Carrefour ouvre ses portes en région parisienne.

Les négociants connaissent alors de nouveaux interlocuteurs. Ceux-ci possèdent des moyens de pression plus forts que ceux développés jusqu'alors par les détaillants et la restauration.

## Les années 70 et 80 : groupements de producteurs et partenariat

Le circuit traditionnel est en perte de vitesse. La succession des opérateurs (courtier-négoce expéditeur-négoce distributeur et condition-neur-détaillants ou restauration) représente un surcoût de production, sans apport de valeur ajoutée au produit. 23 % du volume sont encore commercialisés ainsi dans les années 80.

Le nouveau circuit, plus court, met en jeu les groupements de producteurs, les centrales d'achat puis les supermarchés et hypermarchés. Ce circuit court représente environ 43 % du volume. Le circuit « ultra-court » de la vente directe, développé surtout au sein des domaines particuliers représente environ 9 % du volume.

Ces données récentes sont fournies par une étude du Bureau viticole du Crédit agricole (1987).

L'avènement du circuit court traduit la mutation du négoce, amorcée parallèlement à celle de la viticulture. En vingt ans, deux maisons de négoce sur trois ont périclité dans le Midi.

Le changement n'apparaît pas uniquement dans la structure, mais il atteint aussi la nature des relations existantes ou mises en place entre les différents opérateurs. Il faut ainsi reconnaître une qualité d'innovation au négoce languedocien : le partenariat est né et ses formules sont variées.

Grâce à leurs contrats « trois cordons », les établissements Skalli entendent favoriser le réencépagement en cépages à fort potentiel aromatique (chardonnay, sauvignon, cabernet sauvignon, etc.). Les contrats portent sur le raisin récolté, que la société Skalli se charge de vinifier, dans ses installations modernes. Un club « trois cordons » est né.

Le partenariat sous forme de « club » est également la formule choisie par les établissements Jeanjean à Saint-Félix de Lodez. Cette société a opté pour les appellations d'origine du Languedoc-Roussillon. Par l'intermédiaire d'une S.M.I.A. (Société mixte d'intérêt agricole), il y a collaboration étroite entre des domaines sélectionnés et le négociant. Les vignerons optant pour une telle solution bénéficient de la part du négociant de conseils viticoles, d'aide lors des vinifications et d'une collaboration lors de la commercialisation.

S'adressant dans un premier temps aux vignerons, ces négociants ont étendu le partenariat aux caves coopératives. Ils choisissent bien sûr les plus avancées sur la route de la qualité.

Certaines voix s'élèvent, dénonçant un partenariat qu'elles jugent à sens unique. Un club étant basé sur des besoins réciproques, cette critique paraît peu fondée.

Les unions de caves coopératives, les groupements ont participé à l'évolution du commerce du vin en Languedoc-Roussillon. Plus d'une soixantaine ont vu le jour depuis le milieu des années 70. Tous n'ont pas la même vocation, ni le même dynamisme !

Certains se bornent à regrouper l'offre et à vendre en vrac et demi-vrac. Ceux-ci s'inscrivent dans la lignée du négoce expéditeur et leur rôle se limite à des assemblages de produits. Certains n'assurent même pas ces fonctions de mise en marché. Leur existence, voire leur subsistance tient surtout du fait des subventions qu'une telle structure peut drainer vers ses adhérents. Dans les milieux professionnels, on les désigne plus communément sous le terme de groupements « fantômes » ou « bidons ». Les seules réelles manifestations de leur existence consistent en un « montage » de dossiers.

D'autres groupements sont heureusement plus actifs. Ils ont permis à bon nombre de caves de se doter de moyens de traitement des vins et de mise en bouteilles. Ils ont alors joué le rôle du négoce embouteilleur. Par l'importance des volumes concernés, ils deviennent des interlocuteurs commerciaux bénéficiant de plus de poids économique qu'une seule coopérative. Certains développent des gammes de produits : vins primeurs, de cépages, vins effervescents, vins de marque, cuvées spéciales, etc. Les meilleurs groupements peuvent ainsi permettre aux caves adhérentes de se spécialiser dans les productions les mieux adaptées à leur terroir et à leurs équipements. De tels groupements peuvent alors appréhender le marché national, mais aussi l'export... Ce dynamisme est contagieux et les caves coopératives en bénéficient.

La plupart d'entre eux ont un statut juridique d'Union de caves coopératives. On rencontre également des S.I.C.A. (Sociétés d'intérêt collectif agricole), ce qui permet de regrouper en une même structure caves coopératives, caves particulières (Celliers Jean d'Alibert, Vignerons des sept collines...) ou uniquement des caves particulières (S.I.C.A. du littoral audois, S.I.C.A. du Lirou...). Les vignerons du val d'Orbieu se sont constitués en Société coopérative agricole (S.C.A.) et ont développé des filiales : Vignerons de la Méditerranée, Vignerons de Septimanie, Trilles, S.N.C.L. D'autres étendent leur action sous forme de « participations » dans des structures commerciales voisines (Chantovent pour l'Union des caves du pont du Gard...), ou dans des structures de recherche appliquée (les vignerons des Garrigues avec la SICAREX-Languedoc de l'Espiguette..).

Derrière cette diversité de structures, c'est toute la complexité du petit monde viticole méridional qui s'exprime. Et au-delà des clivages structurels se dessinent les profils des hommes du cru qui apportent leur contribution originale — mais constructive — au renouveau de la viticulture du Languedoc-Roussillon.

Tous ces exemples montrent bien que la mutation est considérable. Le fond et la forme sont totalement bouleversés.

Négociants et vignerons ont en effet pour intérêt commun de rendre aux vins du Languedoc-Roussillon leur identité.

Engageant leur réputation, un nouveau type de négoce établit des chartes de production très pointues. De la plantation à la vinification, rien n'est oublié.

# DEUXIÈME PARTIE

# NOTRE SÉLECTION

# Les Appellations d'origine contrôlée du Languedoc-Roussillon

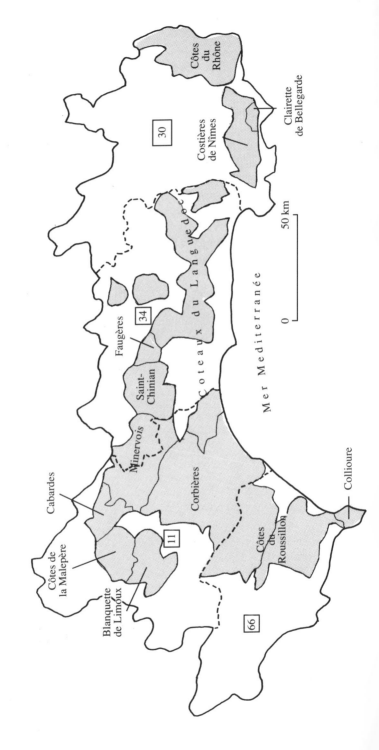

Côtes du Rhône

Clairette de Bellegarde

Costières de Nîmes

30

Coteaux du Languedoc

34

Faugères

Saint-Chinian

Minervois

Cabardes

Côtes de la Malepère

Blanquette de Limoux

11

Corbières

Côtes du Roussillon

Collioure

66

Mer Méditerranée

0        50 km

# Un archipel de crus

Qu'il est loin le temps de la viticulture anonyme du Midi ! La mer de vignes, après avoir submergé les vignobles traditionnels au XIXᵉ siècle, traverse actuellement une phase de reflux. En quinze ans, depuis 1975, elle a perdu 80 000 hectares, soit près d'un cinquième de sa surface initiale. Et le ressac n'est pas achevé, loin de là. On peut prévoir d'ici l'an 2000 un nouveau recul d'au moins 50 000 hectares.

L'océan se retire donc et, à la manière d'un palimpseste, les crus qui autrefois jouissaient d'une grande notoriété mais dont beaucoup avaient disparu dans la tempête, réapparaissent sur la carte. Certes il ne faut pas voir dans les aires d'appellation d'aujourd'hui la fidèle réplique de la géographie viticole d'antan. Du vin a coulé depuis un siècle et demi et pas toujours du meilleur. Pourtant le lien historique entre les crus d'antan et les aires actuelles est incontestable. Il justifie le long chapitre consacré au passé dans cet ouvrage. Après une longue éclipse, la qualité renaît en Languedoc-Roussillon.

Mais foin de métaphores, faisons appel aux chiffres. Le Languedoc-Roussillon compte actuellement (les statistiques sont celles du dernier recensement de la viticulture qui remonte à 1988) 131 000 ha classés en A.O.C. Il n'en avait que 60 000 en 1979. L'énorme bond en avant correspond au classement, durant la décennie passée, de tous les vignobles V.D.Q.S. de la région : Saint-Chinian, Faugères, Minervois, Coteaux-du-Languedoc, Corbières, Costières de Nîmes. Deux manquent encore à l'appel : le Cabardès et les Côtes de la Malepère dans l'Aude.

131 000 hectares, cela place le Languedoc-Roussillon au premier rang en France. Oui, vous avez bien lu : Bordeaux est second avec 108 000 ha, les Côtes du Rhône troisième avec 58 000 ha. Belle revanche pour l'océan de vignes producteur de bibine !

Certes, il est toujours facile d'être premier quelque part. Il suffit de savoir manipuler les statistiques. Si l'on veut être honnête, il faut apporter une correction. Le chiffre avancé plus haut correspond à un potentiel. Il s'agit de la superficie en vignes incluse dans les aires d'appellation. Mais encore faut-il respecter les règles de production, notamment les critères d'encépagement. On n'en est pas là en Languedoc-Roussillon en dépit d'un incontestable effort. Seuls 65 000 hectares (c'est-à-dire la moitié) peuvent revendiquer l'appellation d'origine, et la revendiquent. Le Midi rétrograde à la seconde place. Second, il l'est aussi pour la production de vins de qualité avec 3,3 millions d'hectolitres (Bordeaux en produit plus de cinq millions). Un classement somme toute plus qu'honorable.

En termes de valeur de la production, le palmarès est malheureusement moins brillant. Le Languedoc-Roussillon rejoint les profondeurs du tableau, allègrement dépassé par Bordeaux, les Côtes du Rhône, le Val de Loire... arrêtons là les frais.

Que conclure de ce bref aperçu économique ? Un constat simple. Les vignerons du Midi n'ont pas tous encore accompli leur « révolution qualitative » et surtout ils n'en retirent pas encore les fruits financiers. Le courage des pionniers n'en est que plus remarquable. Mais le Languedoc et le Roussillon sont sur la bonne voie. Un jour viendra qui n'est pas si lointain où la totalité de son potentiel sera exploitée et où les prix s'envoleront. Certains s'envolent déjà.

Il ne leur manque que la notoriété. Celle-ci commence par une meilleure connaissance de la géographie viticole, il faut l'avouer, un peu complexe. Nous sommes là pour ça.

# Les aires d'appellation du Languedoc-Roussillon

En 1990 on recense pas moins de 34 aires d'appellation couvrant la bagatelle de 593 communes. Pour tenter d'y voir plus clair nous les classerons en fonction de la nature et du statut des vins produits.

On compte d'abord 22 A.O.C. classiques :

Dans l'Aude
— Blanquette (ou Crémant) de Limoux
— Minervois
— Corbières
— Fitou

auxquels s'ajoutent deux V.D.Q.S. :
— Cabardès (ou Côtes du Cabardès et de l'Orbiel)
— Côtes de la Malepère
Dans le Gard
— Côtes du Rhône (une partie seulement)
— Côtes du Rhône-Villages
— Côtes du Rhône-Chusclan
— Côtes du Rhône-Laudun
— Lirac
— Tavel
— Costières de Nîmes
— Clairette de Bellegarde
Dans l'Hérault
— Coteaux du Languedoc
— Clairette du Languedoc
— Saint-Chinian
— Faugères
Dans les Pyrénées-Orientales
— Côtes du Roussillon
— Côtes du Roussillon-Villages
— Côtes du Roussillon-Villages-Caramany
— Côtes du Roussillon-Villages-La Tour de France
— Côtes du Roussillon-Villages Tautavel
— Collioure
Parmi ces vins, un est un vin effervescent que la législation désigne
par le terme de crémant :
— Blanquette de Limoux
On dénombre aussi 10 vins doux naturels (V.D.N.) :
Dans les Pyrénées-Orientales
— Rivesaltes
— Muscat de Rivesaltes
— Maury
— Banyuls
— Banyuls grand cru
— Grand Roussillon
Dans l'Hérault
— Muscat de Frontignan
— Muscat de Lunel
— Muscat de Mireval
— Muscat de Saint-Jean-du-Minervois
On trouve enfin une mistelle (ou vin de liqueur), équivalent languedocien
du pineau charentais ou du floc gascon :

— Cartagène

Dans ce guide nous présentons toutes ces appellations à l'exception des Côtes du Rhône gardoises et des Costières de Nîmes qui seront traitées dans un autre volume du Guide des Vignobles et des Vins : *Les Côtes du Rhône*. Ce choix était évident concernant les Côtes du Rhône gardoises. Il peut étonner à propos des Costières de Nîmes. Il se justifie par le fait que cette dernière appellation, dont le terroir constitue le prolongement de ceux de la vallée du Rhône, a adhéré récemment au Comité interprofessionnel des Côtes du Rhône. Si, dans un avenir proche, les crus du Languedoc-Roussillon venaient à s'organiser de manière identique (ils ont déjà commencé de le faire depuis la création en 1987 du Comité de liaison des interprofessions et des syndicats d'appellation du Languedoc-Roussillon), les Costières de Nîmes n'en feraient pas partie.

A tous ces vins, il faut encore adjoindre les vins de pays. Un long chapitre leur est consacré.

# Les productions viticoles du Languedoc-Roussillon Moyenne 1988-1989

La production viticole du Languedoc-Roussillon est encore fortement dominée par les vins courants (V.C.C.). Cette situation, héritage de la viticulture de masse, est toutefois en train de changer, lentement certes, mais sûrement.

• La production de vins de pays se développe. En 1988, année record, elle a frôlé les 5 millions d'hectolitres (volumes agréés après dégustation). Si leur qualité est encore inégale, des progrès considérables ont été accomplis et continuent de l'être. Certaines bouteilles sont d'ores et déjà grandioses (voir notre sélection).

• La production de V.Q.P.R.D. (A.O.C. + V.D.Q.S.) dépasse désormais régulièrement les 3 millions d'hectolitres (3,3 millions en 1989) ce qui place le Languedoc-Roussillon en deuxième position derrière le Bordelais (5 millions d'hl). Au cours des années 80 on a assisté à une quasi-disparition des V.D.Q.S. dont la plupart ont été promus en A.O.C. (Minervois, Coteaux du Languedoc, Corbières...). Seuls le Cabardès et les Côtes de la Malepère dans l'Aude manquent encore à l'appel.

• La production de vins doux naturels, spécialité du Roussillon s'inscrit quant à elle à contre courant. Alors qu'elle dépassait les 700 000 hl au début de la décennie précédente, elle a chuté aux alentours de 500 000 hl en 1989. La raison ? Des problèmes de commercialisation liés à une image de marque vieillissante. Gageons que ce repli n'est que temporaire. Certains de ces vins sont à proprement parler extraordinaires.

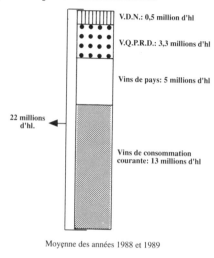

V.D.N.: 0,5 million d'hl

V.Q.P.R.D.: 3,3 millions d'hl

Vins de pays: 5 millions d'hl

22 millions d'hl.

Vins de consommation courante: 13 millions d'hl

Moyenne des années 1988 et 1989

# Blanquette de Limoux
# ou Crémant de Limoux

A.O.C. depuis 1938.
Aire d'appellation : 41 communes de l'Aude, 3 200 ha en production.
Terroir : « les blanquetières » : versants calcaires, caillouteux
et argilo-siliceux.
Encépagement : mauzac (70%), chardonnay et chenin
(10% minimum ; 30% pour le crémant).
Production : de 60 à 80 000 hl ; 8,2 millions de bouteilles
vendues en 1989.
Rendement : 50 hl/ha maxi.

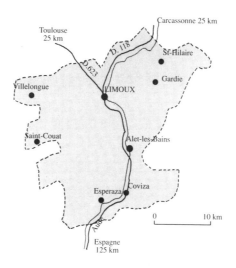

La Blanquette de Limoux est avec le muscat de Frontignan la plus
vieille appellation contrôlée du Languedoc-Roussillon. Elle a été créée

en effet en 1938. Cette antériorité n'est pas le fait du hasard : le vin de blanquette existe depuis des temps immémoriaux.

Le terme blanquette désigne un cépage, le mauzac, ainsi surnommé parce que la face inférieure de ses feuilles est duveteuse. Par extension il désigne aussi le vin dont il est issu. Sa première mention dans les documents historiques remonte au début du XVIe siècle. S'agissait-il déjà d'un vin pétillant ? On serait tenté de le croire. L'histoire « officielle » en tout cas, celle que diffuse les responsables du cru, est formelle : ce sont les moines de l'abbaye bénédictine de Saint-Hilaire qui, en 1531, ont découvert par hasard les propriétés pétillantes des vins entreposés dans leurs chais. Intrigués par l'apparition de mousse − en fait une reprise de fermentation au printemps − ils auraient appris à maîtriser le phénomène. Ils seraient donc les inventeurs des vins mousseux, près de deux siècles avant Dom Pérignon !

Qu'il s'agisse d'une légende ou de la vérité importe peu puisque manquent les preuves décisives. Un fait est certain : pétillant ou non, le vin de blanquette a fait très tôt l'objet de transactions commerciales (la première fois en 1544) et les textes prennent soin de ne pas le confondre avec d'autres vins, indice qui tend à prouver son originalité.

Le voile se lève au XVIIIe siècle, époque à laquelle la présence de mousse est attestée sans doute possible.

Cette blanquette traditionnelle, « naturelle », existe toujours sous le nom d'A.O.C. « Blanquette de Limoux méthode ancestrale ». Sa production est toutefois peu importante (3 500 hectolitres environ). Elle n'est élaborée qu'avec du mauzac, cépage très anciennement implanté. Après un début de fermentation en cuve, le vin est filtré, mis en fût dans une cave fraîche où la fermentation s'arrête. Embouteillé à la fin de l'hiver, il se remet à fermenter spontanément dans son flacon dès que la température s'élève. Cette méthode présentait un inconvénient d'ordre esthétique : les vins manquaient de limpidité et comportaient souvent un dépôt. Les vignerons y remédient aujourd'hui en multipliant les filtrations et en pratiquant le dégorgement.

Mais l'essentiel de la production concerne : l'A.O.C. « Blanquette de Limoux ». Il s'agit d'un vin d'assemblage : mauzac, chardonnay, chenin. (Ces deux derniers ont été introduits en 1978 en remplacement de la clairette autrefois utilisée.) Vendangés à parfaite maturité au début de septembre, les raisins entiers sont acheminés le plus rapidement possible à la cave pour y être pressurés. La vendange est donc effectuée manuellement en prenant le plus grand soin de ne pas abîmer les baies. La « tête de cuvée », moût issu du premier pressurage, puis la « taille », provenant du second, sont mis à fermenter séparément. Fermentation lente à basse température qui ne s'achève qu'au bout de plusieurs semaines. Le froid de l'hiver et plusieurs soutirages achèvent de clarifier le vin. A la fin de l'hiver a lieu l'assemblage des différents cépages et des différentes cuvées puis leur mise en bouteille où doit s'effectuer la deuxième fermentation. Afin de déclencher celle-ci et obtenir la formation de gaz carbonique (ou « prise de mousse ») on introduit dans la bouteille des levures sélectionnées et une petite quantité de sucre de canne. Cette seconde fermentation achevée, les bouteilles sont disposées tête en bas sur des pupitres et remuées quotidiennement afin de concentrer le dépôt dans le goulot. Ce dépôt est finalement expulsé après que le goulot ait été plongé dans un bain à -25°. Afin de compenser le vide créé par ce « dégorgement » on ajoute, soit du vin issu d'autres cuvées — le vin sera alors du « brut » —, soit une quantité variable de liqueur d'expédition sucrée si l'on souhaite obtenir du « sec » ou du « demi-sec ». Reste alors à boucher la bouteille, à la laisser reposer au moins deux mois et à la commercialiser.

Afin d'améliorer encore la qualité de leurs vins, les responsables de la blanquette ont décidé récemment de modifier les conditions de production. Un décret publié en 1990 fixe désormais la part du chenin et du chardonnay à 30% minimum (chacun des deux ne devant pas dépasser 20%). Il est également plus exigeant en ce qui concerne le pressurage, le but étant d'éviter des pressées trop violentes qui abîment la qualité du moût. Il porte enfin la période d'élaboration de dix à dix-huit mois minimum. Les vins qui satisfont à ces nouvelles exigences ont droit à « Crémant de Limoux ». Quant aux autres ils continuent de s'appeler « Blanquette ».

L'élaboration de la blanquette (et plus encore du crémant) exige donc du temps et du savoir-faire. Pas étonnant qu'elle soit assurée par un petit nombre d'entreprises. On dénombre à Limoux plus de mille viticulteurs déclarant de l'A.O.C. mais seulement 18 d'entre eux sont récoltants-manipulants, c'est-à-dire assurent eux-mêmes la vinification de leurs produits. Les autres vendent leur récolte à des « négociants de raisin » — ils sont sept — ou la portent aux deux caves coopératives : celle de Gardie, mais surtout celle de Limoux qui assure à elle seule 60% de la production et des ventes de l'appellation. Il n'y a donc pas une mais des Blanquettes de Limoux qui chacune a sa personnalité et son caractère. Les meilleures, qui figurent dans notre sélection, se signalent derrière leur robe d'un jaune pâle brillant perlée de très fines bulles, par leurs arômes floraux et fruités, leur fraîcheur et un remarquable équilibre en bouche.

Les producteurs de blanquette n'ont pas seulement investi dans l'encépagement et la technique. Ils consacrent des sommes considérables pour accroître la réputation de leurs vins. L'accent est mis sur l'authenticité du produit, son enracinement dans le terroir et la personnalité des différents producteurs. Les résultats commerciaux, même s'il n'est pas facile de gérer une production en forte croissance, sont encourageants : en 1989 les ventes ont porté sur plus de 8 millions de bouteilles dont presque un quart à l'exportation. La blanquette constitue la principale source de revenus de Limoux et de sa région.

Il n'est pas possible de quitter le Limousin sans mentionner l'existence d'une troisième A.O.C., le Limoux vin blanc sec, dont la production, avec 500 hectolitres, reste cependant confidentielle, ni surtout celle d'un important volume de vin de pays blanc et rouge produit sous la dénomination « vin de pays de la haute vallée de l'Aude ». Ces derniers méritent une attention toute particulière en raison notamment des cépages qui entrent dans leur composition : merlot, cabernet sauvignon, cabernet franc et malbec qui trouvent ici sous un climat méditerranéen mâtiné d'influences océaniques des conditions idéales sur les terroirs profonds mais pauvres des bas de versants et des vallées. Le docteur Guyot, chargé par Napoléon III d'étudier tous les vignobles français, déclarait en 1876 que « Limoux donne des vins rouges d'une grande qualité s'approchant de ceux de Saint-Georges d'Orques, mais plus légers, et pouvant rivaliser avec de bons bourgognes. » Et de conclure : « C'est par ses vins rouges, et non par sa blanquette, que Limoux figure et doit légitimement figurer parmi les crus à bons vins. » Si l'histoire a démenti cette affirmation — il faut dire qu'à l'époque la qualité de la blanquette devait laisser à désirer — elle mérite qu'on lui prête attention. Les plus étonnants de ces vins tranquilles, vins de pays rouges et blancs, sont mentionnés dans notre sélection.

# Antugnac

## ▦ Domaine de la Batteuse

M. **Bernard Delmas,**
11190 Antugnac
tél. 68.74.21.02.

15 hectares. Sol caillouteux et argilo-calcaire. A.O.C. Blanquette de Limoux et méthode ancestrale. Vins de pays de Chardonnay et de Mauzac.
Prix départ cave : 16 à 35 F T.T.C.
Œnologue conseil : M. Sanchez.

*Bernard Delmas, membre de l'Union nationale interprofessionelle de l'agrobiologie (U.N.I.A.), exprime toute sa passion dans le respect de la culture biologique.*
*Depuis cinq ans, sur le domaine familial, il veille au développement harmonieux de ses vignes, et assure la transformation de la matière première selon un cahier des charges précis.*
*Sa cave en cours de construction abrite un matériel performant pour élaborer dans la pure tradition des vins effervescents qu'il veut qualitativement « au naturel ».*
*Cet amoureux des vins de la Bourgogne vinifie aussi des cépages purs, dont un chardonnay en barriques.*
*Sa méthode ancestrale : d'une jolie robe pâle, son nez est frais et fruité. En bouche il attaque agréablement et nous donne une impression de douceur apportée par les fruits bien mûris.*

## ▦ Château Prieuré d'Antugnac

**Lydie et Marc Ramires,**
11190 Couiza
Antugnac
tél. 68.74.20.84. ou 68.74.04.77.

50 hectares. Sol : sédiments lacustres - forte dominante calcaire. Blanquette de Limoux, vin blanc, vin rouge.
Prix départ cave : 22 à 45 F T.T.C.
Œnologue : M. Marc Ramires lui-même.

*Ingénieur agronome, œnologue, professeur en agro-alimentaire, Marc Ramires possède une connaissance parfaite de la physiologie du raisin et un savoir-faire qu'il exerce avec professionnalisme.*
*Dans une vallée resserrée au relief tourmenté, perpendiculaire à celle de l'Aude, le château d'Antugnac bénéficie d'une situation en altitude qui contribue à la personnalité de ses vins. Des produits vrais, élaborés grâce à un travail digne de respect dans une cave très propre et fonctionnelle, qui figurent bien souvent sur les plus belles tables d'Europe.*
*Le château d'Antugnac nous propose une Blanquette Brut de Brut fine à la mousse légère et homogène, au nez complexe dominé par des notes de fleurs sauvages, de miel et de fruits secs, à la bouche pleine de vivacité et savoureuse.*

# Campagne / Aude

## ▦ Joseph Salasar S.A.

**Campagne-sur-Aude,**
11260 Esperaza
tél. 68.20.04.62.

50 hectares en A.O.C. Sol argilo-calcaire. A.O.C. Blanquette de Limoux.
Prix départ cave : 27 à 36 F T.T.C.
Œnologues : plusieurs laboratoires.

*Nous buvons avec plaisir ce Brut carte Or plein de charme et de fraîcheur qui*

nous enchante par sa belle robe d'un léger doré, et ses bulles fines et durables.
Le nez d'amande grillée, d'agrumes et de tabac blond confirme une bouche fraîche et parfumée.
Une réputation bien établie, basée sur la bonne maîtrise des ensembles de cuvées vinifiées en fûts où le mauzac apporte la chair, où les cépages chardonnay et chenin s'acoquinent pour dévoiler leur fraîcheur et renforcer le bouquet.
Dans ce domaine situé près du plateau de Sault, dans la famille depuis 1890, Joseph Salazar, fier de sa tradition, préserve l'originalité de la Blanquette de Limoux.

# Cépie

## ▨ M. Philippe Collin ◆

Cépie
11300 Limoux
tél. 68.31.35.49.

17 hectares en A.O.C. Sol marneux, argilo-calcaire. Vins de cépages, Blanquette.
Prix départ cave : 30 à 40 F T.T.C.
Laboratoire d'œnologie :
M. Sanchez.

Philippe Collin, vigneron par passion, Champenois d'origine, exploite depuis 1980 ce domaine perché à Tourelles.
Bon gestionnaire, il a su se doter de moyens optimums de conditions de travail, et orienter son vignoble vers la production de vins tranquilles de haut niveau et de blanquettes savoureuses.
Avec un regard tourné vers l'extérieur,

cet homme qui a fait le tour du monde, joue avec les cépages pinot noir, chardonnay, mauzac, pour proposer aux Américains, aux Belges, aux Allemands, aux Anglais,... des vins qui répondent à la demande de ces marchés spécifiques.
Des cuvées charmeuses, pleines de saveurs qui « à l'aveugle » surprendraient bien des dégustateurs avertis.

## ▨ Domaine « Le Peyret »

**M. Pierre Andrieu,** ◆
11300 Cépie
tél. 68.31.30.80.

20 hectares. Sol argilo-calcaire. Blanquette de Limoux, Blanquette méthode ancestrale. Vins de pays rouge et blanc.
Prix départ cave : 25 à 35 F T.T.C.
Œnologue conseil : M. Sanchez.

Exploitation familiale depuis toujours, le domaine Le Peyret est aujourd'hui la propriété de Pierre Andrieu.
Riche de son savoir-faire il a réussi le pari de remettre au goût du jour la méthode ancestrale de vinification.
Les raisins de Mauzac, ramassés en caissettes, sont transportés avec délicatesse vers les pressoirs.
Une sélection rigoureuse des jus extraits est alors mise en barriques pour y fermenter sans levurage.
La fermentation sera stoppée par filtrations successives au moment propice pour obtenir des vins pauvres en alcool (6 à 7 degrés), légèrement sucrés.
Le jus partiellement fermenté est alors embouteillé. Les bouteilles sont couchées sur des pupitres où la prise de mousse va pouvoir s'effectuer pendant une période courte de deux à trois mois.
Le remuage assurera une parfaite limpidité à ces vins.

Tout un art dont va dépendre l'élégance, la finesse des bulles, l'agrément des arômes.

Cette cuvée nous séduit par sa belle robe pâle, sa mousse fine qui forme un joli cordon persistant le long des parois du verre.

Le nez délicat nous offre une pointe d'agrume sur fond de pomme verte. En bouche, fraîcheur, légèreté, fruité en font un joli vin de fête qui a obtenu une médaille d'or bien méritée au Concours général de Paris.

## ▓ Domaine des Terres Blanches

**Eric et Christine Vialade,** ♦
« Le Poudou Cépie »
11300 Limoux
tél. 68.31.24.37.

16 hectares. Sol argilo-calcaire et galets ronds. A.O.C. Blanquette de Limoux brut. Vin de pays d'Oc.
Prix départ cave : jusqu'à 35 F T.T.C.
Œnologue conseil : M. Marc Dubernet.

Eric et Christine Vialade, deux techniciens agricoles qui, en 1987, ont eu « ce déclic » pour le très joli domaine des Terres Blanches.

Forts de leur expérience, ils excellent dans les productions de Blanquette de Limoux et de vin tranquille de cépage chardonnay élevé en barriques neuves. Une dynamique à vous couper le souffle, tout est conçu pour obtenir des produits au top niveau. Ils plantent plus d'un hectare de vigne par an. Perfectionnistes, ils construisent un chai entièrement équipé de cuves inox thermorégulées où le raisin est amené par tapis roulants.

Le résultat est des plus prometteurs, un domaine à suivre.

Le Brut 1989 « Les Terres Blanches » jaune pâle, cristallin, élégamment effervescent, nous offre des arômes de pêches blanches. En bouche, fin et équilibré, il persiste joliment.

# Couiza

## ▓ Domaine de Mayrac

**Famille Buoro,**
11190 Couiza
tél. 68.74.04.84.
36 hectares dont 18 en A.O.C. Sol argilo-calcaire. Vins de pays A.O.C. Blanquette de Limoux.
Prix départ cave : 16 à 33 F T.T.C.
Œnologue conseil : M. Sanchez.

« Buvez naturel » ; tel est le slogan du domaine de Mayrac où le père et son fils exploitent depuis 1973.

Adeptes de l'Association « Nature et Progrès » ils cultivent selon les méthodes agrobiologiques et vinifient pour conserver aux produits leurs qualités originelles.

Aux portes de Couiza dans une cave récente de 1 700 m², ils élaborent avec succès des vins tranquilles de cépages merlot, cabernet-sauvignon, chardonnay et des A.O.C. Blanquette de Limoux, carte Noire, Argent et Or dont 90% sont exportés.

De par leur mode de culture, leur vinification, ils visent en priorité la recherche de l'harmonie entre les différents constituants du vin.

Leur appellation Blanquette de Limoux Brut, élaborée dans la plus pure tradition des vins effervescents, est expressive et dénote bien le sérieux de ces vignerons.

*Leur vin de cépage blanc, pur chardonnay élevé en fûts de chêne, est ample, expansif, rond et aromatique.*

# La Digne-d'Amont

## ▓ M. Gérard Averseng

La Digne-d'Amont
11300 Limoux
tél. 68.31.27.16.

20 hectares. Sol : des coteaux argilo-calcaires. A.O.C. Blanquette de Limoux brut, méthode ancestrale. Vin de cépage chardonnay.
Prix départ cave : 20 à 40 F T.T.C.
Œnologue conseil : M. Sanchez.

*Sur les coteaux de la vallée de Cougain à la Digne-d'Amont, Gérard Averseng, blanquetier depuis cinq ans, élabore des produits de haut de gamme, peu mais bien, nous dit-il.*
*Un homme de foi envers son métier, des projets il en a plein la tête, mais ne les dévoile pas. Il parle cependant de renouveler son vignoble.*
*Un domaine à deux vocations :*
*— des vins effervescents qui révèlent la recherche et la maîtrise du vigneron, des vins tranquilles de cépage chardonnay, élevés en fûts qui présentent une belle matière ;*
*— la cuvée Averseng Brut : une très jolie robe aux reflets verts, les bulles sont fines et persistantes. Le nez discret développe des arômes de pomme verte et de fruits exotiques. En bouche, tout en finesse, il est soyeux et élégant.*

# La Digne-d'Aval

## ▓ Caves Chenevières

**Sev Dervin,**
La Digne-d'Aval
11300 Limoux
tél. 68.31.54.54.
     68.31.53.18.

20 hectares. Sol argilo-calcaire. A.O.C. Blanquette de Limoux et Cuvée Laurens aromatisée à la pêche.
Prix départ cave : 31 à 46 F T.T.C.
Œnologue conseil : M. Sanchez.

*Depuis 1984, M. Dervin, vigneron champenois d'origine et M. Emeric donnent aux Caves Chenevières toutes leurs lettres de noblesse.*
*Le savoir-faire et l'ingéniosité sont de mise dans cette maison qui participe largement à la notoriété de la Blanquette de Limoux.*
*Tout est recherché dans l'élaboration des produits qu'ils désirent d'une grande fraîcheur, très aromatiques et savoureux.*
*Dans cette cave où l'hygiène est de rigueur, où la dernière pressée ne rentre jamais dans l'assemblage des cuvées, ils exploitent au mieux les vinifications en cuves thermorégulées.*
*Une originalité, ils proposent un vin pétillant où la malice apparaît par une note aromatisée à la pêche.*
*Leur cuvée spéciale nous a séduit par la présence bien marquée du chardonnay. La robe dorée, brillante, a une effervescence fine et vive. Le nez complexe où se mélangent subtilement le pain grillé et les fruits exotiques. En bouche, une belle matière, ample, nous laisse sur une impression de fraîcheur.*

# Gardie

## ▓ Cave « Les Coteaux de Gardie »

**M Roger,** ♦
Gardie
11250 Saint-Hilaire
tél. 68.69.43.00.

120 hectares. Sol argilo-calcaire. Vins de pays de cépages. Blanquette de Limoux.
Prix départ cave : 20 à 30 F T.T.C.
Œnologue conseil : M. Noreau.

*Un peu isolés dans leurs coteaux en plein cœur de l'Aude, les 60 adhérents* de cette petite coopérative fondée le 18 juin 1914, s'activent avec une grande discrétion pour défendre leur appellation.

Le directeur, M. Roger, nous explique comment le raisin ramassé en petits bacs est amené à la cave dans l'heure qui suit sa cueillette pour préserver toute la fraîcheur et la délicatesse des parfums du fruit.

Les jus, soigneusement sélectionnés, sont extraits des grains à l'aide d'un pressoir pneumatique qui permet un pressurage ultraléger. Une bonne discipline, une technologie bien adaptée font que leur blanquette a su garder une « pétillante jeunesse ».

La cuvée prestige millésimée, à la robe dorée, au nez dominé par des notes de fleurs séchées et de grillé trouve sa plénitude en bouche.

Fraîche, équilibrée, elle s'affirme par une belle rondeur.

La cave propose également un blanc tranquille 100% chardonnay aux notes d'agrumes et de thé. Un vin de bon niveau long et gras commercialisé par le groupement du Val-d'Orbieu.

## ▨ Héritiers Casimir Valent

Gardie
11250 Saint-Hilaire
tél. 68.69.40.81.

Sol argilo-calcaire très caillouteux. 40 hectares. A.O.C. Blanquette de Limoux.
Prix départ cave : 20 à 30 F T.T.C.
Œnologue conseil : M. Sanchez.

Le respect de la qualité à travers les soins apportés au raisin... c'est un acquis.

L'attention amenée à la vinification, à la prise de mousse... c'est tout un art.

La présentation de ses cuvées, en flacons personnalisés, bien habillés... c'est un plus.

Au domaine, Casimir Valent, dont l'origine se perd dans la nuit des temps — l'actuel propriétaire (également hôtelier à Alet-les-Bains) — sait que la majorité des consommateurs achète d'abord l'étiquette.

Si en plus le produit correspond à leur attente, alors le pari est gagné.

Il fonde également de gros espoirs sur la nouvelle dénomination « Crémant de Limoux » qui offrira plus de lettres de noblesse à ce vin effervescent.

La cuvée « Excellence de l'Évêché » nous ravit par l'élégance de sa robe et de sa mousse. Le nez très fruité rappelle la pêche, l'ananas, la fraîcheur de la mandarine. En bouche, bien équilibré, et l'attaque est fraîche avec une note grillée en finale.

# Limoux

## ▨ Maison Jean Babou

M **Pierre Brouette,** ♦
Av. Charles-de-Gaulle
11300 Limoux
tél. 68.31.00.01.

A.O.C. Blanquette de Limoux.
Prix départ cave : 27 à 31 F T.T.C.
Œnologue en titre : M. Moineau.

Une vieille Maison centenaire et sans héritiers, rachetée il y a dix ans par un négoce bordelais dont la direction est assurée par M. Pierre Brouette.

La cave d'élaboration se situe sur la route de Chalabre et achète toute sa récolte aux vignerons limouxins.

Elle produit 500 000 bouteilles de belle facture.

Le maître de chai, M. Moineau, Champenois d'origine, marque par son savoir-faire la typicité de ses cuvées harmonieusement équilibrées. « Ni très acide, ni trop douce, nous dit-il »...

La Cuvée centenaire : une robe attrayante avec des reflets d'or. Au nez se dégagent des parfums de fleurs d'acacia et de genêt. *En bouche, il conserve ces arômes très agréables. Un brut bien élaboré qui se déguste en douceur.*

## ▓ Cave de la Blanquette de Limoux

**Société des Producteurs « Aimery »,**
Avenue Mauzac
11300 Limoux
tél. 68.31.14.59.

Environ 2 000 hectares. Sol à majorité argilo-calcaire. Vins de pays rouge et blanc. Blanquette de Limoux.
Prix départ cave : jusqu'à 50 F T.T.C.
Œnologue de la cave : M. Alain Gayda.

*« Ici, tout est répertorié » : le sol, le régime hydrique de la plante, le cépage, l'âge des vignes, l'exposition, le microclimat, etc.*
*Les 2 800 parcelles des 550 adhérents répartis sur 42 communes sont ainsi identifiées, gérées par ordinateur. Tout ce travail afin d'obtenir la maturité optimum du raisin, le cueillir au moment le plus opportun pour élaborer des vins avec toujours plus de finesse », nous dit Pierre Mirc, le jeune président de cette coopérative.*
*A cette parfaite gestion de la production il faut ajouter des équipements de caves très performants, ultramodernes qu'Alain Gayda, l'œnologue de la cave, maîtrise parfaitement.*
*Une union qui peut être fière des progrès de ses résultats et qui élabore ses produits comme le ferait un vigneron dans son exploitation.*
*Le directeur, M. Boyer, et les dirigeants vont mettre sur pied une vente aux enchères de vin blanc tranquille de cépage chardonnay, vinifié en fûts neufs qui provient des meilleures parcelles dans les terroirs les plus qualitatifs... souhaitons-leur autant de gloire qu'aux célèbres hospices.*
*Les Blanquettes « Sieur d'Arques », « Diaphane » ou « Prestige d'Aimery » sont des cuvées raffinées, au nez typique, très floral, à la bouche fraîche, équilibrée, à la persistance fruitée.*

## ▓ Domaine Collin, Rosier

**Alain Collin et Michel Rosier,**
Z.I. Route de Carcassonne
11300 Limoux
tél. 68.31.48.38.

35 hectares. Sol argilo-calcaire. Vins de pays de cépages. A.O.C. Blanquette de Limoux.
Prix départ cave : moins de 30 F T.T.C.
Œnologue conseil : M. Sanchez.

*Un produit rare... seulement 5% vendu en France, le reste, essentiellement des vins blancs tranquilles de chardonnay, est vendu en citernes hors de nos frontières.*
*Ils seraient surpris, les moines bénédictins de l'abbaye de Saint-Hilaire, en voyant ce chai ultramoderne, tout inox sur la route de Carcassonne dans la zone industrielle de Limoux.*
*Alain Collin et Michel Rosier élaborent dans cette cave, de façon traditionnelle, avec l'appui d'une technologie de pointe, deux belles cuvées de blanquette sous la désignation « Crémant du soleil » et « Château de Villelongue ».*
*La première se présente dans une robe cristalline, jaune vif à reflets verts où les bulles fines montent de façon régulière pour former une bonne mousse persistante. Le nez est floral, un rien exotique ; la bouche fraîche, équilibrée est d'une bonne finesse.*
*La seconde sur une jolie robe aux reflets citron a une mousse fine, légère, d'une bonne régularité.*
*Le nez offre des arômes de fruits exotiques de pomme verte et de fleurs blanches.*
*En bouche, fraîche et suave, nous retrouvons l'ananas frais, la fleur d'acacia sur des notes épicées de cannelle.*

## ▓ Domaine de Flassian

**S.A. Georges et Roger Antech,**
11300 Limoux
tél. 68.31.15.88.

60 hectares. Sol : terrasses argilo-calcaires. Cartes : blanche, noire et or. Cuvées : prestige et Saint-

Laurent. Le flascon et le crémant.
Prix départ cave : 29 à 36 F T.T.C.
Œnologue conseil : M. Sanchez.

Dans la famille Antech, depuis cinq générations, on naît vigneron de père en fils.

Maîtres blanquetiers de talent, savoir-faire et respect du produit sont les qualités de ces deux frères passionnés et attentifs au moindre détail.

Georges, le commercial, veille sur l'image de marque de la Maison qui a acquis une belle notoriété.

Roger, le technicien, peaufine chacune des étapes qui mènent au produit final, raffiné et élégant.

La fraîcheur est préservée par une récolte cueillie avant maturité complète du raisin. La délicatesse des arômes est obtenue par une sélection stricte des jus vinifiés à une température basse et constante.

La finesse des bulles se forme lors de la prise de mousse dans une cave climatisée à 13°.

Toute une technologie de pointe mise au service de produits parfaitement élaborés.

Issue des cépages mauzac, chenin, chardonnay, la cuvée Saint-Laurent : la robe cristalline se pare d'une belle effervescence.

Au nez, des arômes nuancés et subtils où se mêlent des notes florales et de fruits exotiques. En bouche, c'est un régal, très présent, la finale procure un réel plaisir.

## ■ Maison Guinot

Chemin de Ronde
11300 Limoux
tél. 68.31.01.33.

11 hectares. Sol argilo-calcaire.
A.O.C. Blanquette de Limoux Crémant de Limoux.
Prix départ cave : 29 à 45 F T.T.C.
Œnologue : M. Rancoule.

Du nom d'une ancienne famille de liquoristes qui exploitait le domaine depuis 1875, la S.A.R.L. Guinot est aujourd'hui dirigée par M. Rancoule. Tout le monde ici travaille avec méthode pour élaborer des vins effervescents, équilibrés et ravissants.

Le vignoble, séparé des bâtiments d'exploitation, est parfaitement répertorié, analysé, identifié afin d'implanter la variété de vigne qui convient le mieux à la parcelle pour offrir des produits expressifs où la spécificité de chacun des cépages mauzac, chardonnay, chenin est mise en valeur.

Une batterie impressionnante de cuves permet d'isoler et de vinifier à part tous les jus des différentes pressées de chaque cépage de chacun des tènements.

Des perfectionnistes qui savent que la première presse confère au vin l'élégance, que la deuxième extrait des substances aromatiques, que la troisième apporte juste ce qu'il faut de chair et de structure.

Toute cette sélection pour en arriver après une vinification soignée à l'assemblage qui donnera des cuvées originales à la typicité bien affirmée.

Le « Flascon des Maistres Blanquetiers » de la Maison Guinot se déguste avec plaisir. La robe d'une parfaite limpidité est finement dorée avec un beau départ de bulles qui manquent cependant d'un peu de persistance. Le nez floral est agréable et très frais.

Il tient toutes ses promesses en bouche en nous offrant une belle attaque fruitée. Fin, équilibré, frais, ce brut s'affirme par sa distinction.

# Malras

## ■ G.A.E.C. Pierre et Jacques Astruc ♦

Malras
11300 Limoux
tél. 68.31.13.26.

53 hectares en vins de pays. 23 hectares en A.O.C. Blanquette de Limoux. Sol argilo-calcaire. Vins de pays d'Oc de cépage. Blanquette de Limoux.
Prix départ cave : 12,50 à 16 F T.T.C. pour les vins de pays.
25 à 40 F T.T.C. pour les blanquettes.
Œnologue conseil : M. Sanchez.

*Sur ces sols très typés, argilo-calcaires, les cépages des Blanquetières enracinés sur les versants de Malras offrent un paysage aux couleurs merveilleuses.*
*Les deux frères Pierre et Jacques exploitent le domaine des Astruc, propriété familiale depuis 1873, avec dynamisme et réalisme.*
*Ici, comme partout en Limouxin, le raisin cueilli est transporté vers le chai avec beaucoup de précautions. De chaque pressurage, on extrait plusieurs jus (cuvée, 1re taille, 2e taille).*
*De l'excellence de ce travail va dépendre, après une fermentation bien maîtrisée, la délicatesse et la fraîcheur du vin futur.*
*Dans cette cave où la qualité commence par la propreté du matériel vinaire, les frères Astruc croient en leurs produits et nous proposent de belles bouteilles : des vins de pays d'Oc cabernet-sauvignon, merlot, chardonnay dans lesquels l'expression du cépage est bien marquée, au bouquet bien affirmé et qui délivrent en bouche une bonne harmonie.*
*Les blanquettes à la bonne tenue de mousse dévoilent tout l'art du blanquetier.*
*Nous avons particulièrement apprécié une excellente cuvée, présentée en « flascon », qui séduit par sa mousse légère et persistante au sein d'une robe jaune pâle.*

*Le bouquet frais et floral révèle l'aubépine et la mandarine. Fruitée et nerveuse la bouche persiste sur des saveurs un peu briochées.*

# Pieusse

## ■ Domaine de Fourn

**G.F.A. Robert,** ♦
Pieusse
11300 Limoux
tél. 68.31.15.03.

120 hectares dont 80 en A.O.C. Sol argilo-calcaire. Vins de pays de cépages, Blanquette de Limoux, Crémant de Limoux.
Prix départ cave : 26 à 36 F T.T.C.
Œnologue conseil : M. Noreau.

*Ce domaine né avec son appellation, dans un paysage merveilleux aux portes de Limoux, appartenait naguère à l'abbaye de Saint-Hilaire.*
*Les bâtiments d'exploitation, situés en plein milieu des vignes, abritent la famille Robert.*
*Jean-Pierre, grand maître de la confrérie des Capitouls, est entouré d'une famille organisée où chacun a son rôle à jouer.*
*Le domaine de Fourn fait vivre tout le « clan » qui associe à la rigueur gestionnaire le plaisir de produire des vins haut de gamme.*
*Ils réalisent de belles performances et toujours prêts à innover, nous présentent une jolie gamme de vins tranquilles et de blanquettes.*
*La cuvée Robert Brut élaborée pour fêter le cinquantenaire de la Maison est une des preuves de leur savoir-faire : médaillée d'or à Paris en 1990.*

*D'une très belle couleur dorée elle s'agrémente d'une mousse fine, élégante, bien persistante. Au nez on relève des notes d'aubépine, de jasmin, de chair d'abricot. En bouche, parfaitement équilibrée, pleine d'harmonie, elle a des saveurs fruitées et de fleurs séchées d'une longue persistance.*

# Saint-Hilaire

## ▓ Maison Vergnes

Domaine de Martinolles
11250 Saint-Hilaire
tél. 68.69.41.93.

Sol argilo-calcaire. 70 hectares. Blanquette de Limoux. Vins de pays blanc et rouge.
Prix départ cave : 25 à 45 F T.T.C.
Œnologue conseil : M. Sanchez.

*La Maison Vergnes, une histoire de famille : la fille gère et tient les comptes, un des frères est caviste, l'autre oenologue, vinifie et élève le plus vieux Brut effervescent du monde, le troisième veille au vignoble, la quatrième commercialise partout dans le monde les 500 000 bouteilles produites.*
*Rigueur, efficacité, innovation (sans renier pour autant les techniques ancestrales), bien comprendre le goût du consommateur pour essayer de le séduire...*
*Ils sont jeunes et ont des idées.*

*A quelques kilomètres de Carcassonne, tout près de l'abbaye bénédictine de Saint-Hilaire, dans ce magnifique paysage audois, ils ont fait front aux difficultés du moment.*
*En dix ans, ils ont entièrement transformé le vignoble, créé une société de production et ouvert un restaurant gastronomique dans les anciennes caves du domaine.*
*Les raisins sont cueillis et acheminés à la cave avec le plus grand soin. A ce stade, la vendange est pressurée, vinifiée avec une parfaite maîtrise pour élaborer les différents types de cuvées.*
*Ils proposent toute une gamme de produits.*
*Une méthode ancestrale 100% mauzac, faible en alcool, très fruitée, savoureuse et rafraîchissante.*
*Des cuvées, Blanquette de Limoux brut et demi-sec, issues de l'assemblage judicieux des trois cépages mauzac, chardonnay, chenin, à la mousse fine, régulière, au nez floral, longues en bouche où l'on retrouve toute la fraîcheur des fleurs blanches mêlée à des notes exotiques et de grillé.*
*Des mousseux aromatisés poire William, pêche, framboise qui portent pour noms Carnaval, Collection.*
*Un vin blanc tranquille 100% chardonnay aux notes mielleuses de coing et d'écorce d'orange, à la saveur briochée, etc.*
*Et maintenant, un Crémant de Limoux, nouveau nom de l'appellation.*

**Blanquette de Limoux**, voir aussi :
— Vins de pays de l'Aude : domaine Laurent Maugard.
— Coteaux de Verargues : château de Beaulieu.

# Cabardès

V.D.Q.S. depuis 1973.
Aire d'appellation : 15 communes de l'Aude.
Terroirs variés : calcaire, marno-calcaire, marno-gréseux,
terrasses quaternaires.
Encépagement : rouges et rosés uniquement : carignan (30% maxi),
cinsault, syrah, mourvèdre. Cépages secondaires (40% maxi) : merlot,
cabernet sauvignon, cot, fer servadoux, picpoul noir, terret noir.
Production : 20 000 hectolitres dont 2/3 de rouge et 1/3 de rosé.
Rendement : 50 hl/ha.

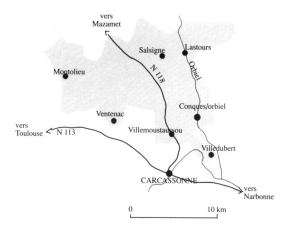

Le Cabardès prolonge vers l'ouest le Minervois. Comme son voisin, il occupe le versant méridional de la Montagne-Noire et surplombe la plaine, ici le couloir du Lauragais, sorte d'entonnoir par lequel les voies de communication, autoroute, voie ferrée, canal du Midi, s'échappent en direction de Toulouse.

Comme le Minervois, le Cabardès est un « pays » dont l'existence remonte au haut Moyen Age. Les témoignages de ce passé se lisent dans les paysages. Le Cabardès est hérissé de forteresses : Mas Cabardès, Saissac et surtout Lastours où l'on ne dénombre pas moins de quatre châteaux, fièrement plantés chacun sur un piton rocheux à un jet de pierre l'un de l'autre : Tour Régine, Quertinheux, Fleur d'Espine et enfin Cabaret, le plus ancien et le plus important. C'est de ce dernier que le Cabardès tire son nom.

Cabaret défendait la vallée de l'Orbiel, principale voie d'accès au Cabardès. Citadelle imprenable, il résista, sans jamais être enlevé, aux troupes de Simon de Montfort pendant la croisade des Albigeois. De très belles légendes restent attachées à ces châteaux, dont le site mérite le détour.

L'aire d'appellation du V.D.Q.S. Cabardès (on peut dire aussi « Côtes du Cabardès et de l'Orbiel » mais le syndicat souhaite abandonner cette dénomination qu'il juge, avec raison, trop longue et peu évocatrice) existe depuis 1973. Elle couvre 15 communes de l'Aude et s'étend sur environ 3 000 hectares, dont un peu moins de 400 sont déclarés en V.D.Q.S., le reste l'étant en vins de pays ou en vins de table. Il faut noter que l'aire de production ne couvre pas l'ensemble du Cabardès historique. Celui-ci est amputé de sa partie orientale : Sallèles, Trassanel, Limousis, Salsigne..., communes qui, en un temps où l'appellation Cabardès n'existait pas, ont demandé à être rattachées au Minervois. La cave coopérative de Salsigne produit d'ailleurs des vins relevant des deux appellations.

Les terroirs du Cabardès se prêtent à une viticulture de qualité. Au nord, les calcaires lacustres de Ventenac forment un causse que les affluents de l'Aude, l'Orbiel et la Dure notamment ont entaillé en gorges. Ils portent peu de vignes mais surtout des broussailles. En contrebas, les terrains marno-calcaires du lutétien et les terrasses caillouteuses du quaternaire sont davantage cultivés. La vigne domine largement mais n'occupe plus la totalité de l'espace comme elle le fait plus à l'est : céréales, tournesol, prairies apportent une touche de gaieté au milieu de l'alignement des ceps.

Le Cabardès se situe en effet à la limite du Bas-Languedoc. Le climat, s'il se ressent encore des influences méditerranéennes, subit aussi celles de l'océan qui s'engouffrent par le seuil du Lauragais. Les précipitations se font plus abondantes, limitant le déficit estival à quelques semaines tout au plus. L'encépagement reflète cette situation de transition puisque coexistent cépages méditerranéens (carignan, cinsault, grenache, syrah) et cépages du Sud-Ouest (merlot, cabernet, cot, fer servadoux...). Les premiers colonisent de préférence les terrains calcaires, les seconds les sols argileux plus profonds. Il en résulte des vins originaux, plus aromatiques, plus nerveux peut-être que leurs voisins languedociens.

Les vins du Cabardès méritent d'être mieux connus. Certes, la production, que se partagent pour moitié six caves coopératives et une vingtaine de particuliers, est faible : moins de 20 000 hectolitres en 1989, ce qui ne permet pas de consacrer des budgets importants à la publicité, mais ces vins en valent la peine. Les efforts qualitatifs entrepris depuis une quinzaine d'années laissent espérer à moyen terme une accession de l'aire Cabardès à l'A.O.C. Les vignerons, syndicat en tête, préparent d'ailleurs déjà le terrain. L'encépagement sera ainsi vraisemblablement modifié prochainement : diminution de la part du cinsault et du carignan (avec à terme la perspective d'une élimination de ce dernier) ; accroissement de celle des cépages aromatiques, tant méditerranéens (grenache, syrah) qu'aquitains (merlot, cabernet). Parallèlement l'I.N.A.O. est en train d'examiner la possibilité d'une extension de l'aire, non pas vers l'est comme le voudrait l'histoire, mais vers l'ouest. Trois communes sont en effet candidates : Pezens, Pennautier et Alzonne, avec semble-t-il de bonnes chances de succès.

# Conques-sur-Orbiel

*Dans un joli cellier tout en pierre, ils proposent un Cabardès rouge à la robe élégante, bien soutenue. Le nez riche de senteurs complexes se poursuit en bouche, souple et gouleyant.*

## ▨ Cave Coopérative de Conques-sur-Orbiel

11600 Conques-sur-Orbiel ♦
tél. 68.77.12.90.

400 hectares. Sol argilo-calcaire et schisteux. V.D.Q.S. Cabardès.
Prix départ cave : 13 F T.T.C.
Œnologue conseil : M. Faurol.
Directeur : M. Tandou.
Président : M. Miquel.

*Située à quelques kilomètres de la célèbre cité de Carcassonne, la cave coopérative de Conques-sur-Orbiel, créée en 1929, produit 30 000 hl dont 10% en V.D.Q.S.*
*Commercialisés par le groupement les Vignerons catalans sous la dénomination Château de Saptes et Moulin Mercier, les Cabardès puisent leur richesse dans le juste dosage des cépages authentiques et méditerranéens.*

## ▨ Domaine Jouclary

G.A.E.C. Gianesini, ♦
11600 Conques-sur-Orbiel
tél. 68.77.10.02.

30 hectares dont la moitié en V.D.Q.S. Sol argilo-calcaire très cailouteux. Vins de pays. V.D.Q.S. Cabardès rouge et rosé.

Prix unique départ cave : 13 F.T.T.C.
Œnologues conseil : M. Favrol et
M. Souquie.

*Il a 20 ans, lorsqu'il s'installe jeune
agriculteur en 1969.*
*Producteur courageux, il supprime le
carignan et favorise cabernet-
sauvignon, merlot, grenache, syrah,
améliore la cuverie du cellier, aménage
les abords du domaine pour pratiquer
le camping à la ferme et se lance dans
la vente directe.*
*Le vignoble, installé sur des semi-
coteaux exposés plein sud au pied de la
Montagne-Noire, produit des vins de
belle ossature qui mûrissent lentement
en vieux fûts de chêne.*
*Heureux propriétaire qui se fera un
plaisir de vous recevoir prochainement
dans un caveau qu'il aménage dans la
cave même où il vous fera partager son
savoir-faire le verre à la main.*
*Le V.D.Q.S. « Domaine de Jouclary »
dans sa robe brillante d'une jolie couleur grenat a un nez exubérant, légèrement animal. En bouche, l'attaque est
souple et il s'affirme ensuite par son
volume et sa structure réglissée.*

*La richesse des V.D.Q.S. du Cabardès
naît de la diversité de ses terroirs, de
son climat original à dominante méditerranéenne, adouci par l'influence
atlantique qui permet d'associer aux
cépages grenache, syrah, cinsault, les
variétés les plus nobles du Sud-Ouest
(merlot, cabernet-sauvignon, cot).*
*Cette heureuse alliance engendre de
superbes réussites comme cette cuvée à
base de grenache et cabernet-sauvignon.*
*Un rouge puissant qui libère des arô-
mes d'épices, de fruits rouges et de bourgeons de cassis. Une belle texture, une
bouche veloutée dotée de tannins bien
fondus, gage du bel avenir de ce vin.*

## ▥ **Domaine de Salitis**

**MM. Depaule-Marandon,**
11600 Conques-sur-Orbiel
tél. 68.77.16.10.

## ▥ **Château de Rayssac**

**M. Jean de Cibeins,**
11600 Conques-sur-Orbiel
tél. 68.77.16.12.

28 hectares dont 25 en V.D.Q.S. Sol
argilo-calcaire peu profond.
V.D.Q.S. rouge et rosé.
Prix départ cave : 18 à 20 F.T.T.C.
Œnologue conseil : M. Souquie.

*Président du syndicat de défense du
cru, Jean de Cibeins produit sur des
terrasses cailouteuses des vins qui
s'imposent au cours des années.*
*Depuis 1962, au prix de nombreux
efforts de restructuration, le vignoble
du château Rayssac contribue à donner
à cette région ses lettres de noblesse.*
*Là comme partout aujourd'hui en
Languedoc-Roussillon, on croit à la
qualité plus qu'à la quantité et tout est
mis en œuvre pour faire accéder cette
appellation au rang des A.O.C.*

91 hectares dont 75 en vigne. Sol
argilo-calcaire, cailouteux.
V.D.Q.S. Cabardès rouge, rosé, et
V.D.N.
Prix départ cave : 12,50 à 22 F.T.T.C.
Œnologues conseil : M. Parnaud et
M. Robert.

*Ancienne dépendance de l'abbaye de
Lagrasse, le domaine de Salitis est
aujourd'hui la propriété du couple
Depaule-Marandon.*
*Ex-directeurs de société, ils ont choisi
en 1986 d'être vignerons et d'exprimer
leur passion dans ce paysage typique
du Carcassonnais.*
*Depuis lors, leur démarche qualitative
et innovatrice les place au top niveau
de ce cru qui a le vent en poupe.*

Le premier but de notre visite était de déguster leur fameux V.D.N. dont ils ont le privilège. Issu d'une macération de grenache, il développe ses arômes amples de framboise et de mûre sur des nuances poivrées.

Après ce joli vin, nous ne croyons pas que ces deux vignerons allaient encore nous surprendre. Nous nous trompions, avec leur V.D.Q.S. rosé, très personnalisé, aux arômes intenses de raisin frais, ils nous réservent une bien belle bouteille.

Le rouge « Domaine de Salitis » 1988 est le reflet de l'harmonie des cépages méditerranéen et atlantique qui donnent sur ce sol particulier, sous un climat unique des produits de belle qualité.

Encore très jeune, ce vin un peu fermé reste austère. Le temps devrait lui permettre de s'adoucir et de s'assouplir. Gageons que le blanc qui sera produit dans les prochaines années à partir des multiples cépages installés sera d'excellente qualité.

# Moussoulens

## ▥ Domaine de Caunettes-Hautes

**S.C.A.E.D.M.**
**Gilbert et André Rouquet,**
11170 Moussoulens
tél. 68.24.93.15.

45 hectares. Sol argilo-calcaire très caillouteux. V.D.Q.S. du Cabardès et de l'Orbiel. Vins de cépages.

Prix départ cave : 11 à 15 F T.T.C.
Œnologue conseil : M. Sanchez.

Le domaine acheté en 1976 se situe sur les contreforts de la Montagne-Noire, au cœur de la garrigue, et domine la vallée du Fresquel.

Dynamiques, les frères Rouquet arrachent huit hectares de vieilles vignes, défrichent les landes et les terres vierges, concassent les cailloux et bâtissent un vignoble de 45 hectares entièrement palissé.

Ils privilégient les cépages cabernet-sauvignon, merlot et syrah pour élaborer dans une cave tout inox, un Cabardès de fort belle tenue. Le rosé de cabernet est une véritable friandise aux parfums subtils de fleurs.

Le millésime 86 au grenat brillant légèrement évolué exhale des senteurs puissantes où se mêlent le musc, les épices et la réglisse. Charnu et musclé, c'est un beau vin à connaître absolument.

# Pennautier

## ▥ Château Pennautier

M. **Nicolas de Lorgeril,**
11610 Pennautier
tél. 68.25.02.11.

96 hectares. Coteaux aux sols caillouteux diversifiés. V.D.Q.S. Cabardès. Vins de pays.

## ▥ Château de la Bastide

M. **Amédée de Lorgeril,**
11610 Pennautier
tél. 68.25.02.11.

100 hectares. Coteaux aux sols caillouteux diversifiés. V.D.Q.S. Cabardès. Vins de pays.
Prix départ cave unique : 16 F T.T.C.
Œnologues conseil : MM. Favrol et Souquie.

Le château Pennautier du XVIIIe et le château de la Bastide du XIIIe siècle, distants l'un de l'autre de 4 km, accrochés sur les contreforts de la Montagne-

*Noire, sont les hauts lieux du vignoble du Cabardès au propre comme au figuré.*

Un passé qui se mêle à l'histoire où la vie de ces châteaux se confond avant tout avec celle d'une famille hors du commun enracinée à son terroir.
Amédée de Lorgeril, adepte de la qualité, fut précurseur dans le renouveau du cru Cabardès.
Aujourd'hui, Amédée de Lorgeril et Nicolas son fils allient savoir-faire et technologies de pointe pour extraire toute la quintessence des vins élaborés en cépages purs, puis assemblés pour offrir ces fameux V.D.Q.S. du Cabardès.
Le Château de Pennautier est un vin élégant paré d'un grenat sombre, brillant, aux arômes complexes et harmonieux. Soyeux en bouche, aux tannins souples et ronds, il exprime longtemps toute la concentration d'une sève riche de saveurs et de senteurs.

Prix départ cave : 15 F T.T.C.
Œnologue conseil : M. Favrol.

*Créée en 1938, cette coopérative de 72 adhérents, présidée par M. Costeseque, dirigée depuis 11 ans par M. Crabol ne produit que 10% à peine de V.D.Q.S. Cabardès.
Sa situation géographique, aux limites de l'aire de l'appellation, en est la cause.*

*Cependant la cave poursuit une politique d'amélioration de l'encépagement ainsi que de l'équipement du chai, qui devrait permettre à la commission de l'I.N.A.O. de réviser les frontières de la zone V.D.Q.S.
Espérons que Sainte-Madeleine saura, dans sa petite chapelle romane, aider les vignerons de Pezens à accroître leur production de Cabardès, produit déjà très réputé en Hollande.
Un vin doté de nombreuses qualités qui marie délicatement la finesse du merlot à la puissance du cabernet-sauvignon, le tout enrobé par le gras du grenache.*

# Pezens

### ▓ Cave coopérative de Pezens

Pezens,     ♦
11170 Alzonne
tél. 68.24.90.64.

280 hectares dont 10% en V.D.Q.S. Sol calcaire en plaques au sud. Terrasses caillouteuses au nord. V.D.Q.S. Cabardès.

# Ventenac-Cabardès

### ▓ Château Ventenac

M. Alain Maurel,
11610 Ventenac-Cabardès
tél. 68.24.93.42.

60 hectares dont 38 en V.D.Q.S. Sol argilo-calcaire. V.D.Q.S. Cabardès et vins de pays.

Prix départ cave : 16 F T.T.C. Prix unique.
Œnologue conseil : Jean Favrol.

*On le dit « original »... cependant Alain Maurel sait que la qualité est une chaîne dont aucun des maillons ne doit être défaillant.*

*Son vignoble implanté en coteaux sur le premier versant sud du Massif central reçoit la plus forte pluviométrie du département. Il a su tirer avantage de cette situation par des plantations appropriées à haute densité hectare, dont l'encépagement est conçu pour équilibrer l'acidité naturelle des vins.*

*Sa cave enterrée est dotée d'une isolation thermique. Entièrement refaite et bien équipée, elle lui permet de vinifier des cuvées de fort belle facture.*

*Actuellement, il peaufine une Cuvée Prestige vieillie sous-bois.*

*Son rosé issu de cabernet-sauvignon et de grenache nous séduit par sa robe rose pâle, ses senteurs framboisées, sa fraîcheur, son gras. Un vin charmeur qui persiste longuement.*

*Son rouge purpurin se dévoile intense de petits fruits noirs délicatement réglissés. En bouche, riche, charnu et bien structuré, il nous invite à passer à table.*

# Villemoustaussou

## ▧ Domaine de Brau

M. **Gabriel Tari,**
11600 Villemoustaussou
tél. 68.72.31.92.

23 hectares dont 10 en V.D.Q.S. Sol : terrasses argilo-calcaires. V.D.Q.S. Cabardès.
Prix départ cave : 15 à 25 F T.T.C.
Œnologue conseil : M. Sanchez.

*Le couple Tari depuis 1982 mène une politique de haut de gamme et de millésimes anciens.*

*Le vignoble complanté de cépages méditerranéens et du Sud-Ouest s'étend sur des sols très particuliers, striés de bandes de grès. Les vignes de carignan sont*
surgreffées en faveur du cabernet pour augmenter le potentiel existant et du chardonnay pour diversifier qualitativement la gamme des cuvées.

*Gabriel Tari s'évertue à transformer sa cave plus que centenaire et prépare un chai d'élevage car, nous dit-il, « le vin c'est un enfant que nous voyons grandir ».*

*Le château de Brau où le cot et le fer servadou participent à l'expression aromatique, où le merlot apporte la rondeur et le cabernet la structure, est un tout plein d'agrément qui demande à se fondre dans le temps.*

## ▧ Château-Rivals

Mme **Charlotte Capdevilla-Troncin,**
Villemoustaussou
11600 Conques-sur-Orbiel
tél. 68.25.80.96.

21 hectares. Sol argilo-calcaire graveleux. V.D.Q.S. Cabardès rouge et rosé.
Prix départ cave : 17,50 F à 20,50 F T.T.C.
Œnologue conseil : M. Favrol.

*Dynamique, compétente, accordant une grande importance à la qualité de l'accueil, Charlotte Capdevilla-Troncin a choisi un cadre de vie en assurant la continuité de ce domaine familial.*

*Pour l'actuelle propriétaire du château Rivals, l'avenir appartient aux vins qui privilégient les caractères aromatiques en s'imposant toujours plus de finesse et de rondeur.*

*Depuis 1977, elle a entrepris un programme hardi de rénovation du vignoble. Elle supprime le carignan à cause de sa rusticité et favorise les cépages cabernet-sauvignon, merlot, syrah et surtout grenache qui confèrent aux vins du château l'originalité et le gras désiré.*

*Elle assure elle-même chaque étape de la vinification de ses cuvées comme on suit les études de son enfant.*

*De très nombreuses récompenses sont venues confirmer le talent de cette femme qui apporte sa touche magique aux vins du château Rivals.*

Le V.D.Q.S. rouge à un nez enjôleur où s'harmonisent la framboise, le cassis, la mûre et le poivre. Une très grande finesse dans une bouche souple et soyeuse en fait un vin élégant, délicat, qui plaît beaucoup.

Le rosé est tout aussi charmeur dans sa belle robe tendre et pimpante. D'une belle onctuosité sa finale est généreuse avec une légère pointe florale qui apporte la fraîcheur souhaitée.

**Cabardès**, voir aussi :
— Côtes de la Malepère : Coopérative « la Malepère ».

# Clairette de Bellegarde

A.O.C. depuis le décret du 4 février 1949.
Aire d'appellation : une partie de la commune de Bellegarde.
Terroir : galets roulés, « grès ».
Encépagement : clairette.
Production : 2 000 hl environ.
Rendement : 35 hl/ha.

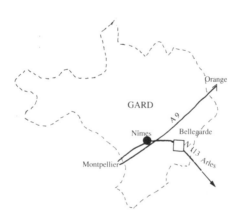

$D$e cette appellation, le baron Le Roy disait : « Clairette de Belle-garde, vin blanc qui a abreuvé les jours de fête de mon enfance ! Clairette de Bellegarde, terroir que depuis des années je traverse deux fois par semaine ! Clairette de Bellegarde, vignoble qui avez connu la prospérité et qui devez la retrouver ! A Bellegarde comme à Châteauneuf, nous sommes des enfants du soleil méridional et c'est lui qui réchauffe nos mêmes cailloux roulés... courage et bonne chance mes amis ! »
La réputation de la Clairette de Bellegarde est très ancienne. Mais la valeur commerciale de cet excellent vin blanc n'a pas toujours été au niveau de cette réputation.

Avant la guerre, une partie de la récolte était prise en charge par une institution religieuse. Une autre partie de la récolte était destinée à la fabrication de vermouths auxquels elle apportait un produit de base adapté sous la forme d'un vin blanc sec, de degré élevé et complètement fermenté.

Mais le défaut d'unité dans la production et de sécurité dans la présentation et la conservation n'avait pas permis d'obtenir le classement de la Clairette de Bellegarde dans la catégorie des appellations contrôlées. Devant les efforts sans cesse croissants des vignerons en vue d'obtenir des vins irréprochables, le président du syndicat demanda et obtint que le dossier constitué en vue de son admission dans la catégorie des A.O.C. soit soumis à l'appréciation de l'I.N.A.O. A l'unanimité, l'Institut prononça sous la présidence du baron Le Roy, le 4 février 1949, l'admission de la Clairette de Bellegarde parmi les vins à appellation d'origine contrôlée.

Par décret de M. Le Président du Conseil des Ministres contresigné par M. le Ministre de l'Agriculture en date du 28 juin 1949, la Clairette de Bellegarde était classée parmi les vins à appellation contrôlée.

Ces propos, nous les tenons de M. Philippe Lamour qui fut pendant de longues années président du syndicat de défense des producteurs de vin blanc Clairette de Bellegarde.

## ■ Cave Coopérative « La Clairette »

30127 Bellegarde
tél. 66.01.10.39.

Superficie : 900 hectares dont 800 en A.O.C. Costières de Nîmes et 100 en A.O.C. « Clairette de Bellegarde ». Sol : grès rhodanien mêlé aux galets roulés. Vins de pays. A.O.C. Costières de Nîmes rouge, rosé, blanc. A.O.C. Clairette de Bellegarde.
Prix départ cave : 16 à 25 F T.T.C.
Œnologue conseil : M. Claude Valentin.

*« Avec sa plaine, avec son grès,
avec sa vigne pour cocarde,
comme il est fier, comme il est frais,
derrière sa tour, Bellegarde »
Bellegarde, petit village méridional, se blottit au pied d'une tour en ruine, vestige du château féodal du XIe siècle. Créée en 1924, par des vignerons qui ont* su, par leurs qualités professionnelles apporter le « plus » dans l'amélioration et l'originalité des vins, cette cave est aujourd'hui présidée par le dynamique et entreprenant Jack Darboux, qui assure également la lourde charge de président du syndicat de cru A.O.C. Costières de Nîmes.
La Clairette de Bellegarde est une appellation sur un micro-terroir, nous dit le directeur, Michel Tallagrand, ce vin n'a pas d'équivalent, il faut l'apprécier sans savoir à le comparer.
Grâce à la bonne technicité des équipements qui assure une parfaite maîtrise de la vinification et au savoir-faire de Michel Tallagrand, rigoureux dans la recherche de la qualité, nous avons dégusté un vin de clairette raffiné Cuvée Moulin de Laval 1989.
La robe est légère, dorée, marquée par de jolis reflets cristallins. Le bouquet fleuri et fruité, où se mêlent des notes de fleurs séchées, se poursuit en bouche tendre et onctueux.

*Saluons au passage la médaille d'argent obtenue par la cave au Concours général de Paris pour cette cuvée.*

## ▨ Mas Carlot

**M. Paul Blanc,**
30127 Bellegarde
tél. 66.01.11.83.

Superficie : 80 ha. Sol : galets roulés et argile de décomposition. A.O.C. Costières de Nîmes blanc, rosé et rouge. A.O.C. Clairette de Bellegarde.
Prix départ cave : 20 à 30 F T.T.C.
Œnologue conseil : M. Claude Valentin.
Régisseur : M. Albin Laurent.

*Le vignoble de Clairette, fait de vieux ceps tordus et noueux, s'étend sur les Costières, prolongement naturel de la vallée du Rhône où les gros galets de silex donnent ce sol si particulier.*
*C'est ici, à Bellegarde, que prospère l'appellation Clairette dont la notoriété ne se confirme que depuis quelques années.*
*Il a fallu tout le talent de vigneron et la persévérance d'Albin Laurent pour prouver que ce cru, jadis choyé par les moines de Notre-Dame-des-Neiges, pouvait fournir un vin plein, fruité, élégant, s'épanouissant très tôt après la récolte.*
*Beaucoup de rigueur chez ce maître vigneron qui soigne amoureusement ses vignes dont il ne veut produire que 40 à 50 hectolitres pour ne pas diluer la qualité. Aussi, quelle puissance...*
*Surtout réputé pour ses vins d'appellation Costières de Nîmes, où il excelle, il fait également l'unanimité de sa fidèle clientèle avec son A.O.C. Clairette de Bellegarde.*
*Il suffit de passer la porte du chai pour comprendre qu'ici, on fait du bon vin.*
*De la Clairette de Bellegarde, on a souvent dit que c'était un vin oxydatif, lourd, mou... Faux, au mas Carlot, Paul Blanc, l'heureux propriétaire de ce très beau domaine, nous prouve le contraire.*
*On nous dit que c'est un vin qui n'a aucune tenue dans le temps... Eh bien,*

*il suffit de regarder dans le verre pour apprécier toute la jeunesse de ce 1988 qui se présente paré d'or clair avec de magnifiques reflets verts.*
*On a écrit que la clairette donnait des odeurs fauves avec lourdeur dans son bouquet et ses arômes de bouche... Cela est vrai si ce cépage capricieux est mal vinifié, mais quand Albin Laurent est à l'œuvre, grâce au talent de ce vinificateur, vous pourrez apprécier un vin nerveux, au nez très frais de pamplemousse, d'abricot et d'anis avec des notes d'amande. En bouche, il étonne par sa longueur et l'élégance de ses arômes de fruits à chair blanche.*
*Alors venez, goûtez et vous serez séduit.*

## ▨ Château Saint-Louis-La-Perdrix

**G.F.A.** Mme **Ginette Lamour et ses enfants,**
30127 Bellegarde

Superficie : 70 ha dont 6 en A.O.C. Clairette. Sol : plateau caillouteux recouvert de galets roulés. A.O.C. Costières de Nîmes rouge, rosé, blanc. A.O.C. Clairette de Bellegarde.
Prix départ cave : 18 à 25 F T.T.C.
Œnologue conseil : M. Claude Valentin.

*Qu'ils produisent des vins de « Costières » ou de la « Clairette » les vignerons du cru sont tous persuadés qu'ils doivent tout à l'action déterminante d'un homme : Philippe Lamour.*
*Depuis toujours, il a prêché l'originalité du produit. Soucieux du bien-être des viticulteurs, prouvant à tous que la politique de la région était de faire d'excellents vins, de ceux que l'on ne trouve pas ailleurs, il est à l'origine de la promotion des « Costières de Nîmes » et de la « Clairette de Bellegarde » au rang des appellations contrôlées.*
*Rien d'étonnant alors qu'au château Saint-Louis-la-Perdrix, on fasse de bons vins. Non contente de produire un des meilleurs « Costières », Ginette Lamour, la propriétaire, et Sylvie, sa petite-fille, sont très heureuses de nous*

apprendre que leur « Clairette » vient cette année encore de décrocher la récompense suprême : médaille d'or au Concours général de Paris.

Le château est une superbe propriété où la vigne exprime par ses fruits gorgés de soleil, les véritables saveurs du terroir.

Mené de main de maître par Baptiste, le régisseur, le vignoble est cultivé dans le respect du caractère et des coutumes de la région, tel qu'il a toujours été connu.

La Clairette 1989 du château nous réserve découverte et surprise.

Très prisée il y a quelques années, elle fut un peu délaissée depuis. Aujourd'hui, par ses qualités, elle est en train de reconquérir un public qui apprécie le pari de qualité engagé par ces deux femmes.

Un vin au féminin dans sa légèreté et son élégance mais qui plaît aussi aux hommes par sa chaleur et sa force. Ses arômes de coing, de tilleul, avec des notes de miel viennent agrémenter un équilibre harmonieux, tout en rondeur sur la fin de bouche.

# Collioure

A.O.C. depuis le décret du 3 décembre 1971.
Aire d'appellation : 400 ha sur le terroir de l'A.O.C.
Banyuls : communes de Collioure, Port-Vendres, Banyuls et Cerbère.
Terroir : schistes.
Encépagement : grenache noir, mourvèdre, carignan, cinsault, syrah
(25% mini, 40% maxi).
Degré alcoolique : 12% mini, 15% maxi.
Rendement : 40 hl/ha.
Production : 9 000 hl.

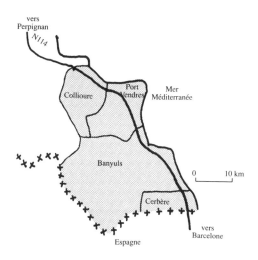

L'aire d'appellation Collioure se superposant à celle de l'A.O.C. Banyuls, le Collioure bénéficie du même soleil intense, et des mêmes sols schisteux et pauvres à proximité de la mer. Les vignes sont implantées sur les coteaux abrupts des Albères, sur le même terroir spectaculaire que celui du Banyuls (voir chapitre V.D.N. pour plus de détails concernant ce terroir commun). Le Collioure est un vin rouge sec. Dans ce coin des Pyrénées-Roussillon, tout proche de la frontière espagnole, qui limite l'appellation au sud, les vins secs et les vins doux ont toujours existé simultanément. Avant la création des décrets d'appellation, on faisait une distinction entre les vins dénommés « grenaches » qui étaient des vins mutés à l'alcool, et les vins dits « nature » qui étaient des vins secs. Dans son traité d'ampélographie française de 1857, V. Rendu cite les vins de Collioure et de Port-Vendres en ces termes : « Les bons vins rouges de cette zone sont acceptés et traités sur le même pied que le vin de Banyuls par le commerce... Les Collioure ont une belle robe, du corps ; beaucoup de générosité et tiennent le milieu entre les vins de liqueur et les vins secs ; en vieillissant, ils acquièrent de la finesse et un bouquet prononcé. » Mais ce sont plutôt les vins de Banyuls qui ont connu par la suite une plus grande notoriété.

Lorsque le premier dossier « Banyuls » a été déposé en 1935, l'appellation d'origine contrôlée n'avait pas seulement été demandée pour les vins doux naturels de Banyuls, mais également pour les banyuls « secs », dit banyuls nature, ainsi que pour un banyuls naturellement doux qu'on élaborait alors dans le cru. En ce qui concerne les vins « secs », le dossier n'a été repris qu'en 1967, et le 9 novembre, la demande de classement d'un vin rouge « nature » était déposée. C'est alors que le nom de Collioure a été proposé afin d'éviter la confusion avec la dénomination Banyuls et aussi en raison de sa notoriété ancienne. Chose curieuse, les stocks de ce vin sec s'élevaient à 200 hl seulement en 1966 et 1967. Le décret A.O.C. Collioure de 1971 a respecté les usages traditionnels en faisant du grenache noir le cépage principal et en demandant un élevage sous bois de 9 mois minimum. En mai 1982, le mourvèdre est venu rejoindre le grenache noir au niveau des proportions dans le décret d'A.O.C. Ce vieux cépage espagnol qui était autrefois répandu sur la Côte vermeille (V. Rendu le décrit, mais semble avoir méconnu sa maturité tardive), voit aujourd'hui son implantation augmenter, principalement parce que les terrasses ensoleillées de cette zone côtière lui conviennent parfaitement. Le mataro (nom catalan du mourvèdre) retrouve dans le cru Collioure des conditions comparables à celles que lui offre sa terre d'élection : Bandol.

Aujourd'hui, le Collioure est en train de développer un nouveau caractère, et ceci à travers de nombreuses facettes. Le vin rouge capiteux et rustique d'autrefois, marqué par l'oxydation de l'élevage en foudres a, sauf quelques rares et insignifiantes exceptions, cédé la place à des vins plus sophistiqués. On peut rencontrer 2 groupes principaux : l'un dont l'assemblage est basé sur le grenache noir, l'autre sur le mourvèdre. Dans les 2 cas, la syrah joue un rôle très important. A partir du millésime 82, on rencontrera même quelques vins « avant-gardistes » élaborés sans grenache noir. De plus, les producteurs ont modifié les conditions d'élevage et préfèrent bien souvent la conservation en cuve pleine suivie d'un affinage en bouteilles, ou un passage en barriques bordelaises avant la mise en bouteilles.

Si les sols des A.O.C. Banyuls et Collioure sont en principe homogènes de par leur constitution de schistes du cambrien, ils n'en présentent pas moins une grande diversité, le relief ayant déterminé des différences pédologiques importantes. Les cépages aromatiques préférant habituellement les sols profonds, on les rencontrera plutôt sur les terrasses caillouteuses en bordure de rivière, au bord de la mer ou sur les piémonts de schistes délités. La qualité du vin de Collioure est basée sur ces sols schisteux qui lui procurent ses arômes spécifiques de petits fruits noirs, notamment ceux de la cerise et de la mûre. De plus, la pauvreté des sols, la sécheresse de l'été et l'ensoleillement extraordinaire dont bénéficie ce cru, limitent la vigne à de petits rendements, qui font du Collioure un vin riche et d'une concentration rare. Mais si le Collioure a gagné en finesse et en élégance, il n'a heureusement rien perdu de son caractère chaleureux. Ce vin, certainement l'un des meilleurs crus du Midi, est doté d'un avenir certain. L'A.O.C. Collioure est produite par une vingtaine de caves particulières, un groupement de producteurs réunissant 5 caves coopératives et 3 caves coopératives indépendantes.

**Collioure** (voir Banyuls dans les V.D.N.) p. 369
— Coop. de Banyuls « L'Etoile »
— Coop. de Banyuls « les Vignerons »
— Coop. de Collioure
— Ch. des Elmes
— Dr Géraud
— G.I.C.B. (Groupement interproducteurs du cru Banyuls)
— Dom. du Mas-Blanc
— Mas Diogène
— Dom. de la Rectorie
— Monique Saperas
— Dom. de la Tour-Vieille
— Cave Veuve Banyuls
— Dom. de Villa-Rose

# Corbières

A.O.C. depuis le décret du 24 décembre 1985.
Aire d'appellation : 23 000 hectares sur 94 communes de l'Aude.
Terroir : très variés : schistes, marno-calcaire, grès,
terrasses alluviales...
Encépagement : rouges : carignan (60% maxi), cinsault, grenache,
syrah et mourvèdre (10% mini) ;
blancs : macabeo, bourboulenc, grenache blanc (50% mini des
trois) ; terret blanc, clairette, picpoul, muscat.
Production : 665 000 hectolitres ; rouges, rosés et blancs.
Rendement : 50 hl/ha maxi (en fait 45 par décision du syndicat).

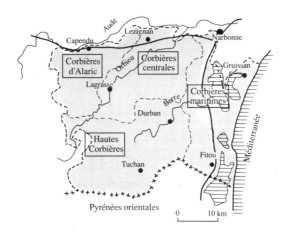

Les Corbières forment un vaste quadrilatère montagneux de près
de 50 kilomètres de côté bordé au nord par l'Aude, à l'est par les étangs
qui frangent la Méditerranée, à l'ouest par une série de hauteurs dont
la plus élevée est le massif de Monthoumet. Au sud elles atteignent la
limite des Pyrénées-Orientales, une limite matérialisée par un chape-
let de forteresses : Aguilar, Quéribus, Peyrepertuse et Puylaurens qui

autrefois défendaient la frontière du royaume de France face à l'Aragon. C'est dans l'un d'entre eux, à Quéribus, que s'accrochèrent et que moururent les derniers Cathares en 1255.

Jusqu'en 1973, l'aire Corbières (alors V.D.Q.S.) s'étendait plus au sud, environ jusqu'à la vallée de la Têt, donc en plein Roussillon. Cette partie catalane avait droit d'ailleurs à la mention « Corbières du Roussillon. En 1973, lorsque fusionnèrent les trois V.D.Q.S. du Roussillon (voir Côtes du Roussillon), la limite des Corbières vint se mouler sur la limite départementale actuelle.

Ces vicissitudes passées, et quelques autres, expliquent la relative complexité de la géographie viticole dans le sud du secteur où 9 communes : Cascastel, Caves, Fitou, Lapalme, Leucate, Paziols, Treilles, Tuchan et Villeneuve-les-Corbières ont simultanément droit, en plus des Corbières, aux appellations Fitou (A.O.C. depuis 1948), Rivesaltes et Muscat de Rivesaltes (A.O.C. respectivement depuis 1936 et 1956).

La présence de la vigne est attestée dans les Corbières depuis la plus haute Antiquité, mais il est vraisemblable qu'à cette époque elle se cantonnait au pourtour du massif : sur le versant nord qui dominait la voie romaine reliant Narbonne à Toulouse ; dans la partie orientale le long de la route d'Espagne. Une bonne partie de la production devait être exportée par le port de Narbonne, alors capitale de la « Province ».

Le cœur des Corbières, d'accès difficile, dut en revanche rester à l'écart de cette première prospérité viticole. Les premières mentions de vignes dans ce secteur ne remontent qu'au Moyen Age avec la création de deux grandes abbayes : Lagrasse fondée au début du IXe siècle et Fontfroide en 1146. On sait que les possessions de la première, très morcelées, s'étendaient aussi bien en Catalogne, en Narbonnais que dans la région de Toulouse. Ce puissant établissement comme sa voisine cistercienne firent beaucoup pour la mise en valeur des Corbières. Pourtant la région fut longtemps vouée à la polyculture : céréales, oliviers, élevage ovin. Il fallait en effet d'abord penser à se nourrir. Les habitants des Corbières y parvenaient d'ailleurs difficilement tant le milieu est âpre. Dans le canton de Durban par exemple, la vigne n'accaparait au début du XIXe siècle que 2 000 hectares (contre 6 000 aujourd'hui) tandis que les labours, où les cultures ne rendaient pas trois fois la semence, en couvraient près de 10 000.

L'arrivée du chemin de fer et avec lui des blés extérieurs bon marché aurait pu dans ces conditions signer l'arrêt de mort de la région. Les secteurs les plus déshérités furent frappés par l'exode mais le pire fut évité grâce à la reconversion viticole. Les Corbières se couvrirent en effet de ceps. De 20 000 hectares en 1840 on passa à 50 000 en 1890. Le phylloxera battait alors son plein dans l'est du Languedoc et les cours, en raison de la pénurie, attinrent des sommets. On planta surtout du carignan, cépage qui supplanta le grenache et le mataro (mourvèdre) moins productifs. On s'orientait vers la production des vins colorés, chargés en alcool, mais surtout sans finesse, que demandaient les négociants pour leurs coupages. Vinrent les crises de mévente et avec elles le début d'un nouvel exode. Dès 1908 pourtant, un syndicat de défense des Corbières fut créé qui obtint à partir de 1923 une délimitation judiciaire de l'aire. Comme en Minervois ces démarches en faveur de la qualité n'aboutirent que bien plus tard : en 1951 par l'obtention du label V.D.Q.S., puis en 1985 par le classement en A.O.C. L'acceptation par le plus grand nombre des contraintes liées à la politique de qualité, le renoncement à celles de la viticulture de masse exigèrent en effet du temps. C'est chose faite aujourd'hui et les Corbières sont sur la bonne voie.

Derrière une apparente unité l'aire d'appellation Corbières juxtapose des milieux très différents qui offrent à la vigne des conditions variées. Cette diversité est d'abord due à une histoire géologique d'une rare complexité. Celle-ci est responsable de la juxtaposition de terrains de nature très contrastée : schistes primaires, calcaires récifaux et grès du secondaire, séries marno-gréseuses et marno-calcaires du tertiaire, sans oublier les formations alluviales caillouteuses du quaternaire. La plupart de ces couches ayant été ployées, fracturées et certaines charriées sur des kilomètres, toute description détaillée est impossible en quelques lignes.

Le climat lui aussi est loin d'être uniforme. Il est méditerranéen certes, mais peut être localement dénaturé par l'altitude ou par les influences océaniques.

Dans un but de simplification, le syndicat des Corbières distingue à l'intérieur de l'aire d'appellation quatre zones :

— Les Corbières maritimes : elles constituent la frange orientale de l'aire et se caractérisent par une altitude faible, des sols principalement calcaires et un climat méditerranéen strict. Les pluies sont rares (de 400 à 500 mm par an) mais la fréquence du marin entretient une certaine hygrométrie. En arrière du littoral on trouve de vastes étangs : étangs de Leucate, de Lapalme et surtout de Bages dans lequel vient se jeter la Berre. La commune de Gruissan, bien que faisant partie du massif de la Clape a été rattachée à l'appellation Corbières.

— Les hautes Corbières : elles occupent le tiers sud-ouest de l'aire, c'est-à-dire la partie la plus montagneuse. Là se trouvent en effet les plus hauts sommets des Corbières : montagne de la Quille (964 m), mont Tauch (917 m), Milobres de Massac et de Bouisse (908 et 878 m)... Le climat est donc souvent un facteur limitant ce qui explique que la vigne soit peu étendue. Pourtant elle trouve là des sols à prédominance schisteuse très favorables à la production de vins de grande qualité.

— Les Corbières de l'Alaric : ce secteur, situé au nord-ouest de l'aire, doit son nom à la montagne d'Alaric qui, du haut de ses 600 mètres, domine la vallée de l'Aude. Il déborde vers le sud sur le val de Dagne. Les terrains, d'âge tertiaire pour la plupart, présentent de multiples faciès : calcaires, marnes, grès, poudingues plus ou moins désagrégés, terrasses anciennes de l'Aude. Ils rappellent ceux rencontrés dans le Minervois tout proche. L'unité de cette zone réside peut-être dans son climat, méditerranéen mais fortement marqué par les influences océaniques. Ici, la période de sécheresse estivale est plus courte, les précipitations moins chichement mesurées que dans les Corbières centrales. Le vent enfin, canalisé par la vallée de l'Aude, se montre particulièrement violent.

— Les Corbières centrales : il s'agit, comme leur nom l'indique, du cœur des Corbières. Elles sont drainées par l'Orbieu et ses affluents qui s'étalent sur des formations principalement marneuses et gréseuses de l'ère tertiaire. Ces cours d'eau ainsi que l'Aude ont construit de vastes terrasses caillouteuses en empruntant les matériaux aux reliefs d'amont. Le climat est très sec et chaud. C'est sans doute dans ce secteur que l'encépagement s'est le plus précocement amélioré.

Au total les Corbières offrent à la vigne des conditions variées, gage d'une certaine diversité. Pourtant jusqu'à ces dernières années l'excès de carignan avait tendance à gommer ces nuances naturelles, conférant au Corbières la réputation d'un vin puissant et rugueux, sans grande finesse. L'amélioration de l'encépagement et des techniques de vinification sont en train de prouver que les Corbières peuvent être des grands vins.

Parallèlement le syndicat du cru a strictement encadré la production. Les rendements sont limités à 45 hectolitres à l'hectare, soit 5 de moins que ce qu'autorise le décret. Cette politique sévère (qui n'a pas fait au début que des heureux) est motivée par deux préoccupations : améliorer la qualité bien sûr mais aussi contrôler les volumes afin d'éviter les excédents qui seraient bradés au négoce. Cette mesure, ainsi que les exigences concernant l'encépagement, ont fait chuter la production à partir de 1984 de 800 000 hl à un peu plus de 500 000. Sur ces bases saines le syndicat a entrepris de vastes campagnes promotionnelles en France et à l'étranger visant à toucher un nouveau type de clientèle, et notamment les jeunes. Les résultats sont prometteurs : l'élargissement des débouchés permet désormais un accroissement raisonné de la production qui laisse espérer qu'on atteindra le million d'hectolitres à la fin du siècle.

10 000 viticulteurs assurent la totalité de la production dont la grande majorité au sein des 57 caves coopératives. Il existe aussi environ 800 caves particulières dont 120 pratiquent la vente directe.

# Barbaira

## ■ Château Hélène

Mme **Marie-Hélène Gau,** ♦
11800 Barbaira
tél. 68.79.00.69.

30 hectares dont un tiers en A.O.C. Sol argilo-calcaire et sablonneux. Vins de pays. A.O.C. Corbières. Prix départ cave : 12,50 à 31 F T.T.C. Œnologue conseil : M. Roque.

*Des vins... au féminin. Le château Hélène est la propriété de Marie-Hélène Gau, venue à la profession par passion. Situé au bord de la R.N. 113, le cellier est une halte obligatoire pour le dégustateur.*

*Depuis l'arrivée de Marie-Hélène Gau, les méthodes de vinification se sont affinées, les cuvées se sont diversifiées, les vins se sont personnalisés.*

*Dans une cave d'une propreté exemplaire, éclatante par sa couleur rose fuchsia, le maître de chai, M. Estebe, nous apprend comment la vendange ramassée très mûre est vinifiée en semi-macération carbonique afin de favoriser l'extraction maximale des arômes du grain de raisin.*

*Dans ce caveau où recevoir est toujours une joie, Marie-Hélène Gau vous fera partager le plaisir de la dégustation de cuvées sans cesse en évolution qui s'adaptent aux goûts et aux modes.*

*Actuellement, un blanc de blancs s'élève au calme, en barriques neuves, pour étoffer la gamme déjà importante de ses produits.*

*L'A.O.C. Corbières rouge a un nez élégant aux parfums de fruits et d'épices, finement boisé. La bouche flatteuse est dotée d'une attaque franche, nerveuse, aux arômes de griottes et de fumaison sur un fond encore charpenté.*

# Bizanet

## ■ Ancien Prieuré de St-Amans

Bizanet
11200 Lezignan
tél. 68.45.11.94.

13 hectares. Sol argileux et sablonneux. A.O.C. Corbières rouge. Prix départ cave : 15 à 20 F T.T.C. Œnologue conseil : M. Marc Dubernet.

*Cet ancien prieuré, situé entre Ornaison et Bizanet, est érigé sur un site gallo-romain au milieu d'une très jolie pinède.*

*Gérée depuis cette année par Anne-Marie Thomas, cette exploitation familiale a depuis longtemps saisi l'importance de la vinification en macération carbonique.*

*Dans une cave très ancienne mais très bien aménagée au fil des ans, la propriété produit des Corbières rouges issus de raisins récoltés manuellement sur des coteaux très ensoleillés.*

*Nous avons tout particulièrement aimé une cuvée élaborée à partir des cépages carignan, grenache, syrah et mourvèdre qui se présente dans une belle robe grenat assez intense. Le nez est d'une bonne complexité où se devinent les fruits rouges et des notes épicées et animales. Ample et rond en bouche, il a beaucoup de fond et de persistance dans les saveurs.*

## ▨ Château Beauregard

**Mme Simone Mirouze,**
11200 Bizanet
tél. 68.45.12.13.

50 hectares dont 27 en A.O.C. Sol : grès. Vins de pays. A.O.C. Corbières.
Prix départ cave : 18 à 21 F T.T.C.
OEnologue conseil : M. Marc Dubernet.

*Difficile de se retrouver du jour au lendemain à la tête d'une exploitation en plein déclin. Depuis 1956, Mme Mirouze s'acharne à rajeunir ce domaine tant sa volonté d'aboutir est tenace.*
*Aujourd'hui, elle peut être fière de son vignoble où le cabernet sauvignon et le merlot en zone de vins de pays côtoient la syrah et le mourvèdre implantés à mi-coteaux dans l'aire A.O.C.*
*Cette réussite ne doit rien au hasard. Elle est le résultat d'une passion née de la reconquête de cette exploitation.*
*Dans une cave adossée au roc, réaménagée, modernisée, elle vinifie et élève amoureusement des vins fort séduisants.*
*Le vin de pays cépage cabernet sauvignon porte pour nom « Domaine des Prés-Vieux ».*
*Elevé en fûts de chêne, il a une belle robe rouge sombre. Le nez est complexe de sous-bois, de bourgeon de cassis, avec une pointe de vanille. En bouche, ample et charnu c'est un vin savoureux.*
*L'A.O.C. Corbières rosé « Château de Beauregard » est d'une jolie couleur rose tendre. Le nez, intense et frais, est marqué des bonnes senteurs de garrigue. En bouche, le bon équilibre en fait un vin racé et distingué.*

# Boutenac

## ▨ Domaine de Fontsainte

**M. Yves Laboucarie,**
Route de Ferrals
11200 Boutenac
tél. 68.27.07.63.

41 hectares. Sol : grès rouges, silico-argileux, silico-calcaires. Alluvions anciennes. A.O.C. Corbières rouge et gris de gris.
Prix départ cave : 20 à 32 F T.T.C.
OEnologue conseil : M. Marc Dubernet.

*Dans les Corbières où sont élaborés des crus jaloux de leur accent, où il faut plus de sagesse que de rage Yves La Boucarie refuse de perdre son identité en assassinant le carignan.*
*Pour lui, quand les choses sont bien faites, il faut savoir innover mais pas tout chambouler.*
*La célèbre cuvée « Réserve la Demoiselle » est issue d'une parcelle nonagénaire de 6 hectares composée pour 80% de carignan, 10% de grenache et 10% de cépages divers.*
*Vinifiée avec talent, elle s'épanouit généreusement après un élevage de douze mois en barriques et d'un an en bouteilles.*
*Comme il se plaît à le dire : « Les vignes centenaires sont intriguantes au niveau des arômes de sève sauvage, de garrigue, de fruits rouges, de cannelle. En bouche, vigoureux, charnu et sensuel... ça, c'est la Demoiselle. »*
*Un homme chaleureux, respectueux de ses anciens qui élève depuis plus de 10 ans ses vins pleins de charme dans un chai où reposent 150 beaux fûts de chêne.*

## ▨ Château La Voulte-Gasparets

**MM Berges-Reverdy, ◆**
11200 Boutenac
tél. 68.27.07.86.

50 hectares dont 40 en A.O.C.
Coteaux argilo-calcaires très cail-
louteux. A.O.C. Corbières rouge et
rosé.
Prix départ cave : 22 à 50 F T.T.C.
Œnologue conseil : M. Marc
Dubernet.

*Situé sur un terroir exceptionnel, le château de La Voulte-Gasparets possède un riche passé. Son nom est associé à celui des cuvées prestigieuses. Les responsables du domaine défendent avec ardeur la tradition de la viticulture méridionale. Les vins du château sont à cette image, nobles et chaleureux. Ils sont issus de vieilles vignes, certaines ayant plus de 85 ans, vinifiés en raisins entiers selon les anciens usages dans un chai aux trois quarts enterré et très bien adapté à l'élaboration et à l'élevage. Des vins charpentés qui s'améliorent en vieillissant. Elevés quelques mois en barriques bordelaises, les cuvées prestigieuses attendent deux ans avant d'être commercialisées.*

*Des cuvées marquées par un terroir exceptionnel. Comme cette cuvée prestige Romain Pauc 1988 et cette cuvée Réserve 1988 au nez de confiture de mûre, légèrement épicé avec des notes de sous-bois. Bien charpentées, elles associent richesse et longueur en bouche pour procurer d'agréables plaisirs. Le Rosé Sélection 1989 offre un nez élégant ample et fleuri. La bouche est épanouie, fraîche et fruitée. Un vin qui glisse très bien grâce à un bel équilibre et qui laisse une persistance heureuse.*

# Camplong

## ◼ Cave des Côtes d'Alaric

11200 Camplong
tél. 68.43.60.86.

245 hectares. Sol argilo-calcaire,
très cailouteux. A.O.C. Corbières
rouge, rosé, blanc.
Prix départ cave : 13 à 27 F T.T.C.
Œnologue conseil : M. Marc
Dubernet.

*Cette cave, créée non loin de l'abbaye de Lagrasse, présidée par M. Alban Pau, le nouveau président du cru Corbières, dirigée depuis 11 ans par Mme Denat, concentre tous ses efforts vers le développement de plantations nouvelles.*
*Le vignoble accroché sur le versant sud de la montagne Alaric jouit d'une expression très particulière liée à ce pays chaleureux et véridique.*
*Pour Mme Denat, « si la qualité est subjective, elle doit être constante dans sa matière », d'où la sélection au terroir, la performance du matériel oenologique, le chai de vieillissement sous-bois prévu pour 1 500 hl.*
*Souvent primé en concours, l'A.O.C. blanc Peyres Nobles 1988 nous séduit par sa robe pâle et brillante. Au nez, se mêlent le foin coupé, la fougère, les notes anisées et poivrées. En bouche, ample et charnu, il laisse une impression de fraîcheur exquise.*
*L'A.O.C. rouge 1985 pourpré dévoile une complexité aromatique importante où se chevauchent le cassis, la truffe, les épices et la vanille. En bouche, il est plein et harmonieux ; une belle étoffe veloutée.*

## ◼ Château Vaugelas

**G.F.A. Bouffet,**
Camplong d'Aude
11200 Lézignan-Corbières
tél. 68.43.68.41.

95 hectares dont 80 en A.O.C. Sol
argilo-calcaire très graveleux.
A.O.C. Corbières rosé, rouge.

Prix départ cave : moins de 20 F T.T.C.

Œnologues conseil : M. Plessis et M. François Nicolas (œnologue de la Société).

*Dans la famille depuis 1817, le domaine était autrefois la propriété du seigneur de Camplong et s'appelait au XVIIe siècle Saint-Martin-des-Rives.*

*Aujourd'hui, avec sérieux et compétence, accordant une grande importance à la commercialisation de leur vin surtout à l'exportation, la Société Bouffet s'emploie à faire connaître partout où elle le peut son terroir natal. Les deux frères, Michel et Pierre, aidés de leur beau-frère Thierry, gèrent la société de négoce et travaillent les 95 hectares de vignes plantées sur les pentes argilo-calcaires, arides et graveleuses des bords de l'Orbieu.*

*Ici, on vinifie des récoltes à rendement très modeste. Les vins sont élaborés à partir des cépages grenache, carignan, mourvèdre, syrah, comme le veut la tradition et élevés au moins douze mois en vieux foudres.*

*Dans des caves séculaires, où s'alignent une vingtaine de foudres allant de 1 000 à 20 000 litres, nous avons apprécié des vins d'une belle richesse, bien charpentés à la forte personnalité.*

*Ronds, capiteux, agréablement épicés où la syrah apporte ses notes poivrées et sauvages, ils terminent de façon harmonieuse sur une longue persistance.*

# Comigne

### ▨ Cave coopérative « La Grappe d'Alaric »

11700 Comigne
tél. 68.79.00.57.

275 hectares. Sol argileux. A.O.C. Corbières blanc, rosé, rouge.
Prix départ cave : 13 à 20 F T.T.C.
Œnologue conseil : M. Marc Dubernet.

*Non content d'avoir son vignoble implanté sur le terroir fort réputé du* *versant nord de la montagne d'Alaric, cette cave coopérative présidée par M. Rouanet analyse, sélectionne et trie la vendange de ses 60 adhérents.*

*Une sélection particulière de syrah, conduite à la parcelle comme dans une cave particulière, permet à la coopérative de renforcer sa notoriété en produisant un vin peu commun, d'une grande finesse.*

*Toujours prêt à parler avec fougue de sa cave et de ses vins, le directeur M. Olive réserve le meilleur accueil au public qui peut venir y déguster tous les jours (même le samedi matin).*

*L'A.O.C. Corbières « Château de Comigne » blanc à la robe pâle a un nez discret d'herbe sèche un peu mielleux. Un léger manque d'acidité et de fraîcheur accentue une finale un peu chaude.*

*Le rosé « Château de Comigne » a une robe d'une jolie couleur fuchsia. Au nez charmeur et exotique avec des notes de guimauve, il offre en bouche un bel équilibre rafraîchissant.*

*Le rouge « Cuvée Jean Lebrau » où la syrah en macération carbonique est présente, a un nez puissant d'arômes de fruits rouges, finement épicé avec des notes de sous-bois. Très harmonieux en bouche, il a des arômes superbement épicés.*

# Conilhac-Corbières

### ▨ Château du Parc

M. **Louis Panis**,
Avenue des Vignerons
11200 Conilhac-Corbières
tél. 68.27.47.44.

50 hectares. Sol argilo-calcaire de coteaux. A.O.C. Corbières blanc, rosé, rouge.
Prix départ cave : 18 F T.T.C.
Œnologue conseil : M. Jean Natoli.

*Heureuse halte au bord de la R.N. 113 en direction de Carcassonne que fréquentent de nombreux vacanciers qui apprécient le bon accueil ainsi que le charme de cette maison de maître.*
*Dans la famille depuis toujours, c'est aujourd'hui un des fils de M. Louis Panis-Mialhe (également propriétaire du château du Donjon en Minervois) qui gère le domaine.*
*Cet ancien professeur d'éducation physique produit et élève des A.O.C. blanc, rosé et rouge de qualité.*
*Le blanc 1988 a une robe d'un jaune pâle aux reflets verts ; mis en valeur par une vinification soignée, ce vin allie finesse et fraîcheur.*
*Le rouge se caractérise par une belle couleur soutenue. Le nez intense de fruits rouges très mûrs est relevé de fines notes boisées. Ample, gras et charnu, il a une bonne personnalité. Bien équilibré, il termine sur une longue persistance.*

# Cruscades

## ■ Château d'Olivery

**M. Pierre Salles,**
Cruscades
11200 Lézignan-Corbières
tél. 68.27.08.66.

60 hectares. Sol argilo-calcaire. A.O.C. Corbières rouge.
Prix départ cave : 11,50 F T.T.C.
Technicien conseil : M. Benoît Blancheton.

*Ce château de 1535 dépendait autrefois de l'abbaye de Fontfroide.*
*M. Pierre Salles, dont la gentillesse et la discrétion n'ont d'égale que son talent, vinifie et élève des vins qui plaisent.*
*Sur un sol fait pour la vigne, avec des cépages traditionnels, ce vigneron pas-*

*sionné et patient a su tirer le maximum de son terroir.*
*À l'occasion, si vous passez par là, arrêtez-vous et écoutez-le vous conter son vin.*
*Commercialisé par les établissements Jeanjean, l'A.O.C. Corbières rouge du château d'Olivery est agréable par son bouquet de fruits sauvages avec des notes épicées.*
*La bouche, très élégante, laisse une impression de rondeur et finit de belle manière sur une longue persistance aromatique.*

# Cucugnan

## ■ Les Vignerons de Cucugnan

11350 Cucugnan
tél. 68.45.41.61.

195 hectares. Sol argilo-calcaire. Vins de pays. A.O.C. Corbières blanc, rosé, rouge.
Prix départ cave : 15 à 22 F T.T.C.
Œnologue conseil : M. Marc Dubernet.

*Une femme... à Cucugnan, et qui élabore de jolis vins ! Mme Pescarou, directrice de la cave, est une femme heureuse dans les Hautes-Corbières.*
*Face au château Quéribus, dernier bastion de la résistance cathare, le petit village de Cucugnan, rendu célèbre par le fameux curé d'Alphonse Daudet, domine une partie du vignoble enraciné dans un site tourmenté.*
*Persuadés de la richesse de leur terroir, les 50 adhérents de la coopérative cultivent la vigne sur des sols pauvres, difficiles, et apportent la preuve que la qualité : « Ça ne vient pas tout seul. »*
*L'A.O.C. Corbières blanc de maccabeu et grenache blanc, séduisant par ses reflets verdâtres, offre un nez fin et floral. Friand, onctueux et vif à la fois, il finit sur des notes fruitées agréables.*
*L'A.O.C. rosé de syrah, grenache et cinsault de saignée a une robe soutenue d'une belle brillance. Au nez, il est très*

*expressif, agréablement fruité et légèrement poivré. Long en bouche, il remplit l'espace gustatif de sa puissante générosité.*

## ▦ Domaine du Révérend

**M. Éric Français, ♦**
Cucugnan
11350 Tuchan
tél. 68.45.01.13.

54 hectares en A.O.C. dont 40 en production. Sol argilo-calcaire et siliceux. A.O.C. Corbières blanc, rosé, rouge.
Prix départ cave : 17 à 50 F T.T.C.
Œnologue : Mme Agnès Français.

*A Cucugnan, en plein cœur des Hautes-Corbières, il existe un domaine extraordinaire par son site, la qualité de ses vins, le courage et l'ambitieuse initiative de quatre jeunes gens aux qualités professionnelles incontestables.*
*Le domaine du Révérend, c'est du net, du solide, où chacun a son rôle à jouer. Eric Français, technicien viticole, s'occupe d'une partie du vignoble avec Agnès, son épouse oenologue, Jean-Pierre Lentheric cultive et assure la commercialisation avec l'aide d'Anne Philippe, sa compagne. Une tâche difficile mais passionnante qui associe à la jeunesse l'amour de la terre et le désir de retrouver ses racines dans ce massif austère des Corbières.*
*Tout était à faire, et malgré les nombreuses difficultés, ils se mirent à la tâche.*
*Les voici récompensés et aujourd'hui les vins du Révérend feraient damner le célèbre curé d'Alphonse Daudet.*
*Dans une cave toute neuve, ces deux couples, venus d'horizons différents et installés en G.A.E.C. depuis 1986, vinifient avec talent des vins qui témoignent de leur sérieux et de leur professionnalisme.*
*Chaque terroir confère sa typicité, chaque cépage apporte sa complémentarité, chaque tènement est vinifié au regard de sa potentialité...*
*Tout ce remue-ménage pour donner des vins savoureux qui se hissent déjà au rang des grands.*

*En blanc comme en rosé, ils ont su conserver la quintessence du grain de raisin pour offrir des vins très charmeurs, au bel équilibre, expressifs et savoureux.*
*De leur sélection de rouge, nous avons dégusté une cuvée issue de vieilles vignes aux arômes tout en finesse qui développe des senteurs de baies sauvages écrasées, de chair de fruits très mûrs, et de fines épices. Gras et charnu en bouche, avec de beaux tannins bien mûrs et souples, ce vin finit sur une longue persistance avec une impression de velours.*

# Davejean

## ▦ Domaine des Amouriés

**M. Alain Castex, ♦**
11330 Davejean
tél. 68.70.06.02.
        68.70.04.41.

14 hectares. Sol : schistes. A.O.C. Corbières blanc, rosé et rouge.
Prix départ cave : 25 à 65 F T.T.C.
Œnologue conseil : M. Robert Dejean.

*Alain Castex, homme charmant à la vitalité communicative, cultive depuis 1981 en plein cœur des Corbières du Termenés, à une altitude de 350 mètres, un vignoble réputé depuis longtemps pour l'élégance de ses vins.*
*Tout évoque la douceur de vivre dans ce petit village que seul vient troubler*

*le cers, vent dominant qui assèche et assainit la végétation.*

*Sans Alain Castex, le domaine des Amouriés serait certainement resté dans l'anonymat.*

*Brun, trapu, le regard scrutateur un peu canaille, ce vigneron produit des vins qu'il désire authentiques, reflets de ce merveilleux terroir.*

*Vendangés manuellement, les raisins, triés soigneusement, sont transportés en petites comportes jusqu'à la cave installée dans l'ancien presbytère.*

*Des cépages traditionnels qui côtoyent des variétés un peu moins académiques, une vinification intelligente, parcelle par parcelle, conduite dans le respect du grain de raisin, nous permettent de déguster des vins épanouis, remplis de richesse de cet excellent terroir, le tout présenté en flacons habillés d'étiquettes raffinées dessinées par Thierry Andrieu.*

*Le Blanc « Cuvée Harmonie » de macération pelliculaire, vinifié et élevé en fûts de chêne neufs s'offre à nous riche de ses senteurs florales et fruitées, tout en finesse.*

*Le Gris, rosé de saignée, à la belle robe tendre se distingue par ses notes de fruits sauvages et d'aubépine. Friand, aérien, rafraîchissant, c'est une très belle réussite.*

*Le Rouge, « Cuvée vieille vigne » de macération carbonique et vinification traditionnelle, exprime toute la finesse et l'élégance du terroir de schistes. Un tannin léger mais d'une belle finesse, un bouquet épicé, un équilibre harmonieux en font un vin qui persiste en douceur pendant de longues secondes.*

# Douzens

## ▓ Château de Cabriac

**M. Jean de Cibeins,**
Château de Cabriac
11700 Douzens
tél. 68.79.10.90.

100 hectares dont 60 en A.O.C. A.O.C. Corbières rouge et blanc. Vin de pays d'Oc.
Prix départ cave : 20 à 25 F T.T.C.
Œnologue conseil : M. Dubernet.

*Le château de Cabriac, une vieille demeure érigée sous l'empire, est aujourd'hui l'un des fleurons de l'appellation Corbières.*

*Adossé au versant nord de la montagne d'Alaric, dans un environnement de pinède, le vignoble exprime toute la richesse de son terroir.*

*Les vins qui en sont issus reflètent, par l'amplitude des saveurs, les techniques de vinification bien maîtrisées.*

*Jean de Cibeins, un homme qui peut s'enorgueillir de ses cuvées de belle lignée et parfois méconnues comme ses vins de pays d'Oc de cépages merlot et cabernet sauvignon, somptueux, nous dit-il.*

*Le Château Cabriac rouge se révèle déjà de par sa robe. Le nez dévoile la délicatesse des arômes de fruits bien mûrs à l'accent réglissé.*

*Ils se fondent harmonieusement pour offrir en bouche une réelle plénitude.*

# Durban

## ▓ Caves de l'Ancien Comte de Durban

11360 Durban
tél. 68.45.90.16.

800 hectares. Sol argilo-calcaire. Arrêtent cette année la mise en bouteilles, seuls des millésimes anciens en A.O.C. Corbières sont commercialisés.
Prix départ cave : 13 à 17 F T.T.C.
Œnologue conseil : M. Melado.

*Une cave qui se cherche. Au cœur des Hautes-Corbières, dans le joli village de Durban, où un château du XIIᵉ siècle domine fièrement le pays, les vignerons s'interrogent sur leur avenir.*

*Espérons que sous l'impulsion du nouveau directeur, M. Bullich, et du nou-*

*veau président M. Jasse, ils pourront trouver un second souffle dans la rigueur et la recherche de produits de qualité comme ce Corbières rouge 1985 de macération carbonique, élevé en fûts de chêne, dont il ne reste que quelques bouteilles.*

*Issu de cépages traditionnels, il en a le caractère généreux avec des senteurs de raisins bien mûrs mêlées à des notes de vanille et de cannelle. Rond et gras, il finit agréablement.*

# Embres-et-Castelmaure

## ■ S.C.V. Castelmaure

11360 Embres-et-Castelmaure
tél. 68.45.91.33.

300 hectares dont 85% en A.O.C. Sol : diversifié. A.O.C. Corbières blanc, rosé, rouge.
Prix départ cave : 18,50 à 60 F T.T.C.
Œnologue conseil : M. Marc Dubernet.

*Cette petite cave coopérative des Hautes-Corbières, dirigée avec compétence par M. Pueyo compte 125 adhérents qui ont tous en eux la fierté de leur terroir.*
*Tout est réuni à Castelmaure pour réaliser de grands vins. Les sols sont très variés : on passe du calcaire plus ou moins tendre aux schistes de profondeur différente.*
*L'implantation des cépages en fonction des terroirs révèle une meilleure expression des qualités variétales.*

*La sélection très stricte des parcelles où chaque facteur est analysé permet de réaliser des prouesses.*
*De plus, il suffit de visiter la cave pour comprendre l'effort réalisé.*
*Dans un chai magnifiquement bien entretenu où tout est fignolé dans le moindre détail, ils ont investi dans des installations qui allient la performance au respect du grain de raisin.*
*L'accueil chaleureux, dans un cellier qui mêle le plaisir du vin à celui de la peinture, ne nous laisse pas insensible. Nous y apprécions un A.O.C. Corbières blanc rafraîchissant, rempli de notes exotiques et de parfums sauvages. Le rosé, au bouquet fruité, bien équilibré, est agréable.*
*La « cuvée des Pompadour » rouge à la robe profonde, a un nez intense, épicé avec des notes fruitées de cassis et de mûres. Ample, puissant, soyeux en bouche, il finit élégamment sur une bonne persistance.*
*A noter pour la clientèle particulière : la cuvée Pompadour vendue en caisse de 6 bouteilles des meilleurs millésimes (81, 82, 83, 85, 86, 88) ; un blanc vinifié et élevé en barriques et, pour le millésime 88, une nouvelle présentation très originale.*

# Escales

## ■ Cave de « La Tour »

**Les Viticulteurs Réunis,**
Escales
11200 Lézignan-Corbières
tél. 68.27.31.44.

468 hectares dont 150 en A.O.C. Corbières et Minervois. Sol hétérogène. Rouge, A.O.C. Corbières et Minervois. Vins de pays d'Oc de cépages merlot et cabernet sauvignon.
Prix départ cave : 15 à 20 F T.T.C.
Œnologue conseil : M. Drucbert de l'I.C.V.

*Détruit au début du XIVe siècle par un incendie dû à l'Inquisition de 1307, seul* le bas du village d'Escales subsista en attendant le XVIIIᵉ siècle qui sonna l'âge d'or de la viticulture méridionale.

Aujourd'hui comme hier, les viticulteurs y chérissent la vigne qui donne des vins riches et généreux.

Le terroir de la cave coopérative d'Escales s'étend sur deux aires d'appellation Corbières et Minervois.

A l'encépagement traditionnel, grenache et carignan, se sont ajoutés aujourd'hui les cépages syrah, cabernet et merlot.

La mise en place des techniques oenologiques modernes apporte une plus-value à la qualité du terroir et du savoir-faire des vignerons.

Le directeur de la coopérative Pierre Guitard nous dit que le développement de la vente directe, après élevage et mise en bouteilles des vins, représente la porte de salut pour les coopérateurs, et apporte aux consommateurs la garantie d'un produit de qualité élaboré avec amour et patience par tout un village. Dans ces vins se retrouvent des notes de fleurs de garrigues, d'épices et de sous-bois. En bouche, bien structurés, étoffés, ils ont une finale typique de vins élevés dans le bois.

parler et vantent au dégustateur les qualités d'un vin plaisir tout en harmonie et rempli d'arômes.

C'est une cave qui a su, après avoir porté ses efforts sur l'encépagement et le matériel, s'investir sur l'accueil dans la convivialité nous disent le président M. Fabre et son directeur M. Chapot.

Dans un chai de vieillissement où trônent 300 barriques, les Corbières rouges s'épanouissent pour offrir au nez des arômes intenses de fruits sauvages, de vanille et d'épices. Une bonne ampleur en bouche, un tannin élégant en font des vins qui s'harmonisent bien avec le boisé.

# Fontarèche

## ▓ Château Saint-Eugène
## Château Fontarèche

**M. de Lamy,**
11200 Fontarèche
tél. 68.27.10.01.

# Fabrezan

## ▓ Cellier Charles Cros

11200 Fabrezan
tél. 68.43.61.18.

1 040 hectares. Sol argilo-calcaire. 10 catégories d'A.O.C. Corbières. Prix départ cave : 15 à 30 F T.T.C. Œnologue conseil : M. Plessis.

Fabrezan, petit village des Corbières sur les pentes du mont Alaric, se distingue aujourd'hui par ses habitantes. En effet, les femmes de vignerons ont décidé de prendre en charge les intérêts de la coopérative et accueillant le visiteur dans un caveau joliment aménagé en l'honneur de Charles Cros, enfant du pays et inventeur du phonographe. Elles qui vivent du vin ont décidé d'en

150 hectares dont 80 en A.O.C. Sol argilo-calcaire. A.O.C. Corbières rouge, rosé, blanc. Vins de pays. Prix départ cave : 15 à 25 F T.T.C. Œnologue conseil : M. Jean Natoli.

Pour M. de Lamy, la qualité réside dans la recherche de l'équilibre et de l'harmonie sous un climat excessif, sur un terroir très caillouteux et peu profond.

Il s'y emploie en diversifiant son encépagement et adapte des vinifications spécifiques à chacun d'eux.

Si d'aventure, vous venez au château Saint-Eugène, ancienne propriété de la famille Mignard, célèbre par Nicolas Mignard, le peintre de Louis XIV, groupez-vous pour un achat de 600 bouteilles ; ce G.F.A. ne commercialise pas à l'unité.

Le château Saint-Eugène, un grand classique très élégant où la puissance des arômes et la finesse des saveurs s'harmonisent au bouquet marqué de fruits mûrs bien évolués.

# Fontcouverte

## ▓ Château La Baronne
## ▓ Château des Lanes

**Suzette et André Lignières,**
11700 Fontcouverte
tél. 68.43.90.20.
      68.43.90.07.

50 hectares. Sol hétérogène, à dominante argilo-calcaire très caillouteux. Vins de pays blanc. A.O.C. Corbières rouge, rosé.
Prix départ cave : 20 F T.T.C.
Œnologue conseil : M. Marc Dubernet.

Depuis des années, les Lignières sont vignerons, médecins, passionnés de vieilles voitures, amoureux de leur région.
Suzette Lignières encadrée par ses deux fils et son époux nous prouvent que la qualité est une longue histoire d'amour entre le vin et une famille.
Dans leur cave étonnante, dans un caveau rustique de toute beauté, ces gens attachants vous parlent de leur vin comme d'une partie d'eux-mêmes.

Heureux propriétaires qui peuvent utiliser le terme Château pour deux cuvées :
— Château des Lanes pour l'Export ;
— Château la Baronne pour le marché intérieur, et c'est d'ailleurs la diversité des sols et des cépages qui donne toute sa qualité aux vins du domaine.
L'A.O.C. rouge « Château la Baronne » est un vin harmonieux. Magnifique réussite du mariage des odeurs et des saveurs qui allie élégance et concentration, puissance et finesse, ampleur et fondu.
En résumé un vin à l'attaque bien placée, à l'évolution pulpeuse ; il est bien charpenté et très plaisant.

# Fonties-d'Aude

## ▓ Château de Fonties

**Mme Alice Loyer,**
11800 Fonties-d'Aude
tél. 68.78.67.14.

70 hectares dont 20 en A.O.C. Sol argilo-calcaire. Vins de pays et A.O.C. Corbières blanc, rosé, rouge.
Prix départ cave : non communiqué.
Œnologue conseil : M. Souquie.

Membre fondateur de la S.I.C.A. de Foncalieu, Mme Alice Loyer est convaincue du besoin des producteurs de la région à s'unir pour créer une structure de commercialisation pouvant répondre aux exigences du marché actuel.
Dans la famille depuis deux siècles, le château de Fonties déploie son vignoble sur les premiers contreforts de la montagne d'Alaric.
Maurice Grignon, le régisseur du domaine, nous explique comment les vins du château tirent leur originalité du contexte rocailleux dans lequel pousse la vigne.
Nous avons dégusté un rosé de saignée à la jolie robe tendre. Friand et fleuri, il est rafraîchissant avec une pointe de

*nervosité et montre une vinification bien maîtrisée.*

# Fraisse-des-Corbières

## ▓ Cave coopérative de Fraisse-des-Corbières

11360 Fraisse-des-Corbières ◆
tél. 68.45.91.18.

300 hectares. Sol schisteux et calcaire. Vins de pays de la vallée du Paradis, A.O.C. Corbières blanc, rosé, rouge.
Prix départ cave : 11 à 19 F T.T.C.
Œnologue : M. Plessis.

*Créée en 1920 cette petite cave de 115 adhérents est située dans la haute Corbières.*
*Conscients des difficultés que rencontrent les vignerons, ils s'orientent vers la mise en bouteilles de produits issus*

*d'une sélection au terroir et poursuivent une politique d'amélioration de l'encépagement et de modernisation de l'équipement.*
*L'A.O.C. Corbières rouge « Cuvée des Frères » 1986 de grenache et carignan en macération carbonique a un bouquet élégant de fruits rouges à l'eau-de-vie avec des notes de fumée et une pointe de réglisse. Chaud et bien structuré en bouche, il a une finale légèrement boisée.*

# Gruissan

## ▓ Château Le Bouis

**M. Pierre Clément,**
11430 Gruissan
tél. 68.49.00.18.

38 hectares dont 24 en A.O.C. Sol argilo-calcaire et siliceux. Rouge, rosé, blanc. Carthagène. A.O.C. et vins de pays.
Prix départ cave : 16 à 28 F T.T.C. pour les vins de pays. 20 à 65 F T.T.C. pour les A.O.C. et V.D.N.
Œnologue conseil : M. Marc Dubernet.

*Située entre le massif de la Clape et la Méditerranée, la propriété, dont l'encépagement a été remodelé pour moitié en cinq ans, jouit d'un micro-climat unique sous l'influence de vents tempérés.*
*Pierre Clément, arrière-petit-fils de Chartron, dirige le château Le Bouis avec le goût de la perfection qui le caractérise.*
*Il fait partie de ces gens créatifs qui se remettent sans cesse en question. C'est ainsi qu'il a été président fondateur du Concours des vins à appellation*

*d'origine du Languedoc-Roussillon.*
*Une abondante sélection, puisqu'il commercialise 23 produits différents, de nombreux magasins de vente pour présenter ses vins aux millions de touristes qui viennent sur le littoral méditerranéen, un musée du vin, une cave pittoresque faite de six locaux dont un magnifique de vieillissement en fûts et en bouteilles... il crée, il innove sans cesse.*

*De son impressionnante sélection, nous avons apprécié un blanc moelleux à base de chasan, un blanc de blanc de malvoisie, clairette et grenache d'une belle délicatesse, un rosé de saignée exotique, onctueux, des cartagènes ambrés aux saveurs de fruits fraîchement cueillis, et des rouges souples, charnus au boisé très marqué.*

*cave coopérative du village, administrateur du cru Corbières, à l'origine du groupement du Val-d'Orbieu, et féru de l'histoire de sa région.*
*Une région au passé grandiose marqué par l'empreinte de la civilisation romaine et qui, au cours des siècles, a souffert des convoitises politiques et des guerres de religion. Les célèbres ruines des châteaux cathares en portent témoignage.*
*Le château Pech-Latt, ancienne propriété monacale de l'abbaye de Lagrasse, vieille ferme fortifiée de l'époque wisigothique, à su conserver les enseignements du passé, le profond respect des traditions.*
*Sur les contreforts de la montagne d'Alaric, sur un sol rouge et aride, le vignoble souffre et se bat pour offrir plus de générosité.*
*Les vins du domaine portent en eux la tradition de la qualité.*
*Jean Vialade, homme dévoué, aime cette exploitation et elle le lui rend bien. Il replante, cultive, vinifie et élève des vins qui sont un peu ses enfants. Mais quelle progéniture !*
*Comme ce Château Pech-Latt sélection au fort pourcentage de grenache et syrah, à la robe purpurine, au nez intense d'épices, de bois de cèdre avec une touche fumée. Un vin mûr et accompli en bouche qui se déguste aujourd'hui avec plaisir.*

# Lagrasse

## ▣ Château Pech-Latt

11220 Lagrasse
tél. 68.43.11.03.

125 hectares dont 110 en A.O.C. Sol argilo-calcaire. A.O.C. Corbières blanc, rosé, rouge. V.D.N. de grenache et muscat.
Prix départ cave : 18 à 21 F T.T.C.
Œnologue conseil : M. Marc Dubernet.

*Dynamique, entreprenant, compétent, Jean Vialade, le régisseur du château Pech-Latt est également président de la*

## ▣ Château Saint-Auriol

**MM. Claude Vialade**
**et Jean-Paul Salvagnac,**
11220 Lagrasse
tél. 68.43.13.31.

100 hectares dont 25 en vignes. Sol calcaire et gréseux. A.O.C. Corbières blanc et rouge.
Prix départ cave : 35 à 40 F T.T.C.
Œnologue conseil : M. Marc Dubernet.

*L'histoire du château Saint-Auriol est liée à celle de Charlemagne qui, au IXe siècle, demanda aux moines de l'abbaye de Lagrasse d'y replanter de la vigne.*

*Située sur la commune de Lagrasse, à l'extrême sud de la montagne d'Alaric, la propriété était au Moyen Age dénommée Fontauriol (la fontaine d'or).*
*Les familles Vialade et Salvagnac conscientes du potentiel qualitatif du vignoble raclèrent les fonds de tiroirs et l'achetèrent pour aider leurs enfants à assouvir leur passion.*
*Aujourd'hui Claude Vialade (responsable marketing au Val d'Orbieu) et Jean-Paul Salvagnac (ancien architecte) se sont lancés à corps perdu dans cette entreprise. Après une rénovation complète de l'encépagement et du chai, ils conjuguent tradition et modernisme, sans négliger aucun des acquis des anciens et de l'oenologie moderne, pour proposer des A.O.C. Corbières rouge et blanc qu'ils vous feront découvrir avec tout leur savoir-faire.*
*Le Château Saint-Auriol rouge issu de la macération carbonique de raisins cueillis manuellement à pleine maturité allie le caractère de ce terroir fait d'éboulis calcaires et gréseux de la montagne d'Alaric à la qualité du climat et de la situation qui favorisent la maturation progressive du raisin.*
*Un élevage soigné en fûts de chêne dans un chai enterré vient peaufiner ce vin mis en bouteilles et conservé six mois au moins avant sa mise en vente.*

# Lézignan-Corbières

## ▓ Château Étang des Colombes

M. Henri Gualco, ♦
11200 Lézignan
tél. 68.27.00.03.
Fax : 68.27.24.63.

110 hectares dont 80 en vignes. Sol argilo-calcaire. A.O.C. Corbières blanc, rosé, rouge.
Prix départ cave : 19 à 60 F T.T.C.
Directeur technique : M. Jean-Claude Zabalia.

*Situé sur un ancien étang asséché où les palombes se réunissaient pour entreprendre leur migration, le vignoble du château couvre aujourd'hui 80 hectares de vignes en production.*

*Tout est pensé et prévu pour faire de cette exploitation un domaine de pointe.*
*Le propriétaire, Henri Gualco, est un homme voué à la passion du vin, au respect des hommes et des traditions.*
*Faire partager l'amour de son métier d'homme de la terre est pour lui un plaisir.*

*Satisfaire sans compter sa curiosité par de multiples expérimentations, tant au vignoble qu'à la cave, lui permet de laisser libre cours à son amour du vin.*
*Communiquer ses idées, laisser parler son cœur de vigneron sans jamais choquer lui ont valu d'accéder à la présidence de la Fédération nationale des caves particulières.*
*Dans un caveau remarquablement aménagé en musée, où l'accueil est très chaleureux, vous pourrez déguster toute une gamme de produits qui témoignent du renouveau des appellations du Languedoc-Roussillon.*

*Récoltés très mûrs, les raisins blancs, après macération pelliculaire et extraction douce des jus les plus concentrés, sont vinifiés en barriques à la température du chai.*

*La cuvée « Bois des Dames » 1988 à la robe claire a un nez admirablement typé de notes subtiles de fleurs et de miel. Au boisé très fin et non envahissant elle est riche d'arômes complexes. Grasse, profonde, elle offre beaucoup de volume en bouche... une délicieuse bouteille.*

*Et de cuvées en cuvées, vous découvrirez des vins qui expriment toute la richesse du terroir, reflets de la personnalité et du tempérament de ce vigneron pour qui sans passion rien n'est possible.*

## ▨ Château du Grand-Caumont

**F.L.B. Rigal**
Mme **Françoise Rigal,**
11200 Lézignan-Corbières
tél. 68.27.09.02.

140 hectares dont 100 de vignes et 65 d'A.O.C. Sol argilo-calcaire. A.O.C. Corbières rouge. Vins de pays rouge.
Prix départ cave : 8 à 16 F T.T.C.
Œnologue conseil : M. Marc Dubernet.

*Au cœur des Corbières, le Grand-Caumont s'offre à nous empreint d'une civilisation vieille de 2 000 ans.*

*Une bâtisse magnifique qui remplit l'espace et déroule près d'un hectare de toiture.*

*Une découverte pleine de charme où nous rencontrons une femme sensible, énergique, animée d'une ferveur sans pareil pour propulser un domaine dont on est fier de saluer la qualité et l'élégance des cuvées.*

*Une bien belle initiative orchestrée par Françoise Rigal entourée d'une équipe de professionnels compétents.*

*Dans les chais silencieux et frais où le temps apporte sa touche magique, les vins s'accomplissent pleinement et se*

*révèlent complices des instants de plaisir.*

*Chacun des neuf produits se présente dans de jolis flacons raffinés.*

*La cuvée Louis Rigal affirme sa personnalité. C'est un vin puissant et riche, complexe dans ses arômes aux nuances délicatement vanillées où la sève du bois se fond et se prolonge sans livrer son exubérance.*

## ▨ Cave Coopérative L'Abri

19, av. E. Babou
11200 Lézignan-Corbières
tél. 68.27.02.81.

700 hectares. Sol argilo-calcaire, marne profonde. Vins de pays. A.O.C. Corbières.
Prix départ cave : 10 à 25 F T.T.C.
Œnologue conseil : M. Plessis.
Président : M. Bousquet.
Directeur : M. Foureau.

*La coopérative de l'Abri, la cave cachée de Lézignan-Corbières, créée en 1924 pour la défense de la petite propriété, produit aujourd'hui des vins de haut niveau qualitatif.*

*Deux médailles à Mâcon ont déclenché une avalanche de décisions. Ils profitent de leur potentiel pédogéologique pour appliquer une sélection au terroir pointue. Ils transforment en deux ans toute la chaîne technologique. Ils vinifient et élèvent leurs A.O.C. blanc en barriques et préparent un chai de vieillissement pour les meilleures cuvées de rouge.*

*Si la qualité est leur métier, l'accueil est leur nature.*

*La cuvée Edouard Babou est très belle dans sa robe intense et brillante. Le nez s'offre lentement avec des senteurs de petits fruits rouges et noirs pour évoluer vers des notes de venaison et d'épices orientales.*

*En bouche, une sève généreuse de raisins mûrs s'harmonise parfaitement aux tannins souples et toujours présents.*

## ▨ Château Villerouge la Crémade

**M. Jean-Loup Brun,**
11200 Lézignan
tél. 68.43.67.88.

42 hectares dont 23 en A.O.C. Sol argilo-calcaire. A.O.C. Corbières rouge, rosé, blanc.
Prix départ cave : 18 à 46 F T.T.C.
Œnologue conseil : M. Dejean.

*Cet ancien domaine dont l'origine remonte à l'époque des Wisigoths est depuis 1980 la propriété de Jean-Loup Brun.*
*L'actuel propriétaire a compris très vite l'importance de l'association cépage-terroir.*
*D'importants investissements ont été réalisés pour disposer aujourd'hui d'un bon encépagement, d'installations bien adaptées et d'une cave isolée thermiquement.*
*Élevés deux ans avant d'être commercialisés, les A.O.C. rouges du château, comme ce 88 vieilli en fûts, se caractérisent par une structure généreuse.*
*Le nez complexe, soutenu par un léger boisé, révèle des notes intéressantes de laurier et de fumé. La bouche attaque sur des notes de fruits noirs, d'épices et se termine avec une certaine astringence accentuée par le caractère boisé.*
*Le blanc, très agréable, est vêtu d'or pâle. Le nez fin, délicat, au caractère floral, est charmeur. En bouche, il offre un bon équilibre avec un certain gras.*

# Luc-sur-Orbieu

## ▨ Château du Luc

**M. Louis Fabre,**
11200 Luc-sur-Orbieu
tél. 68.27.08.63.

70 hectares dont 50 en A.O.C. Sol argilo-calcaire très graveleux.
A.O.C. Corbières rouge.
Prix départ cave : 15 à 30 F T.T.C.
Œnologue conseil : M. Marc Dubernet.

*Une bien belle histoire où la passion s'allie à l'affection d'une famille attachée à son patrimoine.*
*Au château du Luc, comme au Domaine de l'Ancien Courrier, ou encore au château Fabre-Gasparets (les trois exploitations de la famille), Louis Fabre, omniprésent, à su faire accéder ses vins au plus haut niveau.*
*Fort d'une formation de chimiste et d'agronome, cet amoureux de la vigne et du vin vinifie et élève, dans un chai voûté d'un ancien château du XIII° siècle, des cuvées dans le plus pure tradition des anciens usages.*
*Grand amateur de vieillissement, ce vigneron à l'imagination fertile, toujours à la recherche d'innovation, se passionne pour l'élevage en barriques afin de profiter pleinement de toutes les qualités du bois.*
*Dans ce cadre historique, ancienne demeure du seigneur de Saint-Géniès-de-Luc, gouverneur de Narbonne sous Louis XIII, Louis Fabre nous dit avec quelque malice : « J'ai toujours pensé que ce n'est pas le vigneron qui maîtrise le vin, mais plutôt que c'est le produit qui domine son serviteur. »*
*S'il respecte la tradition, tant dans les pratiques culturales que dans la cueillette, ce jeune vigneron plein d'humour a dans son attitude quelque chose qui nous dit qu'il agrémente ses cuvées d'un soupçon de fantaisie.*
*Le Château du Luc, Carte Or, rouge, est remarquable par la puissance et la finesse de ses arômes. Un bouquet harmonieux où se mêlent des parfums de fruits cuits, de gibier, de bois et de truffe. Les tannins du vin se fondent à ceux du chêne pour s'offrir tout en rondeur et en élégance.*

# Maisons

## ▨ Domaine Pique-Rouge

**Pierre et Claudette Hodara,** ◆
Maisons
11330 Mouthoumet
tél. 68.70.01.96.

12 hectares 75. Sol : 100% schiste.
A.O.C. Corbières blanc et rouge.
Prix départ cave : 16 à 17 F T.T.C.
Œnologue conseil : M. Melado.

*Le domaine Pique-Rouge : une histoire d'amour. Claudette, fille de gens de la terre, est une passionnée de la vigne. Pierre, son mari, ancien élève des Beaux-Arts, a été fasciné par la région. Tout était à créer, il y a peu de temps encore, et malgré les difficultés ils se mirent à la tâche. En 1977, ils rénovent l'ancienne bergerie ; en 1980, ils implantent le vignoble ; en 1985, ils créent une jolie petite cave creusée à demi dans le sol.*
*Les voici enfin récompensés de leurs efforts. Les A.O.C. Corbières du domaine développent toute leur saveur marquée par la nature schisteuse de ces coteaux élevés à 500 mètres d'altitude. Le blanc, parfaitement vinifié, est un produit splendide qui laisse éclater toute sa finesse. La bouche, ample, confirme la belle réussite de ce vin délicatement aromatisé de chèvrefeuille, de fleurs de genêt, de nuances de fenouil enchanteresses.*
*Le rouge de macération carbonique à la robe vive d'une bonne intensité a un nez très expressif de fruits frais, avec toute la gamme des épices, du poivre, et des herbes odoriférantes. Un vin à la structure aimable, fait d'élégance et d'une richesse de sève bien agréable.*

# Montbrun-des-Corbières

## ◼ Château du Roc

**Jacques et Sylvie Bacou,**
11700 Montbrun-des-Corbières
tél. 68.43.94.48.

50 hectares dont 20 en A.O.C. Sol argilo-calcaire et marnes. Vins de pays, A.O.C. Corbières.
Prix départ cave : 10 à 17 F T.T.C.
Œnologue conseil : M. Dejean.

*Le château du Roc, érigé sur un piton rocheux, étend son vignoble sur les coteaux et les semi-coteaux du petit village de Montbrun-lez-Corbières.*
*L'exploitation de Jacques Bacou produit des vins de pays typés par le cabernet sauvignon (domaine du Loup) et des A.O.C. Corbières de grenache, carignan et syrah (château du Roc).*
*Pour ce vigneron, il faut sortir des sentiers battus des vins de château et privilégier sur l'étiquette (carte de visite du domaine) le nom du propriétaire, synonyme d'une méthode de travail respectueuse de la tradition.*
*Pour Jacques et Sylvie Bacou, le vin du château suggère un « paysage embaumé de parfums méditerranéens. Dès les premières gorgées, vous imaginez les garrigues fleuries, le massif des Corbières austère, mais qui s'adoucit avec les rayons du soleil, la rudesse du décor et la douceur des nuits d'été ».*

## ◼ Domaine Saint-Paul

**M. Vergues,**
11700 Montbrun-des-Corbières
tél. 68.43.94.27.

30 hectares dont 16 en A.O.C. Sol argilo-calcaire. A.O.C. Corbières rouge. Vins de pays rosé.
Prix départ cave : 12 à 15 F T.T.C.
Œnologue conseil : M. Dejean.

*Depuis le siècle dernier, le domaine Saint-Paul appartient à la famille Vergues d'Albi.*
*Michel Cahuc, le régisseur, rénove le vignoble et l'enrichit du cépage mourvèdre pour apporter la structure nécessaire à l'élaboration de cuvées qu'il veut de garde.*
*Sa volonté est de présenter des vins authentiques, de belle qualité, chaleureux et conviviaux, à leur image.*
*Accueillant et sympathique, il aime à faire déguster ses produits dans une salle spécialement aménagée.*
*Son millésime 1988 issu d'un assemblage judicieux révèle des parfums puissants et complexes, marqués par le sous-bois et la réglisse. Il s'harmonise*

*en bouche avec des saveurs charnues et pleines.*

# Montserret

### ▓ Château Les Ollieux

Mme **Françoise Surbezy-Cartier,** ◆
Montserret
11200 Lézignan-Corbières
tél. 68.43.32.61.

# Montredon

### ▓ Cave Coopérative La Montredonaise

11100 Montredon-des-Corbières ◆
tél. 68.42.07.34.

60 hectares dont 48 hectares de vignes. Sol : grès rouge, argilo-calcaire. A.O.C. Corbières rouge et rosé.
Prix départ cave : 24 à 39 F T.T.C. (A.O.C. Corbières rouge et rosé)
14 F T.T.C. (vins de pays)
Œnologue conseil : M. Marc Dubernet.

470 hectares. Sol : diversifié. A.O.C. Corbières.
Prix départ cave : 13 à 15 F T.T.C.
Œnologues conseil : M. Marc Dubernet, M. Benoît Dufort.
Président : M. Jean Devic.

*Située aux portes ouest de Narbonne, cette cave coopérative produit une gamme de vins joliment réussis, commercialisés par le groupe du Val-d'Orbieu.*
*Une sélection au terroir bien menée, une vinification adaptée aux produits désirés, permettent à la cave d'amorcer le virage de la qualité.*
*M. Torrente, le directeur, fonde de gros espoirs sur la mise en marche de cuvées personnalisées pour bien mettre en évidence la typicité de ses vins.*
*Le Corbières blanc issu du cépage grenache se présente à nous dans une jolie robe pâle. Le nez charmeur dévoile de fines senteurs de chèvrefeuille.*
*Agréablement fruité, il offre en bouche une harmonie de saveurs fraîches.*

*Célèbre pour son abbaye cistercienne de femmes, le terroir des Ollieux possède une forte personnalité.*
*Le sol unique de grès rouge de Fontfroide imprègne les vins d'un parfum particulier, mis en valeur par des vinifications très ajustées, un affinage sous bois, suivi d'un repos en bouteilles.*
*Françoise Surbezy-Cartier : une femme rigoureuse qui ne manque pas d'idées pour créer des cuvées comme une artiste.*
*Dans un caveau charmant d'intimité, le millésime 88 s'offre superbe, paré d'une robe profonde et brillante. Le nez complexe où se mêlent avec distinction des senteurs de garrigue, d'épices douces, de sous-bois, est ponctué de vanille.*
*Une belle matière, onctueuse, ronde et ferme à la fois, annonce élégamment l'avenir.*

# Monze

## ■ Cave des Hautes-Côtes-d'Alaric

11800 Monze
tél. 68.78.68.01.

320 hectares. Sol argilo-calcaire, très caillouteux. A.O.C. Corbières.
Prix départ cave : 15 à 60 F T.T.C.
Œnologue conseil : M. Cantalou.
Président : M. Cathary.

*Jean Baron, est un jeune directeur capable de raconter sa cave toute une journée. Construite en 1929, sur la montagne Alaric, elle est aujourd'hui résolument tournée vers l'avenir.*

*Une volonté bien marquée : les 61 adhérents sont des vignerons à temps plein qui vivent totalement de leur produit. Ils développent leurs hauts de gamme et préparent un A.O.C. Corbières blanc vinifié et élevé en barriques.*

*Soucieux de présenter une palette de beaux flacons du Languedoc-Roussillon, ils projettent de se rapprocher de deux caves, l'une en A.O.C. Fitou, l'autre en A.O.C. Minervois. D'une belle facture, l'ancienne seigneurie de Monze 1988 a une robe purpurine très intense. Un nez puissant où se mêlent harmonieusement les fruits rouges et les agrumes. En bouche, ample et gras, d'une bonne structure tannique, il demande cependant à s'épanouir avec le temps.*

*Fondé en 1967, le groupement « Les vignerons du Val-d'Orbieu » est aujourd'hui le premier groupe viticole français, émanation de la production. 192 caves particulières dont 90 domaines et châteaux, 14 caves coopératives constituent ce groupe implanté sur les départements de l'Aude, de l'Hérault et des Pyrénées-Orientales.*

*Un vignoble expérimental de 400 hectares dans les Corbières au château de Jonquières, une S.I.C.A. d'oenologie sous la conduite de Marc Dubernet, apportent aux adhérents une assistance technologique et le conseil nécessaire à la réussite de leur production. Allier les compétences d'hommes et de femmes qui excellent, améliorer la qualité des vins et favoriser la commercialisation en offrant une gamme complète d'appellations du Languedoc-Roussillon à travers tout un réseau de distribution, sont les buts de cette équipe dynamique présidée par M. Luquet.*

# Narbonne

## ■ Les Vignerons du Val-d'Orbieu
## ■ Les Vignerons de Septimanie
Route de Moussan ◆
11100 Narbonne
68.42.38.77.

*Depuis leur création, les vignerons du « Val-d'Orbieu » ont axé leurs efforts sur la production de vins de pays originaux et de vins d'appellation élaborés à partir des grands cépages classiques sur des terroirs à haute expression.*

« *Les vignerons de Septimanie* » département des vins fins du groupe pour la clientèle France et export recherche les meilleures cuvées de ses meilleurs vignerons et propose toute une gamme de domaines et châteaux de haut niveau, mis en bouteilles sur les lieux de production.

M. Raynaud, le directeur commercial, dynamique en diable, nous propose un choix impressionnant de vins A.O.C., tous de bonne lignée, sélectionnés selon des critères rigoureux, qui reflètent toute la richesse et la diversité étonnante des terroirs.

C'est le cas notamment de ce muscat Saint-Jean-de-Minervois où le cépage s'affirme par sa noble expression.

L'A.O.C. Côtes du Roussillon Villages « Cuvée Pous » bénéficie de la douceur et de la souplesse que lui confère l'exceptionnel terroir de Lesquerde.

Noblesse et plénitude sont prodiguées par ce Saint-Chinian « Berlou Vignes Royales », une référence en matière de qualité.

Des A.O.C. Faugères où les schistes du primaire révèlent le caractère velouté, aux Fitou gorgés de soleil issus de sols squelettiques d'érosion marnoschisteux, en passant par des Minervois puissants et généreux, tous sont dignes d'intérêt.

Les A.O.C. Corbières blanc et rosé nés d'une vinification soignée à basse température sont riches d'arômes et bien équilibrés. Le domaine de Fontsainte « cuvée la Demoiselle » en rouge, doté d'une couleur profonde est un vin original, complexe de subtiles notes vanillées, à la bouche ample, généreuse, soutenue par des tannins veloutés.

# Ornaisons

## ▨ Roque Sestière

M. **Jean Berail,**
11200 Ornaisons
tél. 68.27.09.94.

40 hectares. Sol argilo-calcaire très cailouteux. A.O.C. Corbières blanc, rouge.
Prix départ cave : 17 à 25 F T.T.C.
OEnologue conseil : M. Marc Dubernet.

*Depuis des années, Jean Berail, par sa démarche qualitative et son sérieux, se place dans le peloton de tête des vignerons de la région.*
*Lors de notre passage, nous avons découvert un homme minutieux, très vigilant sur la qualité des produits commercialisés, et qui élabore au prix de soins attentifs des A.O.C. Corbières blanc particulièrement appréciés de tous.*
*Amoureux passionné de la vigne, il a su tirer le meilleur parti de son terroir qui donne toute sa spécificité aux vins du domaine.*
*Il nous concocte pour cette année un très joli vin blanc issu d'une sélection de vieilles vignes, jalousement vinifié, qui sera présenté en flacon sérigraphié.*
*L'A.O.C. Corbières blanc de maccabeu, grenache blanc et malvoisie a une jolie robe limpide, d'une belle pureté. Au joli nez floral, légèrement anisé, il révèle une belle fraîcheur de jeunesse avec des arômes subtils de pêche blanche.*

## ▨ Les Vignerons d'Octaviana

11200 Gasparets - Ornaisons
tél. 68.27.09.76.

844 hectares dont 400 en A.O.C. Sols argilo-calcaire, grès, schistes, tout en coteaux. Vins de pays. A.O.C. Corbières rouge, rosé, blanc.

Prix départ cave : 13 à 36 F T.T.C.
Œnologue conseil : M. Plessis.

*Octaviana : l'origine de ce nom remonte à l'époque de la colonisation romaine où la villa Octaviana était un important domaine rural qui appartenait à Consentius, préfet du palais d'Avitus.*
*Gasparets, charmant petit hameau situé à quelques kilomètres de l'abbaye cistercienne de Fontfroide, est aujourd'hui réputé pour son musée de la faune et ses vins produits par les vignerons d'Ornaisons.*

*Un musée à visiter impérativement, nous dit Hélène Albert, où plus de 800 espèces naturalisées sont exposées. Une collection complète de rapaces jouxte celle des canards sauvages, des habitants des marais, des oiseaux de mer, des petits et grands mammifères... sans oublier une magnifique présentation de plus de 7 000 insectes.*

*Au-dessus de ce musée, les vignerons d'Octaviana ont aménagé un caveau de dégustation où trône dans un bel alignement 15 vieux foudres ventrus.*

*Dans ce très beau cadre, vous pourrez déguster toute une gamme de vins de pays et d'A.O.C. Corbières de haute qualité élevés avec soin par M. Houles, le maître de chai.*

*Le blanc « Eridan » issu des cépages maccabeu et grenache blanc, vinifié avec soin à température contrôlée, a un nez délicat, des arômes élégants et nous offre une agréable fraîcheur.*

*Les rouges, comme ce «Grand Chariot» de macération carbonique, ont des arômes complexes de fruits bien mûris.*
*La cuvée « Croix du Sud » révèle un vin vieilli en fût de chêne aux notes de vanille, de cannelle et de fruits secs.*
*Haut de gamme de cette palette, le « Château Hauterive le Haut », élevé en barriques neuves, est un vin charnu, finement boisé, à la bouche ample et longue.*

# Padern

## ■ Cave des Vignerons de Saint-Roch

11350 Padern
tél. 68.45.41.76.

200 hectares. Sol : terrasses calcaires et argilo-calcaires. Vins de pays.
A.O.C. Corbières.
Prix départ cave : 14 à 17 F T.T.C.
Œnologue conseil : M. Melado.

*Cette petite cave coopérative de 120 adhérents, malgré des années d'efforts et de douloureuses remises en question, voit aujourd'hui sa production diminuer à un point tel que les dirigeants envisagent leur fusion avec la coopérative de Paziols.*
*« Nous le regrettons, nous dit M. Planas, le directeur, car le blanc est ici étonnant.*
*Issu de très petites parcelles, il offre de fines senteurs de fleurs de vigne, de fenouil et de menthe poivrée. Bien vinifié, il est étonnant de fraîcheur, généreux de persistance.*
*Une belle maîtrise du cépage maccabeu.*

# Portel-des-Corbières

## ■ Château de Lastours

11490 Portel-des-Corbières
tél. 68.48.29.17.

150 hectares de vignes en A.O.C.
Sol : terrasses pierreuses en altitude.
A.O.C. Corbières rouge cuvée Simone Descamps, Ermengarde, Arnaud de Berre, gris, blanc.
Œnologue : le directeur du C.A.T.
M. Lignières.

Que diriez-vous d'une balade en 4×4 sur des pistes qui serpentent au milieu des vignes, suivie d'une halte au bord d'une ancienne voie romaine, au château de Lastours dans le massif des Corbières ? Entre ciel et mer, dans un lieu hors du commun, vous y découvrirez de grands et beaux vins.

La Cuvée « Simone Descamps » est un vin enjôleur qui allie finesse, élégance et complexité. C'est une gourmandise fruitée dont l'exubérance est régie par une parfaite vinification, parfumée par quelques touches de vanille apportées par le bois.

Le blanc 88 exprime la jeunesse et la fraîcheur. On y ressent tout l'arôme des raisins mûris en coteaux escarpés, où l'on a patiemment attendu la pleine maturité. Le résultat donne un Corbières fin, fruité, finement fleuri avec une bonne fraîcheur en bouche et un équilibre remarquable.

Et de cuvées en cuvées, vous serez enthousiasmé et persuadé qu'il y a des vignerons qui sont des artistes.

Mais quel sera votre étonnement quand vous apprendrez que ces vins magnifiques sont l'œuvre des 60 personnes handicapées mentales qui vivent et travaillent à Lastours.

Le domaine du château de Lastours appartient au comité d'entreprise de la Société Marseillaise de Crédit qui en a entrepris la restructuration depuis 1970. L'ensemble est exploité par un centre d'aide par le travail, c'est-à-dire une entreprise comme les autres avec des hommes comme les autres mais qui ont besoin d'un soutien médico-social. Une bien noble entreprise gérée par Jean-Marie Lignières.

Une cave formidable, un superbe chai de vieillissement renfermant 200 barriques neuves, leur permettent de vinifier et d'élever ces vins exceptionnels. Mais ce n'est pas suffisant, nous dit Jean-Marie Lignières : « La notion de bon vin passe par la volonté de l'œnologue ou du vinificateur de faire les meilleurs produits possibles, en sélectionnant les terroirs, les meilleures expositions et les meilleures méthodes de vinification. »

Mais pour faire un grand vin il faut s'adresser à l'imaginaire, c'est-à-dire savoir créer autour d'un vin toute une trame d'histoire, de civilisation dans laquelle le consommateur retrouvera ses propres racines et l'image qu'il croit la plus valorisante pour lui.

Alors si vous passez par là, arrêtez-vous, c'est aussi un lieu de concerts, de dîners-dégustation et d'expositions.

# Ribaute

## ■ Château de Cicéron

**M. Ramiro Nanclares,**
11220 Ribaute
tél. 68.43.13.10.

18 hectares. Sol argilo-calcaire graveleux. A.O.C. Corbières blanc, rosé, rouge.
Prix départ cave : 20 à 29 F T.T.C.
Œnologue conseil : M. Dejean.

Vous le découvrirez à la sortie de Lagrasse, à deux kilomètres à peine de la célèbre ancienne abbaye.

Isolé, en haut des garrigues, le château Cicéron, ancienne métairie, est une immense demeure tout en longueur.

Racheté il y a quatre ans par M. Ramiro Nanclares, Charentais d'origine, ancien régisseur d'un domaine bordelais, le vignoble couvre aujourd'hui 18 hectares en aire d'appellation.

A peine arrivé en Corbières, ce vigneron se distingue dans les différents concours, prouvant ainsi que la qualité est *le résultat d'une succession de soins minutieux apportés au vignoble, à la cave et à la commercialisation.*

*Dans un chai bien aménagé, il n'en est pas moins resté très proche des méthodes ancestrales.*

*Le fût de chêne est pour lui un plus qui classe le vin dans la mesure où celui-ci a la structure et la matière nécessaire pour supporter le bois.*

*Le château de Cicéron rouge où le carignan, le grenache et le cinsault sont associés au mourvèdre est un vin puissant au bouquet complexe soutenu par de délicates notes de vanille et de plantes odoriférantes de la garrigue. Des parfums qui s'harmonisent pour offrir en bouche un bel équilibre qui allie fondu et charnu.*

### ▧ Les Vignerons de la Montagne d'Alaric

11220 Ribaute ♦
tél. 68.43.11.09.

200 hectares. Sol argilo-calcaire. A.O.C. Corbières rouge, rosé, blanc.
Prix départ cave : 20 à 30 F T.T.C.
Œnologue conseil : M. Marc Dubernet.
Président : M. Jean Vialade.
Directeur : M. Roland Vilalta.

*Ici, la qualité est une histoire de vins naturels. Une double motivation pour cette cave, la première de France à se convertir à la culture biologique sous le label « Nature et Progrès ».*

*Adhérents à la S.I.C.A. du Val-d'Orbieu, ils décident d'orienter 10% de leur production A.O.C. vers des vins personnalisés de haut de gamme, mis en bouteilles à la propriété. Des vins de grande lignée que vous pouvez déguster dans le caveau aménagé au château de Ribaute.*

*La cuvée Château-Ribaute 1986 apparaît chaleureusement vêtue d'une robe grenat foncé. Puissant, le nez révèle la délicatesse des notes poivrées et vanillées. Généreuse, la bouche bien fondue*

*présente des tannins ronds et gras sur un finale riche d'arômes.*

---

# Roquefort-des-Corbières

### ▧ Cave Coopérative Saint-Martin

11540 Roquefort-des-Corbières
tél. 68.48.21.44.

640 hectares. Sol à dominante calcaire. Vins de pays. A.O.C. Corbières.
Prix départ cave : 11,50 à 24 F T.T.C.
Œnologue conseil : M. Alain Estivals.

*Présidée avec brio par un duo de choc composé du président Alain Parnaud, directeur de l'Institut coopératif du vin de Caunes, et du co-président Jean-Marie Sanchis également vice-président de l'appellation du cru, cette cave coopérative a la volonté de se démarquer dans la région.*

*L'orientation de cette unité et de ses 225 adhérents est la recherche de la qualité optimale nous dit son directeur M. Benezeth.*

*Une sélection très pointue permet de traiter séparément la vendange des différents terroirs où les vignerons, conscients de l'intérêt de l'encépagement, plantent à tour de bras grenache mais surtout syrah et mourvèdre.*

*Une cave à l'avenir assuré, où les coopérateurs travaillant tous dans le bon sens, ont la volonté de réussir et de se distinguer en se positionnant haut dans la hiérarchie du cru Corbières.*

*Les vins de pays y sont agréables et expressifs.*

*Les corbières rouges de macération carbonique et vinification traditionnelle sont tous marqués de fruits rouges très bien mûris. Souples et harmonieux, ils ont une bouche ample, charnue et très bien équilibrée.*

# Rouffiac-des-Corbières

## ▨ Domaine de Trillol

M. **André Pieux,**
11350 Rouffiac-des-Corbières
tél. 68.45.42.90.

12 hectares dont 7 ha 50 ares plantés. Sol : schiste, calcaire... A.O.C. Corbières, 3 couleurs.
Prix départ cave : 12,50 F T.T.C.
Œnologue conseil : M. Huraux.

*Le domaine de Trillol se situe sur la partie très boisée des Corbières, entre Rouffiac et Montgaillard.*
*Pour André Pieux, un chercheur de pétrole à la retraite, c'est un retour aux sources, une affaire de cœur faite de hasard.*
*En 1982, à la recherche d'une maison, il tombe amoureux d'une vieille bergerie aux arches apparentes, entourée de vieilles vignes. Une nouvelle aventure commence pour lui, et parce qu'il aime certains vins de France, il replante tout son vignoble, et construit une cave toute neuve.*
*Dans la même lignée, il élabore une cuvée très intimiste, élevée pendant six mois dans des foudres en chêne neufs de 20 hectos. Un vin tout en finesse aux saveurs fraîches et rondes, un rien de réglisse et de vanille ponctué d'épices.*

# St-André-de-Roquelongue

## ▨ Domaine de Villemajou

M. **Gérard Bertrand,** ♦
11200 Saint-André-de-Roquelongue
tél. 68.45.10.43.

70 hectares. Sol argilo-calcaire et graveleux. A.O.C. Corbières rouge, choix des millésimes.

Prix départ cave : 29 à 64 F T.T.C.
Œnologue conseil : Mme Catherine Tournier.

*Villemajou, c'est un vignoble où chaque cépage exprime sa particularité, nous dit Gérard Bertrand.*
*Le carignan donne la structure et l'accent du terroir, le grenache apporte l'onctuosité et le gras, le cinsault la finesse, la syrah développe des arômes complexes, et le mourvèdre sublime l'ensemble.*
*C'est aussi un parc de 380 barriques conçu pour l'élevage de trois récoltes d'avance.*
*Tout un long et patient processus dans le respect de la matière qui permet au vin de s'épanouir pour atteindre la plénitude de sa personnalité.*
*Ce jeune vigneron passionné raconte avec une émotion mal dissimulée son cheminement pour perpétuer l'œuvre déjà accomplie par son père.*
*Dans son caveau, il réserve un espace où l'art rencontre ses vieux millésimes qui exhalent des senteurs de fruits mûrs, de silex, d'épices, de vanille... Ils embaument en bouche et nous laissent une longue sensation soyeuse de gras et de rondeur.*

# Saint-Laurent-de-la-Cabrerisse

## ▨ Château de Caraguilhes

M. **Lionel Faivre,** ♦
11220 Saint-Laurent-de-la-Cabrerisse
tél. 68.43.62.05.

600 hectares dont 125 en vignes. Sol argilo-calcaire et tuf. A.O.C. Corbières rouge, millésimes de 79 à 89, rosé et blanc. Grenache doux.
Prix départ cave : 23 à 46 F T.T.C.
Œnologue conseil : M. Huraux.

La famille Faivre, franc-comtoise de souche, achète en 1958 les terres et le très beau château de Caraguilhes édifié en 1400.

De cet ancien domaine, Lionel Faivre garde les vieilles vignes et rénove 80% du vignoble.

Attentif à sa terre, il évite d'apporter des produits chimiques de synthèse pour sa fertilisation et pour les traitements de ses vignes ; il adopte un mode de culture pour préserver l'humus indispensable aux sols et aux ceps.

Soucieux de l'environnement et amoureux de sa région, il s'acharne à hisser ses vins au rang des grands.

Sa cave adossée au coteau avec un chai de vieillissement climatisé, permet des vinifications affinées et un élevage pour chaque cépage issu des divers terroirs très particuliers.

Les rouges ainsi élaborés, sont élevés sous bois pour s'ouvrir généreusement avec l'âge.

Ces vins qu'il faudra attendre, développent des parfums intenses et complexes, ils ont du gras, de la rondeur et du grain. La bouche énumère longtemps les odeurs de fruits et d'épices où la vanille et la réglisse se fondent.

Le blanc, très floral, bien équilibré, s'offre très élégant.

# ▇ Château Les Palais

**Anne et Xavier de Volontat,**
11220 Saint-Laurent-de-la-Cabrerisse
tél. 68.44.01.63.

110 hectares dont 90 en A.O.C. Sol : dominante argilo-calcaire. A.O.C. Corbières blanc, rosé, rouge.
Prix départ cave : 20 à 50 F T.T.C.
Œnologue conseil : M. Marc Dubernet.

Conquis par le charme et l'emplacement de ce domaine, ancien couvent de religieuses au XIIe siècle, Anne et Xavier de Volontat ont su exploiter le formidable potentiel qualitatif de ce vignoble.

Vignerons de talent, ils ne négligent aucun détail. Chaque cépage est implanté suivant l'exposition et la nature des parcelles. Chacune des variétés, récoltée manuellement à maturité idéale, est vinifiée séparément de façon à extraire la quintessence du grain de raisin.

En toute simplicité, c'est dans l'ancienne chapelle du XIVe siècle aménagée en caveau de dégustation qu'ils nous font découvrir quelques-unes de leurs merveilleuses cuvées.

Excellent millésime que ce Château Les Palais 1986 tout en finesse, au nez subtil dominé par des notes de sous-bois et d'épices. Très dense, aux tannins bien fondus, il est de bonne évolution.

Le Château Les Palais-Randolin 1988 allie charpente et rondeur. Fortement marqué par les fruits rouges très mûrs, ample et gras, il est le reflet d'une vinification bien maîtrisée.

## ▣ Cave Coopérative de St-Laurent-de-la-Cabrerisse

11220 Saint-Laurent-de-la-Cabrerisse ◆
tél. 68.44.02.73.

620 hectares. Sol argilo-calcaire.
Vins de pays. A.O.C. Corbières.
Prix départ cave : 10 à 50 F T.T.C.
Œnologue conseil : M. Plessis.

Créée en 1913, cette cave coopérative de 200 adhérents produit un fort pourcentage de sa production en A.O.C. Corbières.

Rechercher l'originalité du produit en privilégiant l'expression aromatique par rapport à la structure tannique est le but que nous nous sommes donné, nous dit le directeur, M. Codina.

D'abord connu pour leur blanc dont une partie est vinifiée et élevée en barriques neuves, ils se démarquent aujourd'hui par des A.O.C. rouges de très bon niveau.

Grâce à la prise de conscience des adhérents qui acceptent les contraintes de production et de récolte pour obtenir un plus qualitatif, grâce à un conseil d'administration dynamique présidé par M. Salvagnac qui a su prendre les orientations nécessaires, ils produisent et élèvent de grands et beaux vins qu'ils vous feront découvrir avec passion.

L'A.O.C. Corbières blanc de blancs des « Demoiselles » 1988 de maccabeu, bourboulenc et grenache blanc est avantageux d'harmonie, de fraîcheur et de bonnes senteurs de fleurs sauvages.

Le rosé des « Demoiselles » 1988 porte bien son nom. Paré d'une très claire robe rose tendre, il fleure bon la pivoine et les fruits frais. En bouche il est sémillant un rien perlant.

Le Corbières rouge « cuvée Prestige » 1986 mêle les notes savoureuses de cassis à une pointe de vanille et d'épices. Long et soyeux en bouche, il est d'une belle ampleur.

# Thézan-des-Corbières

## ▣ Château Aiguilloux

**Marthe et François Lemarie,** ◆
11200 Thézan-des-Corbières
tél. 68.43.32.71.
Fax : 68.43.30.66.

37 hectares en A.O.C. Sol argilo-calcaire de coteaux. A.O.C. Corbières rouge et rosé.
Prix départ cave : 16 à 27,50 F T.T.C.
Œnologue conseil : M. Mellado.

Sans rien connaître au métier de la vigne, sans a priori, sans antécédent vigneron, Marthe et François Lemarie se sont lancés à corps perdu en 1982 dans cette entreprise courageuse.

Ce couple a su s'entourer des conseils attentionnés de gens avertis pour leur permettre d'atteindre le niveau qu'ils méritent par leur opiniâtreté.

Très attentifs aux critiques, ils n'hésitent pas à faire déguster leurs vins par les plus grands professionnels pour mieux progresser et prouver ainsi qu'avec « de petites appellations, on peut être au niveau des grands ».

Gageons de la réussite de ce couple qui a su mettre toutes les chances de son côté pour se hisser aux premiers rangs de l'appellation.

*Le rosé qu'il surnomme avec humour 4 3 2 1 (40% grenache, 30% syrah, 20% cinsault, 10% carignan) dévoile d'entrée une grande partie de ses charmes.*

*Au nez l'aubépine et la pivoine s'associent pour notre plus grand plaisir. En bouche, très agréable, bien équilibré, d'une bonne vivacité il est très flatteur.*

*Le Corbières rouge élevé en fûts de chêne a une jolie robe intense à reflets rubis. Le nez marqué par le bois dévoile des notes de vanille, d'épices et de torréfaction. Le fruité se révèle en bouche, puissant, riche, avec une bonne charpente, c'est un vin à attendre.*

# Villesèque

### ▨ Château de Mandourelle Château Saint-Estève

**S.I.C.A. de Mandourelle**
Route de Maureilhan
34500 Béziers
tél. 67.49.13.52.

Vins de pays. A.O.C. Corbières. Prix départ cave : moins de 20 F T.T.C. Château Saint-Estève : sol argilo-calcaire et schisteux. 120 hectares dont 45 en vignes.
Château de Mandourelle : sol à dominante calcaire. 270 hectares dont 70 en vignes.

*Propriétés d'Eric Latham, petit-fils d'Henri de Monfreid grand écrivain et aventurier du XXᵉ siècle, le Château Saint-Estève et le Château de Mandourelle sont commercialisés par la S.I.C.A. familiale.*

*Dans ce paysage grandiose des Hautes-Corbières, Villesèque, où se trouve le château de Mandourelle, est situé dans une jolie petite vallée.*

*Une récolte manuelle, une vinification pour l'essentiel en macération carbonique, un élevage en fûts de chêne sont à l'origine de cette cuvée « Henri de Monfreid ».*

*La robe de teinte grenat a de légers accents tuilés. Le nez est à la fois racé et complexe avec des notes de fruits noirs écrasés sur un fond de vanille. En bouche, souple, gras et aromatique il est généreux.*

*Situé à Thézan, dans une des zones les plus élevées des Corbières, le château Saint-Estève produit un vin élégant, au nez flatteur de bonnes senteurs fruitées. Soyeux, tendre, avec juste ce qu'il faut de tannin, il offre beaucoup de plaisir en bouche.*

**Corbières**, voir aussi :
— Fitou : Dom. Abelanet, Coop. de Cascatel, Paul Colomer, Dom. des Fenals, Coop. de Fitou, Jean-Marc Gautier, Coop. de Leucate, Ch. de Nouvelles, Coop. de Paziols, Cellier de Rondene, Coop. de Tuchan, Coop. de Villeneuve-les-Corbières.

# Coteaux du Languedoc

A.O.C. depuis le décret du 24/12/1985.
Aire d'appellation : 156 communes dont 137 dans l'Hérault, 5 dans
l'Aude et 25 dans le Gard. 22 communes supplémentaires seront
classées en 1991.
Terroirs très variés : schiste, argilo-calcaire, terrasses caillouteuses,
ruffes du permien...
Encépagement : pour les coteaux du Languedoc génériques :
Rouges : carignan (50% maxi ; 40% en 1992), cinsault, grenache
(20% mini), syrah et mourvèdre (10% mini).
Blancs : carignan blanc, ugni blanc, terret blanc, clairette, picpoul
(60% maxi pour l'ensemble) ; grenache blanc, maccabeu,
bourboulenc, marsanne, vermentino (40% mini pour l'ensemble).
Chenin blanc (15% maxi).
Production : 370 000 hl en 1988.
Rendement : 60 hl/ha maxi.

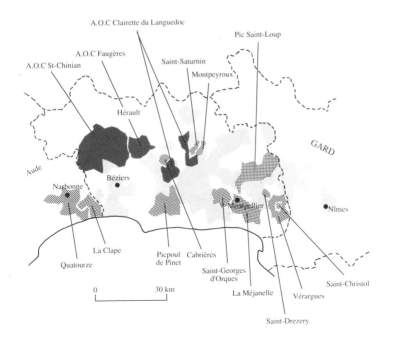

La création des Coteaux du Languedoc remonte à 1960. Il s'agissait alors de regrouper la douzaine de petites aires V.D.Q.S. de l'Hérault, du Gard et de l'Aude apparues depuis la Seconde Guerre mondiale et de les fédérer sous une bannière commune. En quelque sorte l'application de ce vieil adage : l'union fait la force. Petit à petit le périmètre des Coteaux du Languedoc s'est élargi en même temps que ses règles de production devenaient plus sévères. En 1985, un pas décisif fut franchi avec l'accession à l'A.O.C.

Aujourd'hui l'aire Coteaux du Languedoc s'étend sur 156 communes. Elle abrite trois crus :
— la Clairette du Languedoc,
— Saint-Chinian,
— Faugères.

Tous trois ont obtenu le statut d'A.O.C. avant 1985 ; le premier dès 1948, les deux autres en 1982. Ils ont ainsi la possibilité de se présenter sous leur appellation propre (sans mentionner leur appartenance aux Coteaux du Languedoc) ou de se « replier » sur l'appellation commune.

— Douze terroirs : Quatourze
La Clape
Picpoul de Pinet
Cabrières
La Méjanelle
Pic-Saint-Loup
Saint-Georges-d'Orques
Saint-Christol
Saint-Drezery
Saint-Saturnin
Montpeyroux
Coteaux de Vérargues.

Tous « n'étaient que » V.D.Q.S. avant 1985 et ont accédé à l'A.O.C. avec leur appellation mère, les Coteaux du Languedoc. En conséquence, tous doivent faire apparaître sur leurs étiquettes la mention « Coteaux du Languedoc » suivie de leur dénomination propre, par exemple Coteaux du Languedoc La Clape. Ils ont aussi la possibilité de n'apparaître que sous l'appellation commune : Coteaux du Languedoc.

— En outre 68 communes de l'aire ne peuvent prétendre qu'à l'appellation régionale Coteaux du Languedoc. Dans un avenir proche 22 nouvelles communes devraient intégrer ce groupe. La décision sera prise vraisemblablement en 1991 au terme d'une procédure d'enquête et de délimitation parcellaire qui est déjà bien avancée.

A l'intérieur de ce vaste ensemble les règles d'encépagement sont identiques :
• Pour les rouges et les rosés : le carignan est limité à un maximum
de 50% (cette proportion devant tomber à 40% dès 1992) ; il est souvent accompagné du cinsault. Le grenache doit être présent à hauteur
de 10% minimum (20% depuis 1990). 5% de mourvèdre ou de syrah (10%
depuis 1990) sont enfin obligatoires.
• Concernant les vins blancs, si l'on met de côté le Picpoul de Pinet et
la Clairette du Languedoc dont l'encépagement est spécifique, les règles
sont les suivantes : carignan blanc, terret blanc, ugni blanc, clairette,
picpoul (l'ensemble ne dépassant pas 60%), grenache blanc, maccabeu,
bourboulenc, marsanne, vermentino (l'ensemble devant dépasser 40%).
Vient s'y ajouter du chenin à titre expérimental (15% maxi).
Il en est de même en ce qui concerne les autres disciplines de production. Les rendements sont ainsi limités à 60 hl/ha, auxquels viennent
éventuellement s'ajouter les 20% de P.L.C. (soit 72 hl/ha). Ce niveau
peut sembler élevé mais on le justifie aux « Coteaux » en avançant des
arguments économiques : il était nécessaire au début de permettre aux
vignerons engagés dans la politique de qualité d'obtenir une rémunération suffisante de leurs investissements. Un plan de réduction des rendements est d'ailleurs en cours d'application et devrait aboutir en 1995
à une limitation à 50 hl/ha (+ le P.L.C.). Ce niveau, il faut le préciser
est déjà celui appliqué dans les trois crus : Saint-Chinian, Faugères,
Clairette.
Jusqu'à ces toutes dernières années le syndicat des Coteaux du Languedoc nourrissait l'espoir d'élargir encore ce cercle afin d'aboutir à
la fédération de toutes les aires d'appellation languedociennes au sein
d'une appellation commune « Languedoc ». Le projet, s'il avait abouti,
aurait permis la naissance d'un formidable pôle capable de rivaliser avec
Bordeaux ou les Côtes du Rhône. Il a malheureusement échoué en raison des particularismes locaux et de querelles de personnes.
Tels qu'ils sont, les Coteaux du Languedoc n'en constituent pas moins
une structure de dimension non négligeable susceptible de présenter
sur le marché une gamme étendue de produits pour un volume global
(non compris les trois crus) qui approche les 300 000 hectolitres. Cela
n'est pas négligeable et autorise la mise sur pied de puissantes opérations de communication, indispensables à une plus grande notoriété de
ces vins. Beaucoup a déjà été fait sous l'impulsion du syndicat qu'anime
une équipe dynamique. Un nouveau pas a été franchi en 1989 avec l'installation de celui-ci au mas de Saporta. De nouveaux locaux, idéalement
placés au sud de Montpellier, abritent désormais, outre un musée du
vin qui promet d'être somptueux, l'hôtel des vins du Languedoc et une

superbe salle de congrès. Avec Saporta les Coteaux du Languedoc se sont dotés d'un formidable outil de communication. Il ne sera pas de trop pour épauler et prolonger l'effort qualitatif entrepris par les vignerons.

## Quatourze

Le vignoble de Quatourze occupe la partie méridionale de la commune de Narbonne. Quelque 500 hectares de vignes sont implantés sur une ancienne terrasse de l'Aude. Le terroir y est assez homogène, composé de galets de quartz en provenance des Pyrénées ou de la Montagne-Noire mêlés à de l'argile rubéfiée. L'ensemble offre de bonnes conditions à la viticulture de qualité sous un climat particulièrement sec (450 mm de pluies en moyenne).

Quatourze a été classé V.D.Q.S. en 1954, a rejoint les Coteaux du Languedoc en 1963 et obtenu avec eux le statut d'A.O.C. en 1985.

Ce vignoble très ancien — Narbonne fut, on le sait, la capitale de la province romaine de Narbonnaise — est aujourd'hui menacé par l'urbanisation. Une cave coopérative et une cave particulière y produisent aujourd'hui moins de 15 000 hectolitres de vins rouges, rosés, mais aussi blancs.

# Narbonne

### ■ Cave Coopérative de Saint-Charles-Quatourze

11100 Narbonne
tél. 68.41.58.35.

Superficie : 88 hectares. Sol caillouteux dont 50% de silex. A.O.C. Coteaux du Languedoc-Quatourze. Vins de pays rouge et rosé.
Prix départ cave : 8,50 à 15 F T.T.C.
Œnologue : M. Robert Dejean.
Directeur : M. Bernard.

*Quatourze, l'un des plus anciens vignobles de France à l'extrême sud des Coteaux du Languedoc, possède elle aussi sa petite cave coopérative. Située dans les faubourgs de Narbonne sur un plateau caillouteux, cette cave, particulière à l'origine, couvrait l'ensemble de la production de l'appellation avant de devenir coopérative en 1958.*
*Outre ses 28 adhérents se partageant 88 hectares, la grande particularité de cette cave réside en son organisation administrative.*

*En effet, M. Bernard est devenu par le biais de son poste de directeur du Centre d'aide pour le travail des handicapés l'Envol, le directeur de la cave, ce centre étant le plus important propriétaire avec ses 32 hectares de vignes. Félicitons chaleureusement ce monsieur qui cumule deux postes avec brio puisque le C.A.T. est l'un des quatre centres pépiniéristes reconnus par les services officiels d'Aix et que l'élaboration méticuleuse de ses vins nous dévoile un excellent A.O.C. rouge Château Saint-Charles.*
*Un beau vin, parfaitement structuré solide et puissant, au bouquet bien présent encore un peu dominé par les tannins. Il surprend cependant après avoir été débouché quelque temps avant d'être servi par sa bouche dense aux connotations de fruits surmûris.*

### ■ Château Notre-Dame-du-Quatourze

**Yvon et Georges Ortola,**
11100 Narbonne
tél. 68.41.58.92.

Superficie : 45 hectares en A.O.C.
Sol argilo-calcaire caillouteux.
A.O.C. Coteaux du Languedoc
Quatourze rouge, rosé, blanc.
Prix départ cave : 8 à 18 F T.T.C.
Œnologue conseil : M. Estibal.

*Bien beau vignoble que celui de la famille Ortola. Etalé sur le terroir le plus ancien du Languedoc, face à l'étang de Bages et à proximité de la mer, ce domaine de 45 hectares se voit aujourd'hui considérablement agrandi par l'acquisition d'une nouvelle exploitation : le château de Lunes.*

*Cultivé par un père et son fils qui nous reçoivent avec beaucoup de gentillesse, le vignoble privilégie les cépages grenache et syrah.*

*« L'avenir appartient à ceux qui ont pris le virage de la qualité », nous dit Georges, le fils.*

*Alors pas étonnant de constater la technicité du cuvier de vinification et la propreté exemplaire du chai. Ajoutez à cela un esprit curieux qui les pousse à l'expérimentation, une sélection impitoyable de la vendange et vous comprendrez l'incontestable qualité des vins du château commercialisés en partenariat avec les établissements Jeanjean.*

*L'A.O.C. blanc à la robe légère, très limpide offre un nez très parfumé aux arômes de fleurs sauvages et de cassonade blonde. En bouche l'attaque est puissante, originale on y découvre le pain grillé et des notes très fraîches d'agrumes. Souple et gras, ce vin est très bien équilibré et d'une belle finesse. Le Château Notre-Dame rouge a un nez élégant où domine le cassis et la réglisse. C'est un vin expressif très gras où les tannins fins et bien fondus sont particulièrement appréciés.*

# La Clape

Le vignoble de la Clape s'étend sur cinq communes : Armissan, Fleury, Salles-d'Aude, Vinassan et une portion du territoire de Narbonne. Classé V.D.Q.S. en 1951, il a accédé à l'A.O.C. en 1985.

L'essentiel de l'aire correspond au massif de la Clape, un pointement rocheux battu par les flots, comme posé sur la plaine narbonnaise. C'était autrefois une île « l'île du lac » que doublaient les navires romains qui cinglaient vers Narbonne. L'Aude la contournait autrefois par le sud jusqu'à ce que ses alluvions comblent le golfe de Narbonne, exhaussent son lit et la détournent au Moyen Age plus au nord.

Les terroirs de la Clape présentent une certaine variété. Des plateaux calcaires, couverts de garrigues y dominent des combes ouvertes dans les marnes. Le paysage est grandiose, avec en toile de fond la Méditerranée. L'aire de production englobe également les terrains molassiques miocènes bordant le massif au nord auxquels viennent se mêler des débris calcaires arrachés aux hauteurs et des cailloutis d'origine alluviale.

Comme à Quatourze, la vigne doit affronter ici certaines années une terrible sécheresse. La maturation s'effectue pourtant dans de bonnes conditions en raison surtout de la fréquence du vent qui contrarie le développement des maladies cryptogamiques. La production est assurée par la cave coopérative d'Armissan mais aussi par une vingtaine de domaines particuliers dont certains élaborent des vins magnifiques. Le vignoble de la Clape élabore surtout des vins rouges mais on y trouve également des blancs splendides à base de bourboulenc (ici appelé malvoisié), sans oublier de très agréables rosés.

# Armissan

## ▤ Cave Coopérative « La Clape »

11110 Armissan
tél. 68.45.31.40.

Superficie : 430 hectares dont 150 hectares en A.O.C. Sol calcaire. A.O.C. Coteaux du Languedoc La Clape. Vins de pays, côtes de Pérignan rouge, rosé. Vins de pays cabernet et merlot.
Prix départ cave : 14 à 21 F T.T.C.
Œnologue conseil : M. Estivalle.
Président : M. Claude Calix.

*A huit kilomètres de Narbonne, en direction des plages, Armissan, sur le massif de la Clape, puise ses origines à l'époque romaine.*
*Dans ce magnifique terroir de calcaire, l'aire d'appellation couvre 150 hectares. De par son encépagement, seulement 55 hectares peuvent produire de l'A.O.C., aux regrets de M. Cassagne, le responsable de la cave qui s'évertue à favoriser les nouvelles plantations.*
*Ce sont ici les fruits rouges et les épices qui l'emportent, pour ce joli rouge bien structuré aux tannins élégants. Un vin prêt à passer sur la table.*

# Fleury-d'Aude

## ▤ Château Mire-l'Etang

M. **Pierre Chamayrac et Fils,** ◆
11560 Fleury-d'Aude
tél. 68.33.62.84.

Superficie : 42 hectares dont 34 en A.O.C. Sol argilo-calcaire siliceux. A.O.C. blanc, rosé, rouge. Coteaux du Languedoc La Clape et Carthagène.
Prix départ cave : 16 à 23 F pour les A.O.C.
Œnologue conseil : M. Dejean.

*Son efficacité et sa rigueur n'ont d'égal que son talent. Pierre Chamayrac, président du cru de la Clape veut faire accéder son appellation au niveau des grands crus à travers de sévères contraintes de production.*
*Cette rigueur, il l'applique déjà au Château Mire-L'Etang. Un de ces endroits bénis des dieux où, sur un terroir rocailleux qui domine la mer, la chaleur et l'ensoleillement alliés à la fraîcheur des brises maritimes reproduisent chaque année le miracle de la maturité dans un équilibre parfait.*

*Une mine d'or, mise en valeur par le minutieux travail de toute une famille, la symbiose de cépages parfaitement en harmonie avec le terroir, l'amour, le savoir-faire et la passion de ces vignerons.*
*Pierre Chamayrac parle avec beaucoup de chaleur de son exploitation et de ses vins qui éclatent de tout leur fruit.*
*Le verre à la main, il se fera une joie de partager avec vous le plaisir de la dégustation de ses produits tous irréprochables.*
*Nous avons particulièrement aimé un A.O.C. blanc peu banal issu du cépage malvoisie. Un joli vin au nez frais et délicat qui s'ouvre sur des senteurs de fenouil, de fleurs d'acacia avec une pointe de menthol. Vif, bien équilibré, il offre une bouche à l'attaque puissante, originale, où l'on décèle des arômes de pain grillé.*

## Château de la Pageze

M. **Pierre Allemandet,**
11560 Fleury-d'Aude
tél. 68.33.60.34.

Superficie : 25 hectares dont 50% en A.O.C. Sol calcaire. Vins de pays. A.O.C. Coteaux du Languedoc La Clape rouge et rosé.
Prix départ cave : 14 à 18 F T.T.C.
Œnologue conseil : M. Dejean.

*Située sur le versant maritime du massif de La Clape, cette splendide bâtisse était autrefois la propriété des comtes de Fleury-d'Aude.*

*Aujourd'hui, Pierre Allemandet, persuadé de l'importance de l'association cépage/sol/climat, plante des variétés de qualité.*

*Dans une cave très moderne, automatisée, il joue avec brio de la technicité pour élaborer des vins rosés fruités très appréciés et des rouges d'une belle richesse que l'apport des cépages aromatiques devrait améliorer.*

*L'A.O.C. rosé « Château de la Pageze » 1988 a une robe brillante de couleur saumonée. Le nez agréable de fruits rouges offre des notes fraîches de menthe écrasée et d'agrumes. Un vin rond en bouche qui présente un bel équilibre généreux et savoureux.*

## Domaine de Rivière-le-Haut

M. **Jean Segura,**
11560 Fleury-d'Aude
tél. 68.33.61.33.

Superficie : 13 hectares. Sol calcaire et siliceux. A.O.C. Coteaux du Languedoc La Clape blanc, rosé, gris et rouge.
Prix départ cave : 19 à 28 F T.T.C.

*Dans un site sauvage joliment arboré, le domaine de Rivière-le-Haut, depuis la nuit des temps, regarde la Méditerranée.*

*Jean Segura, une forte personnalité, dont tout le monde se souvient dans la région. Cet homme de passion et d'audace a su s'imposer en créant un certain style de vin blanc.*

*Pendant 26 ans, par un long et patient travail de sélection du vignoble et de méthodes de vinification dont il fut le pionnier innovateur, il donne aux vins du domaine cette incontestable qualité. Aujourd'hui, sa fille et son gendre perpétuent tel un sacerdoce son œuvre toujours très présente.*

*Si le vignoble est essentiellement planté de cépages blancs, ils achètent le raisin noir qu'ils vinifient pour étoffer la gamme.*

*La Carte Noire vieillie deux ans en cuve avant d'être mise en bouteilles est submergée par l'abondance des senteurs de fruits secs, d'agrumes, de pain grillé... ornés de miel qui enchantent les nez exigeants. Des saveurs bien pleines et très soutenues donnent à cette cuvée une ampleur remarquable. Un vin de gastronomie.*

# Gruissan

## Château Rouquette-sur-Mer

M. **Jacques Boscary,** ♦
11430 Gruissan
tél. 68.49.80.01.
        68.49.90.41.
        68.32.56.53.
Fax : 68.65.32.01.

MIS EN BOUTEILLE AU CHATEAU

CHATEAU
ROUQUETTE SUR MER
La Clape
Coteaux du Languedoc
1989
Jacques BOSCARY viticulteur près Narbonne - France
11430 GRUISSAN

Superficie : 320 hectares dont 50 en vigne. Sol : marnes calcaires. A.O.C. Coteaux du Languedoc La Clape rouge, rosé, blanc.
Prix départ cave : 25 à 40 F T.T.C.
Œnologue conseil : M. Marc Dubernet.

*Quand on arrive près du massif de La Clape, on est immédiatement frappé par la troublante beauté de ces coteaux maritimes où le vignoble, tourné vers la mer, bénéficie d'un ensoleillement intense et de la fraîcheur des brises marines.*

*C'est dans ce cadre idyllique que Jacques Boscary, le talentueux propriétaire du château Rouquette-sur-Mer, exerce son art.*

*L'amour des choses bien faites le pousse à produire une matière première de très haute qualité pour ensuite élaborer avec une maîtrise parfaite des différentes phases de la transformation du jus de raisin en vin, des produits qu'il souhaite « avec toujours plus de finesse et de concentration ».*

*De l'ancien château, aujourd'hui en ruine, lové à l'intérieur du massif, il suffit de fermer les yeux et de respirer très fort pour humer l'extraordinaire puissance des senteurs de ce terroir.*

*Aujourd'hui, grâce à un travail acharné et méticuleux par le biais d'une vinification conduite selon des méthodes oenologiques de pointe mais aussi dans le respect des traditions comme la cueillette manuelle de la vendange en comportes et l'élevage de certaines cuvées en barriques de chêne merrain, les vins du château Rouquette-sur-Mer trouvent leur couronnement.*

*Le blanc issu du cépage bourboulenc s'ouvre de façon très plaisante sur un nez floral et fruité intense. D'un superbe équilibre en bouche il a de la race, une acidité fondue, de la puissance et de la chair.*

*Le rouge 1988 est très séduisant par sa robe aux nuances encore pourprées. Son nez tendre d'une grande finesse fleure bon le boisé des fûts de chêne. Charnue, d'une grande onctuosité, la bouche est soyeuse et souple aux tannins bien fondus.*

---

# Narbonne

## ▓ Domaine de l'Hospitalet

Mme **J. Cools,**
11100 Narbonne
tél. 68.45.34.47.

Superficie : 27 hectares en A.O.C. Sol rocailleux à dominante calcaire. A.O.C. Coteaux du Languedoc La Clape blanc, rosé, rouge.
Prix départ cave : jusqu'à 28 F T.T.C.
Œnologue conseil : M. Dejean.

*Une Belge... en Languedoc, Mme Cools depuis son arrivée en 1953 s'est fait une place au soleil dans ce vignoble de bord de mer.*

*Elle exploite aujourd'hui avec son fils les 260 hectares du domaine de l'Hospitalet dont 27 sont plantés en vigne. De la culture à la vinification jusqu'à la mise en bouteilles et la commercialisation, ils font tout eux-mêmes en famille.*

*Dans leur caveau, heureuse halte sur la route de Narbonne-Plage, ils nous régalent d'un A.O.C. rouge millésimé 1988 très élégant, aux senteurs de fruits cuits et de réglisse que l'on retrouve en bouche, tout en finesse tant par sa structure onctueuse que par la suavité de ses arômes.*

## ▓ Château de Marmorières

M. **Eric de Woillemont,**
11100 Narbonne.
tél. 68.45.32.70.

Superficie : 100 hectares. Sol argilo-calcaire. A.O.C. Coteaux du Languedoc La Clape rouge, rosé, blanc.
Prix départ propriété : 19 à 25 F T.T.C.
Œnologue : M. Robert Dejean.

*Construit sur le flanc du massif de La Clape en 1813, le château de Marmorières, un des plus anciens de la Septimanie, a vu sept générations de De Woillemont cultiver la vigne. Cette magnifique et imposante demeure est au cœur de son vignoble dont la particularité tient en sa forme de fer à cheval.*

*Avec une mère fondatrice du cru La Clape, M. De Woillemont, le propriétaire, allie amour et tradition pour élaborer un vin élégant.*

*L'esprit de qualité se reflète à chaque maillon de la chaîne de l'élaboration ;*

une vendange triée, amenée avec précaution au cuvier, une vinification dans les règles de l'art où la température est parfaitement maîtrisée, un élevage d'un an en foudres de chêne puis de six mois en bouteilles, une constante surveillance en font des vins très remarqués.

Une médaille d'or à Paris en 1989 récompense tous les efforts de ce passionné nous confirmant que la 200 000e bouteille a autant de qualité que la première.

Des qualités, il n'en manque pas dans l'A.O.C. blanc du domaine.

Dans une aimable robe jaune pâle, ce joli vin aux séduisants arômes de fleur de genêt, légèrement anisé, bien équilibré en bouche, offre tout un ensemble élégant flatté par une légère pointe de $CO_2$.

Le rouge « Château de Marmorières » médaille d'or présente toutes les caractéristiques d'un grand et beau vin par l'explosion de ses flaveurs suaves et charnues. Elégance et rondeur contribuant à l'harmonie de ce flacon.

## ▧ S.C.E. Château-Moujan

**M. De Braquilanges,**
La Clape
11000 Narbonne
tél. 68.32.01.25.
      68.65.24.71.

Superficie : 80 hectares. Sol argilo-calcaire. A.O.C. rouge, rosé, blanc. Coteaux du Languedoc La Clape. Prix départ propriété : 20 à 24 F T.T.C.
Œnologue : M. Marc Dubernet.

Au sud du massif de La Clape sur la route de Narbonne à la mer, se dresse l'imposant château Moujan avec ses vingt et une fenêtres en façade.

Climat sec et tempéré par la proximité de la mer, terrain à dominante calcaire, tous ces paramètres favorisent une saine maturation du raisin.

« Dans la mesure où le terroir est présent, il faut un potentiel humain pour personnaliser et non dépersonnaliser le produit », nous lance M. de Braquilanges, le propriétaire.

De ce fait, l'ancienne cave fut entièrement modernisée et adaptée aux besoins d'une vinification soignée où l'artisanat familial de tradition reste une priorité.

Ce propriétaire « refuse d'imiter les autres » et à l'inverse de ses confrères, son vin ne vieillit pas en fût, « le bois n'apporte absolument rien aux vins de la Clape », nous explique-t-il.

Son millésime 1988, un vin qui a du style...

Au nez riche et complexe, il marie les fruits rouges, le café, le musc et les épices. En bouche, il s'épanouit et énumère longtemps les senteurs perçues à l'olfaction. Sa finale apparaît enfin, délicatement réglissée.

## ▧ Château Pech-Redon

**M. Christophe Bousquet,**
11100 Narbonne
tél. 68.90.41.22.

Superficie : 38 hectares. Sol argilo-siliceux calcaire. A.O.C. rouge et rosé Coteaux du Languedoc La Clape. Vins de pays blancs. Prix départ cave : 23 à 25 F T.T.C. Œnologue conseil : M. Marc Dubernet.

Anciennement dénommé « Ile du Lac », le massif de la Clape culmine à 214 mètres avec à son sommet le château Pech-Redon.

Si le vignoble date du début du siècle, M. Christophe Bousquet en est l'heureux propriétaire depuis deux ans. Ce tout jeune oenologue dit de lui qu'il dirige, maîtrise, sans imposer.

De ce fait, il soigne son terroir, l'encépagement ainsi que sa cave semi-enterrée dont il projette d'améliorer l'infrastructure.

*Laissant ses vins s'exprimer d'eux-mêmes sans les faire vieillir systématiquement en barrique, il possède tout de même un chai de cent cinquante fûts où « mûrit » lentement un de ses A.O.C. rouge considéré comme son fer de lance. A l'avenir, vingt-cinq hectares supplémentaires de vignes doivent être plantés, et par conséquent le chai de stockage sera agrandi.*

*Pour le présent, nous avons dégusté le « Château Pech-Redon » rouge 1988 de grenache et syrah riche de fruits rouges et d'épices aux nuances florales très séduisantes. En bouche, il ne manque ni d'harmonie, ni d'ampleur, ni de longueur. Ses qualités devraient lui permettre de vieillir encore pour s'épanouir avec bonheur.*

## ▣ Domaine de Vire

**M. Yves Lignières,**
Route de Narbonne-Plage
11100 Narbonne
tél. 68.45.30.80.

Superficie : 70 hectares. Sol : marnes calcaires. A.O.C. Coteaux du Languedoc La Clape rouge, rosé, blanc. Vins de pays rouge et gris.
Prix départ cave : 9 à 30 F T.T.C.
Œnologue : M. Marc Dubernet.

*Sur la route de Narbonne à la plage, dans le massif de la Clape, baigné de soleil, s'étend le domaine de Vire sur 70 hectares.*

*Cette grande maison de maître a été acquise en 1929 par le grand-père de M. Yves Lignières qui l'exploite depuis 1959. Très sensible à la qualité du produit, il impose une constante évolution pour toujours obtenir le meilleur.*

*Dans le caveau bordant la route départementale en contact permanent avec les amateurs, il nous propose toute une gamme de vins « où chacun peut trouver ce qu'il recherche ».*

*L'A.O.C. blanc de maccabeu et malvoisie agréable à l'œil est riche d'arômes avec des notes florales et une touche d'agrume. Fraîche et savoureuse, la bouche confirme cette impression et allie avec harmonie la délicatesse aromatique à la fraîcheur.*

*L'A.O.C. rouge cuvée « Saphir », où grenache, syrah et mourvèdre de vinification traditionnelle et macération carbonique se conjuguent, est un vin physique. Légèrement tuilé, avec un très bon nez qui rappelle les fruits mûrs, les épices et le cuir, il s'affirme en bouche par sa structure généreuse.*

# Salles-d'Aude

## ▣ Château Pech-Celeyran

**Comte Jacques de Saint-Exupéry,**
11110 Salles-d'Aude
tél. 68.33.50.04.

Superficie : 90 hectares. Sol argilo-calcaire. A.O.C. Coteaux du Languedoc La Clape essentiellement rouge. Vin de Chardonnay.
Prix départ cave : 21 à 29 F T.T.C.
Œnologue conseil : M. Robert Dejean.

*Quand on arrive au château Pech-Celeyran, on est immédiatement conquis par l'harmonie et le charme de cette demeure du XIXᵉ siècle.*

*Située sur la presqu'île de la Clape, la colline de Celeyran est sertie par ce vignoble réputé pour son terroir à haute expression.*

*Amoureux du vin, Jacques de Saint-Exupéry affine ses cuvées dans un chai magnifique qui nous impressionne par sa grande allée aux trente foudres joufflus.*

*Dans ce lieu magique, il perpétue trois générations de grande tradition vigneronne.*

*Pour cet homme charmant, la qualité, dit-il, « c'est d'aimer ce que l'on fait, et de la partager autour d'un verre ». Son millésime 1988 promet une belle évolution. Derrière sa belle robe sombre, les senteurs sauvages s'associent aux nuances délicatement fleuries. En bouche, une rondeur charnue se fond sur une structure solide pour offrir des saveurs gourmandes.*

*Une bonne raison de faire connaissance avec ce vigneron, membre du club pres-* *tigieux des grands vins de châteaux du Languedoc.*

## Picpoul de Pinet

Le Picpoul de Pinet est un vin blanc produit du seul cépage picpoul. L'aire d'appellation couvre six communes bordières de l'étang de Thau : Pinet, Pomerols, Castelnau-de-Guers, Montagnac, Mèze et Florensac, toutes situées dans l'Hérault. La production de vin blanc est ici une tradition qui remonte fort loin, certainement au Moyen Age. Mais comme plus au nord le long de l'Hérault, ce furent les Hollandais, friands de « picardan », qui stimulèrent les plantations au XVIIe siècle.

Le terroir caractéristique de se secteur est le « grésillou », sol graveleux constitué de cailloutis calcaires provenant de la décomposition de terrains marno-calcaires d'âges variés (du crétacé au pliocène). Les vins produits s'accordent parfaitement avec les fruits de mer produits dans l'étang de Thau : huîtres, clovisses, moules... de Mèze et de Bouzigues.

Trois caves coopératives et cinq caves particulières élaborent chaque année entre 10 000 et 15 000 hectolitres de Picpoul de Pinet, une production qui s'accroît en liaison notamment avec le développement du tourisme. Les six communes de l'aire ont également la possibilité de produire des rouges, des rosés et des blancs sous l'appellation régionale « Coteaux du Languedoc ».

# Castelnau-de-Guers

## ■ Domaine La Grangette

**G.F.A. La Grangette**
34120 Castelnau-de-Guers
tél. 67.98.13.56.

Superficie : 52 hectares. Sol siliceux calcaire, marne en sous-sol. A.O.C. Picpoul. Vins de pays rouge, rosé, blanc de carignan. Vins de cépage sauvignon.
Prix départ propriété : 15 à 22 F T.T.C.
Œnologue : M. Jean-François Vrinat.

*A quatre kilomètres de Castelnau-de-Guers en direction de Pinet-Pomerols, une longue allée de pins tricentenaires nous mène à une superbe demeure époque 1800 dont M. Mur, le propriétaire, nous dit qu'« elle a un cachet accrocheur », et c'est vrai !*

*La cave, elle aussi, nous surprend par un contraste saisissant : nous y découvrons d'anciennes cuves en pierre de taille d'un mètre d'épaisseur totalement rénovées dans lesquelles s'effectue la vinification.*

*De ses nombreux voyages à travers le monde, M. Mur a été très sensible à l'accueil et en a fait une devise : « élaborer un excellent produit mais aussi réserver un cadre chaleureux ». Il veut être « irréprochable en tout ». De ce fait il vient d'aménager un caveau de dégustation dans des anciennes écuries voûtées. Côté « jardin », il a réalisé un réel travail d'architecte en réunissant ses 51 hectares en douze parcelles, répartis auparavant en 50 plantiers.*

*Le terroir a cette particularité de posséder une très faible réserve hydrique favorisant une bonne maturation et l'obtention du meilleur potentiel aromatique du raisin.*

*Des efforts constants dans les méthodes de vinification permettent d'obtenir un excellent vin blanc que M. Mur nous demande de déguster à une température de 7°C pour s'enivrer des arômes les plus délicats.*

*Un vin qui séduit d'entrée le consommateur par sa belle robe or-vert. Ses arômes délicatement fruités et floraux agréablement anisés nous plaisent. Il allie à la rondeur une nervosité agréable pour finir élégamment, harmonieux et racé.*

## ▨ Domaine de Montredon

**S.C.I. Cantie**
34120 Castelnau-de-Guers
tél. 67.98.13.69.

Superficie : 65 hectares dont 58 plantés en vignes. Sol argilo-calcaire. Vins de pays rouge, rosé, blanc. A.O.C. Coteaux du Languedoc Picpoul de Pinet.
Prix départ cave : 8,50 à 16 F T.T.C.
Œnologue conseil : M. Jean-François Vrinat.

*Sur la route de Pinet, au bout d'une magnifique allée de pins, la cave du domaine de Montredon est une halte bienvenue.*

*Un vignoble cultivé dans la tradition sur un terroir sec et aride, une sélection de cépages de qualité, des rendements faibles et une vinification soignée permettent à cette cave d'élaborer dans un cuvier bien aménagé des vins de qualité.*

*Jouxtant l'atelier de vinification, la cave de vieillissement où s'alignent de magnifiques vieux foudres nous invite à la flânerie.*

*Exportant un fort pourcentage de sa production, la famille Cantie a su depuis longtemps marier modernisme et tradition pour offrir à sa nombreuse clientèle des produits authentiques fort intéressants.*

*Outre des vins de pays élaborés dans le souci de l'harmonie des différents constituants, nous avons dégusté un A.O.C. blanc de Picpoul aux arômes de citron et de fruits exotiques. Nerveux mais sans excès, il offre un certain gras et termine sur une note de miel.*

# Pinet

## ▨ M. Claude Gaujal ♦

B.P.1
34850 Pinet
tél. 67.77.02.12.

Superficie : 70 hectares dont 30 en A.O.C. Sol argileux et très calcaire. Vins de pays de cépage sauvignon et merlot. A.O.C. Coteaux du Languedoc Picpoul de Pinet.
Prix départ cave : 18 à 22 F T.T.C.
Œnologue conseil : M. Marc Dubernet.

*Un homme fascinant dont le visage s'éclaire et qui devient intarissable dès qu'il parle de vins.*

*Il vous dira comment depuis des années il s'efforce d'avoir toujours plus d'arômes en magnifiant sans la dénaturer, la baie de raisin qui possède en elle les arômes et les caractères spécifiques du cépage.*

*Il suffit de passer la porte du chai pour comprendre qu'ici on fait du bon vin. Ici, c'est le royaume de Claude Gaujal. Fort de la parfaite connaissance de sa propriété acquise par sa famille en 1743, mûr de sa propre expérience et profitant des conseils de son oenologue Marc Dubernet, M. Gaujal peut être fier d'élaborer ce que nous pourrions appeler un nouveau picpoul.*

*Sur le terroir, il sélectionne et cueille les baies de raisin suivant leur taux de maturité. Amenés avec soin à la cave, les raisins subissent un pressurage très doux privilégiant la finesse des jus mis à décanter au froid, les jus seront alors séparés des particules en suspension qui affecteraient la qualité du produit final.*

*Ce n'est qu'à ce moment que la fermentation peut démarrer.*

*Elle se fera doucement, à température bien réfléchie pour privilégier la pureté des arômes et les saveurs du pur jus de raisin.*

*Un domaine où ce vigneron excelle. La cuvée Ludovic Gaujal, de couleur jaune clair est éclatante et très brillante.*

Le nez explosif laisse percevoir des arômes très fins où dominent les fleurs blanches avec une touche poivrée. A la fois vif et ample c'est un vin raffiné qui s'épanouit en bouche avec beaucoup de fraîcheur, de fruité et de gras.

## Cave du Picpoul de Pinet ◆

1, avenue du Picpoul
34850 Pinet
tél. 67.77.03.10.

Superficie : 1 050 hectares. Sol très calcaire. Vins de pays des Côtes-de-Thau. A.O.C. Picpoul de Pinet. Prix départ cave : 15 à 20 F T.T.C. Œnologue maître de chai : M. Reynaud. Président : M. Ribaud.

Cela fait quelques années déjà que la cave a lancé le pari de la qualité nous dit son directeur, M. Galabert.
Un pari gagné grâce aux investissements dans des équipements ultramodernes et à la meilleure connaissance oenologique qui a permis d'éliminer les erreurs de vinification qui donnaient des vins oxydés, plein de saveurs désagréables.
Sur ce terroir très calcaire, la cave a acquis sa notoriété en commercialisant 1 500 000 bouteilles de vin blanc qui font le régal de milliers de touristes venus déguster les coquillages de l'étang de Thau.
La cuvée spéciale « Duc de Morny » issue de la sélection des raisins des plus vieilles vignes, est le meilleur ambassadeur de la cave.
De couleur jaune très pâle, cet A.O.C. blanc a un nez très frais qui rappelle

la citronnelle et les fleurs blanches. Un vin vif en bouche, assez gras, où l'on retrouve des arômes charmeurs de menthe fraîche et de fruits secs.

## Domaine Roubie

**M. Olivier Azam,** ◆
34850 Pinet
tél. 67.77.09.28.

Superficie : 30 hectares. Sol argilo-calcaire. A.O.C. Picpoul. Vins de pays rouge, rosé et blanc. Prix départ propriété : 15 à 20 F T.T.C. Œnologue : M. Serret.

Situé en vis-à-vis de l'étang de Thau, sur des terrasses calcaires, le vignoble du domaine de Roubie est la propriété d'Olivier Azam.
Très respectueux de son environnement, cet adepte de la culture biologique fait partie depuis cette année de l'association Nature et Progrès.
Profitez d'un plateau de coquillages pour déguster son A.O.C. Picpoul de Pinet à la robe jaune doré, au nez frais, légèrement anisé. Vif en bouche, il s'accommodera très bien des saveurs iodées.

# Pomerols

## Cave Coopérative des Costières de Pomerols

B.P. 13
34810 Pomerols
tél. 67.77.01.59.

Superficie : 700 hectares. Sol argilo-calcaire. Vins de pays. Vins mousseux aromatisés et vins mousseux de tradition. A.O.C. Coteaux du Languedoc Picpoul de Pinet. Prix départ cave : 16,50 à 38,50 F T.T.C. Œnologue conseil : M. Guy Bascou.

Conscients des réalités, le président M. Marc et le nouveau directeur

*M. Foucret jouent à fond la qualité et militent auprès de leurs 300 adhérents pour une amélioration de l'encépagement.*

*Au prix de lourds investissements, d'importants moyens technologiques, allant du groupe de froid aux cuves inox équipées pour la macération pelliculaire en passant par l'extraction des jus avant pressurage, sont les garants de la qualité des vins proposés.*

*De ce terroir où le cépage picpoul exprime toute sa personnalité ils ont, après sélection, élaboré une cuvée vinifiée et élevée en barriques neuves.*

*Très joliment présentée, elle s'impose par son originalité et allie la vanille du bois aux notes légèrement grillées qui adoucissent la vivacité de ce vin.*

*Afin de poursuivre cet effort, ils envisagent de réaménager d'anciennes cuves souterraines en chai à barriques. La cuvée « Hugues de Beauvignac » blanc, de couleur or-vert très pâle, a des arômes très fruités qui évoquent les fruits exotiques. Bien équilibré, nerveux mais sans excès, ce vin témoigne de la bonne maîtrise de la vinification.*

## ■ Domaine Genson

**M. Bezard Falgas,**
29, avenue de Marseillan
34810 Pomerols
tél. 67.77.02.87.

Superficie : 30 hectares dont 10 en A.O.C. Picpoul. Sol argilo-calcaire très caillouteux. A.O.C. Picpoul de Pinet. Vins de pays et moelleux. Prix départ cave : 13 à 18 F T.T.C. Œnologue conseil : M. Cardop.

*Au cœur de Pomerols, la cave du domaine Genson abrite de vieux foudres de chêne encore utilisés pour certaines cuvées.*

*Depuis toujours dans la famille, elle puise ses origines au XVᵉ siècle. Sans cesse améliorée, elle permet l'élaboration de cuvées remarquées pour la finesse et la subtilité de leurs parfums.*

*M. Bezard Falgas, un homme discret qui met un point d'honneur à produire des vins qu'il veut avant tout naturels et très aromatiques.*

*Son moelleux est étonnant d'équilibre et de fraîcheur, il énumère des senteurs délicates de fruits frais.*

*Son picpoul à la robe pâle marque sa jeunesse par ses reflets verts. Très vif en attaque, il termine sur des saveurs fondues et harmonieuses.*

# Cabrières

Le terroir de Cabrières correspond à la commune du même nom située à proximité de Clermont-l'Hérault et du lac du Salagou. Le relief y est très tourmenté, reflet d'une géologie complexe. Les vignes croissent principalement sur des schistes primaires qui, comme à Faugères et dans le nord de Saint-Chinian, se délitent en plaquettes.

Les vins de Cabrières possèdent leurs lettres de noblesse. Ils sont connus depuis le Moyen Age sous le nom de « vin vermeil » ou d'Estabel. Au XVIIᵉ siècle, un ecclésiastique originaire du village, et qui occupa à Versailles la fonction de prieur, les aurait dit-on fait goûter à Louis XIV.

Ce vin vermeil est un rosé de saignée, élaboré principalement à partir du cinsault. Un vin très agréable, léger, aux arômes délicats. Le terroir de Cabrières produit également des vins rouges auxquels le schiste confère une personnalité très typée, et de la Clairette du Languedoc, la commune étant aussi inscrite dans cette aire d'appellation.

Le vin de Cabrières n'est actuellement produit que par la cave coopérative du village, une cave dynamique et fort bien équipée.

## ▓ Cave Coopérative de Cabrières ♦

34800 Cabrières
tél. 67.96.07.05.

Superficie : 390 hectares. Sol : 100% schistes. A.O.C. Coteaux du Languedoc Cabrières rouge, rosé. A.O.C. Clairette du Languedoc.
Prix départ cave : 12 à 25 F T.T.C.
Œnologue conseil : M. Feneuil.
Directeur : M. Roques.
Président : M. Courren.

*Dans un site magnifique fait de schistes, Cabrières trône au pied du pic de Vissou qui culmine à 480 mètres.*

*Un ravissement pour l'œil où le soleil et l'ombre caressent les courbes des coteaux.*

*Un terroir d'exception, célèbre pour son rosé vermeil dont Louis XIV se régalait.*

*Aujourd'hui, les vignerons de Cabrières confirment par l'excellence de leurs produits l'estampille « royalement contrôlé » accordée dans le passé par le Roi Soleil.*

*Volonté et ténacité caractérisent cette petite cave construite en 1938 avec les pierres du pays.*

*Elle a su dorloter sa syrah, et extraire toute la quintessence de ce cépage responsable pour 90% de la Cuvée Fulcrand Cabanon 1988. Merveilleusement paré de pourpre, ce nectar dévoile toute sa richesse aromatique dominée par la violette. A l'accent schisteux, dur et sincère, ce vin développe sa complexité aux saveurs amples et onctueuses.*

# La Méjanelle

Le vignoble de la Méjanelle croît aux portes de Montpellier sur les communes de Castelnau-le-Lez, Mauguio, Montpellier et Saint-Aunès. Le terroir, constitué de galets roulés d'origine alpine, est très particulier. Ces galets, appelés « grès » (à ne pas confondre avec le grès des géologues), ont été déposés au villafranchien et au début du quaternaire par le Rhône qui, à cette époque, se jetait dans la mer au voisinage de Montpellier. On retrouve ces « grès », autrefois qualifiés de « diluvium alpin » dans les Côtes du Rhône et les Costières de Nîmes, jalonnant l'ancien cours du fleuve. D'ailleurs la Méjanelle, avant de rejoindre les Coteaux du Languedoc fut, de 1951 à 1960, rattachée aux Costières du Gard. La culture de la vigne est attestée ici depuis l'Antiquité. Au Moyen Age l'évêque de Maguelonne (dont dépendit Montpellier jusqu'en 1536, date à laquelle le prélat quitte son évêché menacé par les flots pour s'installer le long du Lez) possédait des vignes à la Méjanelle. Tout comme les grands personnages, membres des Etats du Languedoc ou de l'université de médecine. Il résulte de ce passé une structure foncière originale : le vignoble est partagé presque exclusivement entre une vingtaine de domaines dont certains sont de magnifiques châteaux, propriétés de vieilles familles aristocratiques. Une cave coopérative, celle de Montpellier, produit également du Coteaux du Languedoc, la Méjanelle. La production annuelle tourne autour de 15 000 hectolitres.

# Mauguio

## ▨ Domaine du Mas Combet

**M. Jean-Louis Gilles,**
34130 Mauguio
tél. 67.29.32.70.
        67.64.60.06.

Superficie : 9 hectares. Sol argileux, gréseux, calcaire. A.O.C. rouge, blanc, rosé. Coteaux du Languedoc La Méjanelle.
Prix départ cave : 14 à 20 F T.T.C.
Œnologue : M. Patrick Leenhardt.

*Situé sur la commune de Mauguio aux portes de Montpellier qui grignote lentement les vignobles, nous découvrons ce petit domaine familial.*

*Jean-Louis Gilles en a hérité en main propre il y a un an et c'est avec une passion débordante qu'il s'y investit totalement.*

*Soucieux de son produit, ce « nouveau » propriétaire assure lui-même tous les stades de l'élaboration, opérant d'une part une sélection aiguë du raisin selon l'âge des vignes et l'état sanitaire, vinifiant d'autre part avec authenticité dans un cuvier entièrement transformé, équipé d'un groupe de froid et de cuves de faible capacité pour un affinement de la sélection.*

*De par sa formation de technicien, le suivi dégustatif des vins est exemplaire et sa première cuvée spéciale avec un fort pourcentage de syrah fera un excellent vin de garde.*

*Cavalier seul, ce jeune homme se sent très solidaire de l'appellation et tellement concerné qu'il invite le consommateur à le rencontrer à tout moment de l'élaboration.*

*Beaucoup de charme pour sa cuvée où la syrah se dévoile. Un vin où les fruits*

*mûrs et les saveurs grillées dominent, qui offre une charpente soyeuse et enveloppante. Complet, charnu à la finale élégante, ce vin se manifeste avec éclat.*

# Montpellier

## ▨ M. Bacaresse Père et Fils,

531, rue, Henri-Becquerel
34000 Montpellier
tél. 67.65.63.52.

Superficie : 25 hectares de vignes dont 9 en A.O.C. Sol : grès argileux et sablonneux. Vins de pays d'Oc. A.O.C. Coteaux du Languedoc de la Méjanelle rouge, rosé, blanc.
Prix départ cave : 16 à 20 F T.T.C.
Œnologue conseil : Jean-François Vrinat.

*Situé sur des coteaux à l'est de Montpellier dans des graviers de quartz tassés dans une gangue sablo-argileuse très rouge composée de galets de grès, le vignoble de la famille Bacaresse est le fruit de quatre générations vigneronnes.*

*La politique actuelle du domaine est d'investir au niveau de l'encépagement et de la vinification afin de propulser cette exploitation au « top niveau » de l'appellation. Entreprise courageuse qui porte déjà ses fruits puisque les vins produits en 1988 ont été récompensés dans les différents concours.*

*Le fils, omniprésent, entre le vignoble, la cave et le cellier de vente ouvert en pleine zone du Millénaire à Montpellier, apporte des soins très méticuleux à la culture de la vigne, à la vinification et à la commercialisation.*

*Une propriété à suivre dont on reparlera dans les prochaines années.*

Ils proposent cette année à leur nombreuse clientèle des vins de pays d'Oc rosé et rouge magnifiques expressions du cépage cabernet sauvignon. Présentés dans un habillage très soigné, ils sont commercialisés sous le nom de « Domaine Treille d'Oc ».

Dans la gamme des A.O.C. Coteaux du Languedoc de la Méjanelle « Château Saint-Marcel d'Esvilliers », le rosé à la très belle robe pétale de rose est très délicat et richement parfumé.

Le rouge « Château Saint-Marcel d'Esvilliers » allie à la fois le corps et la souplesse. Sa robe grenat aux reflets violines, son nez de fruits rouges, de réglisse et d'épices, sa chair, sa rondeur, son très bon équilibre nous procurent de belles sensations.

Le millésime 89 où le mourvèdre apporte sa touche nerveuse et dense laisse augurer d'un bel avenir.

Enfin l'A.O.C. blanc témoigne par sa très belle robe or-vert, par son nez enchanteur, par son équilibre rafraîchissant de l'originalité et de la typicité du cépage vermentino.

## Château Flaugergues

M. Henri de Colbert, ♦
1744, avenue Albert-Einstein
34000 Montpellier
tél. 67.65.51.72.
    67.65.79.64.
Fax : 67.65.21.85.

Superficie : 53 hectares. Sol : grès, vestige du delta du Rhône. A.O.C. Coteaux du Languedoc La Méjanelle.

Prix départ cave : 12 à 24 F T.T.C.
Œnologue conseil : M. Patrick Leenhardt.

Aux portes de Montpellier, Flaugergues est un site d'exception au passé prestigieux.

Depuis plus de 2 000 ans, la vigne et les oliviers y sont cultivés.

Dès le XIᵉ siècle, les moines de Grammont développent les mêmes cultures.

En 1696, Étienne de Flaugergues transforme et aménage les lieux. Et c'est en 1973 qu'Henri de Colbert perpétue trois siècles de tradition familiale.

Homme d'action, il renouvelle sans cesse le vignoble dont les cépages sélectionnés sont menés avec soin dans un terrain où la « souffrance » des ceps permet de produire des raisins de qualité.

La cave rénovée et toujours mieux équipée allie tradition et modernité pour élaborer des produits de belle lignée. Et c'est le verre à la main qu'il peaufine les assemblages à partir desquels les cuvées du château de Flaugergues révéleront la plénitude de leur personnalité.

Homme entreprenant, il est à l'origine de la création de la S.I.C.A. « La Domitienne », un outil performant dans l'intérêt d'un groupe de vignerons qui commercialise des produits personnalisés.

Après avoir construit un bâtiment semi-enterré pour le stockage des bouteilles, il aménage 380 m² de salles réservées pour l'accueil.

C'est un ensemble vivant de qualité, représentatif de la région. Et Henri de Colbert de conclure, « projets et progrès sont toujours en cours à Flaugergues, pour que, comme ''l'amour'', seul véritable moteur, notre vin et notre accueil soient chaque année mieux que l'année précédente et moins bien que la suivante ».

Ses vins engendrent le plaisir par l'élégance et la finesse des flaveurs avouées. Des vins accomplis, riches en arômes de fruits rouges et d'épices douces, légèrement boisés dans un ensemble harmonieux.

# Saint-Aunes

## ▓ Château de Calage

M. Pierre Clavel, ♦
Les Garrigues
Saint-Aunes
34130 Mauguio
tél. 67.29.59.12.

Superficie : 40 hectares tout en A.O.C. Sol : galets roulés. A.O.C. Coteaux du Languedoc La Méjanelle blanc, rosé et rouge.
Prix départ cave : 16 à 30 F T.T.C.
OEnologue conseil : M. Jean-François Vrinat.

*Sur un terroir très vallonné, recouvert de galets roulés par la Durance, Pierre Clavel cultive des cépages de qualité où syrah, mourvèdre et grenache apportent leur spécificité propre qui font du château de Calage une réelle référence.*

*Installé le 1er janvier 1986, Pierre Clavel gère son exploitation en homme précis et direct. Depuis, la cave s'est modernisée, les modes de vinification se sont affinés, les vins se sont personnalisés.*

*Des vins bavards à l'image de ce vigneron passionnant et passionné qui font honneur à l'appellation.*

*Une belle réussite due au travail de cet homme convivial qui a su profiter d'un entourage de choix pour apporter à ses produits l'élégance, le raffinement nécessaire et en faire des vins enchanteurs.*

*L'A.O.C. rouge du château de Calage est riche d'arômes et original. La robe soutenue est d'une jolie couleur pourpre. Au nez, la syrah apporte sa touche florale et le mourvèdre marque de ses senteurs réglissées et animales. En bouche, l'attaque fruitée, épicée, laisse rapidement place à un équilibre onctueux d'une belle élégance.*

# Saint-Georges-d'Orques

Les vins de Saint-Georges-d'Orques bénéficient d'une réputation fort ancienne. Avant l'avènement de la viticulture de masse, ils étaient sans doute les plus connus et les plus appréciés des vins rouges du Languedoc-Roussillon. De multiples témoignages en font foi, tel celui d'André Jullien : « Saint-Georges-d'Orques fournit dans les meilleures cuvées des vins d'un goût agréable et franc ; ils ont du corps, du spiritueux et font, après deux ou trois ans de garde, des vins d'ordinaire distingués qui peuvent aller de pair avec ceux de Haute-Bourgogne dits passe-tout-grain ; ils ont même plus de spiritueux que ces derniers. » Le Saint-Georges-d'Orques comptait parmi ses amateurs une personnalité exceptionnelle, le président des États-Unis, Thomas Jefferson, qui en buvait régulièrement à la Maison-Blanche dont il fut l'hôte de 1801 à 1809. Il avait découvert ce vin quelques années plus tôt lorsque ambassadeur des États-Unis en France, il prenait les eaux dans la station thermale voisine de Lamalou-les-Bains.

L'aire de production de Saint-Georges-d'Orques s'étend sur cinq communes de la banlieue montpelliéraine : Saint-Georges, Murviel-les-Montpellier, Juvignac, Laverune et Pignan. Les ceps ont fort à faire pour résister à l'urbanisation envahissante de la métropole languedocienne. Ils se maintiennent toutefois sur des terroirs variés, tantôt argilo-calcaires, tantôt cailloux. La présence de nombreux silex, mêlés à de l'argile de décalcification, est à signaler sur une portion non négligeable de l'aire.

Le vignoble de Saint-Georges-d'Orques produit annuellement 15 000 hectolitres de vin. Trois caves coopératives et deux caves particulières le commercialisent en bouteilles.

# Lavérune

## ■ Château de l'Engarran ♦

34480 Laverune
tél. 67.27.33.44.

Superficie : 52 hectares. Sol argilo-calcaire. Vins de pays d'Oc. A.O.C. Coteaux du Languedoc Saint-Georges-d'Orques.
Prix départ cave : moins de 25 F T.T.C.

*Intéressante initiative que cette exploitation gérée par deux femmes talentueuses.*

*A quelques encablures à peine du centre de Montpellier, à Lavérune, le château de l'Engarran peut s'enorgueillir de posséder la grille qui fermait autrefois l'entrée de la place de la Comédie. S'il est difficile de rencontrer ses deux propriétaires, il suffit de pousser la grille pour s'apercevoir qu'elles ne lésinent pas sur les moyens mis en œuvre pour produire des vins « haut de gamme ».*

*En plus d'un vin de pays d'Oc blanc de blancs surprenant de qualité, issu du seul cépage ugni blanc, nous avons dégusté un rouge A.O.C. 1987. Un vin raffiné à la robe claire, au nez élégant finement épicé à la structure un peu fluette. L'ensemble est racé, délicat et possède un discret caractère vanillé.*

# St-Georges-d'Orques

## ■ Cave Coopérative de Saint-Georges-d'Orques

34680 Saint-Georges-d'Orques
tél. 67.75.11.16.

Superficie : 561 hectares. Sol argilo-calcaire. Vins de pays d'Oc. A.O.C. Coteaux du Languedoc, Saint-Georges-d'Orques. Vins de cépage merlot, cabernet, chardonnay.
Prix départ cave : 10,50 à 40 F T.T.C.

*Aux portes sud de Montpellier, nous découvrons Saint-Georges-d'Orques dont l'antériorité vinicole remonte au Moyen Age.*

*La cave coopérative datant de 1948 se caractérise par une rigueur exemplaire que M. Iral, le directeur, nous décrit à sa façon : « Rigueur = 80% du terroir, 50% de la vinification, 30% de la commercialisation », équation peu facile à résoudre me direz-vous, mais tellement bien équilibrée dans ce cas...*

*Tout débute par une sélection du terroir et de l'âge des vignes respectée par le volontariat des 400 adhérents. Lors de la vinification soigneusement menée, l'accent a été mis sur la maîtrise des températures permettant « aux arômes de rester en cuve ».*

*Ajoutons aussi un chai de vieillissement souterrain climatisé où l'A.O.C. Château Bellevue se fond avec les composantes aromatiques de la barrique. « Maintenant après tous ces efforts, nous pouvons dire qu'à Saint-Georges-d'Orques, il y a des vignerons », nous lance fièrement le directeur qui poursuit la recherche d'une régularité de son produit.*

*La cuvée Thomas Jefferson 88 encore jeune laisse deviner son élégance et sa race. Ces qualités se retrouvent en bouche, où les tannins bien fondus donnent à ce vin une grande souplesse qui le rend chaleureux.*

# Pic Saint-Loup

Le vignoble du Pic Saint-Loup doit son nom à la « montagne » du même nom. Celle-ci, située à une vingtaine de kilomètres au nord de Montpellier, culmine à 658 mètres d'altitude. Elle correspond au flanc nord d'un grand pli anticlinal qui s'est déversé vers le nord, puis a été érodé. Sa silhouette est visible de fort loin, tout comme l'est celle de la falaise de l'Hortus qui lui fait face. La vigne est cultivée en contrebas de ces reliefs sur le territoire de treize communes. Elle est implantée sur les éboulis calcaires et sur des conglomérats oligocènes qui fournissent d'excellents sols viticoles.

Du fait de l'altitude (le vignoble est situé en moyenne à 200 mètres), les températures printanières sont plus fraîches ici qu'ailleurs et la pluviométrie supérieure. La vigueur des reliefs multipliant les contrastes d'exposition, tempère ou au contraire accentue ce caractère d'ensemble. Les vins du Pic Saint-Loup présentent ainsi quelque variété mais ont en commun une robe relativement claire et une grande fraîcheur aromatique. La production de vin blanc, peu importante encore au regard de celle des rouges, se développe néanmoins et promet, compte tenu des conditions naturelles particulières, de belles réussites.

6 caves coopératives et une douzaine de caves particulières produisent chaque année environ 40 000 hectolitres de Coteaux du Languedoc Pic Saint-Loup.

# Assas

## ▨ Domaine de Cassagnole

**M. Jean-Marie Sabatier,** ♦
Chemin de Bellevue
34820 Assas
tél. 67.59.63.28.
        67.55.30.02.

Superficie : 8 hectares dont 3 en A.O.C. Sol argilo-calcaire. A.O.C. Coteaux du Languedoc Pic Saint-Loup rouge, rosé. Vins de pays rouge et blanc.
Prix départ cave : 13 à 23 F T.T.C.
Œnologue conseil : M. J.-F. Vrinat.

*Au sommet d'une colline, dans un environnement de pinède, le domaine de Cassagnole est sorti de terre comme un champignon.*
*Tout nouveau, tout neuf, il se situe au bord de la D145 à quatre kilomètres de Prades-le-Lez.*
*Par envie de créer « quelque chose » avec sa femme, en 1988, ils se lancent à fond pour le renouveau du domaine familial.*

*Pour ce couple qui s'en donne la peine, c'est un coup de maître. Dès la première année, leur A.O.C. rouge excelle dans toutes les dégustations par la richesse de sa matière.*
*Pour Jean-Marie Sabatier, la qualité, c'est son métier ; vigneron depuis l'âge de 17 ans, tout est conçu dans ce sens, du vignoble à la cave.*
*Son Domaine de Cassagnole rouge 1988 a une robe d'encre superbe d'intensité et de brillance. Il s'échappe du verre telle une gerbe de parfums multiples et complexes dans une palette d'ambre. Il révèle en bouche toute la puissance de l'extraction, il s'exprime avec force et doit se fondre avec le temps.*

# Castries

## ▨ Château de Fontmagne

**Baron Durand de Fontmagne,** ♦
34160 Castries
tél. 67.70.14.00.

Superficie : 42 hectares de vigne. Sol argilo-calcaire. Vins de pays rouge, rosé et blanc de Sauvignon. A.O.C. Côteaux du Languedoc Pic Saint-Loup rouge.

Prix départ cave : 12 à 25 F T.T.C. OEnologue conseil : M. Jean-François Vrinat.

*L'imposant château de Fontmagne est un magnifique monument à découvrir dans son cadre. Propriété d'un charmant aristocrate languedocien, le baron Durand de Fontmagne, ce site splendide où coule langoureusement l'eau d'une source dans un canal bordé de 300 platanes est aussi depuis fort longtemps un domaine viticole.*

*M. du Manoir, gérant de la société, cultive les 330 hectares de l'exploitation dont 42 sont plantés en vigne et seulement 5% produisent des A.O.C. : en cause, sa situation géographique aux limites de l'aire « Coteaux du Languedoc ».*

*Le domaine poursuit cependant dans l'espoir d'un remaniement de la zone de production d'A.O.C., une politique d'amélioration de l'encépagement ainsi que de modernisation de son équipement.*

*Il produit actuellement un vin de pays rosé à la robe séduisante d'un beau rose saumoné, au joli nez de fruits mûrs avec une note originale de pain brioché. L'A.O.C. rouge 88 « Château de Fontmagne » a une robe rubis d'une belle profondeur. Doté d'un fruité agréable et de quelques notes épicées, il annonce une bouche bien équilibrée pourvue d'une finale élégante.*

# Fontanes

## ▨ Château de Fontgraves

**G.A.E.C. Le Devesous Gravegeal Frères,**
34270 Fontanes
tél. 67.55.28.94.
67.86.91.83.

Superficie : 96 hectares dont 50% en A.O.C. Sol argilo-calcaire. A.O.C. Coteaux du Languedoc Pic Saint-Loup rouge commercialisé en partenariat avec les Ets Jeanjean. OEnologue conseil : M. Marc Auclair.

*Au nord de Montpellier, à Fontanès, le château de Fontgraves dans un écrin de pins d'Alep jouit d'un microclimat rare.*

*Dans ce pays fait de contrastes, deux frères, héritiers de cette tripe viticole, expriment leur passion, avec ce bon sens propre aux hommes de la terre.*

*En dix ans, ils renouvellent tout le vignoble, défrichent les bois et la garrigue, concassent la roche.*

*Un travail titanesque pour implanter généreusement la syrah et le mourvèdre majoritaires à 56% de leur encépagement. Ces perfectionnistes de la qualité parachèvent leurs vinifications et tiennent compte des paramètres liés aux cépages, aux millésimes et aux sols. Attentifs, ils sont à l'écoute de leurs vins devenus bavards...*

*Des cuvées qui dévoilent leurs nuances, chuchotent leurs parfums et expriment toute la puissance de leur structure charnelle à l'accent du terroir rude et sincère.*

## ▨ Domaine de la Roque

**M. Jack Boutin,**
34270 Fontanes
tél. 67.55.34.47.

Superficie : 42 hectares dont 25 en A.O.C. Sol : cailloutis calcaire de coteaux. Vins de pays blancs.

A.O.C. Coteaux du Languedoc Pic Saint-Loup rosé et rouge.
Prix départ cave : 20 à 32,50 F T.T.C.
OEnologue conseil : M. Marc Auclair.

*Jack Boutin, méridional dans l'âme, a relevé il y a cinq ans le défi de faire de grands vins en Languedoc. Amoureux de son domaine « du bout du monde » situé tout près de l'Hortus entre Saint-Mathieu-de-Tréviers et Fontanes, il s'installe en 1985 dans cette immense bâtisse où trône un imposant escalier de style Empire.*

*Ses recherches lui ont permis d'apprendre que sous Louis IX La Roque était une halte obligée et servait de péage sur la route qui relie Montpellier aux Cévennes...*

*Mais si vous voulez en savoir plus, n'hésitez pas à rencontrer cet homme, il est intarissable sur l'histoire de son domaine.*

*Ce passionné s'est mis aujourd'hui au service de la vigne et du vin et élabore des produits dont la charpente et les qualités étonnent plus d'un professionnel.*

*Déjà référencé à l'export, il se consacre maintenant à asseoir sa notoriété sur le marché français.*

*Dans sa cave aux deux tiers enterrée, bien équipée, il s'emploie à magnifier les saveurs de la baie de raisin pour en extraire tous les arômes.*

*Adepte de l'élevage en barriques, il construit un chai souterrain pour y entreposer la futaille afin que ses vins puissent mûrir lentement à l'abri des écarts de température.*

*Le résultat final est vraiment étonnant, son millésime 88 issu de grenache et syrah élevé en fûts, a une robe foncée, des arômes de fruits rouges (cassis, cerise, mûre) et des notes très réglissées et sauvages. En bouche, on retrouve plénitude, structure et profondeur avec une finale tannique où apparaissent les notes boisées et vanillées de la barrique.*

# Les Matelles

## ▨ Domaine de Cantaussels

**M. J. Recouly,**
Chemin des Marianettes
34270 Les Matelles
tél. 67.84.22.43.

Superficie : 15 hectares. Sol : coteaux argilo-calcaires. A.O.C. Coteaux du Languedoc Pic Saint-Loup rouge. Vins de pays rosé et blanc.
Prix départ cave : 10 à 12 F T.T.C.
OEnologue conseil : M. Patrick Leenhardt.

*Entre Saint-Gely du Fesc et les Matelles, le domaine de Cantaussels est un grand mas languedocien dont le nom occitan exprime « Le chant des oiseaux ».*

*Dans ce cadre enchanteur, M. Recouly cultive à l'ancienne et sans désherbants un vignoble de 15 hectares.*

*Dans la cave, les foudres centenaires reçoivent son A.O.C. rouge, un vin dodu de rondeur, charmeur par son expression aromatique « tel le chant des oiseaux », nous dit ce vigneron au métier bien ancré dans la peau.*

# St-Gely-du-Fesc

## ▨ Château de Fourques

**M. et Mme Laliam et G. Benel,** ♦
34980 Saint-Gely-du-Fesc
tél. 67.84.23.85.

Superficie : 25 hectares en A.O.C. Sol argilo-calcaire caillouteux. A.O.C. Coteaux du Languedoc Pic Saint-Loup.
Prix départ cave : 10 à 18 F T.T.C.
OEnologue conseil : M. Marc Auclair.

*Sur des terrasses à flanc de collines, Mme Marguerite Liliam et M. Benel son frère cultivent ce domaine créé de toutes pièces, gagné sur la garrigue et la rocaille.*

*La vendange récoltée très mûre est égrappée avant d'être vinifiée traditionnellement pour obtenir des vins plus souples, plus élégants. Une partie de la récolte est cependant vinifiée en macération carbonique afin de favoriser une extraction maximale.*

*Venus à la profession il y a 20 ans, ils produisent dans une cave toute neuve d'une propreté exemplaire des vins personnalisés.*

*La cuvée haut de gamme Château de Fourques 1988 à la présentation soignée est d'un rouge rubis bien soutenu.*

*Dans un beau registre d'arômes fruités, agrémenté de notes poivrées agréables, ce vin puissant en bouche se poursuit harmonieusement.*

# St-Mathieu-de-Treviers

### ▨ Prieuré de Cécélès

M. **Sylvain Guizard,**
34270 Saint-Mathieu-de-Treviers
tél. 67.55.20.07.

Superficie : 75 hectares dont 50% en A.O.C. Sol argilo-calcaire. Vins de pays de cépage merlot et cabernet sauvignon, A.O.C. Coteaux du Languedoc Pic Saint-Loup rouge et rosé.
Prix départ cave : 11,60 à 16 F T.T.C.
OEnologue conseil : M. Marc Auclair.

*Le prieuré de Cécélès, autrefois rattaché à l'abbaye de Saint-Baudile, attire l'attention du promeneur en raison de sa situation géographique.*

*Si, par une belle journée ensoleillée, vous passez par là, arrêtez-vous, vous serez saisi par une tendre lumière et si vous fermez les yeux, vous pourrez vous délecter du doux parfum de ce terroir.*

*Dans ce cadre magnifique, au pied du pic Saint-Loup, Sylvain Guizard vit dans un véritable paradis terrestre.*

*Pourtant tout était à faire il y a peu de temps encore. Mais chez cet homme qui vous parle du vin comme d'une partie de lui-même le dynamisme et la foi dans son métier ne manquent pas.*

*Frappé du feu sacré, il défriche la garrigue, concasse la rocaille pour implanter des cépages de qualité.*

*Dans un chai exemplaire de propreté et de technicité, Sylvain Guizard exprime toute sa passion avec comme préoccupation principale : la qualité. Il allie passé, tradition et technologie moderne et s'attache à développer intensité aromatique et rondeur dans ses vins pour offrir au consommateur une sensation envahissante en bouche.*

*Tout son talent s'exprime dans la cuvée « Anne de Cécélès ». Afin de partager le plaisir du grand vin entre amis, autour d'une bonne bouteille, n'hésitez pas, invitez-la à votre table, vous y découvrirez sous sa belle robe aux reflets violets son velouté, son élégance, son bouquet sauvage et épicé qui vous enchantera en bouche.*

## Sauteyrargues

### ▓ Domaine de Lascours

**MM. Marcel et Claude Arles,**
34270 Sauteyrargues
tél. 67.59.00.58.

Superficie : 35 hectares dont 50% en A.O.C. Sol argileux et calcaire. Vins de pays, muscat moelleux, mousseux de muscat. A.O.C. Coteaux du Languedoc Pic Saint-Loup.
Prix départ cave : 13 à 17 F T.T.C.
Œnologue : M. Marc Auclair.

### ▓ Cave Coopérative les Coteaux de Montferrand

34270 Saint-Mathieu-de-Treviers
tél. 67.55.20.22.

Superficie : 680 hectares. Sol argilo-calcaire dominant. A.O.C. Coteaux du Languedoc Pic Saint-Loup. Vins de pays blancs, le Primeur : Prim rouge.
Prix départ cave : 9 à 17 F T.T.C.
Œnologue : M. Marc Auclair.
Directeur : M. Santanac.
Président : M. Pierre Arnaud.

*A 20 kilomètres au nord de Montpellier, sur la route de Quissac, cette cave est la plus importante de l'appellation.*

*Son vignoble s'étend sur six communes et présente au niveau des terres une particularité liée à l'hétérogénéité des sols. Un plus pour cette cave dont la politique qualitative menée depuis quinze ans favorise la sélection au terroir, et l'implantation de cépages aromatiques à ossature tannique pour s'orienter vers la production de vins de garde. Un autre challenge pour cette coopérative déjà réputée pour ces vins légers, friands et gourmands.*

*La cuvée réservée A.O.C. rouge est le fruit d'une technologie de pointe et d'un élevage en cuve bien maîtrisé.*

*La robe brillante pourprée est éclatante. Un vin typé syrah aux arômes en cascade sur un fond réglissé. La bouche aux saveurs douces offre une agréable impression de rondeur, une bouteille fort sympathique.*

*Chez les Arles, on se transmet le vin de la vigne de père en fils.*
*Nichée à Sauteyrargues, l'ancienne métairie des années 1830 est un cadre magnifique pour qui aime la sérénité des lieux un peu isolés.*
*Marcel et son fils Claude exploitent en commun le domaine de Lascours. De par leur longue expérience ils ont appris à tirer profit de leur terroir : rouge et très argileux pour moitié où les cépages rouges mûrissent pleinement, blanc et calcaire pour l'autre partie, favorable aux cépages blancs et à l'élaboration de vins rosés.*
*Ces gens simples et discrets favorisent un encépagement de qualité où grenache, syrah et mourvèdre s'associent pour produire des A.O.C. de belle lignée, où merlot et cabernet sauvignon jouxtent les cépages traditionnels pour offrir des vins de pays étoffés et charnus. Dans ce cadre accueillant, nous avons savouré un muscat moelleux à la bouche pulpeuse d'une belle intensité, un vin mousseux élégant, très fin, agréablement fruité.*
*L'A.O.C. rouge du « Domaine de Lascours » dans sa robe grenat offre des arômes de fruits mûrs, de venaison et de cuir. Bien structurée, la bouche se termine sur une finale un peu rigide mais avec de belles notes de confiture de petits fruits rouges. Un vin à suivre lorsque les jeunes vignes auront pris un peu de bouteille.*

# Valflaunes

## ⊞ M. Guilhem Brugière

La Plaine
34270 Valflaunes
tél. 67.55.20.97.

Superficie : 18 hectares. Sol argilo-calcaire à base d'argile rouge et de calcaire dur. A.O.C. rouge Coteaux du Languedoc Pic Saint-Loup.
Prix départ cave : 15 F T.T.C.
Œnologue : M. Marc Auclair.

*Au pied du pic Saint-Loup, paradis du vol à voile pour les sportifs, au nord de Montpellier, M. Guilhem Bruguière s'occupe méticuleusement de son domaine depuis 17 ans.*
*Curieux de tout, il s'interroge sur la signification du nom de Calcadiz, un des lieux-dits de sa propriété. Aux archives, il découvre que ce nom de terroir date du XIIIᵉ siècle et que la vigne y produisait un excellent vin dont les évêques de l'évêché de Maguelone se régalaient.*
*Cet homme qui veut « aller jusqu'au bout des choses, en ayant une partie à lui », motivé par le contact avec les consommateurs, décide en 1986 de ne porter qu'une certaine quantité de son raisin à la cave coopérative et d'en vinifier le reste.*
*De ce terroir d'exception et grâce à une cave qu'il a équipée avec le plus grand soin, ce vigneron, véritable artisan, tire du raisin le meilleur de lui-même pour donner naissance à la cuvée Vinam de Calcadiz où se dégagent les arômes de grenache mêlés à ceux de la syrah.*
*Ce vin dont la production ne dépasse pas 10 000 bouteilles fait le bonheur des amateurs.*
*Un conseil donc : ne patientez pas trop longtemps avant de vous le pro-*

*curer sinon M. Bruguière aura l'immense regret de vous dire « qu'il n'a plus rien à vendre ».*

## ⊞ Château de Lancyre

G.A.E.C. de Lancyre,
34270 Valflaunes
tél. 67.55.22.02.

Superficie : 70 hectares dont 40 en A.O.C. Sol rouge argilo-calcaire. A.O.C. Coteaux du Languedoc rouge et rosé.
Prix départ cave : 15 à 17 F T.T.C.
Œnologue conseil : M. Jean-François Vrinat.

*Sur ce magnifique terroir gagné sur la garrigue, les familles Durand et Valentin ont misé sur un encépagement de qualité basé sur le grenache, la syrah et le mourvèdre.*
*Au prix de lourds investissements, ils ont aménagé leur très beau chai pour améliorer sans cesse la qualité de leur produit et créer leur propre identité à travers un vin plaisir au goût prononcé de fruits sauvages de la garrigue.*
*Des projets, ils en ont plein la tête. Pour parfaire leur produit, ils prévoient la climatisation du cuvier et l'aménagement d'un chai de vieillissement sous d'épaisses voûtes du XVᵉ siècle.*
*De plus, les nouvelles plantations devraient leur permettre d'élaborer un A.O.C. blanc sur lequel nous sommes prêts à parier...*
*En attendant de le déguster, nous avons savouré l'A.O.C. rouge « Château de Lancyre ». D'une couleur rubis, ce vin a des arômes complexes légèrement animals avec des notes d'épices, de mûres sauvages et d'herbes odoriférantes. Très bavarde au nez, la bouche se prolonge avec une bonne structure et des tannins de qualité.*

## Saint-Christol et Saint-Drézéry

Saint-Christol et Saint-Drézéry sont deux communes de l'Hérault qui ont chacune été classées V.D.Q.S. au début des années 50. Passées en A.O.C. en 1985 avec les Coteaux du Languedoc elles constituent aujourd'hui deux terroirs distincts qui peuvent être mentionnés sur les étiquettes.

La notoriété de ces vins est ancienne. Nombre d'ouvrages du début du XIXᵉ siècle les citent et vantent leurs qualités. Dans la hiérarchie des crus, ils étaient en général placés juste derrière Saint-Georges-d'Orques. Jullien dit des vins de Saint-Christol qu'ils sont « plus colorés et plus fermes que ceux de Saint-Georges, de bon goût et assez spiritueux ». Les vins de Saint-Drézéry eux « ont moins de corps et de couleur, sont quelquefois un peu secs, mais leur vivacité les rend agréables ».

Les terroirs présentent pourtant de grandes similitudes. Ils sont constitués d'une nappe de cailloutis villafranchiens que l'érosion a entaillée jusqu'à faire apparaître les formations conglomératiques sous-jacentes. L'ensemble est modelé en buttes surbaissées qui offrent à la vigne des conditions variées mais souvent très favorables. Seuls les fonds des dépressions, tapissés de marnes et gorgés d'eau ont été éliminés.

Dans chacune de ces communes, une cave coopérative et deux caves particulières produisent et embouteillent ces vins, respectivement 8 000 et 5 000 hectolitres.

# St-Christol

## ▓ Domaine de La Coste

**Élisabeth et Luc Moynier,**
34400 Saint-Christol
tél. 67.86.02.10.
    67.86.65.27.

Superficie : 30 hectares. Sol : coteaux caillouteux à gros galets calcaires. A.O.C. Coteaux du Languedoc Saint-Christol rouge et rosé. Prix départ cave : 15 à 21 F T.T.C. Œnologues conseil : M. Jean-François Vrinat et Mlle Bousquet.

*Le domaine de La Coste est une superbe propriété située sur les coteaux de Saint-Christol.*

*Luc Moynier et sa charmante épouse ont eu bien du mérite de croire à cette entreprise. Persuadés de l'extrême richesse de leur terroir exposé plein sud qui subit l'influence maritime, ils privilégient les cépages mourvèdre, syrah et grenache.*

*« C'est d'ailleurs la spécificité du sol et la diversité des cépages qui donnent toute leur qualité aux vins du domaine », nous dit Élisabeth.*

*Malgré les difficultés, ils se mettent avec acharnement à la tâche pour donner une impulsion nouvelle à cette appellation déjà fort réputée au XVIIᵉ siècle pour l'excellence de ses vins. Les voici enfin récompensés puisqu'en 1986 le vin du domaine fut choisi pour être la cuvée du « Printemps des Comédiens ».*

*Très vigilants sur la qualité des produits commercialisés, ces amoureux passionnés de la vigne et du vin sont arrivés par un long et patient travail à gagner le pari de la qualité. Dans une cave toute neuve, ils reçoivent avec beaucoup de gentillesse pour faire découvrir leurs produits. La cuvée sélection où la syrah domine, typée par son terroir, est étonnante de complexité et de saveurs. Riche, très parfumé, légèrement épicé, velouté, au bouquet dominé par la violette c'est un vin racé qui se prolonge sur des notes grillées empyreumatiques.*

## ▓ Domaine Martin Pierrat

M. et Mme **Gabriel Martin-Pierrat**,
34400 Saint-Christol
tél. 67.86.01.15.

Superficie : 38 hectares. Sol argilo-calcaire. A.O.C. rouge et blanc, Coteaux du Languedoc Saint-Christol. Vins de pays de la Benovie. Vin mousseux méthode traditionnelle.
Prix départ cave : 10 à 27 F T.T.C.
Œnologue : M. Jean-François Vrinat.

*Abandonnant la vie citadine en 1978, M. et Mme Gabriel Martin-Pierrat acquièrent ce très vieux domaine.*
*Ils transmettent le vin à leur fils, Serge, qui à son tour arrête ses études de sciences pour devenir vigneron.*
*S'étendant à l'origine sur 14 hectares des coteaux de Saint-Christol, très vite la propriété s'agrandit et compte à l'heure actuelle 38 hectares de vignes âgées de 30 à 40 ans.*
*Vinifiant de façon traditionnelle et « puisant son savoir chez Gault et Millau », nous dit-il, ce propriétaire a fièrement vu son vin obtenir de nombreuses médailles en 1988.*
*Dans sa cave, il nous a concocté une cuvée spéciale A.O.C. rouge riche en grenache et syrah, très prometteuse où nous décelons l'empreinte de son œnologue.*
*Un joli vin au bouquet subtil et concentré qui allie finesse et charpente en bouche.*
*Le vin de pays blanc, ensemble heureux de chardonnay, roussanne et grenache blanc, a une robe d'un beau jaune pâle. Au nez on découvre des arômes de raisins mûrs mêlés à des notes de miel et de fleur de sureau. En bouche, il surprend agréablement par ces nuances de cèdre, d'anis et de miel.*

## ▓ Cave Coopérative Les Coteaux de Saint-Christol

34400 Saint-Christol
tél. 67.86.01.11.

Superficie : 621 hectares. Sol : coteaux argilo-calcaires. A.O.C. Coteaux du Languedoc Saint-Christol rouge, rosé, blanc. Vin de table. Mousseux brut de pêche.
Prix départ cave : 10 à 27 F T.T.C.
Œnologue conseil : M. Jean-François Vrinat.
Chef de cave : M. Marc Esclarmonde.

*L'origine des vignobles de Saint-Christol est due au développement d'une commanderie des Templiers de l'ordre de Saint-Jean de Jérusalem créée en 1139 dont les biens furent dispersés en 1792.*
*La cave bâtie en 1941, surtout réputée en Europe du Nord, veut se distinguer par la qualité de ses produits originaux, aux noms évocateurs, Noce de Cana, Pêcher de Bacchus, Feu du Diable.*
*Tout un programme...*
*Gageons sur l'avenir de cette cave qui investit dans les compétences de professionnels passionnés.*
*La Carte Noire 1988, issue de cépages syrah, grenache, est un vin de belle tenue, aux arômes subtils de fruits rouges légèrement épicés. En bouche, généreux et bien équilibré, aux tannins sans excès, il offre un bel agrément.*

# St-Drézéry

## ▓ Mas de Carrat

M. **Louis Spitaleri**, ♦
34160 Saint-Drézéry
tél. 67.86.90.76.

Superficie : 46 hectares. Sol argilo-calcaire et grès en surface. A.O.C. Coteaux du Languedoc Saint-Drézéry. Vins de pays.
Prix départ cuve : 12,50 à 15 F T.T.C.
Œnologue conseil : M. Auclair.

*Il a fallu beaucoup de courage et de passion à la famille Spitaleri pour tout défricher et créer ce magnifique vignoble.*

Fait de pente douce, il s'élève à près de 200 mètres d'altitude.

Cette situation privilégiée favorise la maturité des raisins et les vins obtenus ont l'accent de ce terroir particulier. Ici, nous dit Louis Spitaleri, « nous faisons tout nous-mêmes », un homme savoureux, comme ses vins.

Hormis sa cuvée de cépage merlot, friand et onctueux, il nous propose un A.O.C. rouge, puissant de structure où les arômes complexes ont l'expression terroitée. Un vin qui s'impose par sa personnalité généreuse.

Vous pourrez bientôt découvrir son A.O.C. blanc issu de cépages roussanne, marsanne et grenache blanc.

## ▨ Domaine Les Mazets

MM. **Jacques et André Ribeyrolles**, 34160 Saint-Drézéry
tél. 67.86.94.02.

Superficie : 27 hectares de vignes dont 15 en A.O.C. Sol argilo-calcaire. Vins de pays de cépage merlot et cabernet sauvignon, A.O.C. Coteaux du Languedoc Saint-Drézéry rouge et rosé.
Prix départ cave : 10 à 13 F T.T.C.
Œnologue conseil : M. Jean-François Vrinat.

Les deux frères Jacques et André exploitent en commun sous forme de G.A.E.C. ce domaine situé sur des coteaux argilo-calcaires qui bénéficie d'un climat méditerranéen très doux.

Les vins sont vinifiés traditionnellement et élevés directement en bouteilles dans une cave qui ne cesse de s'améliorer.

Les propriétaires ont saisi l'importance des cépages aromatiques et, depuis 1973, ils restructurent leur vignoble en favorisant la syrah.

L'A.O.C. rouge « Domaine Les Mazets » a la robe grenat très brillante. Le nez très élégant est d'une bonne intensité. D'une belle puissance en bouche, il évoque tout un registre fruité des plus intéressants.

## ▨ Cave Coopérative de Saint-Drézéry

34160 Saint-Drézéry
tél. 67.86.95.11.

Superficie : 350 hectares. Sol siliceux et calcaire. A.O.C. Coteaux du Languedoc Saint-Drézéry. Vins de pays.
Prix départ cave : 7 à 20 F T.T.C.
Œnologue conseil : M. Mathieu.
Président : M. Carayon.

Tout est réuni à Saint-Drézéry pour réaliser de grands vins.

Le terroir composé de conglomérats siliceux et calcaires est à l'origine de la typicité de cette appellation déjà réputée au siècle dernier à Paris.

Sous l'impulsion dynamique de son directeur Yves Gruvel, tout est mis en œuvre pour personnaliser des cuvées de belle lignée.

Conscient des réalités, il concentre ses efforts pour améliorer l'encépagement et les techniques de vinification.

La cuvée Dionysos est superbe de couleur. Le nez dévoile toute sa jeunesse par sa franchise aromatique aux notes framboisées et épicées. En bouche bien fondu, il persiste joliment sur des notes réglissées. Il avoue le doigté du vinificateur.

# Saint-Saturnin et Montpeyroux

Saint-Saturnin et Montpeyroux occupent le versant sud du Larzac, entre le plateau et la haute vallée de l'Hérault. Saint-Guilhem-le-Désert n'est pas loin. Les deux appellations sont limitrophes : la première s'étend sur Saint-Saturnin, Jonquières, Saint-Guiraud et une partie d'Arboras. La seconde détient l'autre partie de cette commune et se prolonge sur Montpeyroux.

L'exposition plein sud à l'abri du vent garantit en dépit de l'altitude un printemps précoce et des étés chauds et ensoleillés. La vigne est implantée sur le rebord du plateau, glacis tapissé d'éboulis arrachés par le gel aux falaises limitant le causse. En contrebas ce versant se raccorde aux anciennes terrasses de l'Hérault, elles aussi très caillouteuses.

Les vins de Saint-Saturnin et de Montpeyroux sont réputés depuis longtemps. Pendant des siècles ils ont bénéficié des soins attentifs de l'Eglise. Saint-Saturnin abritait une communauté bénédictine fondée au IXᵉ siècle ; Montpeyroux fut longtemps propriété de l'évêque de Montpellier qui y faisait quérir son vin. Des viticulteurs dynamiques ont su renouer avec cette tradition. Ceux de la coopérative de Saint-Saturnin furent même parmi les premiers en Languedoc à vendre leurs vins en bouteille. Cela explique en partie pourquoi leur « vin d'une nuit » figure sur autant de cartes de restaurant. Plus récemment, signe évident de confiance en l'avenir, ils ont reconquis avec l'aide de la S.A.F.E.R. une centaine d'hectares de garrigue pour y planter des cépages améliorateurs.

Saint-Saturnin produit annuellement 25 000 hectolitres ; Montpeyroux 15 000 hectolitres.

# St-Saturnin

## ▓ Cave « Les Vins de Saint-Saturnin »

Route d'Arboras
Saint-Saturnin-de-Lucian
34150 Gignac
tél. 67.96.61.52.

Superficie : 130 hectares dont 410 en A.O.C. Sol argilo-calcaire caillouteux. 15 produits différents dont des A.O.C. Coteaux du Languedoc et Coteaux du Languedoc Saint-Saturnin.
Prix départ cave : 10 à 22 F T.T.C.
Œnologue conseil : M. Raymond.

*Saint-Saturnin du nom du premier évêque de Toulouse se distingue par son terroir de « pierre et de soleil ».*

*Sur un sol caillouteux et un sous-sol argilo-calcaire, abrité du mistral venant du nord par le rocher des Vier-*

*ges et le mont Baudille, le vignoble d'appellation contrôlée trouve là une situation de choix.*

*Toujours à la pointe de la technicité, cette coopérative a été l'une des premières de la région à conditionner ses vins et à les commercialiser directement. Depuis, elle a réalisé d'importants investissements qui lui permettent aujourd'hui d'être très bien équipée. Dirigée par le sympathique M. Fenateu, la cave de Saint-Saturnin a parcouru un long chemin. Créée en 1950, cette coopérative de 183 adhérents propose des vins qui ont acquis depuis longtemps une notoriété bien méritée.*

*Tout a commencé par leur célèbre « vin d'une nuit » souple, rond, friand, très fruité à la robe assez claire qui connaît toujours un vif succès.*

*Très constants dans la qualité de leurs produits, ils séduisent grâce à leur régularité une clientèle de plus en plus jeune.*

*Pour répondre à la demande, ils proposent un Saint-Saturnin cuvée « Le*

Lucian » où l'expression aromatique des cépages est privilégiée.

Le rosé de syrah à la robe couleur fuchsia a un nez puissant avec des notes exquises d'œillet et de poivre. Gras et généreux, fruité et frais, c'est un vin charmeur très agréable.

Le Lucian rouge 86 se caractérise par des tannins très fondus et ses puissants arômes de syrah qui en font tout son charme.

Le Lucian blanc 89 porte l'empreinte d'une macération pelliculaire menée avec brio.

# Montpeyroux

## ■ Domaine des Mazes

M. **Luc Galibert,**
34150 Montpeyroux
tél. 67.55.47.64.

Superficie : 8 hectares dont 5 en A.O.C. Sol argilo-calcaire, très caillouteux. A.O.C. Coteaux du Languedoc Montpeyroux rouge et rosé.
Prix départ cave : 12,50 F T.T.C.
Œnologue conseil : M. Bedos.

Le domaine des Mazes est un bien de village où, depuis vingt ans, Luc Galibert apporte des soins constants au vignoble implanté sur les coteaux fort caillouteux de Montpeyroux.

Fermier, mais avant tout vigneron, il élabore entre autres, des rosés généreux et très corsés dont il garantit la longue conservation.

Un homme sincère qui s'exprime avec beaucoup d'humour.

Son A.O.C. rosé baptisé Crisquet est issu de grenache pur, vinifié avec un savoir-faire dont il conserve jalousement le secret.

Ce vin entier et subtil, riche en nuances, long en bouche, vieillira bien, foi de vigneron.

## ■ Cave Coopérative de Montpeyroux ♦

Route Neuve
34150 Montpeyroux
tél. 67.96.61.08.

Superficie : 750 hectares dont 83% en A.O.C. Sol : jurassique moyen argilo-calcaire. A.O.C. Coteaux du Languedoc Montpeyroux blanc, rosé et rouge.
Prix départ cave : 11,50 à 18,50 F T.T.C.
Œnologue conseil : M. Agay.

Une cave en pleine évolution résolument tournée vers une politique de haut de gamme. Dans un cadre somptueux, tout proche de l'abbaye de Saint-Guilhem-le-Désert, les 263 adhérents, conscients des potentialités qualitatives de leur terroir, se plient volontiers à une politique de sélection.

« Actuellement, si le carignan est encore majoritaire, il est en constante diminution, remplacé par le grenache et la syrah », nous dit le directeur M. Pelat.

Cette cave cherche aujourd'hui à se démarquer en sélectionnant des produits qui font honneur aux appellations régionales.

Déjà réputée pour leur cuvée « Le Souverain », la coopérative mène une politique dynamique de domaines et châteaux comme l'A.O.C. 88 « Domaine de Pérou » souple et très aromatique marqué par la syrah et le nouveau-né « Château de Rocquefeuille » promu déjà à un bel avenir.

« Le Souverain » A.O.C. rouge 1986 se distingue au nez par d'élégantes notes

*d'évolution de fruits à l'eau-de-vie,
d'épices et de plantes séchées.*

*Fier de son magnifique caveau qui a
obtenu en 1987 un prix d'architecture,
le président M. Crezegut se fera un
plaisir de vous recevoir... même si vous
êtes très nombreux.*

*se mêlent des senteurs de poivre, de
réglisse, et des effluves de garrigue.*

*La bouche ample et charnue offre une
très belle structure bâtie sur des tannins d'une grande noblesse. Un vin
attachant dans la tradition des plus
nobles crus régionaux... tout sauf un
fossile.*

## ▧ Domaine du Plo

**M. Jacques Lonjon,**
34150 Montpeyroux
tél. 67.96.61.16.

Superficie : 25 hectares. Sol : terrasses calcaires. Vins de pays blanc
de chardonnay. A.O.C. Coteaux du
Languedoc Montpeyroux rouge et
rosé.
Prix départ cave : 20 à 23 F T.T.C.

*Plus que tricentenaire, le domaine du
Plo a acquis ses lettres de noblesse
depuis que Jacques Lonjon y a implanté
de la vigne.*

*Au centre de Montpeyroux, sur la route
du plateau d'Arboras, les vins du
domaine sont reconnus pour leur générosité et leur charpente.*

*Sans concession, très rigoureux envers
lui-même, l'heureux propriétaire a le
feu sacré.*

*Implanté sur un terroir d'exception,
très rocailleux, le vignoble connaît
aujourd'hui un épanouissement
maximum.*

*Tout comme l'A.O.C. rouge 1985 à la
couleur dense et profonde, riche de ses
nuances. Au nez, puissant et complexe,*

## ▧ Domaine de Thérons

**M. Jean-François Vallat,**
34150 Montpeyroux
tél. 67.96.66.45.

Superficie : 30 hectares. Sol très
caillouteux, argilo-calcaire. A.O.C.
Coteaux du Languedoc Montpey-
roux rouge et rosé.
Prix départ cave : 12 à 20 F T.T.C.
Œnologues conseil : M. François et
M. Escorne.

*Un bien intéressant domaine familial,
le vignoble de Jean-François Vallat
bénéficie d'un terroir particulier où
l'encépagement traditionnel de l'appellation trouve toute son expression.*

*Pour ce vigneron modeste et discret, « le
vin doit être le compagnon d'un
moment et le complice d'un bon plat ».*

*Pour 1990, il présente un bel A.O.C.
rouge à fort pourcentage de syrah, aux
reflets violets. D'un bel équilibre avec
des arômes de truffe et de sous-bois où
dominent les épices. Son assise tannique garantit sa longévité et assure une
sereine évolution, à la mesure de son
potentiel.*

# Coteaux de Vérargues

Les Coteaux de Vérargues couvrent neuf communes de l'Hérault : Beaulieu, Bois-
seron, Lunel, Lunel-Viel, Restinclières, Saint-Génies-des-Mourgues, Saint-Sériès,
Saturargues et Vérargues. L'appellation recouvre au sud l'A.O.C. Muscat de
Lunel. Au nord-ouest, elle jouxte Saint-Christol.
Les terroirs présentent une certaine unité en dépit d'une géologie fort complexe.
On retrouve ici, entre Costières de Nîmes et Méjanelle, un lambeau de la nappe
de « grès », ces galets autrefois déposés par le Rhône. On retrouve également
les conglomérats oligocènes déjà décrits à Saint-Christol et Saint-Drézéry. Les
vignes sont enfin implantées sur les terrasses du Vidourle où elles rencontrent,

quand le sol n'est pas trop limoneux ni la nappe phréatique trop superficielle, d'excellentes conditions.

Les vins de Vérargues présentent une certaine souplesse et une grande finesse aromatique. La production annuelle se monte à 20 000 hectolitres environ, élaborés et mis en bouteilles par deux caves coopératives et trois caves particulières.

# Beaulieu

## ▓ Château de Beaulieu

**Baron Pierre de Ginestous,**
34160 Beaulieu
tél. 67.86.60.14.

Superficie : 25 hectares. Sol calcaire. A.O.C. rouge Coteaux du Languedoc Vérargues.
Prix départ cave : 20 à 40 F T.T.C. pour les blanquettes de Limoux.
Œnologue : M. Olivier François.

*A dix-neuf kilomètres de Montpellier, dans un village réputé auparavant pour ses carrières de pierres blanches s'élève le château de Beaulieu, dont Le Nôtre dessina le parc au XVIIᵉ siècle, jardins où nous pouvons encore flâner aujourd'hui.*

*M. le baron Pierre de Ginestous, le propriétaire dont les ancêtres se sont établis au XIIᵉ siècle dans le Languedoc, voue un véritable culte à Bacchus. Privilégiant l'équilibre de l'encépagement et un soin particulier à son vignoble, le baron vinifie de façon traditionnelle avec amour et science aidé par une œnologie de pointe.*

*Par la suite, le vin vieillit lentement dans les chais sous la perpétuelle surveillance de son œnologue, et le caveau renferme d'anciens millésimes très appréciés à l'étranger, notamment en Hollande.*

*Ce passionné du vin élabore aussi dans son château de Brasse une blanquette de Limoux fort réputée dont la production remonte à 1722.*

*Dommage que nous n'ayons pu rencontrer M. le Baron au contact duquel notre culture du vin se serait encore enrichie.*

*La blanquette dans une belle robe jaune pâle à des bulles fines et per-*

*sistantes. Le nez léger, délicat, rehaussé d'une pointe d'acacia est très élégant. La bouche procure une bonne sensation de fraîcheur et une finale agréable.*

*Pour les amateurs de millésimes anciens, demandez à déguster le « Château de Beaulieu » rouge 1984. Ce vin a acquis la sérénité de l'âge. Puissant, il a une petite odeur fauve au bel arôme de truffe. Charmeur en bouche par ses tannins soyeux, il offre une certaine élégance et une vinosité épanouie.*

# Lunel-Viel

## ▓ Cave Coopérative de Lunel-Viel

34400 Lunel-Viel
tél. 67.71.12.68.

Superficie : 300 hectares. Sol argilocalcaire. A.O.C. rouge Coteaux du Languedoc Vérargues. Vins de cépage merlot.
Prix départ cave : moins de 10 F T.T.C.
Président : M. Yves Jean.

*Limitrophe des départements de l'Hérault et du Gard au cœur de Lunel-Viel, se dresse depuis 1914 la cave coopérative.*

*M. Boyer, le directeur, surpris de notre visite nous a accueilli chaleureusement malgré les nombreux problèmes qu'il rencontre à l'heure actuelle. En effet, si la cave vinifiait en 1986 un volume total de 42 000 hl, cette année la production s'est réduite à 22 000 hl dont seulement 1 200 en A.O.C.*

*Reconnaissez qu'il doit être bien désarmant pour l'œnologue qu'il est de voir la moitié des cuves vides, portes gran-*

*des ouvertes attendant avec impatience le raisin qui ne viendra pas.*

*M. Boyer affronte avec un réalisme déconcertant, derrière lequel se cache un certain désarroi, cette situation de déclin due à l'arrachage massif qu'opèrent ses 210 adhérents.*

*Alors si vous passez à Lunel-Viel, allez lui rendre visite, cela lui fera très plaisir d'autant plus qu'il essaie de développer la vente directe.*

*L'A.O.C. rouge de couleur rubis a un nez aromatique assez fin caractérisé par des arômes de cassis et de framboise. La bouche est agréable avec des accents épicés.*

# St-Génies-des-Mourgues

## ▨ Cave Coopérative Les Coteaux de Saint-Génies-des-Mourgues

34160 Saint-Génies-des-Mourgues
tél. 67.86.23.66.

Superficie : 750 hectares dont 100 classés. Sol argilo-calcaire. A.O.C. Coteaux du Languedoc, Vérargues. Vins de pays.
Prix départ cave : 13 à 17 F.T.T.C.
Président : M. Despioch.

*Si Saint-Génies-des-Mourgues regarde la Camargue et voue une tradition taurine, c'est avant tout un terroir où 750 hectares de vignoble s'étendent sur des coteaux à une altitude de 100 mètres. Pour cette cave de 120 adhérents la qualité « est une affaire de goût », nous dit son directeur œnologue, M. Orange.*

*A telle enseigne qu'il privilégie la syrah et le mourvèdre pour les A.O.C. et merlot, cabernet, sauvignon pour les vins de pays. S'ajoute à cette politique de cépages aromatiques une technologie menée avec brio par les deux œnologues de cette coopérative.*

*Nous y découvrons un A.O.C. rouge digne d'intérêt. Un vin de belle facture,*

*bavard dans l'énumération de ses parfums aux notes de fruits bien mûris, délicatement poivrés sur fond de musc. En bouche ample et harmonieux, il annonce sans erreur les mêmes impressions exaltées qui se développent avec bonheur.*

# Vérargues

## ▨ Château de la Deveze

S.A. **Jean Chevalier et Cie,**
34400 Vérargues
tél. 67.72.29.46.
    67.86.00.47.

Superficie : 100 hectares de vigne dont 65 en A.O.C. Sol : coteaux caillouteux argilo-calcaires. A.O.C. Coteaux du Languedoc Vérargues rouge et rosé.
Prix départ cave : 12 à 13 F.T.T.C.
Œnologue conseil : M. Jean-François Vrinat.

*Sur des terrasses très caillouteuses d'éboulis argilo-calcaire, la famille Chevalier cultive la vigne depuis le début de ce siècle.*

*« Si le carignan domine encore dans l'encépagement, la syrah et le mourvèdre de plus en plus présents devraient permettre aux vins du château de s'affirmer dans les années à venir », nous dit Jean Chevalier.*

*Également gérant d'une importante société de transport maritime à Sète, l'heureux propriétaire de cette très belle bâtisse du début du XVIIIe siècle est un adepte de la qualité.*

*Persuadé de la richesse de son terroir, il produit un vin doux naturel sous l'appellation « Muscat de Lunel », des vins de pays à base de cépage cabernet sauvignon et des A.O.C. Coteaux du Languedoc Vérargues où le carignan majoritaire apporte au vin l'ossature, le grenache la rondeur et la chaleur, la syrah la richesse et la finesse de son bouquet et le cinsault la délicatesse de son fruit.*

*Le tout concocté dans une cave spacieuse entourée d'arbres séculaires qui étaient autrefois utilisés pour la construction de la flotte royale.*

## Coteaux du Languedoc
## Appellation régionale

Ces vins peuvent provenir de l'ensemble de l'aire de production « Coteaux du Languedoc », c'est-à-dire de 157 communes de l'Aude, de l'Hérault et du Gard. Les règles de production sont aussi sévères que celles des « terroirs ». Notons qu'en plus des rouges et des rosés, il existe depuis quelques années un Coteaux du Languedoc blanc.

La production annuelle oscille autour de 80 000 hectolitres mais devrait augmenter sensiblement en raison de l'adhésion récente de nouvelles communes d'une part et des progrès sensibles de l'encépagement d'autre part.

# Cournonsec

### ◼ Domaine de Terre-Mégère

**M. Michel Moreau,**
34660 Cournonsec
tél. 67.85.02.04.

Sol calcaire et marnes. A.O.C. Coteaux du Languedoc rouge, rosé. Vins de pays merlot, cabernet, viognier. Prix départ cave : 11 à 18 F T.T.C.
OEnologue conseil : M. Jean-François Vrinat.

*Cournonsec, au sud de Montpellier, est un « Océan » de garrigues. A Terre-Mégère ou « Terre en partage », le domaine de la famille Moreau, Michel, vigneron dans l'âme, donne vie à ces espaces abandonnés.*

*Dans ce milieu naturel, il revalorise le site et crée son vignoble comme un architecte son édifice.*

*Chaque année, il plante parcelles par parcelles, et adapte le cépage au sol. Les vins sont à son image, expressifs dans leurs parfums, délicats, généreux dans leur chair, harmonieux dans leur ensemble.*

*Belle réussite...*

# Gabian

### ◼ Cave Coopérative La Carignano

13, route de Pouzolles ◆
34320 Gabian
tél. 67.24.65.64.

Superficie : 800 hectares dont 117 produisent des A.O.C. Sol : dominante de schistes en zone A.O.C. Vins de pays d'Oc de cépage. Vins de pays de Cassan. A.O.C. Coteaux du Languedoc rouge, rosé, blanc.
Prix départ cave : 17 à 27 F T.T.C.
OEnologue maître de chai : M. Marty.

*Tout amateur de vin ne peut que s'enthousiasmer des progrès accomplis par cette cave.*

*Depuis l'arrivée de la macération carbonique en 1985, de par le pourcentage sans cesse croissant des cépages grenache, syrah, mourvèdre pour les A.O.C., devant la volonté des vignerons d'accepter les difficultés de la culture qualitative de la vigne, face aux installations techniques de la cave... il y a de quoi être enchanté.*

*Le directeur, M. Koch, pour qui le défi est un combat perpétuel, s'empresse de stimuler ses adhérents à renouveler leur encépagement pour augmenter ses possibilités de production d'A.O.C. et de vins de pays « haut de gamme ».*

*A quelques kilomètres de Pézenas, en bordure de l'aire d'appellation Faugères, les vignerons de la cave de Gabian présidée par M. Jougla ont soif de respect.*

*Concernés par la notoriété de leurs vins, ils s'attachent à produire une qualité régulière dont les résultats sont confirmés par de nombreuses distinctions. Des vins de pays aux A.O.C., ils proposent toute une gamme de produits personnalisés dont la souplesse, la rondeur et le gras sont une constante.*

*Le « Domaine de Sainte-Marthe » a un cachet particulier qui étonne. Par sa composition où le carignan n'intervient qu'à un très faible pourcentage, ce vin dément le nom donné à la cave (ce qui n'est pas pour nous déplaire). Par ses senteurs épicées et fruitées, par ses arômes où se mêle le cassis à des notes réglissées, il annonce des tannins de qualité et reflète bien les caractéristiques de ce terroir de schiste.*

# Garrigues

## ▓ Château de Roumanière

**Catherine et Robert Gravegeal,**
34160 Garrigues
tél. 67.86.91.71.

Superficie : 40 hectares. Sol argilo-calcaire. A.O.C. Coteaux du Languedoc rouge et rosé. Vins de pays blancs et cabernet sauvignon commercialisés par les Ets Jeanjean. Prix départ cave : 12 à 32 F T.T.C. OEnologue conseil : M. Marc Auclair.

*Garrigues, aux confins nord du département, voit naître une histoire édifiante de simplicité et de passion vouée aux vins. Catherine et Robert Gravegeal décident en 1976 de devenir des vignerons éleveurs et démontrent avec courage leur détermination à produire de grands crus.*

*Ils défrichent la garrigue et créent un vignoble en favorisant des densités de plantations de 5 000 pieds à l'hectare.*

*Le cuvier modèle et moderne est conçu pour respecter l'intégrité du raisin. Ils pratiquent systématiquement l'éclaircissage en juillet afin d'assurer aux grappes restantes une meilleure concentration. Cueillies avec soin en caissettes et vinifiées avec un savoir-faire minutieux, les cuvées obtenues sont enfin affinées en barriques neuves pour atteindre la plénitude de leur personnalité.*

*Au cœur du village dans un ravissant cellier, Catherine et Robert vous accueillent avec beaucoup de gentillesse. Beaucoup d'émotion dans ce vin d'une belle concentration, au nez de cassis, de fruits bien mûris, de cuir, ample et tannique, il doit attendre encore un peu pour discipliner sa fougue et se fondre harmonieusement dans sa matière... savoureux.*

# Jonquières

## ▣ Mas Jullien

**M. Olivier Jullien,**
34150 Jonquières
tél. 67.96.60.04.

Superficie : 12 hectares A.O.C. Sol :
3/4 cailloutis calcaire, 1/4 schistes.
A.O.C. Coteaux du Languedoc
rouge, rosé, blanc.
Prix départ cave : 25 F T.T.C. prix
unique.
Œnologue : lui-même et M. Agay.

*En cinq ans, le mas Jullien est devenu
le symbole d'une réussite incontestable
et du renouveau.*

*Dans un site de cailloutis calcaire et de
schistes, Olivier Jullien, jeune vigneron
de talent et œnologue, retrouve toutes
ses racines. Il vit avec la vigne, pour
la vigne et par la vigne. Son métier et
sa passion ; recréer un vignoble comme
les anciens, avec un patrimoine variétal, et élaborer des vins qui expriment
le terroir.*

*Il cultive ses hectares aux accents durs
et tenaces avec l'amour d'un éleveur
d'orchidées rares. Il vinifie et s'attache
à concilier tradition et innovation avec
ce sens inné qui le caractérise, et de
nous confier « dans le vin, il n'y a pas
de vérité »...*

*Des vins à faire découvrir aux buveurs
d'étiquettes afin de leur montrer
qu'elles ne font pas le vin.*

*Des cuvées très typées, aux jolis reflets
de grenat, aux arômes puissants et fins
où s'expriment le terroir et la garrigue
sur fond de musc et d'épices. Des
saveurs amples et riches épousent des
tannins mûrs et fermes pour se fondre
avec le temps. Des vins qui ne laissent
pas indifférents... séducteurs,
enjôleurs...*

# Langlade

## ▣ Château Langlade

**MM. Michel et Jacques Cadène,** ♦
30980 Langlade
tél. 66.21.04.76.
　　　66.81.30.22.

Superficie : 25 ha dont 12 en A.O.C.
Sol argilo-calcaire caillouteux.
A.O.C. Coteaux du Languedoc
rouge et rosé.
Prix départ cave : 13 à 22 F T.T.C.
Œnologue conseil : M. Lorgeas.

*Un vignoble renommé créé dans les
années 1850 est la propriété de deux
exaltés de la qualité.*
*Sur des sols qui donnent des vins puis-
sants, manquant parfois de structure
mais merveilleux dans les années très
ensoleillées, ils introduisent syrah et
grenache qu'ils affectionnent particulièrement.*
*Pointilleux, méthodiques, ils cherchent
à produire un raisin très mûr et vinifient avec le plus grand soin pour
extraire le maximum de saveur des
raisins.*
*Vinifiés cépage par cépage, parcelle par
parcelle, de façon traditionnelle et en
macération carbonique, les vins sont
ensuite assemblés verre à la main et élevés dans un chai très frais, entouré
d'un chemin de ronde.*
*Le millésime 1988 du « Château de
Langlade » doté d'une belle robe brillante développe des parfums intenses de
fruits mûrs et de bonnes épices qui enveloppent ce vin bien structuré, aromatique et long en bouche.*

## ▣ Domaine de Langlade

**M. Henri Arnal,**
30980 Langlade
tél. 66.81.31.37.
Superficie : 25 hectares dont 14 en
A.O.C. Sol argilo-calcaire. Vins de
pays d'Oc, cépage cabernet sauvignon et chardonnay. A.O.C.
Coteaux du Languedoc rouge, rosé
et blanc.

Prix départ cave : 20 à 37 F T.T.C.
Œnologue : M. Michel d'Habrigeon.

*Il ne faut pas remonter à la nuit des temps pour retracer l'histoire vigneronne d'Henri Arnal.*

*Fait assez exceptionnel, il abandonne en 1978 sa vie de chef d'entreprise et se consacre entièrement à ses nouvelles passions : les chevaux, les abeilles et surtout le vin.*

*A grands coups de bulldozer, il défriche la garrigue et concasse les cailloux pour conquérir les coteaux de Langlade. Dans une cave entièrement reconstituée où l'acier émaillé côtoie l'acier inoxydable, il élabore un « vin fait pour être bu, qui éclate de tout son fruit ».*

*Perpétuel insatisfait, il essaie d'aller toujours plus loin et s'imposant une discipline de production très sévère, digne des grands crus.*

*Avec sa forte personnalité, il essaie de convaincre autour de lui, ce qui lui vaut d'assumer les lourdes tâches de vice-président du cru Coteaux du Languedoc et de président du comité interprofessionnel (U.N.I.C.L.A.).*

*Au domaine de Langlade, Henri Arnal est partisan d'une vinification traditionnelle et tous les vins sont élaborés sans employer de SO$^2$.*

*Des vins à boire jeune, qui dévoilent leurs beaux arômes fruités et floraux et qui s'épanouissent en bouche avec beaucoup d'élégance.*

# Loiras-du-Bosc

## ▩ Domaine du Vieux Clocher

**M. Bernard Coste,**
34700 Loiras-du-Bosc
tél. 67.96.14.90.

Superficie : 10 hectares. Sol : coteaux très caillouteux, schisteux et argileux. A.O.C. Coteaux du Languedoc rouge, rosé, blanc.
Prix départ cave : 16 à 20 F T.T.C.
Œnologue conseil : M. Jean-François Vrinat.

*Le Domaine du Vieux Clocher au sud-est de Lodève se démarque par son église du XII$^e$ siècle.*
*Ici les vins ont une expression très particulière, marquée par un terroir complexe et caillouteux. Bernard Coste vinifie traditionnellement et affine ses cuvées pendant six mois en fûts de chêne.*
*Les vins ainsi obtenus nous étonnent par des senteurs de venaison, un rien giboyeux, sur des arômes de cerises confites où le terroir domine. Un 86 qui a encore des choses à dire...*
*Bien que fort discret, Bernard Coste nous annonce fièrement sa nouvelle cuvée sélectionnée mise en bouteilles sérigraphiée.*

# Murles

## ▩ Château Perry

**Mme Geneviève Ponson-Nicot,** ♦
34980 Murles
tél. 67.84.40.89.

Superficie : 25 hectares en A.O.C. Sol graveleux. A.O.C. Coteaux du Languedoc rouge, rosé, blanc.
Prix départ cave : 15 à 20 F T.T.C.
Œnologue conseil : M. Marc Auclair.

*Murles, un petit village à l'ouest de Montpellier où le château Perry jouit d'un terroir d'exception. Entouré de vallons recouverts de chênes verts et de pins, la demeure s'offre harmonieuse de simplicité.*
*C'est ici que Geneviève Ponson-Nicot se dévoue corps et âme à ce domaine de famille. « Un sacré bout de femme » qui se présente à nous volontaire et déter-*

minée. C'est l'un des meilleurs châteaux de la région.

En sept ans, elle rénove complètement le vignoble existant par la méthode du surgreffage et, parallèlement, entreprend de nouvelles plantations sur des versants en hauteur.

Elle privilégie les cépages nobles et les implante sur un terroir propice à leur plus grande expression.

Le cuvier est entièrement pensé et conçu par Didier, son mari, un ingénieur thermicien. Bien équipé, il lui permet d'élaborer des cuvées personnalisées de belle lignée.

La cuvée Château est un vin élégant aux parfums ciselés de violette et d'épices, sur fond de fruits bien mûris. En bouche, une belle étoffe pleine de caractère, il suscite l'émotion de l'instant gourmet.

# Neffiès

## ▨ M. Raymond Astruc

15, avenue de la Resclauze
34320 Neffiès
tél. 67.24.62.24.

Superficie : 18 hectares. Sol argilo-calcaire et schisteux. A.O.C. rouge Coteaux du Languedoc. Vins de pays rouges.
Prix départ cave : 11 à 16 F T.T.C.
Œnologue : M. Cardot.

A dix kilomètres au nord-ouest de Pézenas, sur les contreforts des Cévennes, un charmant petit village, Neffiès. Depuis 1973, M. Raymond Astruc s'occupe de son domaine, entreprise familiale et traditionnelle.

Son vignoble morcelé, il le soigne avec passion, arrachant les carignans pour y planter de nobles cépages tels que la syrah, le mourvèdre ou bien le grenache.

Dans son ancienne cave, il vinifie avec précaution et tradition des vins charmeurs. Toujours attentif à la qualité, il refait son étiquette, ainsi mieux adaptée à son produit.

Son A.O.C. rouge 1986 exprime des arômes secondaires très intéressants et veloutés sur fond de sous-bois. Il offre dès à présent l'étoffe d'une bouteille accomplie.

## ▨ Mme Simone Couderc

32, rue du Conseil-Général
34320 Neffiès
tél. 67.24.62.29.

Superficie : 16 hectares dont 2 en A.O.C. Sol caillouteux. A.O.C. Coteaux du Languedoc rouge.
Prix départ cave : 20 F T.T.C.
Œnologue conseil : M. François Serres.

Héritière d'une longue tradition vigneronne, Simone Couderc, grande adepte de l'agrobiologie, produit des vins selon le cahier des charges de « Nature et Progrès ».

Une philosophie qu'elle pratique depuis 40 ans, et qui a fait sa réputation en Europe du Nord. « Nous prenons beaucoup de peine », dit-elle, la vendange cueillie est triée puis vinifiée selon des méthodes séculaires. Ces vins ainsi obtenus reposent pendant deux ans en vieux foudres de chêne avant d'être commercialisés.

Très accueillante, chaque été elle reçoit des écoles allemandes pour parler de ses vins, qu'elle annonce « fortifiants puisque naturels ».

Son A.O.C. rouge paré de grenat aux reflets brillants avoue des senteurs de petits fruits rouges sur fond de réglisse. Vif et fin, il persiste joliment. Une bouteille pour partager entre amis des moments sympathiques.

## ▨ Cave Coopérative de Neffiès

34320 Roujan
tél. 67.24.61.98.

Superficie : 530 hectares dont 80 en A.O.C. Sol hétérogène où domine la dolomie. Vins de pays rouge et rosé. A.O.C. Coteaux du Languedoc.
Prix départ cave : 10 à 15 F T.T.C.
Œnologue conseil : M. Guy Bascou.

*Une cave qui, après s'être cherchée pendant longtemps, a aujourd'hui trouvé sa voie dans une politique de haut de gamme, aidée en cela par les Ets Jeanjean.*

*Fait rare et exceptionnel, la coopérative et la commune se sont rendues propriétaires de terrains très qualitatifs au lieu dit « La Resclauze ».*

*Un terroir aride, déjà mis en valeur par les anciens propriétaires du domaine du Temple et qui jouissait alors d'une très grande notoriété en produisant des vins dont on garde encore le souvenir gourmand en bouche.*

*Lucides, entreprenants, le président M. Bardou et le directeur M. Fourmaux sont convaincus que le salut viendra grâce à la commercialisation, en partenariat avec le négoce en place, de cuvées personnalisées mises en bouteilles par la cave elle-même.*

*Actuellement, les vignerons de Neffiès font des efforts considérables pour renouveler l'encépagement et faire du grenache et de la syrah les cépages rois des vins A.O.C., du cabernet sauvignon, du merlot, du chardonnay et du sauvignon blanc les variétés propices à l'élaboration de vins de pays à forte personnalité.*

*La vinification est mixte depuis 1984 avec l'arrivée de la macération carbonique.*

*Une cave à découvrir avec toute l'attention qu'elle mérite, mais qui aurait vraiment besoin d'un caveau, lieu d'accueil pour présenter ses nobles cuvées.*

*Le « Château des neuf fiefs » 1988 privilégie l'expression aromatique des cépages plus que la structure polyphénolique. La bouche est ample, élégante, aux tannins fins et sans excès. Elle s'offre avec une attaque souple et une pointe de chaleur.*

# Nizas

### ▨ S.C.A. Domaine du Château de Nizas

34320 Roujan
tél. 67.25.15.44.

Superficie : 50 hectares. Sol à dominante schisteux volcanique. A.O.C. rouge et rosé Coteaux du Languedoc. Vins de pays rouge et blanc.
Prix départ cave : 22 à 29 F T.T.C.
Œnologue : M. Emmanuel Gaujal.
Propriétaire éleveur : M. Bernard Gaujal.
Régisseur : M. Dance.

*Situé à sept kilomètres de Pézenas, Nizas, petit nid au creux du vallon, abrite le château de Nizas et en face ses chais.*

*Cette imposante et magnifique demeure date du XVIᵉ siècle et c'est depuis 1818 que plusieurs générations de la même famille s'y succèdent en ligne directe.*

*La propriété s'étend sur les deux communes de Nizas et de Caux offrant une géologie variée à un vignoble dont la plus grande partie est exposée sud-sud-ouest.*

*L'encépagement est orienté pour l'appellation vers le grenache, la syrah, le cinsault, pour les vins de pays vers le cabernet sauvignon, le*

*merlot et encore le grenache ainsi que pour les blancs vers le sauvignon et l'ugni blanc.*

*Sous la direction d'Emmanuel Gaujal, agronome et œnologue réputé dans le Midi méditerranéen, un jeune régisseur veille avec rigueur aux façons culturales, à la vendange, en partie manuelle, à la vinification, en particulier à la maîtrise du pressurage et des températures de fermentation, enfin à l'élevage tant dans le bois de chêne des foudres qu'en bouteille.*

*Les résultats dont témoignent les nombreuses médailles obtenues au Concours général agricole de Paris — et aussi à la Foire internationale aux vins de Mâcon — justifient la politique poursuivie depuis 30 ans par Bernard Gaujal, soucieux d'assumer les changements qu'imposaient la fidélité à une tradition et le désir de la clientèle, en particulier en matière de millésime.*

*née en 1936 de l'association de 92 vignerons. Aujourd'hui, 500 adhérents s'occupent de la vigne dans la pure tradition languedocienne.*

*Sous l'œil attentif de M. Jean Roche, directeur et œnologue, le raisin est apporté dans un chai où de judicieux investissements permettent d'allier techniques modernes de vinification et méthodes ancestrales jalousement préservées.*

*Dans le cadre élégant du caveau de dégustation, vous pourrez apprécier toute une gamme de vins dont la célèbre « cuvée Molière ».*

*Une agréable mise en bouche pour déguster l'A.O.C. rouge Prince de Conti 1985, issu de sols durs et caillouteux. Un vin aux accents de fruits cuits et d'épices aux tannins toujours bien affirmés. Il dévoile avec l'âge, le sens des nuances.*

# Pézenas

## ▨ Les Vins Molière

Cave de Vinification
34120 Pézenas
tél. 67.98.10.05.

Superficie : 860 hectares. Sol argilo-siliceux calcaire. A.O.C. Coteaux du Languedoc rouge et rosé. Vins de pays de Pézenas rouge, rosé, blanc.
Prix départ cave : 9 à 18 F T.T.C.
Directeur œnologue : M. Jean Roche.

*Ancienne ville royale, propriété de Saint-Louis en 1261, lieu de séjour d'Armand de Bourbon, prince de Conti, ainsi que de Molière, riche d'un passé politique et artistique, Pézenas a conservé de ces brillantes époques un fabuleux patrimoine architectural.*

*Sur la route de Béziers, vous découvrirez la cave coopérative de vinification*

## ▨ Prieuré Saint-Jean-de-Bebian

M. **Alain Roux,**
34120 Pézenas
tél. 67.98.13.60.

Superficie : 35 hectares dont 24 en A.O.C. Sol basaltique et caillouteux. A.O.C. Coteaux du Languedoc rouge.
Prix départ cave : 50 F T.T.C.
Œnologue conseil : M. François Serres.

*Entre Pézenas et Nizas, le prieuré roman de Saint-Jean-de-Bebian, depuis le XIIe siècle, prouve sa vocation par son antériorité viticole.*

*Un terroir singulier qui vaut le détour où cépages et mode de culture sont à contre-courant de la région. Alain Roux, un homme respectueux de la nature, relève le défi de faire un grand vin languedocien.*

*Par la connaissance du passé, il conjugue avec art et sagesse la tradition et la technologie moderne. Il réimplante, en 1975, les 13 cépages dits de Châteauneuf-du-Pape déjà introduits en ces lieux, bien avant l'époque du phylloxéra.*

*Il impose à ses vignes des rendements très faibles de l'ordre de 20 hectolitres à l'hectare. Le résultat final est étonnant.*

*Son millésime 86, sombre et éclatant, orne somptueusement le verre. Un vin complexe où se mêlent avec puissance les fruits rouges, le cuir et la truffe, pour nous mener vers les sousbois. Les tannins de belle qualité enveloppent un ensemble de saveurs onctueuses et pleines. Ce vin bien structuré nous annonce avec l'âge de grands moments de plaisirs bavards.*

# Roquebrun

## ▓ Annie Baro-Vidal

Hameau de Ceps
34460 Roquebrun
tél. 67.89.69.49.

Superficie : 8 hectares. Sol : schiste et argilo-calcaire. A.O.C. Coteaux du Languedoc blanc.
Prix départ cave : 18 F T.T.C.
OEnologue conseil : M. Olivier François.

*Roquebrun, vous connaissez... c'est le magnifique village du Saint-Chinianais lové dans un site d'exception « Le petit Nice languedocien ».*
*A quatre kilomètres en remontant les gorges de l'Orb, vous y découvrirez le hameau de Ceps. Dans ce lieu de schistes, Annie Baro-Vidal et son époux élaborent un vin des plus charmants. Installés depuis deux ans, ils se font remarquer tout de suite par leur grenache blanc.*
*Paré d'une robe pâle et cristalline, il révèle au nez de délicats parfums de fleurs. En bouche, il porte l'empreinte d'une belle maîtrise, bien structuré, les flaveurs persistent avec beaucoup de fraîcheur.*

# St-André-de-Sangonis

## ▓ Château de Granoupiac

M. Claude Flavard,
34150 Saint-André-de-Sangonis
tél. 67.57.58.28.

Superficie : 26 hectares dont 17 en A.O.C. Sol argilo-calcaire et gréseux. A.O.C. Coteaux du Languedoc. Vins de pays cabernet sauvignon, merlot.
Prix départ cave : 12 à 18 F T.T.C.
OEnologue conseil : M. Patrick Leenhardt.

*Sur la N 109 à l'entrée de Saint-André-de-Sangonis, sur votre gauche venant de Montpellier, le château de Granoupiac est la propriété de Claude Flavard. Vigneron depuis toujours, il décide en 1983 de se réaliser à travers cette création. Pour Claude Flavard, produire des vins de qualité qui ont l'aptitude au vieillissement est une condition sine qua non du succès.*
*Dans son cuvier rénové, il conserve douze foudres pour l'affinage de ses cuvées de grande lignée.*
*A son art de bien faire, s'ajoute le don de l'accueil. Chaque année, tous les mercredis soir, du 15 juin aux vendanges, il offre des soirées apéritives, et vous fait partager sa passion.*
*Inattendue, sa cuvée Château...*
*Une réussite pour l'appellation, éclatant sous le regard, un vin tout en fondu enchaîné. Élégant, il montre juste ce qu'il faut de fermeté. A savourer sans hâte.*

# St-Félix-de-Lodez

## ▓ Ets Jeanjean

Saint-Félix-de-Lodez
34150 Gignac
tél. 67.96.60.53.

*Plus que centenaire, la Maison Jean-jean est devenue au fil des ans un des promoteurs de la qualité.*

*Négociants de talent, Hugues et son frère Bernard bénéficient d'un réel crédit dans la région et occupent la place de leader sur l'échiquier du Languedoc-Roussillon.*

*Leur particularité est de proposer partout en France et à l'étranger des A.O.C. qui émanent de très nombreux producteurs triés sur le volet.*

*Mettre en bouteilles à la propriété plus de 140 domaines et châteaux, faire passer l'information auprès des producteurs et des œnologues qui les conseillent par le biais d'une équipe technique dirigée par M. Allingri secondé de Benoît Blancheton et Françoise Oberlin, motiver une structure dynamique de commercialisation... sont autant de facteurs qui permettent à toute une équipe d'hommes et de femmes de talent d'être toujours le plus proche possible du consommateur.*

*Hugues et Bernard Jeanjean, c'est aussi dans un paysage sauvage sur le causse d'Aumelas, le domaine de Lunes. Encouragés par le classement en A.O.C. de ce terroir, ils remettent en valeur le domaine familial de façon spectaculaire.*

*Pour ce faire, ils défrichent la garrigue, concassent la rocaille, pour implanter des cépages de qualité, modernisent le cuvier, aménagent un chai de vieillissement, climatisent les locaux...*

*Hugues Jeanjean en parfait chef d'orchestre dirige les opérations afin que l'ouvrage réponde à son aspiration.*

*Vous pouvez lui faire confiance : « Le bon goût c'est son métier. »*

*La cuvée « Bergerie de l'Arbous » 1986 a la robe encore vive, un nez de framboise, de cuir, de vanille. L'attaque est agréable, très souple. Ce vin révèle en bouche sa belle harmonie, mais un rien de chair en plus étofferait les tannins déjà soyeux.*

## ▧ Cave Coopérative de Saint-Félix-de-Lodez

34150 Saint-Félix-de-Lodez
tél. 67.96.60.61.

670 hectares dont 260 en appellation. Sol : cailloutis calcaire et argile rouge. A.O.C. Coteaux du Languedoc rouge, rosé et blanc. A.O.C. Clairette du Languedoc. Vins de pays : clairette moelleuse, chenin, semillon.
Prix départ cave : 12 à 25 F T.T.C.
Œnologue conseil : M. Bernard Agay.

*Saint-Félix-de-Lodez se situe sur la route de Montpellier à Millau et offre une charmante halte au pied des contreforts du causse du Larzac.*

*Nous découvrons des vignerons passionnés, dont la devise pourrait être « à cœur vaillant, rien d'impossible ». Concernés, ils s'investissent totalement et donnent cette synergie indispensable à la bonne marche de l'entreprise.*

*Messieurs Reverbel et Amador, respectivement directeur et président, nous entretiennent de cette volonté farouche qui les anime pour conquérir cette notoriété qualitative tant méritée.*

*Ils nous proposent au caveau une palette impressionnante de produits.*

*La cuvée Château Saint-Félix rouge élevée en fûts de chêne pour son millésime 89 est un vin confidentiel et prometteur.*

*La gamme baptisée Saint-Jacques en hommage à Jacques de Saint-Félix qui offrit en 1545 les vins à François 1er nous séduit. Le rosé, issu pour moitié des cépages syrah, et cinsault est magnifique de reflets. Tout en fleur où l'œillet domine sur des saveurs amples et riches.*

# St-Jean-de-la-Blaquière

## ▓ Domaine de La Sauvageonne

**MM. Gaëtan et Yvon Ponce,**
34700 Saint-Jean-de-la-Blaquière
tél. 67.44.71.74.

Superficie : 30 hectares. Sol schisteux. A.O.C. Coteaux du Languedoc blanc, rosé, rouge. Cartagènes (une jaune, l'autre brune).
Prix départ cave : 15,50 à 45 F T.T.C.
Œnologue conseil : M. Jean-François Vrinat.

*Dans cette région, que les difficultés économiques poussent à produire des vins jeunes, Gaëtan et Yvon Ponce produisent des vins « musclés », authentiques, reflets du terroir, du climat et des cépages.*

*Ils cultivent un vignoble entièrement palissé, ornementé d'un rosier à chaque bout de rang, planté sur des terres de « Ruffes ».*

*Les Ponce, maçons avant d'être vignerons, ont empoigné la pelle et la pioche pour creuser dans le roc une cave superbe, rationnelle et qui ne néglige aucun des aspects de l'œnologie moderne.*

*Les vins issus de vinification traditionnelle et de macération carbonique, très structurés, ne sont commercialisés qu'après une longue garde.*

*La cuvée Prestige 1988 du domaine de la Sauvageonne, profonde dans sa couleur, puissante par ses parfums où se mêlent les fruits rouges, les épices et la venaison, possède de solides qualités et des tannins qui n'ont pas encore fini d'évoluer.*

# St-Vincent-de-Barbeyrargues

## ▓ Domaine de la Perrière

**Simone et Thierry Sauvaire,** ◆
8, rue des Puits
34730 Saint-Vincent-de-Barbeyrargues
tél. 67.59.60.10.
67.59.61.75.

Superficie : 42 hectares dont 10 en A.O.C. A.O.C. Coteaux du Languedoc rouge, rosé. Vins de pays rouge et blanc.
Prix départ cave : 12 à 22 F T.T.C.
Œnologue conseil : M. Jean-François Vrinat.

*Une affaire de famille dont l'antériorité remonte au XVIIᵉ siècle, époque de la splendeur vinicole du village.*
*Le vignoble s'étend sur deux communes : Saint-Vincent-de-Barbeyrargues et Assas distantes de deux kilomètres sur un terroir privilégié où les galets de silice recouvrent le sol et confèrent aux vins de la Perrière cette typicité.*
*Assas, nouvellement classé en A.O.C., est un village riche d'histoire où s'élève un magnifique château du XVIIIᵉ.*
*C'est dans les caves de ce prestigieux château que Thierry Sauvaire vinifie et élève en foudres de chêne ses cuvées déjà médaillées.*
*Lui qui se plaît à dire « j'ai à cœur mon terroir » peut être fier.*

*Son millésime 1988 a une très belle robe aux reflets indigo. Le nez explose complexe et riche où se marient les épices orientales et la civette sur fond de fruits rouges. La bouche plus discrète nous promet par sa structure et son équilibre de se dévoiler avec le temps.*

# Sallèles-du-Bosc

## ▩ Domaine Paul Grabiel-Vaille

34700 Sallèles-du-Bosc
tél. 67.44.70.67.

Superficie : 30 hectares dont 20 en A.O.C. Sol érodé du primaire caractéristique de « Ruffes ». A.O.C. Coteaux du Languedoc rouge. Vin de pays.
Prix départ cave : 14 à 16 F T.T.C.
Œnologue conseil : M. Faure.

*Depuis 1961, Paul Grabiel-Vaille succède à trois générations de vignerons. Sallèles-du-Bosc, un village non loin de la N 9 au sud de Lodève, où le vignoble se développe sur des sols très particuliers.*
*Dans un cuvier très bien équipé, il élabore des cuvées de fort belle tenue.*
*Si le terroir est en grande partie responsable de l'expression de ses vins, son œnologue — et sa femme — verre à la main peaufine les assemblages, « elle critique et j'améliore », dit-il...*
*Son millésime 1985 est superbe d'intensité et d'éclat. Un nez qui exprime haut et fort des senteurs sauvages et d'humus tout enveloppé de cassis et de réglisse.*

## ▩ Château Vaille

**Bernard et Elie Vaille,**
34700 Sallèles-du-Bosc
tél. 67.44.71.98.

Superficie : 28 hectares tout en A.O.C. Sol : caractéristique de « Ruffes ». A.O.C. Clairette du Lan-

guedoc, A.O.C. Coteaux du Languedoc. Carthagène.
Prix départ cave : 15 à 45 F T.T.C.
Œnologue conseil : M. Agay.

*Les deux frères Bernard et Elie Vaille produisent sur un terroir très spécifique de couleur rougeâtre dénommé localement « Ruffes » des A.O.C. Coteaux du Languedoc mais aussi une délicieuse carthagène dont ils préservent jalousement le secret de fabrication.*
*Tout est recherche de la qualité sur ce domaine, propriété de la famille depuis les années 1650.*
*Courageux, passionnés et tenaces, les frères Vaille, depuis 1970, se sont mis à l'ouvrage. Très attachés à leur terroir, ils ont su le mettre en valeur grâce à un encépagement bien étudié et des modes de vinification appropriés.*
*La cuvée rouge « Château Vaille » au joli bouquet parfumé mêle puissance et chaleur dans un équilibre harmonieux.*

# Villeveyrac

## ▩ S.C.E.A. Domaine de Valmagne

Mme **Diane d'Allaines,**
34140 Villeveyrac
tél. 67.78.06.09.

Superficie : 8 hectares en A.O.C. Sol argilo-calcaire vallonné. Vins de pays. A.O.C. Coteaux du Languedoc.
Œnologue conseil : M. Patrick Leenardht.

*En Languedoc, il existe des endroits prestigieux, que la nature a béni entre tous, où « la terre et le soleil permettent à la vigne de se développer harmonieusement », où le cadre grandiose favorise la mise en valeur de ses crus. Propriété de la famille Gaudart d'Allaines, l'abbaye cistercienne de Valmagne du XIIᵉ siècle fait partie de ces lieux enchanteurs.*
*Diane d'Allaines y perpétue la tradition monacale et, à l'intérieur même de l'église, élève dans de vieux*

*foudres ventrus des vins fruit de la terre, du courage et de la patience des hommes.*
*Membre du Club des grands vins de châteaux du Languedoc, elle vous invite à partager le culte du vin tout en visitant l'abbaye.*

*L'A.O.C. millésime 86 de l'abbaye a une robe profonde aux reflets tuilés, des senteurs épicées de fruits cuits et de fumaison. Rond, équilibré, il finit sur une note boisée et des arômes chocolatés.*

**Coteaux du Languedoc**, voir aussi :

Clairette du Languedoc : Coop. d'Aspiran, Domaine d'Aubepierre, Coop de Ceyras, Château la Condamine Bertrand, Château Saint-André.

Muscat de Lunel : Château Grès St-Paul.

Vins de pays du Gard : Dom. de la Barben, Coop. de Carnas, Coop. de Crespian, Mas d'Escattes.

# Clairette du Languedoc

A.O.C. depuis le décret du 28 septembre 1948.
Aire d'appellation : 11 communes de la rive droite de l'Hérault.
Terroirs : très variés : schistes, plateaux basaltiques, molasse marno-calcaire, terrasses caillouteuses de l'Hérault...
Encépagement : clairette blanche.
Production en 1989 : 10 000 hl environ.

La Clairette du Languedoc est l'une des plus anciennes appellations d'origine contrôlées du Languedoc. L'I.N.A.O. l'a en effet reconnue dès 1948, en un temps où l'immense majorité des viticulteurs méridionaux raisonnaient encore en termes de degrés-hectos.

La précocité de cette reconnaissance ne doit pas étonner : la Clairette du Languedoc peut en effet se prévaloir d'une belle antériorité. Dès le Moyen Age, les vins de cette portion de la vallée de l'Hérault faisaient l'objet d'un commerce actif. Au XVIIᵉ siècle, et plus encore au XVIIIᵉ, les Hollandais se les arrachaient. Ce vin s'appelait alors « picardan », du nom du plant dont on le tirait. C'était déjà un vin blanc, apprécié pour son aptitude à la madérisation. André Jullien en parle en ces termes en 1816 : « Ils sont liquoreux sans être muscats, ont un très bon goût, beaucoup de sève, de bouquet et surtout de spiritueux (...). Le vin de Picardan perd sa douceur en vieillissant ; il devient sec, et participe alors du goût de ceux de même espèce que nous tirons à grands frais de l'Espagne... »

L'ère de la viticulture industrielle devait cependant avoir des répercussions dans ce secteur. Les vermoutheries devinrent le principal débouché des vins de clairette. Débouché rémunérateur certes, mais nuisible à l'authenticité et à la qualité de ceux-ci. Un syndicat de défense de la clairette fut créé en 1941 afin de protéger les vignerons qui perpétuaient la tradition. Leurs efforts furent reconnus quelques années plus tard par le classement en A.O.C.

L'aire de production de la Clairette du Languedoc s'étend sur 11 communes de la rive droite de l'Hérault. Les terroirs y sont très variés. A Cabrières et Lieuran-Cabrières, la vigne est implantée sur des terrains primaires schisto-gréseux. Ailleurs elle fréquente les terrasses caillouteuses construites par le fleuve au cours du quaternaire ainsi que les versants des collines molassiques entaillées par ses affluents. Ces terroirs ont en commun leur caractère graveleux, leur perméabilité et leur pauvreté agronomique. Les basses terrasses couvertes de limons et mal drainées n'ont pas été admises dans l'aire.

La production de Clairette du Languedoc est aujourd'hui très faible : à peine dix mille hectolitres élaborés par huit caves coopératives et cinq caves particulières. Il faut néanmoins considérer qu'il s'agit d'un niveau d'étiage. Des progrès considérables ont été réalisés ces dernières années pour améliorer la qualité des vins. Les raisins sont strictement sélectionnés. Afin d'éviter toute oxydation et conserver le parfum du cépage clairette, les baies sont directement pressées, sans foulage préalable, dès leur arrivée à la cave. Suit un débourbage partiel destiné à éliminer les impuretés. Le jus est mis ensuite à fermenter lentement à basse température pendant trois semaines. Les vins de clairette, ainsi vinifiés, présentent une grande finesse d'arômes et de goût. Ils accompagnent parfaitement les poissons, les coquillages et les crustacés. Il est possible de jouer sur l'équilibre sucre-acidité et de présenter deux types de clairette : un vin blanc sec (dry, de loin le plus répandu) et un autre, légèrement moelleux capable d'accompagner les desserts. Ce dernier conserve 17 grammes de sucre résiduel par litre (soit un degré alcoolique potentiel). Signalons encore l'existence d'une clairette rancio, héritière du picardan d'autrefois. Elle titre 14° et a séjourné plus d'un an en fût de chêne.

La Clairette du Languedoc peut être vendue sous cette seule mention ou accompagnée de celle des Coteaux du Languedoc. De la même manière, les 11 communes de l'aire ont également la possibilité de produire du rouge, du rosé et du blanc sous l'appellation générique Coteaux du Languedoc.

# Aspiran

## ▩ La Cave des Vignerons d'Aspiran

34800 Aspiran
tél. 67.96.50.16.

900 hectares. Coteaux caillouteux très calcaires. A.O.C. Clairette du Languedoc. A.O.C. Coteaux du Languedoc. Vins de pays.
Prix départ cave : 10 à 18 F T.T.C.
OEnologue : M. Cambonie, le directeur.
Président : M. Cabassut.

*Située au cœur même de son appellation, cette cave créée en 1932 avait à l'origine pour vocation de vinifier et de commercialiser uniquement ses vins blancs.*

*Le vignoble de 900 hectares entièrement classé s'étend sur des coteaux caillouteux très calcaires qui confèrent à la clairette cette expression terroitée unique.*

*Par son partenariat avec la Maison Jeanjean, elle amorce aujourd'hui un nouveau virage et diversifie sa production.*

*Cette coopérative fort bien équipée concentre tous ses efforts sur des plantations de chardonnay et de sauvignon.*

*Parmi la gamme des six domaines, nous avons retenu la cuvée du domaine de Montezes, superbe dans sa robe pâle et brillante.*

*Le nez dévoile les parfums subtils d'une vinification bien maîtrisée, accentuée par des notes de fruits bien mûris.*

*En bouche, vif et bien équilibré, il offre*

*beaucoup d'agrément, un vin à boire dans sa prime jeunesse.*

# Ceyras

## ▨ Cave Coopérative La Clairette

34800 Ceyras
tél. 67.96.24.43.

Superficie : 350 hectares dont les 2/3 en A.O.C. Sol hétérogène à dominante calcaire pour le cépage clairette. Vins de pays d'Oc. A.O.C. Coteaux du Languedoc. A.O.C. Clairette du Languedoc.
Prix départ cave : 14 à 25 F T.T.C.
Œnologue conseil : M. Drigues.

*Cette coopérative créée en 1957 bénéficie d'un réel essor dû à la prise de conscience collective des 184 adhérents nous dit son directeur oenologue, Roger Jeanjean.*

*A travers des conseils très pointus dispensés aux viticulteurs pour mieux orienter leur production, grâce à une sélection au terroir très stricte, ils ont réussi à produire un raisin riche et concentré, apte à l'élaboration de vins de qualité.*

*Afin de mieux les distribuer, le dynamique président, M. Michel Ribes, est à l'origine de la création d'une S.A.R.L. qui commercialise aujourd'hui 90% de la production de la cave.*

*Cette coopérative élabore des vins nobles et généreux qui raviront les gourmets. Le blanc de clairette, à la robe vive et brillante, s'ouvre lentement sur des notes de miel d'acacia, de fruits secs et d'agrumes confits. Souple, gras, moelleux en bouche, il est chaleureux. Une présence de gaz carbonique maintient la fraîcheur.*

# Nizas

## ▨ Domaine d'Aubepierre

M. Guy Crebassol,
34320 Nizas
tél. 67.25.15.59.
        67.25.15.15.

Sol calcaire. Superficie : 25 hectares. A.O.C. Clairette du Languedoc. Coteaux du Languedoc.
Prix départ cave : 12 à 20 F T.T.C.
Œnologue conseil : M. Jean Natoli.

*Le domaine de la famille Crebassol baptisé d'Aubepierre « La Pierre Blanche » tient son nom de ce terroir fort caillouteux dominé par le calcaire. Aujourd'hui, Guy Crebassol, conscient de l'expression aromatique de ce sol, agrandit son vignoble pour l'enrichir de plantations de sauvignon.*

*Dans sa cave entièrement rénovée, il conserve cependant les vieux foudres ventrus qui témoignent du passé. Il y élabore une clairette digne d'intérêt, issue de vignes quarantenaires. Elle s'offre à nous complexe et subtile, ample et pleine aux flaveurs bien marquées d'amande grillée.*

# Paulhan

## ▨ Château La Condamine Bertrand

Mme et M. **Bernard Jany**,
34230 Paulhan
tél. 67.98.15.23.

Superficie : 65 hectares dont 34 en A.O.C. Sol calcaire, argilo-calcaire, schistes. A.O.C. Clairette du Languedoc. A.O.C. Coteaux du Languedoc. Vins de pays d'Oc.
Prix départ cave : 13 à 40 F T.T.C.
Œnologue conseil : M. Marc Dubernet.

*Le château est une bien belle demeure vieille de deux siècles. Cet ancien relais de poste est aujourd'hui célèbre par l'élégance et la finesse de sa clairette. Bernard Jany a su tirer profit de son terroir calcaire de la Condamine, et de ses 9 hectares de vignes centenaires, origine de cette réussite.*

*Ajoutez à cela la parfaite élaboration renforcée par des soins minutieux et le tour est joué. Un régal...*

*La robe charmeuse dévoile par ses reflets verts toute sa jeunesse. Le nez flatteur exhale des senteurs intenses de fleurs délicatement anisées.*

*La bouche séduisante révèle par sa structure et sa fraîcheur la maîtrise du vigneron.*

*A découvrir, la cuvée Baron Ferrouil, qui promet beaucoup de plaisir.*

# Pézenas

## ▒ Château Saint-André

M. **Jean-Louis Randon,** ◆
Route de Nizas
34120 Pézenas
tél. 67.98.12.58.

Sol calcaire et basaltique. Superficie : 25 hectares. Vins de pays rouge et blanc. A.O.C. Coteaux du Languedoc. A.O.C. Clairette du Languedoc.
Prix départ cave : 11 à 28 F T.T.C.
Œnologue conseil : M. François Serre.

*Le château Saint-André, ancien rendez-vous de chasse, est géré par Jean-Louis Randon, ingénieur venu à la profession par passion.*

*Située à quelques kilomètres au nord de Pézenas, la propriété jouit d'un terroir exceptionnel, fait de bandes calcaires du miocène, favorables aux cépages blancs et de sols plus acides, basaltiques, où les cépages rouges s'expriment d'une manière qualitative.*

*Pour Jean-Louis Randon, la qualité est une priorité. Il fournit la preuve que seul un raisin sain et parfaitement mûr peut donner un excellent vin à condition de le vinifier avec soin.*

*Sa Clairette du Languedoc, vinifiée à température contrôlée, témoigne de ses dires.*

*De couleur or pâle, elle offre un nez subtil, fruité, de foin coupé aux accents d'anis étoilé. Vif, gras et fruité en bouche avec une légère amertume en finale, c'est un très joli vin blanc, à servir frais pour bénéficier de ses charmes.*

**Clairette du Languedoc**, voir aussi :

— Coteaux du Languedoc : Coop. de St-Félix de Lodez, Ch. Vaillé.

# Côtes de la Malepère

V.D.Q.S. depuis 1976.
Aire d'appellation : 31 communes de l'Aude.
Terroirs variés : poudingues décomposés, molasse marno-calcaire, terrasses caillouteuses quaternaires.
Encépagement : Rouges : cépages principaux (pas plus de 60% pour chacun d'eux) : merlot, cot, cinsault. Cépages secondaires (30% maxi au total) : cabernet franc, cabernet sauvignon, grenache, lladonner pelut, syrah.
Rosés : cépages principaux : cinsault, grenache, lladonner. Cépages secondaires : merlot, cot, cabernets, syrah.
Production : 16 000 hl.
Rendement : 50 hl/ha.

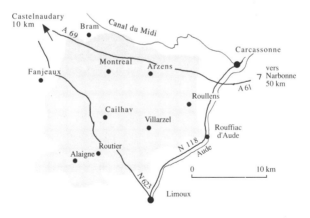

La Malepère signifie mauvaise pierre en occitan. Ce nom désigne un massif culminant à 442 mètres situé au sud-ouest de Carcassonne. Cette « mauvaise pierre » ce sont des poudingues, c'est-à-dire des conglomérats de galets plus ou moins arrondis réunis par un ciment siliceux ou calcaire. Débris arrachés à l'ère tertiaire du tout jeune massif pyrénéen et roulés par des torrents aujourd'hui disparus, ces poudingues ont mieux résisté à l'érosion que les terrains molassiques environnants. Séparé des Corbières par la vallée de l'Aude et du Cabardès par le Lauragais, le massif de la Malepère domine à l'ouest, de ses hauteurs boisées, les molles ondulations du Razès et reçoit de plein fouet, au moins sur son versant occidental, les influences océaniques.

L'histoire viticole récente de la Malepère est remarquable à plus d'un titre : la vigne, auparavant fort discrète, envahit au siècle dernier cette région vouée traditionnellement aux labours et à l'élevage : hybrides, cépages teinturiers Bouschet, aramon et carignan s'y taillaient la part du lion. On reconnaît ici les composants du vignoble de masse, un vignoble dont les productions, de faible degré alcoolique mais très colorées, complétaient parfaitement les puissants vins d'Algérie. L'affaire aurait pu s'arrêter là et la viticulture disparaître, comme elle le fait actuellement dans le reste du Razès, emportée par la crise. Il n'en fut rien. A la fin des années 60, de bonnes fées se penchèrent sur la région. C.N.R.S. université, chambre d'agriculture conjuguèrent leurs efforts dans une démarche interdisciplinaire d'une rare fécondité. Celle-ci partit d'un constat : la viticulture de masse et son cortège de cépages méditerranéens gros producteurs n'étaient pas adaptés au milieu local. L'étude attentive de la carte de la végétation de Carcassonne au 1/250 000, montrait en effet que sous couvert d'une apparente homogénéité, liée en partie à l'existence du massif lui-même, la Malepère recélait une grande variété de milieux écologiques : méditerranéen à l'est, le climat devient franchement aquitain à l'ouest, toutes les formes de transition venant s'insérer entre les deux et s'enrichir des contrastes d'exposition, de la diversité des types de versants et de sols.

En 1965, fut créé dans le secteur le domaine expérimental de Cazes : un domaine d'une vingtaine d'hectares où l'on planta, sur quatre types de sols, pas moins de soixante-dix cépages différents. L'ensemble fut complété par l'aménagement d'une cinquantaine de parcelles expérimentales dispersées à travers l'ensemble de la région et sur ses marges. Les conclusions apparurent très tôt évidentes : à chaque milieu il fallait des cépages différents : cépages aquitains (merlot, cabernet, cot...), à l'ouest ; cépages méditerranéens et rhodaniens (cinsault, grenache, syrah), à l'est.

Le réencépagement débuta dès les années 70 pour s'accélérer dans la décennie 80. Les caves coopératives de la région furent le fer de lance de cette politique. Elles sont à l'origine de l'un des groupements de producteurs les plus dynamiques du Languedoc-Roussillon : l'U.C.C.O.A.R., Union des caves coopératives de l'Ouest audois et du Razès, dont l'activité, si elle déborde aujourd'hui largement sa région d'origine, contribue à l'écoulement d'une grande partie des vins du secteur.

L'amélioration de la qualité des vins de la Malepère fut sanctionnée en 1976 par l'accession au rang de V.D.Q.S. Une mauvaise surprise attendait pourtant ces vignerons entreprenants. En 1980 le vignoble de la Malepère fut rétrogradé en vin de pays par décision du Conseil d'État ! Pourquoi ? Parce qu'un règlement stipulait qu'un vignoble ne pouvait accéder à l'appellation d'origine (et les V.D.Q.S. détiennent ce privilège) s'il n'était préalablement passé par le stade des vins de pays. Administration quand tu nous tiens ! Les producteurs de la Malepère avaient progressé trop vite et leur enthousiasme les avait conduit à brûler les étapes. Le purgatoire dura trois ans, et le V.D.Q.S. fut rétabli en 1983. Désormais, on songe de plus en plus sérieusement à l'A.O.C.

La superficie du vignoble revendiquée en Côtes de la Malepère, dynamisme et succès commercial obligent, s'est accrue ces dernières années à un rythme soutenu. Qu'on en juge : 132 hectares en 1978 ; plus d'un millier aujourd'hui.

Huit caves coopératives et une dizaine de caves particulières produisent du V.D.Q.S. Côtes de la Malepère. L'amateur ira dans cette région de surprise en surprise pour des prix encore très abordables. Les Côtes de la Malepère offrent l'un des meilleurs rapports qualité-prix du Languedoc-Roussillon. S'y ajoute une incontestable originalité qui tient pour partie au large éventail des terroirs, pour partie à la palette des cépages utilisés mais aussi à l'incontestable savoir-faire de ses vignerons.

# Arzens

## ▓ Cave Coopérative La Malepère

11290 Montréal-de-l'Aude ◆
tél. 68.76.21.31.

2 300 hectares. Sol : terrasses, argilo-calcaires. Vins de pays. V.D.Q.S. Cabardès rouge. V.D.Q.S. Côtes de la Malepère rouge, rosé. Prix départ cave : 8,50 à 18 F T.T.C. Œnologue conseil : M. Souquie.

*Entreprenante, dynamique que cette cave La Malepère, et efficace Jean-Jacques Calmet qui dirige cette coopérative de 440 adhérents.*

*Au prix de très lourds investissements, d'importants moyens techniques contribuent à améliorer sans cesse la qualité des très nombreux produits proposés par cette impressionnante unité de transformation.*

*La fusion avec la coopérative de Moussoulens leur permet de commercialiser un V.D.Q.S. Cabardès Cuvée du cinquantenaire qui reflète les avantages de l'harmonie des cépages, du terroir et de son climat.*

*De la gamme des Côtes de Malepère, nous avons apprécié le très élégant Château de Festes rouge 1986, parfumé de fruits rouges très mûrs et de notes plus évoluées de cuir et de torréfaction.*

*Le Domaine de Foucauld, rouge 1986, harmonieux, d'une forte personnalité mérite toute notre attention.*

*Sous l'impulsion de son président Jean-Paul Lallemand, en coordination avec l'Institut national de la recherche agronomique (I.N.R.A.), ils proposent un « vin » sans alcool, des boissons à base de jus de raisin faiblement alcoolisées, et des purs jus de raisin, toute une palette de boissons issues d'une technologie de pointe.*

# Belveze-du-Razès

## ▨ Château de Lamothe-Routier

**M. Jacques de
Fonde-Montmaur,** ♦
11240 Belveze-du-Razès
tél. 68.69.02.62.

31 hectares, 50 ares dont 3,50 produisent des V.D.Q.S. Sol argilo-calcaire. V.D.Q.S. Côtes de la Malepère.
Prix départ cave : 12 F T.T.C.
Œnologue conseil : M. Moreau.

*Ce château situé sur un terroir de coteaux est dans la famille depuis plus de trois siècles.*
*Une importante propriété dont le vignoble entièrement classé en appellation ne produit que très peu de V.D.Q.S. Côtes de la Malepère.*
*Jacques de Fonde-Montmaur met dorénavant l'accent sur la diversification des cultures.*
*Volontairement il limite sa production de vins d'appellation.*
*Il présente cependant une cuvée intimiste, vinifiée traditionnellement à partir des cépages cabernet, malbec, merlot et grenache noir.*
*Un vin agréable, discret, qui se dévoile petit à petit pour offrir une bonne harmonie en bouche.*

# Malvies

## ▨ G.F.A. Château Malvies-Guilhem

11300 Malvies
tél. 68.31.14.41.
35 hectares de vigne. Sol argilo-calcaire. Vins de pays. V.D.Q.S. Côtes de la Malepère rouge.
Prix départ cave : 16 F T.T.C.
Œnologue conseil : M. Sanchez.

*Élaboré dans une cave très bien réaménagée, le V.D.Q.S. « Château de Malvies Guilhem » 1988 révèle la*
*prédominance des cépages cabernet et merlot.*
*Situé à Malvies, le vignoble du château (demeure de 1783, agréable par son péristyle) bénéficie de ce très beau terroir soumis à l'influence océanique.*
*Le vin qui en résulte a une robe rubis de profondeur moyenne. Le nez est fin et fruité. Souple et gouleyant en bouche, il est doté d'une finale agréable.*

# Montréal

## ▨ Les Coteaux Dominicains

11290 Montréal-de-l'Aude
tél. 68.76.20.47.

300 hectares. Sol argilo-calcaire.
V.D.Q.S. Côtes de la Malepère.
Prix départ cave : 13 à 15 F T.T.C.
Œnologue conseil : M. Souquie.

*Tout était réuni à Montréal pour élaborer de grands vins, le terroir, le climat, les cépages.*
*Un manque cependant, cette dynamique « la foi » essentielle et indispensable pour aller de l'avant.*
*Victime de l'arrachage, cette cave aujourd'hui est dans l'attente de confier à d'autres ce qu'ils ne peuvent plus faire.*
*Le vignoble constitué des cépages merlot, cabernet et cot permet la production de vins de pays. Domaine de Robert et des vins d'appellation Malepère.*
*Le Château Robert rouge 1986 est une cuvée élégante par sa robe d'un beau brillant. Le nez charmeur offre des senteurs fines et complexes. Peu structuré mais bien équilibré, la bouche révèle des saveurs fraîches et souples très agréables.*

# Routier

## ▨ Cave du Razès

11240 Routier
tél. 68.69.02.71.

450 hectares classés pour 2 600 hectares. Sol argilo-calcaire. V.D.Q.S. Côtes de la Malepère. Prix départ cave : 11,50 à 16 F T.T.C. Œnologue : M. Roques, le directeur.

*La cave créée en 1951 étend son vignoble classé sur des lieux chargés d'histoire.*

*Entièrement réencépagé, celui-ci témoigne des efforts réalisés par les vignerons de ce cru.*

*Au travers de domaines et châteaux, elle axe son développement sur une politique de produits qualitatifs et représentatifs de l'appellation Malepère.*

*Elle s'équipe de matériels performants bien adaptés aux besoins. Elle se spécialise dans le vieillissement en bouteilles, et construit un chai de stockage thermorégulé.*

*Le Domaine de Fournery est un vin typé et bien équilibré. Il se présente joliment structuré avec des tannins ronds et fondus.*

*Le Domaine Beauséjour, paré d'une robe sombre et profonde, puissant dans ses arômes d'une grande richesse, allie avec élégance la fermeté, la chair et la fraîcheur.*

### ▓ Château de Routier

Mme **Michèle Lazerat,**
11240 Routier
tél. 68.69.06.13.

104 hectares dont 54 hectares de vignes classées en V.D.Q.S. Sol argilo-calcaire en terrasses et coteaux. Vins de pays. V.D.Q.S. Côtes de la Malepère. Prix départ cave : 12 à 25 F T.T.C. Œnologue conseil : M. Dedieu.

*Le château de Routier, au cœur de ce paysage de l'Aude qui regarde déjà vers le sud-ouest, n'est pas seulement un décor serein, c'est aussi par la volonté et la passion d'une femme une exploitation vivante, gérée par Michèle Lazerat, qui s'emploie à tirer l'excellence de son terroir.*

*Tout était à refaire, de l'encépagement au chai de vinification, et contre le gré*

*de sa famille, elle a affronté les difficultés et s'est mise à l'œuvre.*

*A force de ténacité et d'amour pour ce noble métier de vigneron, elle produit aujourd'hui des vins qui glanent de nombreuses récompenses dans les plus grands concours.*

*Michèle Lazerat propose de très belles cuvées qu'elle vous fera apprécier dans un caveau aménagé en musée de la vigne et du vin.*

*Le V.D.Q.S. blanc, de macération pelliculaire, issu de raisins récoltés de nuit pour éviter les excès de température, est la preuve du savoir-faire de cette charmante propriétaire.*

*Fruité, rempli de sève, il est complexe, rond, aux saveurs sucrées bien que très sec.*

*Le rosé à fort pourcentage de cabernet franc à la robe vive et brillante a un nez racé aux senteurs intenses de fleurs odorantes. Très bien équilibré en bouche, à la fois vif et gras, il termine élégamment sur une bonne persistance.*

# St-Martin-de-Villereglan

### ▓ Domaine de Matibat

M. **Henri Turetti,**
11300 Limoux
tél. 68.31.15.52.

64 hectares. Sol argilo-calcaire caillouteux. Vins de pays de cépages. V.D.Q.S. Côtes de la Malepère. Prix départ cave : 11 à 18 F T.T.C. Œnologue conseil : M. Sanchez.

*M. Turetti, propriétaire depuis 1973, a très vite pris conscience de la qualité de ce domaine installé près de Limoux. Persuadé qu'il n'est possible de faire de grands vins qu'avec de bons cépages, convaincu de la richesse de son terroir, il rénove à 80% le vignoble qui s'étend sur 64 hectares et 32 parcelles différentes.*

*Actuellement, son encépagement est composé de merlot, cabernet, malbec, grenache et chardonnay.*

Il produit dans une cave entièrement rénovée des vins vinifiés avec brio qui témoignent de l'habileté de ce vigneron. Élevé en fûts de chêne, le rouge V.D.Q.S. 1986 est remarquable pour sa finesse, sa puissance aromatique et son élégance. Reconnu par tous, il est la récompense du travail constant d'Henri Turetti qui ne ménage pas sa peine pour améliorer de jour en jour la qualité de ses produits.

# Côtes du Roussillon
# Côtes du Roussillon Villages

A.O.C. depuis le décret du 28 mars 1977.
Aire d'appellation : 6 600 ha sur 125 communes, dont 28 sont classées en A.O.C. Côtes sur Roussillon Villages représentant 2 200 ha.
Terroir très varié : argilo-calcaire, argilo-limoneux, cailloux roulés, schistes, granits, gneiss.
Encépagement : pour les rouges : carignan (70% maxi, 60% à partir de 1993), grenache, cinsault, lladoner pelut, syrah et mourvèdre (10% mini), maccabeu (10% maxi).
Les Côtes du Roussillon Villages sont exclusivement rouges.
Pour les rosés : mêmes cépages mais 30% maxi autorisés pour le maccabeu.
Pour les blancs : maccabeu, malvoisie ; roussane, marsanne, vermentino et grenache blanc (50% maxi ensemble ou séparément).
Degré : Côtes du Roussillon rouge et rosé : 11,5° mini.
Côtes du Roussillon blanc : 10,5° mini, 12,5° maxi.
Côtes du Roussillon Villages : 12° mini.
Rendement : 50 hl/ha maxi pour les Côtes du Roussillon, 45 hl/ha maxi pour les Côtes du Roussillon Villages.
Production : 200 000 hl en Côtes du Roussillon. 80 000 hl en Côtes du Roussillon Villages.

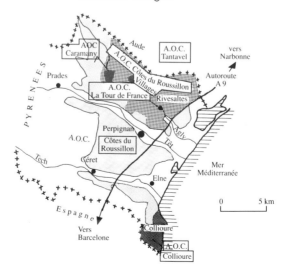

Le Roussillon offre une extraordinaire diversité de paysages. En effet, la mer et la montagne sont rarement aussi proches que dans cette province, la plus méridionale de France. Le Canigou — la montagne sacrée des Catalans — qui s'élève à 2 783 m d'altitude, se trouve à 50 km à peine des plages de la Méditerranée. Le vignoble du Roussillon est limité par le Canigou à l'ouest, au sud par les Albères (le contrefort le plus oriental de la chaîne des Pyrénées) et au nord par les Corbières méridionales. Les vignes s'étendent depuis la mer où l'on trouve les premières parcelles classées installées sur des terrasses alluvionnaires et caillouteuses, à quelques mètres à peine au-dessus du niveau de la mer, jusque sur les coteaux et piémonts alentour où elles peuvent atteindre 500 m d'altitude. Le vignoble du Roussillon est en fait un gigantesque amphithéâtre tourné vers la Méditerranée. C'est déjà avec les Grecs que la viticulture est arrivée en Roussillon. Le nom de « Roussillon » vient de la ville de « Ruscino », ancienne capitale régionale que les Romains ont agrandie au Iᵉʳ siècle avant Jésus-Christ. Comme partout dans le Midi, la culture de la vigne s'est étendue durant les cinq siècles qu'à duré l'occupation romaine. Une courte mais brutale interruption a été causée par les Maures qui traversèrent les Pyrénées en 720, puis dès l'an 800, la culture de la vigne a pu reprendre, aidée comme dans beaucoup de régions par l'activité des monastères.

Mais la véritable renaissance de la vigne vient de l'époque romane, qui a laissé tant de remarquables témoignages en Roussillon, tels les monastères de St-Michel-de-Cuxa, de Serrabone, ou la cathédrale d'Elne. L'importante activité des Templiers a commencé dès cette époque, et leur découverte du « mutage », méthode d'élaboration des vins doux naturels, est significative de l'intérêt porté alors au vin. Parmi les nombreuses donations reçues par l'ordre des Templiers, il y avait beaucoup de vignes, dont celles, par exemple, de Centernag, le St-Arnac actuel, données en 1137 et situées dans le nord-ouest de l'appellation. Le Roussillon connut son âge d'or à l'époque du royaume de Majorque. Ses tissages et ses vins doux étaient alors des marchandises précieuses et recherchées. Les temps sombres sont arrivés au cours de la 2ᵉ moitié du XVᵉ siècle, alors que la Catalogne du Nord était un objet de discorde entre la France et la Castille. Après le traité des Pyrénées qui rattacha cette région au royaume de France en 1659, on assista à une régression au niveau de l'économie et de l'agriculture. Les gens qui cultivaient la vigne étaient les plus démunis alors que les terres plus productives appartenaient en général aux riches. Avec l'arrivée du XIXᵉ siècle, l'espoir de la population s'est tourné vers la viticulture, et les superficies se sont multipliées en peu de temps. En 1858, le raccordement du chemin de fer a permis au Roussillon de s'ouvrir au reste de la France et de trouver ainsi des débouchés pour ses vins.

Après le phylloxéra et la mévente qui l'a suivi, le Roussillon a connu une restructuration par le biais des caves coopératives, dont la 1re fut celle de Bompas, fondée en 1907. Aujourd'hui, il en existe environ une centaine. Ce chiffre s'explique par le fait que le Roussillon est une région de petits producteurs, possédant chacun en moyenne 5 ha de vignes. En effet, 83% des viticulteurs possèdent moins de 10 ha. Les grands domaines sont ici aussi rares que la pratique du fermage ou du métayage qui ne concerne que 10% de la production.

Le problème majeur du Roussillon est donc, comme pour d'autres régions du Midi, le vieillissement de ses vignerons. Plus du 5e d'entre eux ont dépassé l'âge de la retraite. Plus des 2/5e ont entre 50 et 65 ans, et seulement 2,6% ont moins de 30 ans ! On a néanmoins pu constater très récemment un intérêt grandissant de la part des jeunes. Mais l'avenir est dès à présent en danger, tant que les primes d'arrachage allouées feront disparaître des parcelles classées en A.O.C., et que l'on verra ainsi se réduire les chances des générations à venir. Malgré tous ces problèmes, la viticulture demeure pourtant l'une des seules possibilités de survie économique dans l'arrière-pays du Roussillon.

Le vignoble du Roussillon, dont la diversité des sols est importante, présente une structure géographique d'une grande beauté et simplicité. Ce demi-cercle, entouré de montagnes, est partagé par 3 cours d'eau qui le traversent presque parallèlement avant de se jeter dans la Méditerranée. Ainsi, le bassin initialement formé par les sédiments marins et continentaux du pliocène et du quaternaire se trouve partagé en deux régions principales et deux régions frontalières. L'artère principale est représentée par la Têt. L'une de ces régions se situe entre la Têt d'une part, et l'Agly et le Maury d'autre part, tandis que l'autre s'étend entre la Têt et le Tech. Cette première région comprend le vignoble des Côtes du Roussillon Villages, et la seconde, celle des Aspres, englobe la majeure partie des Côtes du Roussillon, bien que la totalité de cette dernière appellation couvre l'ensemble des deux régions. Au nord, le vignoble du Roussillon se termine au pied des Corbières, tandis qu'il est limité au sud par les Coteaux des Albères.

L'aire d'A.O.C. des Côtes du Roussillon Villages s'étend sur la partie nord des Pyrénées-Orientales, et pourrait être délimitée par des axes tracés entre Salses et St-Paul-de-Fenouillet, Baixas et Montalba-le-Château. Exception faite des terrasses moyennes ou basses des environs de Salses, Rivesaltes et Peyrestortes, le paysage est le même, sauvage et crevassé, que celui des Corbières voisines, au pied desquelles on trouve des sols riches en calcaire et possédant une texture limoneuse ou argileuse. On produit du Côtes du Roussillon Villages à Maury sur des schistes aptiens noirs, mais également sur les coteaux de Força Real qui sont constitués de schistes bruns comme ceux de Rasiguères. Depuis Lesquerde jusqu'au-delà de St-Arnac, en direction du sud-ouest, on rencontre des sols d'arènes granitiques, tandis qu'à Cassagnes et Caramany, les sols sont composés de gneiss. C'est dire la diversité de typicité que peuvent présenter les Côtes du Roussillon Villages. Deux communes ont reçu lors de la définition du décret d'A.O.C. le privilège de pouvoir accoler leur nom à celui de l'appellation. Il s'agit de Latour de France et Caramany, deux villages qui bénéficiaient d'une grande réputation en matière de vins. Les vins de Caramany sont vinifiés pour 60% en macération carbonique.

L'appellation Côtes du Roussillon Villages a été attribuée aux communes qui bénéficiaient déjà de la dénomination V.D.Q.S. Corbières Supérieures du Roussillon. Elle se situe à l'intérieur même de l'A.O.C. Côtes du Roussillon qui peut, quant à elle, concerner les blancs et les rosés au même titre que les rouges, mais l'A.O.C. Côtes du Roussillon Villages ne s'applique qu'aux vins rouges conformes à la réglementation et à la dégustation de classement. L'encépagement des deux appellations étant identique, la différence entre elles provient au jour d'aujourd'hui, du plus faible rendement de l'A.O.C. Côtes du Roussillon Villages (5hl/ha de moins) ainsi que du demi-degré alcoolique potentiel supplémentaire. Dans l'avenir, des assemblages plus rigoureux pourraient être demandés aux vignerons avec des pourcentages plus importants de syrah ou de mourvèdre. Alors, seules quelques parcelles se trouveraient exclues de l'aire d'A.O.C., comme celles situées en altitude dans le Fenouillèdes, ainsi que quelques basses terrasses trop limoneuses du nord de la Basse-Têt et de l'Agly. Les Aspres, qui constituent le piémont du Canigou, sont des collines détritiques du pliocène. Elles présentent un aspect plutôt rude, escarpé, boisé, sauvage et inhospitalier dans leur partie la plus élevée. Vers la plaine, les forêts de chênes-lièges et d'oliviers ont cédé la place à la vigne, notamment dans les environs de Llauro et de Fourques. Lors de la phase d'érosion qui a suivi la sédimentation continentale, la surface villafranchienne était constituée d'un mélange de galets, de cailloux décomposés et d'argile. Cette zone s'étend jusqu'à Cabestany et Canet, mais a subi des modifications de par le creusement des rivières qui coulent des Aspres. Les terrasses ainsi étagées s'élèvent jusqu'à plusieurs mètres au-dessus des lits de rivières (30 m au maximum), aujourd'hui asséchés sauf en périodes de pluies torrentielles, qui donnent au paysage un aspect tout à fait pittoresque (principalement du côté de Terrats ou Passa). L'argile procure à la vigne, outre des conditions favorables, un bon approvisionnement en eau. Le versant sud des Albères, du Boulou à Argelès, présente par contre des sols peu différenciés provenant directement du cône de déjection quaternaire. Ces sols sont sableux et caillouteux, pauvres et déséquilibrés. Dans cette partie, l'aspect de la nature est tout à fait méditerranéen, avec des pins parasols et des micocouliers, mais les hautes collines depuis lesquelles on embrasse la plaine et la mer sont souvent ravagées par le feu.

En matière d'encépagement, les vignerons du Roussillon ont fait de gros efforts. Actuellement, le carignan ne représente plus que 55% dans les A.O.C. Côtes du Roussillon et Côtes du Roussillon Villages. Les cépages aromatiques ont connu une forte croissance : leur proportion a plus que doublé au cours des cinq dernières années. La syrah et le mourvèdre représentent aujourd'hui 20% de la superficie du vignoble. Le grenache noir et le lladoner pelut (même famille) occupent 22% des parcelles. Quant au cinsault, il ne lui reste que 3% de la surface de vignes. En Roussillon, on utilise beaucoup la macération carbonique afin d'extraire le plus d'arômes possibles du carignan, et de produire des vins à consommer jeunes. En règle générale, on peut dire que les vins qui proviennent des terrains de schistes, de granit ou de gneiss situés au nord de la Têt, sont plus légers, plus élégants. Les vins de Lesquerde et de Caramany atteignent leur sommet après deux ou trois ans, et leur déclin est souvent rapide. Au sud de la Têt, où la vigne pousse souvent sur des sols argileux, les vins ont une structure plus puissante et ont besoin d'une période d'évolution, surtout ceux vinifiés de façon traditionnelle. Au cours du vieillissement, ces vins développent des bouquets complexes très intéressants. Les différences de sols et les assemblages divers produisent en Roussillon des vins aux caractères très variés, dont la qualité dépendra tout d'abord des efforts et de l'exigence du vigneron. Les A.O.C. Côtes du Roussillon et Côtes du Roussillon Villages sont produites par 77 caves coopératives et 150 caves particulières.

## Côtes du Roussillon

# Argelès-sur-Mer

### ▨ Cave de Saint-André

56, rue du Stade
Saint-André
66700 Argelès-sur-Mer
tél. 68.89.03.03.

600 hectares. Sol très caillouteux.
Vins de pays. A.O.C. Rivesaltes et
Muscat de Rivesaltes. A.O.C. Côtes
du Roussillon (de nombreux mil-
lésimes).
Prix départ cave : 12 à 50 F T.T.C.
Œnologue conseil : M. Rouille.

*Les vins de ce terroir tout près
d'Argelès-sur-Mer bénéficient de conditions pédoclimatiques particulièrement
favorables à l'élaboration de produits
de haute qualité. Et cela, M. Banet, le
directeur, le sait bien.*

*Le sol très caillouteux modelé par les
cônes de déjection des torrents des Albères, apporte sa typicité.*

*La cave très bien équipée permet une
sélection poussée des cépages nobles
cueillis à bonne maturité et assure par
une vinification vigilante l'obtention de
produits remarquables appréciés una-
nimement.*

*Le président, M. Moli et son Conseil
d'Administration très au fait des ques-
tions commerciales ont su en tirer profit et conquérir ainsi le difficile marché
de l'Export.*

*Le Rivesaltes Vintage 1985 au nez puis-
sant de résine, où les senteurs de la garrigue se mêlent aux notes de miel, de
figue et de cerises cuites dans l'alcool
est un V.D.N. velouté, tout en harmonie, très long en bouche.*

*D'une impressionnante gamme de
Côtes du Roussillon (C.R.) rouge tous
de bonne lignée, nous avons savouré le
« Château Fontes » particulièrement
élégant qui dégage une impression de
fondu, de volume, le tout ponctué par
une persistance aromatique superbe.*

# Bages

### ▨ Domaine Galy

Société **Jo Galy et Fils,** ◆
2, rue Voltaire
66670 Bages
tél. 68.21.71.52.

120 hectares dans différents terroirs.
Sol argilo-calcaire. Vins de pays.
merlot, sauvignon, maccabeu, gris
de gris... A.O.C. Rivesaltes, Muscat
de Rivesaltes, A.O.C. Côtes du Roussillon.
Prix départ cave : 16 à 40 F T.T.C.
Œnologue conseil : M. Rouille.

*Jo et Christian Galy croient en leur
appellation. Dans ce pays où le négoce
régional disparaît, nous dit Christian
le fils, président des jeunes vignerons,
« c'est par des efforts individuels concourant à une notoriété collective que
nous pourrons promouvoir nos appellations ».*

*Le vignoble, dans la famille depuis 4
générations, s'étend sur les communes
de Bages et Tressere. Une des plus
importantes propriétés du cru dont le
dynamisme commercial est le mot
d'ordre.*

*Un encépagement en pleine évolution
axé depuis plus de 10 ans sur les cépages syrah, mourvèdre, sauvignon, mer-*

*lot, permet, grâce à une vinification conduite selon les types de produits à réaliser, de suivre une politique de qualité et d'obtenir ainsi de nombreuses distinctions.*

*Le Muscat de Rivesaltes au nez typé de menthe poivrée, de fruits exotiques s'épanouit en bouche avec une grande onctuosité renforcée par une touche de miel.*
*Le C.R. « Domaine de Galy » a un nez tout en nuance de fruits rouges avec une pointe chocolatée. Bien structuré avec des tannins liés, c'est un flacon promis à une longue garde.*

# Calce

### ▓ Cave « Les Vignerons du Château de Calce »

8, route d'Estagel
66600 Calce
tél. 68.64.47.42.

100 hectares. Sol : coteaux marneux, schisteux et argilo-calcaires. A.O.C. Rivesaltes et Muscat de Rivesaltes, A.O.C. Côtes du Roussillon. Prix départ cave : 20 à 30 F T.T.C. Œnologue conseil : M. Bernard Marty.

*Intéressante cette toute petite cave. Confiants en l'avenir de leur Côtes du Roussillon qui représente aujourd'hui plus du tiers de leur production, 50 adhérents exploitent le vignoble autour d'un château du XIIᵉ siècle.*

*Créée en 1932, présidée par M. Balmigère, cette cave n'a de cesse de tout faire pour améliorer sa technicité à travers une réputation fondée sur leur terroir et leur fameux muscat à petits grains. M. Pons assume la vinification, l'élevage de cuvées obtenues en partie en raisins entiers, en partie en macération traditionnelle et fonde de grands espoirs sur le cépage mourvèdre et l'orientation vers le vieillissement en bois.*
*Le C.R. « Château de Calce » rouge à la robe brillante, d'une jolie couleur rubis est un vin issu de coteaux où l'on ressent la pleine maturité des raisins, remplis de soleil.*
*Un produit généreux, harmonieux par sa belle persistance aromatique et son onctuosité.*

# Cases-de-Pène

### ▓ Château de Jau

Famille **Daure,** ♦
Cases-de-Pène
66600 Rivesaltes
tél. 68.38.90.10.

119 hectares. Sol diversifié. Vins de pays. A.O.C. Côtes du Roussillon, Muscat de Rivesaltes, Rivesaltes, Banyuls, Collioure. Prix départ cave : 28 à 110 F T.T.C. Œnologue conseil : M. Jean Riere. Vinificateur : M. Robert Doutres. Chef d'exploitation : M. Maldonado.

*Un domaine qui s'étire le long de l'Agly, où chaque bâtisse porte l'empreinte d'une époque ; le tout plein de charme baigne dans une belle lumière.*
*Le château de Jau, un lieu passion qui ne ressemble à aucun autre, où l'art et le vin se fondent harmonieusement.*
*L'enchantement, c'est Estelle Daure la fille de cette famille célèbre qui nous l'apporte.*
*Une jeune femme exquise qui exprime magnifiquement le passé et l'avenir de Jau. Pour nous, dit-elle, « la qualité est égale à une notion de grand cru », un*

produit rare. Rien n'est épargné pour œuvrer dans ce sens.

Rénovation spectaculaire du vignoble, ils favorisent la syrah sur des graves, le mourvèdre sur des marnes et concassent 26 hectares de roche calcaire pour implanter à 300 mètres d'altitude grenache noir et carignan.

Ils personnalisent et élèvent en barriques les cuvées issues d'assemblages rigoureux.

Séduisant ce Côtes du Roussillon 1986 paré d'une belle robe grenat. Ce qui domine c'est cette harmonie entre le nez et la bouche, où s'unissent les petits fruits noirs, la violette ambrée et la fraîcheur, le cuir, les épices et le gras, le terroir, la réglisse et les tannins bien fondus.

La famille Daure, c'est aussi dans l'appellation Banyuls le domaine Valcros rebaptisé « Les Clos de Paulilles », réputé pour la cuvée Robert Doutres, onctueuse où dominent des arômes de cerise sauvage et de chocolat. Estelle en toute simplicité nous présente le dernier-né, un A.O.C. Collioure 1989 issu principalement des cépages mourvèdre, syrah, élevé douze mois sous bois. Un produit pour qui sait attendre.

# Corneilla-del-Vercol

## ▨ Château de Corneilla

**G.F.A. Jonquères d'Oriola ◆**
66200 Corneilla-del-Vercol
tél. 68.22.12.56.

60 hectares dont 12 en vins de pays. Sol argilo-calcaire, terre d'Aspres. A.O.C. Côtes du Roussillon, Muscat de Rivesaltes, Rivesaltes, vins de pays.
Prix départ cave : 14 à 34 F T.T.C.
Œnologue conseil : M. Mayol.

Le château de Corneilla, forteresse des Templiers, installé sur les contreforts du Canigou, date du XIIᵉ siècle.
La famille Jonquères d'Oriola est ins-

tallée à Corneilla-del-Vercol depuis 1485.

La qualité commence au vignoble, nous dit M. Jonquères, vigilant en tous points et en toutes choses. Rien n'échappe à cette famille qui met un point d'honneur à assurer chacune des étapes, de la culture à la mise en marché.

Ils produisent avant tout du Château Corneilla, un Côtes du Roussillon rouge à découvrir... mis en bouteilles après deux années d'élevage. Il s'offre à nous dans une belle robe intense. Un nez, où se mêlent des senteurs de cassis et de sous-bois associés au chypre. En bouche, ample, et généreux, il a un bel équilibre et affirme sa typicité.

# Espira-de-l'Agly

## ▨ Domaine du Moulin

**M. Michel Barrère,**
66600 Espira-de-l'Agly
tél. 68.64.17.49.

33 hectares dont 22 en A.O.C. Sol schisteux, argile décalcifiée. Vins de pays, 3 couleurs et cépage merlot. A.O.C. Côtes du Roussillon, Muscat de Rivesaltes, Rivesaltes.
Prix départ cave : 13 à 45 F T.T.C.
Œnologue conseil : M. Miasse.

Si le domaine du Moulin date des rois de Majorque, aujourd'hui il fait partie de ceux qui se construisent un bel avenir.

Toujours à la recherche de la qualité, Michel Barrère, très intuitif, met à profit son expérience de la terre et de la vinification. Pour lui, l'histoire de son vin commence dans le respect du grain de raisin.

Son C.R. millésime 1986, issu d'une vieille vigne de grenache noir, de carignan et de mourvèdre, est doté d'une robe grenat et profonde. Le nez se révèle par des notes épicées de fruits rouges bien cuits. En bouche apparaît la puissance du mourvèdre, bien structuré, il porte l'empreinte de son terroir. Un *beau vin joliment boisé qui n'en termine pas de s'exprimer...*

# Montesquieu

## ▩ Domaine du Mas-Rous

M. **José Pujol**, ♦
66740 Montesquieu
tél. 68.89.64.91.

38 hectares. Sol : schiste, granites, argiles. A.O.C. Côtes du Roussillon. Muscat de Rivesaltes, Rivesaltes. Vins de pays.
Prix départ cave : 15 à 35 F T.T.C.
Œnologue conseil : Mme Hélène Grau.

*Situé à Montesquieu au pied du massif des Albères face à la plaine du Roussillon, le domaine du Mas-Rous puise ses origines au siècle dernier.*
*José Pujol véritable amoureux du vin, homme d'expérience, a tout appris avec son grand-père.*

*Dès 1978, il réencépage 50% de son vignoble, favorise la syrah qu'il affectionne particulièrement et attend que ses vignes soient à maturité d'expression pour faire un produit digne d'être mis en bouteilles.*
*Attentif à la demande, il s'y adapte. Il élabore des produits originaux d'une très belle matière. Il abandonne progressivement la production du Rivesaltes au profit des Côtes du Roussillon,*

*bien élevées en barriques, et vinifie une cuvée très intimiste de cépage muscat « moelleux ». Il fait partie de cette race de vignerons sensibles, respectueux, à l'écoute « du vin qui parle », dit-il...*
*Beaucoup d'harmonie dans son millésime 86 Côtes du Roussillon, il porte la robe des cerises bien mûres. Au nez, une belle richesse dans les fruits surmûris, les épices, le tout enveloppé de vanille. En bouche, il est élégant, subtil avec juste ce qu'il faut de tannin et de longueur aromatique.*

# Palau-del-Vidre

## ▩ Château Villeclare

**Indivision Jonquères d'Oriola**
66700 Palau-del-Vidre
tél. 68.22.14.25.

210 hectares dont 60 en A.O.C. Sol : schiste et alluvions quaternaires des Albères. A.O.C. Côtes du Roussillon. Prix départ cave : moins de 15 F T.T.C.
Œnologue conseil : M. Jean Rière.

*L'Indivision Jonquères d'Oriola, une vieille famille catalane, gère avec dynamisme une exploitation à deux vocations.*

*Les 120 hectares de vergers côtoient les 60 hectares de vignes toutes classées en Appellation Côtes du Roussillon.*

*Un vignoble entièrement modifié où les cépages aromatiques expriment tout le potentiel de ce terroir du quaternaire.*

*Une cave conçue pour répondre aux techniques nouvelles qui permettent d'élaborer des vins de grande qualité et sans défauts.*

*Le Château Villeclare 1985 est élégant dans sa robe rubis. Le nez dévoile des senteurs de fruits cuits, des épices douces, un rien musqué. En bouche souplesse et rondeur enveloppent harmonieusement les tannins délicats.*

# Perpignan

## ▓ Château Roussillon

M. **Raymond Laporte**, ♦
Route de Canet
66000 Perpignan
tél. 68.50.06.53.

40 hectares. Sol argilo-calcaire.
Vins de pays de cépage, V.D.N.,
A.O.C. Côtes du Roussillon pour le
millésime 1989.
Prix départ cave : 17 à 45 F T.T.C.
Œnologue conseil : M. Bernard
Marty.

*Un battant en Roussillon, Raymond
Laporte est une des valeurs sûres du
cru.*
*Sa notoriété, il l'a acquise avec ses
V.D.N. mais surtout par ses vins de
cépage maccabeu, merlot, cabernet sauvignon, syrah (en rosé) et muscat sec.*
*Aujourd'hui il parachève la restructu-
ration du vignoble et évolue vers
l'A.O.C. tout en gardant sa spécificité
de vins de cépages.*
*Avec sa sœur Bernadette, ils font de
leur métier d'artisan vigneron une
véritable profession de foi et y mettent
toute leur passion.*
*Ils produisent des vins authentiques que
vous pourrez apprécier dans un caveau
aménagé à la sortie de Perpignan sur
la route de Canet dans les dépendances
d'un château du XIe siècle, ancienne
commanderie hospitalière.*
*De la palette de vins proposés, nous
avons été séduits par un rosé de syrah
pure aux délicats reflets violets, au nez
charmeur, puissant de notes exotiques
et de fruits rouges légèrement poivrés,
à la bouche riche de saveurs rafraîchis-
santes.*

*Le muscat sec à la robe pâle, brillante,
au nez puissant de senteurs florales
tout en finesse, à la bouche pleine d'arômes, de rondeur... est une superbe
expression du cépage muscat.*
*Gageons que son A.O.C. Côtes du Rous-
sillon à base de grenache noir et syrah
nous offrira autant de plaisir.*

## ▓ Domaine Sarda-Mallet

**Mas St-Michel**, ♦
12, chemin de Ste-Barbe
66000 Perpignan
tél. 68.56.72.38.

52 hectares. Sol argilo-calcaire et
siliceux sur des terrasses du tertiaire.
A.O.C. Rivesaltes, Muscat de Rive-
saltes, A.O.C. Côtes du Roussillon.
Prix départ cave : autour de 20 F
T.T.C. pour les C.R.
Œnologue conseil : Mme Made-
leine Fourquet.

*Quelle énergie ! Suzie et Max sont en
permanence à la recherche du grand
vin.*
*Il a appris par son ancien métier
(import-export de fruits) à déterminer
de façon précise le moment le plus
opportun de la cueillette du raisin.*
*Convaincu que l'œnologie moderne ne
résout pas à elle seule tous les problèmes, il a très bien compris que la différence entre un bon vin et un grand vin
réside dans l'excellence de la matière
première.*
*« Nous sommes un couple de vignerons
d'horizons différents qui partageons,
exprimons et réalisons notre passion
sans lésiner sur nos heures de travail. »*
*Dans une jolie petite cave parfaitement
aménagée pour répondre à leurs
besoins qualitatifs, ils vinifient de façon
traditionnelle, avec juste ce qu'il faut
de technologie des vins dont le succès
croissant est bien la preuve qu'il est possible d'élaborer en Roussillon des produits typiques, d'une parfaite fiabilité.*
*Le vin doit rester le reflet de la person-
nalité du vigneron ; il est le résultat
d'une cascade de décisions prises toute
l'année dont la première et la plus
importante est le respect du végétal
vigne.*

*Exporté dans le monde entier, le Domaine Sarda-Mallet avait déjà du temps du père de Suzie acquis ses lettres de noblesse comme nous le rappelle ce Rivesaltes 20 ans d'âge, magnifique par la richesse de ses flaveurs.*

*Dans le C.R. blanc, on retrouve toute l'excellence du vigneron qui a su extraire, garder et conserver jusque dans la bouteille le plus pur des saveurs du jus de raisin fermenté.*

*Le C.R. rouge Carte Noire, élevé en fûts de chêne, est un vin distingué, racé, charpenté mais sans excès, où le boisé sans porter son nom vient compléter la forte expression aromatique.*

*et fermeté s'allient. Aux tannins bien présents, il persiste sur des notes épicées.*

*Le Domaine de Rombeau « Cuvée Pierre de la Fabrègue » est le fruit du savoir-faire du vinificateur qui a réussi à extraire des raisins récoltés sur les chaudes terrasses de Rivesaltes toute la richesse d'une vendange gorgée de soleil. Élevé douze mois en fûts de chêne avant sa mise en bouteilles, il s'ouvre sur des arômes riches de poivre et de vanille, complexes de fruits rouges écrasés. Une très bonne attaque, un bel équilibre en font un vin charnu, bien structuré, d'une grande ampleur en bouche.*

# Rivesaltes

## ▦ Château Vespeilles Domaine de Rombeau

**Les Vignerons de Rivesaltes** ♦
1, rue de la Roussillonnaise
66600 Rivesaltes
tél. 68.64.06.63.

*Le Château Vespeilles, vinifié par la cave des Vignerons de Rivesaltes, est le résultat d'un véritable travail d'orfèvre, issu de la récolte de toute une famille de coopérateurs regroupant soixante hectares d'un très beau terroir qui domine Rivesaltes de ses pentes arides.*

*Le millésime 1986 paré d'une belle robe profonde et intense a un nez délicat de senteurs de sous-bois. En bouche, finesse*

# St-Génies-des-Fontaines

## ▦ Mas Rancoure

Laroque des Albères
66740 Saint-Génies-des-Fontaines
tél. 68.89.03.69.

15 hectares. Sol très graveleux fait d'éboulis anciens. Vins de pays. A.O.C. Rivesaltes et A.O.C. Côtes du Roussillon.
Prix départ cave : 23 à 35 F T.T.C.
Œnologues conseil : MM. Rière et Parrère.

*Au mas Rancoure, les vieilles vignes sont enracinées sur un terroir fait d'éboulis très graveleux du massif des Albères qui donnent un sol léger et filtrant.*

*Le climat où brille un soleil généreux est adouci par l'influence de la mer toute proche.*

*Un goût prononcé pour les choses simples mais raffinées sont autant de paramètres qui permettent au docteur Pardinelle, ancien vétérinaire, d'élaborer toute une gamme de vins élégants où le fruité et la finesse sont mis en valeur par un tannin léger, d'une grande souplesse.*

*Convaincu des bienfaits de la macération carbonique appliquée à la syrah, il est plus réservé sur les autres cépages qu'il vinifie traditionnellement avec égrappage.*

*Dans une cave ancienne, semi-enterrée, il élève en vieux foudres et en barriques, juste ce qu'il faut de temps, des cuvées qu'il veut avec toujours plus de finesse, mais d'une bonne aptitude au vieillissement.*

*Témoin, ce C.R. « Mas Rancoure Cuvée Vincent » où les senteurs de cassis, de mûre, de vanille s'unissent en un tout harmonieux. En bouche, la finesse et l'élégance des tannins se fondent pour notre plus grand plaisir.*

*Des Vins de Pays rouge et blanc de belle facture, des Rivesaltes où la douceur des arômes n'a d'égale que le velouté des saveurs, agrémentent la gamme des vins présentés dans un caveau joliment décoré.*

# St-Jean-Lasseille

## ▓ Domaine Jammes

M. **Jean Jammes,** ♦
66300 Saint-Jean-Lasseille
tél. 68.21.64.94.
    68.34.86.54.

32 hectares. Sol : coteaux argilo-calcaires. Vins de pays. A.O.C. Rivesaltes et Muscat de Rivesaltes. A.O.C. Côtes du Roussillon.
Prix départ cave : 18 à 59 F T.T.C.
Œnologue conseil : M. Bernard Marty.

*Dans la famille depuis 1830, ce domaine situé au pied de Banyuls-dels-Aspres sur des coteaux caillouteux est dirigé par un homme heureux.*

*Ancien maire de son village, notaire pour ne pas décevoir ses parents, Jean Jammes depuis son enfance a toujours voulu être vigneron.*

*1975 fut pour lui l'année du renouveau qui lui permit enfin de réaliser son rêve : exploiter le domaine familial.*

*Depuis, cet acharné défenseur des cépages traditionnels a vendu son étude, cultive ses vignes au cœur des Aspres, vinifie avec soin et élève amoureusement ses produits.*

*Il est très fier de nous apprendre que sur le domaine, le carignan a pratiquement disparu et qu'il ne reste plus de ce cépage, qu'une vigne plantée il y a 109 ans.*

*Une cave bien équipée lui permet d'élaborer un blanc perlant de maccabeu et grenache blanc au nez discret mais élégant avec en bouche une pointe de fraîcheur bien agréable.*

*Le Côtes du Roussillon rouge a beaucoup de vinosité. C'est un vin généreux et complexe avec des arômes de pâtes de fruits, un rien chocolaté, soutenu par une bonne structure tannique et marqué par le bois.*

## ▓ « Château de Planères »

**G.I.E. Jaubert-Noury**
Rue des Artisans
Saint-Jean-Lasseille
66300 Thuir
tél. 68.21.71.43.

70 hectares. Sol argilo-sablonneux. A.O.C. Rivesaltes et Muscat de Rivesaltes. A.O.C. Côtes du Roussillon blanc, rosé et rouge.
Prix : 16 à 20 F T.T.C. pour les C.R.
Œnologue conseil : M. Loupiac.

*A l'origine, deux producteurs isolés, Francis Jaubert (ancien responsable du cru) et Roland Noury exploitent en commun ce joli domaine catalan.*

*De par leur sérieux et leur complémentarité, ils prennent la voie de la qualité, retroussent les manches pour commercialiser leur vin et faire en sorte que le Roussillon ait une place de choix dans la grande famille des appellations.*

Sur les premiers contreforts du massif du Canigou, ils limitent le carignan à sa plus simple expression et rénovent le vignoble en introduisant les cépages syrah et surtout mourvèdre qui, avec l'influence du vent marin fait merveille dans ce site.

Heureuse initiative, ils furent parmi les premiers à réintroduire la malvoisie et produisent de ce fait un C.R. blanc Château de Planères à la robe or-vert, étincelante, au nez délicat et floral, à la bouche d'une belle fraîcheur, intense de fruits frais.

Le C.R. rouge Château de Planères où la macération carbonique a permis d'extraire le maximum des arômes de la syrah, d'anoblir le carignan, où le mourvèdre apporte sa puissance, est un vin de fort belle structure.

Des arômes de fruits rouges bien mûrs, de réglisse, de cuir donnent une impression de charnu autour de tannins bien présents, un vin long, long...

## ▓ Cave Coopérative de Saint-Jean-Lasseille

66300 Saint-Jean-Lasseille
tél. 68.21.72.06.

250 hectares pour 70 adhérents. Sol à dominante argilo-calcaire. Vins de pays. A.O.C. Rivesaltes et Muscat de Rivesaltes. A.O.C. Côtes du Roussillon.
Œnologue conseil : M. Rouille.

Entre mer et montagne, les coopératives de Saint-Jean-Lasseille, Saint-Génies-des-Fontaines, Perpignan, Côte vermeille ont compris la nécessité de se regrouper pour faire face aux difficultés du moment et fondent en 1988 un G.I.E.

M. Llères, le directeur de la cave de Saint-Jean-Lasseille nous explique sa crainte de voir chaque année disparaître un nombre non négligeable d'hectares à cause des importants investissements immobiliers induits par un tourisme grandissant.

Cependant, avec les coopérateurs les plus motivés, ils n'hésitent pas à remodeler l'encépagement, investissent en matière de vinification dans le seul souci d'élaborer des produits de qualité, sélectionnent les zones idéales, élèvent une partie de leur production dans un chai de vieillissement à Argelès-sur-Mer, mettent en commun leurs meilleures sélections d'A.O.C. pour commercialiser ensemble ces produits sous la marque « Le Cellier des Saints ».

Cette cave présidée par M. Fouquet nous présente toute une gamme de bons produits.

Les C.R., soit élevés deux ans en bouteilles, soit vieillis en fûts, proviennent des meilleures vignes, les plus aptes à produire un vin haut de gamme. Chacun avec sa spécificité développe des arômes agréables de cannelle, d'épices, de fruits rouges, mais tous en fin de bouche nous laissent une sensation de souplesse et de rondeur.

# Terrats

## ▓ Domaine Ferrer

M. **Denis Ferrer**, ◆
5, rue du Colombier
66300 Terrats
tél. 68.53.48.18.

20 hectares dont 18 en A.O.C. Sol : rouge, argilo-calcaire. Vins de pays : blanc de blanc, rosé, muscat sec. A.O.C. Côtes du Roussillon, Muscat de Rivesaltes.
Prix départ cave : 15 à 35 F T.T.C.
Œnologue conseil : M. Bernard Marty.

*Le domaine Ferrer est dans la famille depuis un siècle.*
*Denis, le fils, technicien agricole, passe « la vitesse supérieure » en créant sa propre cave.*

*Parce qu'il se considère moins doué que les autres, il fait appel aux grands spécialistes de la région. Pierre Torres décide des assemblages des raisins en cuve. Bernard Marty l'oriente dans les vinifications. André Brugirard veille sur l'élevage des vins. Jacques Roig s'occupe de la stabilisation des produits.*
*Le résultat est superbe et il propose des cuvées de fort belle qualité.*
*Ce jeune vigneron de 26 ans, animé d'une foi sans pareil, veut se classer parmi les meilleurs et prouver que l'on peut s'épanouir dans une exploitation. Très sympathique, il vous accueille dans sa cave où vous pourrez découvrir toute une collection de belles pompes à vin anciennes.*
*Après la découverte, la séduction offerte par son millésime 1988 paré d'une belle robe intense. Complexe, où les arômes fermentaires s'allient au fruité du grenache, aux notes épicées de la syrah, à la robustesse du carignan dans un tout harmonieux et fondu.*

# Thuir

### ▓ G.I.E. Pierre d'Aspres

Famille **Marty et Roger,** ♦
36, avenue Maréchal-Joffre
66300 Thuir
tél. 68.53.42.62.

30 hectares. Sol argilo-calcaire très caillouteux. Vins de pays. A.O.C.

Rivesaltes et Muscat de Rivesaltes. A.O.C. Côtes du Roussillon.
Prix départ cave : jusqu'à 32 F T.T.C.
Œnologue conseil : M. Bernard Marty.

*A Thuir, à deux pas des établissements Byrrh, Mme Marty, son fils Bernard, œnologue, et les époux Roger mettent leur compétence en commun pour orchestrer le G.I.E.*

*Le terroir, recouvert de pierres d'Aspres (ces fameux cailloux rouges et pointus), marque de sa typicité les vins produits.*

*En bons vignerons respectueux du grain de raisin, ils sélectionnent les parcelles, récoltent manuellement, transportent en comportes, trient et assemblent les cépages directement en cuve.*

*Mme Marty nous confie même que pour parachever ses cuvées, ils se réservent chaque année une vieille vigne de mourvèdre et grenache noir qu'ils récoltent en dernier pour peaufiner les assemblages déjà prévus à l'avance.*

*Ils peuvent être fiers de leurs produits que Mme Marty avec toute sa gentillesse vous fera découvrir dans un caveau attenant à la cave où M. Roger, homme méticuleux et perfectionniste, exerce tout son savoir-faire.*

*Quel plaisir que ce Côtes du Roussillon « Pierre d'Aspres » 1986 à la robe profonde, encore d'une belle jeunesse, au nez puissant de cassis, de poivre, de mûres charnues. En bouche, puissant, doté d'un tannin particulièrement bien enrobé et épicé, il nous séduit.*

# Trouillas

## ▓ Domaine de Canterrane

M. **Maurice Conte,**
66300 Trouillas
tél. 68.53.47.24.

160 hectares. Sol argilo-calcaire, caillouteux. Vins de pays, V.D.N. A.O.C. Côtes du Roussillon sur plus de 10 millésimes.
Prix départ cave : non communiqué.
Œnologue conseil : M. Rière.

*Un des plus grands domaines du Roussillon par sa superficie et par la diversité des millésimes qui nous sont proposés.*
*Une cave souterraine à température constante de 13° où repose un stock impressionnant de bouteilles d'au moins dix millésimes différents.*
*Un chai permettant une vinification au top niveau où les pressoirs pneumatiques côtoient les unités frigorifiques assurant ainsi une parfaite maîtrise de la transformation du moût de raisin en vin.*
*Un vignoble à l'encépagement soigneusement calculé, où les cépages traditionnels jouxtent les cépages dits améliorateurs.*
*Maurice Conte, grâce à tous ses efforts, s'est forgé depuis de nombreuses années une solide réputation pour ses vins vinifiés et élevés dans le respect de la qualité.*
*D'année en année, de 1976 à 1988 (en sautant les millésimes défavorables), nous pouvons déguster ses Côtes du Roussillon.*
*Le Domaine Canterrane 1978 est surprenant par la qualité de ses arômes de vieillissement où les senteurs de sous-bois, de cuir et de pruneaux enrobent une bouche souple d'une belle longueur.*
*Et ce 85 à la parfaite évolution, au nez élégant, complexe, à la bouche ronde, particulièrement harmonieuse...*
*Un vin qui dégage une réelle impression de volume et de fondu.*

## ▓ Château de Casenove

Famille **Montes,** ♦
66300 Trouillas
tél. 68.21.66.33.

53 hectares. Sol argileux-siliceux. Vins de pays. A.O.C. Rivesaltes, Muscat de Rivesaltes. A.O.C. Côtes du Roussillon.
Prix départ cave : 15 à 50 F T.T.C.
Œnologues conseil : M. Jean Rière et M. Henri Parayre.

*Ancienne commanderie majeure de l'ordre des Templiers, le château Casenove bénéficie d'un site magnifique.*
*M. Montes, ses deux fils Étienne et Emmanuel (directeur export aux Vignerons Catalans), sans ménager leur peine, élaborent dans une cave ancienne mais complètement réaménagée des vins qui témoignent du savoir-faire de cette famille.*
*Une passion bien ancrée pour le travail de la vigne, un goût prononcé pour la vinification, une recherche permanente dans l'extraction des arômes du raisin par macération carbonique sont autant de paramètres qui concourent à l'équilibre des vins du château de Casenove.*
*Le C.R. blanc se distingue par son joli nez flatteur à l'accent floral où le genêt évoque sa finesse. Bien présent en bouche, il est gras avec une nervosité discrète très rafraîchissante.*
*Le C.R. rouge 1986 a une robe encore intense bien soutenue par des reflets de pourpre. Le nez aux connotations intenses de fruits sauvages annonce une bouche solide, légèrement épicée, riche de fruits très mûrs où l'équilibre est un peu dominé par la fermeté des tannins.*

## ▓ Clos Saint-Georges

**Dominique et Claude Ortal,**
66300 Trouillas
tél. 68.21.61.46.

54 hectares. Sol argilo-siliceux très caillouteux. Vins de pays catalan, A.O.C. Rivesaltes et Muscat de Rivesaltes. A.O.C. Côtes du Roussillon.
Prix départ cave : 14 à 50 F T.T.C.
Œnologue conseil : M. Jean Rière secondé par Nicolas Dornier.

Situé au cœur du pays catalan, dominé par le massif du Canigou, le domaine du Clos Saint-Georges est le fruit de la passion d'un couple, Dominique et Claude Ortal.

Amoureux de la qualité et de leur merveilleux terroir fait de terrasses argilo-siliceuses recouvertes de caillloutis, ils produisent des vins tels qu'il les désirent à l'image de leur tendre affection, d'une grande aptitude au vieillissement.

Ils nous proposent une belle palette de produits du Roussillon.

Un Rivesaltes millésime 1977 vénérable par sa belle robe ambrée, au nez plein d'une riche évolution caractérisée par des notes grillées, de cuir, de fruits surmûris et confits. En bouche, rond, souple d'un grand classicisme il a un parfait équilibre.

Le Côtes du Roussillon 1978, généreux et complexe, a toutes les qualités de son origine.

Un bouquet puissant de notes de fourrures et d'accent de garrigue, une bouche ample et moelleuse sans dureté ni astringence en font un vin de caractère à boire à deux.

## ▨ Cave Coopérative de Trouillas

1, avenue du Mas-Deu ♦
Trouillas
66300 Thuir
tél. 68.53.47.08.

950 hectares. Sol sablonneux et graveleux.
Vins de pays, A.O.C. Rivesaltes et

Muscat de Rivesaltes, A.O.C. Côtes du Roussillon.
Prix départ cave : 8,50 à 32 F T.T.C.
Œnologue conseil : M. Rouille.

Créée en 1927, cette importante coopérative qui compte 186 adhérents est dirigée par le jeune Thierry Cazach, œnologue, qui veut tout mettre en œuvre pour propulser sa cave en avant.

Le président, M. Alies, entouré de son Conseil d'Administration où les jeunes viticulteurs participent de plus en plus aux décisions, a doté son entreprise de moyens techniques importants pour relever le défi de la qualité.

L'envie de mieux se structurer au niveau de l'accueil, la réalisation d'un chai de vieillissement où les fûts de chêne permettent l'élevage des meilleures cuvées, la climatisation du hall de stockage... sont des indices du professionnalisme de cette équipe qui a su créer un important réseau de vente et de livraison à domicile.

Outre les V.D.N. comme ce Rivesaltes doré ou ce Rancio 1979 aux arômes intenses qui s'épanouissent en bouche, ils proposent des C.R. blanc et rouge bien agréables.

« La Cuvée du Gouverneur » 1982 ainsi nommée en hommage à Garau de Raset de Trullas est un vin aux accents tuilés mais qui a su résister aux assauts du temps.

Au nez des notes grillées accompagnent des arômes de cuir et de marinade. En bouche, bien équilibré, le gras domine pour enjoliver une persistance agréable.

# Villeneuve-de-la-Rivière

## ▨ Salvat Père et Fils ♦

Pont Neuf
66610 Villeneuve-de-la-Rivière
tél. 68.92.17.96.

Sol : granitique et argilo-calcaire.
58 hectares.
Vins de pays, A.O.C. Rivesaltes et

Muscat de Rivesaltes, A.O.C. Côtes du Roussillon.
Prix départ cave : 21 à 33 F T.T.C.
Œnologue conseil : M. Jean Rière.

« ...On a toujours à apprendre, mais pour faire un bon produit, j'ai une formule : le terroir, le vouloir, le savoir. » C'est ainsi que se présente Jean-Philippe Salvat cet homme charmant qui nous parle sur le ton de la confidence.

Le terroir, c'est le secret de Taïchac avec sa situation exceptionnelle en altitude dans la haute vallée de l'Agly.

La famille Salvat a su tirer parti d'une faille qui partage la propriété en une zone granitique et une zone argilo-calcaire. La première apporte l'acidité, la fraîcheur et la finesse aux vins blancs, la seconde confère aux cépages rouges leur richesse, leur structure et leur chair.

Le vouloir ne fait pas défaut chez cet homme dont sa belle-mère dit de lui dans un patois merveilleux : « Il n'est jamais content ni rassasié. »

Pour le savoir, il sait s'entourer d'hommes d'expérience afin de le conseiller.

Un homme curieux, toujours à la recherche de nouvelles expérimentations, il vit au rythme de son envie de créer.

Il rénove un vieux chai pour le stockage de ses vins, il conçoit entièrement un atelier de vinification où l'inox brille de partout, il aménage et climatise une ancienne cave pour élever ses produits à l'abri des différences de température.

Pour toutes ces raisons, le domaine est aujourd'hui un des plus prisés de la région, et ses Côtes du Roussillon blancs font référence.

Témoin ce Taïchac 1989 à la robe d'un jaune très pâle, au nez intense de fleurs blanches et de fruits exotiques. Plein de fraîcheur, légèrement citronné, c'est un vin rempli d'élégance.

Le Côtes du Roussillon Taïchac 1988 se présente dans une robe profonde. Au nez la mûre et le cassis dominent avec des senteurs élégantes de fines épices. En bouche, il offre des saveurs réglissées, des tannins volumineux, bien liés, marqués par une note un peu ligneuse.

# Côtes du Roussillon Villages

# Baixas

## ▨ Cave des Vignerons de Baixas

14, avenue Maréchal-Joffre
66390 Baixas
tél. 68.64.22.37.

3 000 hectares. Sol argilo-calcaire. Vins de pays, V.D.N., A.O.C. Côtes du Roussillon et Côtes du Roussillon Villages.
Prix départ cave : 10 à 20 F T.T.C.
Œnologue conseil : M. Rière.

Baixas, charmant village du Roussillon, s'enorgueillit d'un imposant donjon du XIIᵉ siècle.

*Cette importante coopérative, présidée par Auguste Toureilles, dispose d'un caveau originalement décoré de planches humoristiques bachiques faites par un bon nombre de dessinateurs de B.D. Le directeur, M. Petrol et le responsable des ventes, M. Parnaud nous content l'histoire de ce moine bénédictin, Dom Brial, qui aujourd'hui se délecterait de ce Rivesaltes hors d'âge aux saveurs somptueuses, aux arômes intenses et se rendrait coupable du péché de gourmandise.*

*Si nous restons plus réservés sur les Côtes du Roussillon, nous avons également dégusté avec plaisir un Côtes du Roussillon Villages « Cuvée Dom Brial » 1985 équilibré, riche de ses arômes d'évolution où le cuir, les fruits cuits dans l'alcool s'offrent sur une bouche bien équilibrée. Des notes boisées témoignent de son élevage en barriques.*

*d'expression par une sélection rigoureuse de la vendange et des vinifications parfaitement adaptées. Cette maîtrise donne naissance à la cuvée granit et la cuvée schiste, remarquables par leurs qualités organoleptiques.*

*L'élevage en bouteilles marque ces vins par des arômes évolués et concentrés. La cuvée de schiste Castel Riberach d'une belle robe légèrement ambrée nous ravit à l'approche du nez puissant et complexe.*

*Les arômes de fruits très mûrs et d'épices se mélangent harmonieusement aux senteurs plus animales de venaison. Légèrement musqué, il offre en bouche une ampleur... un gras soutenu par des tannins bien ronds. Il nous invite à passer à table.*

# Belesta

## ▥ Cave Coopérative de Belesta

66720 Belesta ♦
tél. 68.84.51.70.

350 hectares. Sol : deux zones bien distinctes : schistes et arènes granitiques.
A.O.C. Côtes du Roussillon Villages, A.O.C. Muscat de Rivesaltes et Rivesaltes, vins de pays.
Prix départ cave : 13 à 31 F TTC.
Œnologue conseil : Madeleine Fourquet.

*L'importance économique de cette coopérative est étroitement liée au fait que tous les habitants de Belesta y soient adhérents.*

*Cette cave créée en 1925 fut agrandie en 1932 et produit 89% de sa production en cru classé.*

*Jean-Louis Saly, un homme sympathique et dynamique, en assure les fonctions de président-directeur. Conscients de la richesse pédo-géologique du terroir, ils en exploitent toute la puissance*

# Cassagnes

## ▥ Cellier des Capitelles

Cassagnes
66720 Latour-de-France
tél. 68.84.51.93.

300 hectares. Sol très schisteux.
A.O.C. Côtes du Roussillon, Côtes du Roussillon Villages et V.D.N.
Prix départ cave : 13,50 à 20 F TTC.
Œnologue conseil : M. Rière.
Président : M. Henry Salvat.

*Entre mer et montagne, nous découvrons le village de Cassagnes dont le nom vient de Cassanias qui signifie « pays de chêne ».*

Les capitelles sont de petites construc-
tions arrondies faites de pierres sèches,
qui servaient d'abri et que l'on découvre au milieu des vignes.

Dans cette cave, en dehors du monde,
M. Scarfoglière, le maître de chai nous
avoue qu'il compte bien sur la venue des
touristes attirés par le fameux barrage
de Caramany pour mieux faire connaître ses vins dont la notoriété ne cesse
de grandir à travers les différents
concours.

Des vins comme cette « cuvée des Capitelles » à la couleur rubis, aux notes violines, au nez un peu sauvage, fin et
intense où la cerise, la cannelle et les
tendres épices se marient aux notes plus
accentuées de garrigue. La bouche particulièrement élégante ravit le dégustateur par les notes poivrées, épicées de
ses tannins.

# Elne

## ▓ Ets F. Baills

Avenue du Général-de-Gaulle
66200 Elne
tél. 68.22.07.11.

Sérieux et qualité pour cette célèbre
maison qui puise ses origines « dans la
nuit des temps », nous dit M. Baills,
négociant éleveur de talent, mais aussi
propriétaire d'un petit vignoble de 6
hectares.

Réputé pour ses vins de pays et ses vins
doux naturels, ils proposent également
des appellations d'origine contrôlées de
fort belle qualité ; comme le Domaine
de Verdouble, d'un beau rubis, au nez
discrètement fondu où apparaissent des
senteurs de cerises sauvages et d'épices.

En bouche, une bonne attaque avec une
rémanence de ces arômes nous donne
l'impression de croquer des fruits.

Un vin gouleyant et agréable soutenu
par des tannins souples.

# Estagel

## ▓ Domaine Bousquet Comelade

3, rue Henri-Barbusse
66310 Estagel
tél. 68.29.04.69.
     68.29.12.65.

74 hectares dont 68 en A.O.C. Sol :
marne calcaire, schiste, arènes
granitiques.
A.O.C. Côtes du Roussillon Villages,
Muscat de Rivesaltes.
Prix départ cave : 19 à 30 F T.T.C.
Œnologue conseil : M. Parere.

Dans ce pays de coteaux qui dominent
la vallée de l'Agly, nous découvrons un
homme accueillant et charmant, qui
nous ravit par ces propos liés au pays.
En constante évolution, ce domaine
morcelé est né de la complicité de deux
hommes.

Depuis 1986, soucieux du maintien des
traditions et de leur besoin d'exister à
travers leurs vins, ils décident d'exploiter séparément leur vignoble pour
s'unir à la cave et commercialiser leurs
produits.
La vigne implantée sur des sols hétéro-
gènes permet aux cépages de trouver des
expressions magnifiques.
La cave ancienne construite au-dessus
de la nappe phréatique qui alimente
Estagel, assure une fraîcheur et une
hygrométrie naturelle favorable au bon
élevage des vins.
Sous le cuvier de vinification, ils ont
aménagé une cave souterraine dans une
vieille cuve de 800 hl, dans cet endroit
de prédilection, les cuvées mûrissent et
s'épanouissent lentement.
Le Côtes du Roussillon Villages très
beau dans sa robe limpide se présente
à nous plein d'éclat. La macération
carbonique sur le vieux carignan et la
syrah apporte une puissance aromatique où se mêlent des notes de cassis et
d'épices. Très élégant en bouche le grenache confère à ce vin bien équilibré et
gras une impression de formes et de
relief.

## ▓ Cellier de la Dona

**M. Jacques Baissas,** ♦
48, avenue Docteur-Torreilles
66310 Estagel
tél. 68.29.10.50.

75 hectares. Sol : schistes et argilo-calcaire.
Vins de pays, A.O.C. Rivesaltes, A.O.C. Côtes du Roussillon et Côtes du Roussillon Villages.
Prix départ cave : 20 à 35 F T.T.C.
Œnologues conseil : M. Jean Rière et M. Parrayre.

*Déjà baptisé Cellier de la Dona par des officiers de l'empire, ce domaine situé sur les premiers contreforts des Pyrénées a un riche passé.*

*Jacques Baissas, à l'origine du groupement des Vignerons catalans, exploite ce vignoble avec son fils Gilles, secondés dans cette tâche par leurs épouses respectives.*

*Sur un terrain spécifique un peu argilo-calcaire, fait de schistes noirs qui assurent à la plante une faible hygrométrie, ils produisent des vins souples et aromatiques à l'expression terroir bien accentuée.*

*Rigoristes, ils cultivent le vignoble entouré de maquis et de garrigue, vinifient et élèvent des vins classés parmi l'élite des Côtes du Roussillon Villages.*

*Conscients de la notoriété du domaine, ils apportent autant de soins aux produits qu'à la qualité de l'accueil et aux services rendus à la clientèle.*

*Après vinification, les grandes cuvées finissent d'être élevées dans une cave souterraine, remplie de beaux fûts en chêne.*

*Le Côtes du Roussillon Villages « Cellier de la Dona 1986 » est une parfaite réussite. Le nez dévoile de subtiles notes épicées, vanillées, de cerises très mûres et de pruneaux. En bouche, très souple, le terroir s'affirme avec des notes de cassis et de framboises associées à une finale réglissée très poivrée.*

*A déguster également, un joli vin de pays blanc issu des cépages grenache et maccabeu, aérien, fruité aux arômes élégants, un A.O.C. Rivesaltes charnu aux arômes puissants de pruneaux, de cacao et d'amandes grillées, etc.*

## ▓ Les Vignerons de Saint-Vincent

Ancienne route de Maury
66310 Estagel
tél. 68.29.00.94.
Numéro vert : 05.36.40.21.

750 hectares. Sol : à dominante de schiste et argilo-calcaire. Vins de pays, A.O.C. Rivesaltes et muscat de Rivesaltes, A.O.C. Côtes du Roussillon et Côtes du Roussillon Villages.
Prix départ cave : 12,80 à 44 F T.T.C.
Œnologues conseil : André Brugirard et Marc Dubernet.

*Du nom du Saint-Patron des vignerons, cette P.M.E., dont le vignoble s'étend sur les coteaux empierrés de la vallée de l'Agly, a su trouver sa voie. Créée en 1970, présidée jusqu'en 1990 par Claude Jorda, dirigée par Alain Giro, cette entreprise régie par le statut coopératif compte 130 adhérents tous particulièrement actifs.*

*Une équipe dynamique où chacun se sent concerné et travaille sans compter son temps.*

*Conseillés par André Brugirard et Marc Dubernet, ils proposent toute une palette de produits de belle qualité.*

*Le directeur commercial, M. Hamelin, est fier de nous faire part des 21 distinctions que la cave a glanées en 1989, dont le trophée de la meilleure présentation.*

*Très rigoureux dans la sélection des apports, très soigneux dans la présentation de la gamme, ils nous proposent* des V.D.N. « Muscat de Rivesaltes », « Grenache d'Or », « Vieux Tuilé », où les arômes nous transportent suivant les cuvées d'un bouquet de fleurs aux multiples senteurs à un assortiment d'épices orientales, en passant par un panier de fruits secs.

Les vins de pays rouge, rosé, blanc, à l'habillage original sont élégants, charmants et savoureux.

Des Côtes du Roussillon et Côtes du Roussillon Villages, tous complexes, riches et charnus, nous avons particulièrement apprécié la cuvée Arago, élevée en fûts de chêne, où la touche boisée s'harmonise à la complexité aromatique sans dominer le bouquet du vin qui rappelle à la fois les fruits mûrs et le gibier.

Un équilibre charnu, ample, laisse une impression de rondeur en bouche accentuée par une belle persistance.

Ce texte est un hommage à l'ancienne équipe de cette cave qui laisse aujourd'hui sa place à une nouvelle direction à qui nous espérons autant de rigueur et de succès.

# Lesquerde

## ▨ Cave coopérative de Lesquerde

Lesquerde
66220 Saint-Paul-de-Fenouillet
tél. 69.59.02.62.

400 hectares. Sol : arènes granitiques. Vins de pays. A.O.C. Rivesaltes et Muscat de Rivesaltes. Côtes du Roussillon et Côtes du Roussillon Villages.
Prix départ cave : 13 à 35 F T.T.C.
Œnologue conseil : M. Marc Dubernet.

Dans ce très beau site du Roussillon où domine le célèbre piton rocheux de Lesquerde, M. Casadella, le sympathique directeur de la cave du cru déploie tout son dynamisme et ses compétences d'œnologue à conforter la notoriété de ses produits. Le vignoble entièrement

planté sur un plateau d'arènes granitiques confère aux vins leur typicité. Cette coopérative présidée par M. Fabre compte 60 adhérents qui ont foi en leur vocation de vignerons.

Cave entreprenante où les investissements réalisés prouvent leur volonté de s'engager à fond dans la bataille de la qualité et la production de vins haut de gamme.

Souhaitons-leur bonne chance et de pouvoir être récompensés de tous leurs efforts en adjoignant le nom de Lesquerde à l'appellation Côtes du Roussillon Villages comme y ont déjà droit Latour-de-France et Caramany.

En dégustation, nous avons particulièrement apprécié leur vin rosé Côtes du Roussillon à la très belle couleur étincelante rose à reflets mauves. Au nez, il est éclatant de senteurs de fruits rouges où la délicatesse de la framboise se marie au cassis. En bouche, une agréable sensation de fraîcheur en fait un vin savoureux.

Le Côtes de Roussillon Villages à la robe profonde rappelant le grenat des Pyrénées est superbe au nez où des arômes complexes de fruits très mûrs, de fines épices s'associent à des notes de torréfaction. En bouche, une forte charpente le domine.

# Perpignan

## ▨ Destavel

MM. **Polit et Baissas,** ◆
7 bis, avenue du Canigou
66000 Perpignan
tél. 68.54.67.78.

Prix linéaires de 12 à 34 F T.T.C.
Œnologue : M. Jean Rière.

*Une maison de négoce créée en 1983 par
deux familles de vignerons.*
*Jeunes et dynamiques, Jean-Marie
Polit et Gilles Baissas décident de posi-
tionner des produits authentiques,
domaines et châteaux, en bouteilles,
principalement pour la grande distribution et l'exportation.*
*Une politique de haut de gamme asso-
ciée à une ambition de mise en marché
à des prix revalorisants, déterminent
la volonté de cette S.A.*
*Douze appellations du Languedoc-
Roussillon sont représentées. Les cuvées
retenues sont choisies selon des critères organoleptiques rigoureux.*
*Heureuse découverte, nous avons beau-
coup apprécié le Côtes du Roussillon
Villages élevé en fût de chêne, signé
Jean d'Estavel. Sa robe carminée est
brillante. Au nez, discrétion et finesse
des touches aromatiques d'épices, de
fruits et de violette vanillée. En bouche,
des saveurs souples, fondues accompagnent harmonieusement le rappel des
senteurs.*

## ▓ M. **Jean-Paul Henriques**

**Producteur-négociant**
Route de Thuir
B.P. 208
66002 Perpignan Cedex
tél. 68.85.06.07.

*Jean-Paul Henriques, un vrai profes-
sionnel pour qui le vin n'est pas un objet
mais une matière vivante.*
*Il parvient à exprimer son besoin de
qualité dans un parcours de vie étonnant. Fils de courtier, œnologue de
l'Ecole de Dijon, il est depuis vingt ans
un négociant éleveur réputé pour son
sérieux et sa fidélité dans le travail.*

*Il maîtrise parfaitement les données du
marché et propose une gamme de produits bien adaptée : 24 références, 10
appellations, 4 Châteaux et 5 Domaines.*

*Parallèlement, il exploite à Força-Réal
un magnifique vignoble de 70 hectares
pour produire et élaborer son propre
vin en A.O.C. Côtes du Roussillon.
Homme de responsabilité, il assure
aussi la présidence du Comité interprofessionnel.*
*Mais il ne s'arrête pas là, profondé-
ment passionné, il communique son
enthousiasme à sa femme Michèle Mou-
ret. Après douze années de collaboration commune, elle désire voler de « ses
propres ailes » et accepte en 1985 la
direction des vins Charles Mercier, un
négoce traditionnel de Narbonne.*
*En 1989, elle crée « Vinissimo », un
journal qui paraît trimestriellement,
c'est un outil d'information original
entre sa Maison et leurs clients...*
*En dégustation, nous avons apprécié le
Côtes du Roussillon Villages, La Tour
de France 1986 : la robe brillante, d'un
beau rubis grenat est élégante.
Au nez fin et complexe, il développe des
notes d'épices et de musc légèrement
miellé. En bouche, bien charpenté avec
des tannins ronds, il est onctueux et
long à souhait.*

## ▓ **S.I.C.A.« Vignerons Catalans »**

Route de Thuir
B.P. 2035
66011 Perpignan
tél. 68.85.04.51.

*Né en 1964 de la volonté de quelques
vignerons du Roussillon, le groupe*

« Les Vignerons Catalans » occupe aujourd'hui la première place dans la production et la commercialisation des vins d'appellation de cette région.

Comme nous le précise Emmanuel Montes, le directeur du service export et du service marketing, les hommes du cru ont su exploiter les richesses naturelles de leur terroir pour améliorer la qualité de leur produit et aller vers l'excellence.

Il ne restait plus alors qu'aux « Vignerons Catalans » de réunir les compétences d'hommes et de femmes de talent pour assurer leur mission.

Soixante villages, quatre-vingts domaines et châteaux, près de 6 000 vignerons sont entourés par une équipe de professionnels soucieux de qualité, ambitieuse de créativité.

Partout en France et à l'étranger à travers des filiales en Belgique, Allemagne, Hollande, Grande-Bretagne et Etats-Unis, les « Vignerons Catalans » offrent au consommateur le plaisir du vin par une variété de produits authentiques dans une « collection de talents ».

Jugez plutôt : Faugères, Saint-Chinian, Coteaux du Languedoc, Corbières, Minervois, Costières de Nîmes, Collioure, Côtes du Roussillon et Côtes du Roussillon Villages.

Une formidable collection de flacons comme ce C.R.V. Caramany « Cuvée du Caveau du Presbytère » à la belle robe carminée et brillante, au nez puissant de fruits rouges, de réglisse et d'épices, à la bouche harmonieuse, souple et friande.

Le célèbre « Domaine du Mas Camo » élevé neuf mois en fûts puis en bouteilles enrichit cette gamme de C.R.V. par la noblesse de ses arômes, finement boisé, où la mûre, le cassis, la framboise se mêlent à la vanille, à la cannelle et

aux épices, le tout donnant une impression très agréable de complexité et de charnu en bouche.

Les Vignerons Catalans commercialisent d'autres châteaux de grande qualité :
— le Domaine de la Banette en A.O.C. Collioure : Le Château Cap de Fouste et le Château Petit Clos en Côtes du Roussillon.

# Planezes

## ■ Cave des Vignerons de Planezes

Planezes
66720 Latour-de-France
tél. 68.29.11.52.

182 hectares. Sol : schiste et gneiss. A.O.C. Rivesaltes, A.O.C. Côtes du Roussillon et Côtes du Roussillon Villages.
Prix départ cave : 15 à 32 F T.T.C.
Œnologue conseil : Mme Madeleine Fourquet.

Dans la haute vallée de l'Agly où les vieilles souches chétives côtoient d'anciennes mines de fer, M. Glemot veille à la bonne marche de la petite cave coopérative de Planezes.

37 adhérents seulement mais un conseil d'administration rajeuni, présidé par le dynamique Sidney Huillet produisent des vins dont la notoriété est assurée par la fidélité de la clientèle.

Convaincus que la qualité passe par une meilleure maîtrise de la vinification et un encépagement de choix, ils investissent pas à pas, conseillés en cela par Madeleine Fourquet.

Parallèlement ils concentrent leurs efforts sur la promotion et la commercialisation en axant leur politique sur le C.R.V. dont la personnalité s'affirme d'année en année.

D'une belle couleur soutenue à reflets bleutés, ce vin offre un nez expressif de fruits rouges fin et délicat. En bouche ample, charnu, il a une charpente élégante avec une finale corsée.

# Rasiguères

## ▓ Société de Vinification

66720 Rasiguères
tél. 68.29.11.82.

320 hectares. Sol : schiste et arènes granitiques. A.O.C. Côtes du Roussillon Villages et Côtes du Roussillon. Muscat de Rivesaltes et Rivesaltes. Prix départ cave : 11 à 33 F T.T.C. Œnologue conseil : M. Rière.

*La cave qui étonne sur bien des points. Située entre Caramany et Latour-de-France, les deux villages qui peuvent adjoindre leur nom à l'appellation, elle ne produit que 60 hectos de Côtes du Roussillon Villages.*
*Excusez du peu, il est élevé pendant un an en fûts de chêne. Créée en 1920, maintes fois remaniée, elle est aujourd'hui technologiquement bien équipée et connue pour son fameux Côtes du Roussillon rosé.*
*M. Malet, jeune responsable du syndicat du cru, préside aussi aux destinées de cette coopérative résolument tournée vers la qualité.*
*Elle est également célèbre pour son Festival international de musique classique, organisé chaque dernière semaine de juin sous l'égide de Mme Moura-Lympany. L'une des cuvées porte son nom.*
*Le millésime 1986, à la robe rubis d'une belle brillance légèrement ambrée, annonce un vin évolué. Le nez marqué par les fruits noirs très mûrs demande à s'ouvrir par l'agitation. En bouche, il offre une matière encore riche, soutenu par des tannins discrets, il finit sur des notes de pruneau.*

# Rivesaltes

## ▓ Caze Frères ◆

4, rue Fr.-Ferrer
66600 Rivesaltes
tél. 68.64.08.26.

150 hectares. Sol à la fois siliceux, argileux, argilo-caillouteux, marneux-caillouteux. Vins de pays, V.D.N., A.O.C. Rivesaltes et Muscat de Rivesaltes, A.O.C. Côtes du Roussillon et Côtes du Roussillon Villages.
Prix départ cave : 15 à 115 F T.T.C. Œnologue conseil : M. Parayre (Laboratoire Rière).

*Locomotive, T.G.V. de l'appellation... dit et redit partout. Qualifions plutôt ces deux frères de réalistes, de gestionnaires imaginatifs qui savent tirer le maximum de leur terroir.*
*Mais avant tout grâce à une commercialisation bien orchestrée, ils répondent à la demande mondiale. Ils roulent leur bosse sur les cinq continents pour mieux comprendre le consommateur ce qui leur permet de constater que partout la demande se porte sur des vins aromatiques et bouquetés.*
*Forts de ce savoir, ils bousculent les habitudes et se démènent comme des diables pour obtenir la possibilité d'inclure dans les appellations méridionales l'implantation des cépages merlot, cabernet sauvignon, chardonnay, sauvignon blanc qui dosés avec doigté transcenderaient leur vin.*
*« Ici, nous n'avons pas le droit à l'erreur — nous dit André — il faut être magicien pour faire de grands vins avec les cépages imposés, alors imaginez un peu ce qu'ils seraient si nous pouvions y inclure un pourcentage des autres... »*
*André et Bernard, deux passionnés de la qualité qui se défendent d'être, comme on l'a souvent écrit, les meilleurs mais qui, par contre, pensent être très près de la vérité pour rentabiliser leur entreprise et pouvoir continuer à investir. Ils proposent une gamme de produits à vous couper le souffle.*
*Outre le célèbre « Canon-du-Maréchal » où l'harmonie des cépages nous permet d'apprécier un vin de pays ample et charnu aux arômes puissants, nous avons découvert des vins de pays de sauvignon, de chardonnay passés en fûts neufs, et surtout un muscat sec où la puissance des arômes n'a d'égal que leur finesse, frais, très floral, c'est un vin très harmonieux.*

Dans la gamme des Rivesaltes, ils nous proposent un vintage 1986 issu d'une longue macération, embouteillé tôt, il a conservé tous ses arômes de fruits rouges sur des nuances épicées, gras et charnu... c'est un régal.

Leur muscat de Rivesaltes, exporté dans 25 pays, est d'une finesse aromatique, d'un équilibre qui frisent la perfection.

Et avec ce Rivesaltes 1978, vieilli en fûts, on croit rêver... une bouteille pour les grandes occasions.

Enfin le Côtes du Roussillon Villages à la robe éclatante nous livre peu à peu des arômes racés, puissants, où se mêlent les fruits rouges, les épices orientales, la vanille, où le boisé s'harmonise à tout cet ensemble sans dominer le fruit... du grand art.

# Salses-le-Château

## ▨ Sté C.A. des Vins Fins

Salses-le-Château ♦
66600 Rivesaltes
tél. 68.38.62.08.

2 300 hectares sont 1 700 en V.D.N. Sol argilo-calcaire. A.O.C. Côtes du Roussillon Villages, Côtes du Roussillon. Muscat de Rivesaltes, Rivesaltes. Vins de pays.
Prix départ cave : 11 à 32 F T.T.C.
Œnologue conseil : M. Mayol.
Le directeur : M. Carcassonne.
Le président : M. Roland Serres.

La cave de Salses-le-Château, créée en 1929, avait une vocation spécifique de V.D.N.

Pour augmenter sa gamme de produits elle a, depuis dix-sept ans, fusionné avec deux autres coopératives et devient aujourd'hui une structure intercommunale très performante.

Toujours à la pointe de la technologie, elle réalise d'importants investissements qui lui permettent d'être particulièrement bien équipée : une installation de froid de 300 000 frigories, un atelier de douze pressoirs horizontaux, 2 cuves auto-remontantes.

Ils assurent chaque année le renouvellement de soixante fûts neufs dans un local prévu pour 10 000 hectos de vieillissement sous bois.

Ils signent une convention avec les monuments historiques pour aménager dans les anciennes écuries du château de Salses édifié en 1497, un chai où les belles cuvées s'épanouissent.

Le Côtes du Roussillon Villages 1986, issu des cépages carignan, grenache noir, syrah et mourvèdre, vinifié en raisins entiers pour 40% et élevé en fûts de chêne ressemble par sa robe à un beau rubis. Le nez d'une grande ampleur aux arômes de fruits cuits, de champignons et d'épices douces s'associe à des notes réglissées. En bouche, l'attaque est ronde, dominée par le bois, d'une belle persistance, il manque cependant de chair.

Le Rivesaltes de huit ans d'âge nous séduit par sa robe superbe d'un bel acajou ambré. Les arômes sont puissants aux notes très marquées par le pruneau, les fruits surmûris et le chocolat noir. Bien équilibré en bouche, velouté il rappelle l'essence du bois légèrement vanillé.

# Tautavel

## ▨ Domaine Bonzoms

Mme et M. **Francis Bonzoms,** ♦
1, rue Voltaire
Tautavel
66720 Latour-de-France
tél. 68.29.40.15.

40 hectares tout en A.O.C. Sol argilo-calcaire. A.O.C. Rivesaltes et Muscat de Rivesaltes, A.O.C. Côtes du Roussillon Villages.
Prix départ cave : 18 à 35 F T.T.C.
Œnologue conseil : Mme Madeleine Fourquet.

Ce village renommé pour ses grottes et le fameux crâne humain qui y fut découvert possède en outre un terroir d'exception.

Mme et M. Bonzoms en sont conscients, aussi depuis 1981, certains de la qualité et de la typicité de leurs vins ils commercialisent dans un caveau aménagé près des vestiges d'un ancien château et d'une tour sarrasine des produits « bourrés » d'arômes à la qualité bien reconnue.

Dans une cave datant de 1756 mais complètement rééquipée dont il ne reste qu'une dizaine de très vieux foudres, ils vinifient les raisins de leur propriété très morcelée.

Appuyés, aidés par la mairie de Tautavel, ils font partie d'une association qui regroupe les vignerons isolés et une des deux caves coopératives du cru. Ils créent un G.I.E. qui leur assurera une structure de vente capable d'aller présenter leur gamme au-delà de nos frontières.

Unis pour mieux vendre, mais gardant leur identité, ils ont su saisir cette opportunité face aux dures réalités.

Le C.R.V. « Cuvée des Saintes » a une belle couleur rouge carminée. Au nez des arômes intenses de fruits rouges très mûrs et d'épices fortes annoncent une bouche généreuse, charpentée marquée par des tannins encore puissants mais pas du tout agressifs.

## ■ G.A.E.C. Mounie et Filles

M. Mounie, ♦
1, avenue du Verdouble
Tautavel
66720 Latour-de-France
tél. 68.29.12.31.
68.29.45.55.

20 hectares. Sol argileux et schisteux. Vins de pays, A.O.C. Rivesaltes et Muscat de Rivesaltes, A.O.C. Côtes du Roussillon et Côtes du Roussillon Villages.
Prix départ cave : 18 à 85 F T.T.C.
Œnologue conseil : Mme Madeleine Fourquet.

Le vignoble très morcelé s'étale sur des coteaux rocailleux tout près de Tautavel sur la route de Vingrau.

Dans une cave coquette, bien aménagée

pour la macération carbonique des cépages carignan et grenache, M. Mounie et ses filles installés en G.A.E.C. depuis 1983 produisent des vins de qualité.

Conseillés par Madeleine Fourquet qui dirige les vinifications avec maestria, ils nous proposent de vieux millésimes assagis par le temps, superbes d'arômes.

Homme charmant, M. Mounie nous vante sa « cuvée de l'homme de Tautavel » 1985. Un côte du Roussillon Villages aux arômes intenses et racés, aux tannins bien fondus, au bouquet complexe où le musc, le poivre, 3 notes de fruits cuits en font un délice plein de charmes.

Ne partez pas sans déguster l'A.O.C. Rivesaltes millésime 1955.

Paré d'une robe ambrée il offre des senteurs de miel, de fruits secs et de noix. En bouche, très long il a des arômes puissants de raisins confits, de cire... une belle bouteille.

## ■ J.P. et M.T. Pelou

Mme Pelou, ♦
8, avenue de la République
Tautavel
66720 Latour-de-France
tél. 68.29.10.97.

20 hectares. Sol schisteux et argilo-calcaire. Vins de pays, A.O.C. Rivesaltes. A.O.C. Côtes du Roussillon et Côtes du Roussillon Villages.
Prix départ cave : 18 à 40 F T.T.C.
Œnologue conseil : M. Mallis.

Des kinés écolos... Non ! des passionnés qui ont « saboté » leur cotisation retraite, sacrifié tout leur temps libre à restructurer le vignoble, rénover une ancienne cave pour y assouvir l'amour de la vigne et du vin qui les réunit.

Leur rêve, abandonner leur activité qui les fait vivre aujourd'hui pour se consacrer entièrement à ce domaine hérité du père de Mme Pelou qui leur a transmis tout son savoir et sa passion débordante.

Ils sont sur la bonne voie. Depuis 1979, ils ont rénové presque entièrement le *vignoble où la syrah maintenant domine.*

*Une macération carbonique sur les cépages carignan et grenache joue son rôle dans l'élaboration des cuvées.*

*La vinification traditionnelle conduite à une température basse permet, nous disent-ils, « d'extraire le fruité du raisin sans en dissoudre les tannins agressifs ».*

*Vous découvrirez dans ce site de Tautavel, le plus vieux d'Europe, les vins du domaine commercialisés sous la dénomination : « Privilège du Cellier Dal-Mouli ».*

*Le C.R.V. 1986 a une robe intense vive et profonde. Le nez d'une belle élégance est bien développé. En bouche, un peu fauve, il est rond avec un tannin bien fondu.*

*Le Rivesaltes 1983 tuilé avec des reflets acajou a un nez mielleux et de fruits confits, gras et suave, il est assez long en bouche.*

*affluer les touristes, René Renaux, œnologue, dirige la cave coopérative qui compte 180 adhérents.*

*Une sélection rigoureuse permet d'élaborer toute une palette de produits présentés à deux pas du musée de la Préhistoire de Tautavel.*

*Un terroir privilégié, un âge des vignes confortable, une vinification soignée, font que cette cave présente chaque année de beaux vins dans une gamme très variée.*

*Le Rivesaltes « Torre del Far » millésime 1986 est un vintage à la robe agréable, au nez dominé par le fruit. Suit une bouche gourmande où le cassis et la cerise s'harmonisent pour donner un équilibre gustatif corsé.*

*Le C.R.V. des maîtres vignerons de Tautavel 1985 mêle les arômes de fruits rouges à des notes épicées et vanillées. En bouche des tannins très doux et onctueux le rendent chaleureux.*

## ■ Cave les Maîtres Vignerons de Tautavel

Tautavel ♦
66720 Latour-de-France
tél. 68.29.12.03.

680 hectares. Sol argilo-calcaire. Rouge, rosé, blanc, effervescent, V.D.N. C.R.V.
Prix départ cave : 18 à 45 F T.T.C.
Président : M. Moret.

*Dans ce village entouré de splendides falaises calcaires, qui voit chaque année*

# Vingrau

## ■ Cave Coopérative de Vingrau

3, rue Maréchal-Joffre
66600 Vingrau
tél. 68.29.40.41.

530 hectares. Sol argilo-calcaire.
Prix départ cave : 15 à 25 F T.T.C.
Œnologue conseil : M. Rière.

*Aux portes des Corbières, dans un paysage grandiose, Vingrau vit dans l'ombre de l'homme de Tautavel.*

*Ce site a toujours été sous la domination de l'abbaye de Fontfroide et on y parle encore l'occitan.*

*Aujourd'hui, le village dépend de l'économie de la coopérative qui assure avec fermeté et lucidité la pérennité de ses adhérents.*

*Cette cave se distingue par ses vins de belle lignée. Ils concentrent leurs efforts dans l'élaboration et le vieillissement : sélection des apports, réception de la récolte bien adaptée, égrappage du carignan, groupe de froid pour la maîtrise*

*des températures, macération pellicu-laire pour le muscat, élevage sous bois, tout concourt pour la qualité.*
*Le C.R.V. « Cuvée des 20 marches » 1985 a une belle robe profonde irisée de nuances tuilées, le nez légèrement grillé* *est dominé par des notes boisées dues à l'élevage en fûts.*
*La bouche offre des saveurs réglissées, épicées et un équilibre charnu.*
*Encore bien charpenté il finit sur une persistance tannique un peu ligneuse.*

**Côtes du Roussillon et Côtes du Roussillon Villages,** voir aussi :

— Banyuls : Cave Veuve Banyuls.

— Maury : Dom. René Martinez, Coop. de Maury.

— Rivesaltes : Dom. de Mas Moutou, Emmanuel Munoz, Coop. de Passa, Coop. de Ponteilla, Dom. de Ste-Barbe, Dom. St-Luc.

— Muscat de Rivesaltes : M. Baillie, Ch. de l'Esparrou, Georges Germa, Ets Limouzy, Mas Pradal (Coll. Escluse), Pierre, Charles Maler ; Coop. de Pezilla la Rivière, Coop. de Rivesaltes (les Vigne-rons), Coop. de St-Hippolyte, Dom. Sanac, Coop. de Terrats.

— Vins de pays des Pyrénées-Orientales : Coop. de Bages.

# Faugères

A.O.C. depuis le décret du 5 mai 1982.
Aire d'appellation : 7 communes de l'Hérault.
Terroir schisteux.
Encépagement : carignan (40% maxi), cinsault, grenache ;
syrah et mourvèdre (10% mini en 1990) ;
vins rouges et rosés uniquement.
Rendement : 50 hl/ha maxi.
Production en 1988 : 55 000 hectolitres.

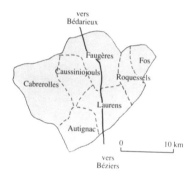

Faugères est un petit terroir accroché aux premiers contreforts de la Montagne-Noire qui domine de quelques centaines de mètres la plaine de Béziers. Un pays rude s'il en est où durant des siècles les hommes ont dû se contenter de manger des châtaignes, fruit du seul arbre qui avec la vigne puisse croître sur ces maigres sols.

Faugères est un peu une petite Cévenne. Comme elle, elle fait figure de bastion montagneux ; comme elle, elle a affiché sa différence en épousant au XVIe siècle la foi protestante ; comme elle, elle le paya d'ailleurs fort cher. Le nom de Faugères reste en Languedoc attaché à l'un des épisodes les plus sanglants des guerres de religion. Le seigneur du lieu, un certain Claude de Narbonne, baron de Faugères, s'y était taillé une réputation non usurpée de terrible homme de guerre. Non content de terroriser les villages catholiques, activité qui avait été déjà semble-t-il celle de ses ancêtres, une lignée de fieffés brigands, il s'illustra au siège de Lodève en 1573. La ville était aux mains des catholiques. Claude y entra avec ses hommes en se faufilant par les égouts. Une fois dans la place, il massacra une partie de ses habitants. Jusque-là sa conduite ne différait guère de celle de ses pairs. Mais il s'en prit aussi aux reliques de saint Fulcrand qui étaient ensevelies sous la cathédrale. On déterra le corps vieux de six siècles ; il était miraculeusement intact. Claude le fit écarteler, couper en morceaux puis on distribua ses restes aux boucheries de la ville afin de contraindre les Lodévois à les manger ! Le profanateur ne l'emporta pas au paradis. Quelques années plus tard il fut exécuté et on joua aux boules avec sa tête.

Pareille violence, pareil fanatisme ne ressemblent pourtant guère aux habitants de cette petite région. Leurs qualités premières seraient plutôt l'acharnement au travail et la ténacité, le courage aussi ; vertus nécessaires pour affronter ce milieu ingrat.

La vigne a toujours été cultivée à Faugères. Jusqu'au XIXe siècle on en tirait des vins rouges connus pour leur qualité et une eau-de-vie, la fine Faugères, qui avait auprès des connaisseurs la renommée du Cognac ou de l'Armagnac. L'avènement du vignoble de masse balaya tout cet héritage et contraignit les vignerons locaux à se couler dans la médiocrité ambiante. Pareille mutation faillit être fatale au vignoble de Faugères. L'exode prit une ampleur considérable. Le pays se vidait. Au lendemain de la Seconde Guerre mondiale pourtant, les signes d'un renouveau se profilèrent à l'horizon. Sous l'impulsion de Jean Vidal, maire de Cabrerolles, quelques vignerons téméraires entreprirent de renouer avec la qualité. En 1955, Faugères obtint son classement en V.D.Q.S. Trois décennies plus tard, les efforts de ces précurseurs devaient être récompensés par l'accession de l'aire au rang d'A.O.C. Depuis, la qualité des vins n'a cessé de s'améliorer.

La personnalité des vins de Faugères réside d'abord dans son terroir, entièrement constitué de schistes primaires. Point de sol proprement dit ici mais plutôt la roche nue que les intempéries ont délitée en millions de plaquettes aux teintes beiges et ocre. La sécheresse y est terrible. Quand l'eau de pluie ne dévale pas les pentes et n'emporte pas avec elle le peu d'argile présente, elle s'infiltre dans les fissures de la roche où les racines doivent se frayer un chemin pour aller la puiser. On comprend dans ces conditions que les rendements soient faibles. Il est bien difficile à Faugères de dépasser les 50 hectolitres à l'hectare et, en règle générale, c'est sur moins qu'il faut compter. Ici la vigne souffre mais les vins offrent bien du plaisir. Même le carignan, qui trop souvent donne des vins un peu frustes, se laisse aller à la finesse. Sa présence est toutefois limitée à 40% de l'encépagement. Les vignerons préfèrent lui substituer du cinsault (avec lequel on peut élaborer des rosés remarquables), du grenache et surtout de la syrah et du mourvèdre, cépages qui, avec des rendements aussi bas, expriment toutes leurs qualités intrinsèques. Les vins de Faugères développent alors un nez intense de fruits rouges : cerise, framboise, cassis, parfois fraise écrasée qui enchante les sens. Viennent s'y mêler des arômes plus complexes de réglisse et de cuir. En bouche, les tannins sont présents, gage de longévité, mais fondus. Le tout confère à ces vins beaucoup de soyeux et de finesse, de l'ampleur aussi, caractères qui signent les grandes bouteilles.

La production de Faugères, succès oblige, croît légèrement au fil des ans. Elle se situe aujourd'hui autour de 50 000 hectolitres. Trois caves coopératives et vingt caves particulières élaborent ce vin de grande classe, l'un des plus intéressants sans doute de la région.

# Autignac

## ▨ Domaine de Fraisse

**M. Jacques Pons,** ♦
Rue du Chemin-de-Ronde
Autignac
34480 Magalas

28 hectares dont 20 en A.O.C., 100% schiste.
Rouge, rosé, blanc. Pour les blancs en A.O.C. Coteaux du Languedoc (Sans Villages).
Prix départ cave : 16 à 25 F T.T.C.
Œnologue conseil : M. Serres.

*Bienheureux Jacques Pons pour qui le désir le plus cher est d'être et de rester parmi les tout premiers Faugères.*
*Installé depuis 1974, il a reconstitué entièrement son vignoble en replantant avec acharnement les meilleurs cépages sur les terroirs les mieux adaptés.*
*Même plus le temps d'aller à la chasse, de parcourir les bois tellement le désir de bien faire sur son exploitation anime ce vigneron !*
*La macération carbonique conduite avec doigté permet une extraction maximale de la matière.*
*Une belle robe profonde et sombre caractérise la couleur de ce vin.*
*Au nez puissant, presque minéral avec des notes de garrigue et de gibier, il ouvre la porte aux rêves.*
*En bouche, l'attaque est souple mais très vite apparaît la fermeté du tannin qui mérite que l'on soit patient avant de pouvoir le boire dans sa plénitude.*

# Cabrerolles

## ■ Château des Estanilles

**Michel et Monique Louison,**
34480 Lentheric-Cabrerolles
tél. 67.90.29.25.

25 hectares, 100% schiste. Rouge, rosé, blanc.
Prix départ cave : 20 à 50 F T.T.C.
Œnologue conseil : M. Olivier François.

*Ce Tourangeau de grand cœur, ténor de l'appellation, parle de sa passion comme d'une partie de lui-même. Une démarche simple et édifiante qui a commencé en 1975. Ici, la qualité est une longue histoire d'amour entre la vigne, le vin et l'homme.*
*Le vignoble couvre 25 ha de sol schisteux et pentus. Sa particularité : une densité de plantation de 5 000 à 6 000 pieds par hectare, voire même 7 000. Perfectionniste, chaque hectare planté est une recherche vers la meilleure expression en matière de structure et d'arômes. Il se refuse à l'emploi des désherbants chimiques ; labourer sa vigne, c'est réaliser une œuvre d'art.*
*Les installations ultramodernes et rationnelles à la fois sont particulièrement spectaculaires. Bien que pionnier, il n'en est pas moins resté très proche des méthodes anciennes. En 1981, il creuse des chais climatisés pour l'élevage en barriques neuves et le vieillissement en bouteilles. Intarissable sur l'avenir, les projets se dessinent et prennent forme. Monique, son épouse, orchestre avec doigté les réalisations de Michel.*

*En dégustation son Château rouge à la robe carminée, magnifique de puissance, d'ampleur, d'équilibre, est un vin complexe mariant la violette, le poivre, la réglisse et la vanille du bon bois. Le vin est bavard et le fût chuchote.*

## ■ Château Haut-Fabrègues

**M. Saur et fils,** ♦
Cabrerolles
34480 Magalas
tél. 67.90.28.67.

50 hectares en production, 100% schiste. Rouge, rosé, blanc.
Prix départ cave : 18 à 30 F T.T.C.
Œnologue conseil : M. Elisabelar.

*Installés depuis les années 60 sur ce magnifique domaine protégé des vents du nord par la barrière des Cévennes, André et Jean-Luc Saur exploitent cette propriété d'un seul tenant.*

*La cave, aménagée dans une magnifique bâtisse du XVIᵉ siècle aux voûtes en pierres sèches, permet le bon élevage des vins.*

*Si le domaine est un peu perdu, l'accueil au caveau est très chaleureux.*

*Les vins, élevés en vieux foudres, sont le résultat de l'assemblage des trois cépages grenache, syrah et mourvèdre.*

*Surprenants dans leur jeunesse, les rouges évoluent favorablement sur des notes sauvages d'épices et de confiture de mûres.*

*Une très bonne charpente tannique en fait des vins de garde qui s'arrondiront peu à peu après plusieurs années dans votre cave.*

## Domaine du Météore

**M. Roger Costes,** ♦
34480 Cabrerolles
tél. 67.90.29.82.
67.90.21.12.

35 hectares plantés, 100% schiste.
Rouge, rosé, blanc et grenache
doux.
Prix départ cave : 18 à 30 F T.T.C.
Œnologue conseil : M. Elisabelar.

20 hectares, 100% schiste, A.O.C.,
rosé, rouge, Cuvée spéciale Millésimes 1986, 1987, 1988.
Prix départ cave : 17 à 30 F T.T.C.
Œnologue conseil : M. Elisabelar.

*Pour Mme Ginette Coste, sa fille Geneviève et son mari, le plaisir de mieux faire est une règle de conduite, la cave leur trait d'union.*
*Héritiers d'une tradition vigneronne, ils déploient leur énergie pour améliorer et agrandir le vignoble dans le respect de l'appellation Faugères.*
*Des vignes bien en place, une culture soignée, des vendanges manuelles font qu'en dégustation, le vin est recherché pour son classicisme.*
*Élégant, finement boisé d'une belle rondeur en bouche avec des tannins très fins, il s'accommode aisément au cours de tout un repas.*
*Le domaine du Météore doit son nom à un phénomène naturel, un cratère creusé par la chute d'une météorite, qui attire chaque année de nombreux touristes.*

*Au nord du petit village de Cabrerolles planté sur les flancs de la montagne, Raymond Roque cultive avec son fils ce domaine dont les 2/3 sont plantés en suivant les courbes de niveau à une altitude de 300 à 350 mètres.*
*Pour eux, le vin doit rester un produit authentique qui s'identifie au domaine, il ne doit être en aucun cas un produit commercial perdant toute sa personnalité et son originalité.*
*Les cépages traditionnels syrah, mourvèdre, grenache, carignan et cinsault s'expriment très bien sur ces sols schisteux et sous le climat de Faugères. Le vin « se fait tout seul » avec juste ce qu'il faut de pratique et de savoir-faire ; le résultat est étonnant.*
*Une bouteille à la robe intense, profonde et pourpre, un nez riche de fruits rouges très mûrs de poivre gris et de torréfaction.*
*En bouche, ce vin est puissant, riche, avec un tannin très présent mais très doux et réglissé. Il finit de façon élégante sur une bonne persistance aromatique.*

## Domaine Raymond Roque

**M. Raymond Roque,** ♦
Cabrerolles
34480 Magalas
tél. 67.90.21.88.

## Domaine de Saint-Aimé

**MM. Christian et Jean-Pierre Viguier,**
La Liquière
34480 Cabrerolles
tél. 67.90.29.72.
67.31.45.52.

31 hectares (Domaine de Saint-Aimé). 14 hectares (Château Petit-Alain).
100% schiste. Rouge, rosé.
Prix départ cave : 16 à 36 F T.T.C.
Œnologue conseil : M. Elisabelar.

*Planté sur les terrains schisteux de la Liguière, haut lieu de l'appellation Faugères, le vignoble de Saint-Aimé, rénové à 80% depuis 1972, produit de très faibles rendements.*

*C'est dans une cave tortueuse, creusée à même la roche que Christian Viguier exerce son art de vigneron tel Bacchus dans son antre.*

*Si d'aventure vous passez par là, arrêtez-vous et laissez parler cet homme, véritable conteur des histoires de son pays et des gens qui y vivent.*

*La vendange récoltée très mûre est vinifiée de façon traditionnelle et en macération carbonique pour accroître l'expression de ses produits.*

*Son rouge a une belle robe rubis, intense et profonde. Son nez révèle de la cerise confite légèrement kirschée et une pointe de café le rend plus complexe. En bouche, la torréfaction apparaît nettement ; souple, rond, soutenu par des tannins bien présents, il est un peu difficile pour l'instant, mais il s'adoucira avec le temps.*

## ▨ Bernard et Claudie Vidal ♦

La Liquière
Cabrerolles
34480 Magalas
tél. 67.90.29.20.

60 hectares sur deux domaines. 100% schiste. Rouge, rosé, blanc (confidentiel).
Prix départ cave : 20 à 40 F T.T.C.
Œnologue conseil : M. Natoli.

*Chose peu facile que de poursuivre l'œuvre de son père, M. Jean Vidal, qui, pendant un quart de siècle, a présidé le syndicat de cru avec foi et ténacité contribuant ainsi au classement en appellation d'origine contrôlée des vins de Faugères.*

*Bernard et Claudie Vidal s'occupent actuellement de l'exploitation familiale et du domaine qu'ils ont créé il y a une dizaine d'années.*

*Bernard est un élève de l'œnologie moderne qui a compris qu'il fallait faire un produit que l'on aime.*

*Le vignoble en pleine expansion, planté suivant les courbes de niveaux des pentes de Cabrerolles, donne des vins rosés très fruités, agréables en bouche, bien équilibrés qui ne manquent pas de fraîcheur.*

*La macération carbonique confère aux vins rouges du domaine finesse, fruité et rondeur : à boire dans leur prime jeunesse.*

# Caussiniojouls

## ▨ Domaine de Roque

M. Guy Roque,
34600 Caussiniojouls
tél. 67.95.08.05.

40 hectares, 100% schiste. Rouge, rosé.
Prix départ cave : 10 à 30 F T.T.C.
Œnologue conseil : M. Elisabelar.

*Efficace, acharné mais discret, tout ce qu'il faut pour être à la fois maire de son village et président de l'appellation Faugères.*

*Un homme qui sait faire la synthèse humaine entre les caves coopératives et les vignerons particuliers.*

*Sur son terroir de schistes très pentu, il replante syrah, mourvèdre et grenache pour donner plus de puissance aromatique à ses vins.*

*Il n'hésite pas à être directement en contact avec le consommateur et vend lui-même toute sa production en bouteilles.*

*Les vins rouges sont d'une couleur très dense, très profonde et demandent beaucoup d'efforts et d'attention au cours de la vinification.*

*Il transparaît un tannin un peu rustique qui devrait s'adoucir avec le temps.*

# Faugères

## ▓ G.A.E.C. Rieutord

**Gilbert Alquier et fils,**
34600 Faugères
tél. 67.23.07.89.

28 hectares, 100% schiste, A.O.C. rouge.
Prix départ cave : 25 à 40 F T.T.C.
Œnologue conseil : M. François Serre.

*Qualité et tradition, les deux maîtres mots de Jean-Michel et Frédéric Alquier qui poursuivent l'œuvre de leur père, sur la commune même de Faugères, au cœur du village.*
*Le vignoble constitué des cépages syrah, grenache, carignan où le mourvèdre règne depuis 17 ans, donne aux vins l'aptitude au vieillissement.*
*Depuis toujours, la moyenne de rendement se situe aux environs de 26 hl/ha. Une vinification soignée, un élevage réfléchi en barriques neuves qui tient compte des conditions spécifiques du millésime, expliquent l'incontestable qualité de ces vins.*
*Ils séduisent à l'œil, riches et complexes au nez, merveilleusement structurés en bouche. Ils méritent d'être oubliés trois à cinq ans dans votre cave pour s'exprimer pleinement.*

## ▓ Cave Coopérative « Les Crus Faugères »

34600 Faugères
tél. 67.95.08.80.

600 hectares, 100% schiste sur cinq communes. 30 000 hl dont 15 000 en A.O.C. Rosé et rouge génériques. Sélection grenache, Domaine et Château.
Prix départ cave : 10 à 35 F T.T.C.
Président : M. Quittard.
Directeur : M. Dalichoux
Œnologue conseil : M. Bascou de l'I.C.V.

*C'est dans l'épicentre de l'A.O.C. Faugères que nous découvrons une équipe*
*dynamique pour l'élaboration de ces produits et autonome pour leur commercialisation.*
*La particularité de la production actuelle réside dans la recherche d'un produit sophistiqué. Ils se donnent les moyens d'y parvenir : investissements dans le matériel de vinification et aménagement d'une cave voûtée du XVIᵉ siècle pour le vieillissement de leur cuvée Château en barriques neuves.*
*Parmi leurs nombreuses citations, nous rappelons leur cuvée sélectionnée par « 50 Millions de consommateurs », le Domaine de Coudougno.*
*Belle robe, au nez de venaison et les petits fruits rouges annoncent joliment une bouche bien équilibrée avec des tannins fondus. Belle réussite.*

# Fos

## ▓ Domaine Ollier-Taillefer

**M. Alain Ollier,**
34320 Fos
tél. 67.90.24.59.

20 hectares dont 17 en A.O.C. et 3 en vins de pays blanc. 100% schisteux. Rouge, rosé.
Prix départ cave : 18 à 26 F T.T.C.
Œnologue conseil : M. Fraison.

*Le vignoble le plus à l'est de l'appellation. Des vignes accrochées sur des schistes à 300 mètres d'altitude. Cette situation associée à l'encépagement de syrah, mourvèdre, grenache, carignan donne aux vins de ce domaine une belle expression terroitée.*
*Vinifiée traditionnellement, la maturation s'effectue lentement en foudre de chêne. Cette famille passionnée, hédoniste, a toujours évolué dans le sens de la qualité. Elle reçoit avec beaucoup de gentillesse et vous fera découvrir et déguster des millésimes de 3, 4 ans qui ont gardé toute leur jeunesse.*
*Une robe franche et brillante, un nez de petits fruits rouges nuancé de réglisse.*

*Bien fondu en bouche avec une charpente encore bien présente.*

# Laurens

## ■ Château de Grézan

**M. Michel Lubac,**
Laurens
34480 Magalas
tél. 67.90.28.03.

120 hectares dont 55 en A.O.C. Sol 100% schisteux en A.O.C. Le reste, sol argilo-calcaire, peu productif. Rouge, rosé, blanc, en A.O.C. et vins de pays.
Prix départ cave : 15 à 40 F T.T.C.
Œnologue conseil : M. Serres.

*Énergique, sûr de lui, lucide, conforté par son expérience tournée vers l'extérieur pour adapter le meilleur à son acquis, Michel Lubac assure lui-même la maîtrise complète de la vinification et des assemblages.*
*Apprendre à connaître ses cuves, les déguster tous les jours pendant 2 à 3 mois pour mieux préparer les futures cuvées, c'est ainsi qu'il procède avec son épouse dans ce très beau site du château de Grézan.*
*Fondant de gros espoirs sur l'avenir avec ses associés responsables du vignoble, il crée de nouvelles plantations à haute densité car, disent-ils, tous les moyens doivent être mis en œuvre pour développer les hauts de gamme.*
*Un domaine à suivre où nous avons dégusté la cuvée Arnaud Lubac.*
*C'est un vin d'une très belle intensité dans les tons grenat foncé, aux nuances bleutées. Le nez est légèrement épicé avec une note de vanille qui témoigne de son élevage en barriques. Bien équilibré en bouche il finit cependant sur un tannin un peu rigide.*
*Le domaine propose également de nombreux vins de pays de cépages : gamay, pinot, cabernet, sauvignon.*
*La nouvelle : sortie pour 1990 d'un mousseux méthode traditionnelle, élaboré à partir d'une cuvée 100% chardonnay vinifiée en barrique neuve.*

## ■ Cave Coopérative de Laurens

34480 Magalas
tél. 67.90.28.23.

1 300 hectares dont 620 en A.O.C.
Rouge, rosé, blanc.
Prix départ cave : 15 à 30 F T.T.C.
Œnologue conseil : M. Crassus de l'I.C.V.

*Pour accroître rapidement la qualité, M. Veziac, le président de cette importante cave favorise le développement de la plantation des cépages grenache et syrah par ses producteurs.*
*Il n'hésite pas non plus à racheter une propriété à la vente pour la redistribuer à ses adhérents plutôt que de voir son potentiel s'étioler.*
*Une vinification classique et une macération carbonique bien orchestrées par M. Escrie, le maître de chai, des terroirs sélectionnés en fonction de leur haute potentialité qualitative et de l'âge des vignes, un élevage soigné en barriques bordelaises dans un chai semi-enterré font du « Château de Laurens » leur fleuron.*
*D'une robe intense dans les tons grenat foncé, il laisse sur les parois du verre les traces de sa vinosité.*
*Le nez puissant et riche dévoile des senteurs de fruits rouges très mûrs associés à des odeurs grillées et vanillées.*
*En bouche, il est rond et charnu et finit harmonieusement sur des tannins bien liés.*

# Roquessels

## ■ M. P. Benezech et fils

**J.C. Esteve G.I.E.**
34320 Roquessels
tél. 67.90.24.11. (J.C. Esteve)
    67.90.24.15. (M. Benezech)

62 hectares sur deux exploitations. 100% schiste. Rouge, rosé.
Prix départ cave : 17 à 35 F T.T.C.
Œnologue : M. Benezech fils.

Quelle personnalité, quel optimisme chez Pierre Benezech, l'un des défenseurs de l'appellation Faugères. Il aime à conter ses origines rurales. Et parler de son père qui, en son temps, fut un précurseur des vins de qualité et qui commercialisait toute sa production en barriques vers Paris.

Un fils œnologue, un neveu viticulteur, toutes ces compétences au service d'un domaine de 62 ha situé sur des coteaux très schisteux et très pentus répartis au nord et au sud du ravissant village de Roquessels.

Syrah, mourvèdre, grenache, cinsault et un carignan presque centenaire s'associent admirablement pour produire des vins de belle lignée.

Une vinification classique menée avec la dégustation journalière des cuves privilégie l'extraction de la couleur et des arômes et donne des vins très prononcés, étoffés et charnus.

Nous attendons avec impatience sa cuvée prestige « Château des Adouzes » actuellement en vieillissement dans le chai à barriques.

# Fitou

A.O.C. depuis le décret du 28 avril 1948.
Aire d'appellation : 2 300 ha sur 2 zones différentes : 5 communes
au bord de la mer : Fitou, Leucate, La Palme,
Caves de Treille, Feuilla ;
4 communes des Corbières centrales : Cascatel,
Villeneuve-les-Corbières, Paziols, Tuchan.
Terroir : argilo-calcaire, calcaire en bord de mer,
et essentiellement schisteux à l'intérieur.
Encépagement : carignan (75% maxi), grenache noir, lladoner pelut,
syrah, mourvèdre ; cinsault, terret noir, maccabeu (10% maxi).
Rendement : 40 hl/ha.
Production : 100 000 hl.

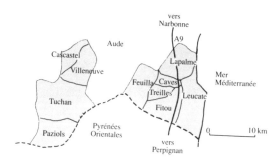

Le vin rouge de Fitou fut le premier vin sec du Languedoc-Roussillon à recevoir le statut d'Appellation d'origine contrôlée. C'est en 1948 que l'I.N.A.O. (Institut national des appellations d'origine) a voulu encourager les vignerons du Midi en honorant ainsi leurs efforts ainsi que leur discipline en matière de rendements. A cette époque, le vin sec ne représentait pas une production importante, ni ne suscitait d'intérêt particulier chez les vignerons qui étaient davantage concernés par l'A.O.C. Rivesaltes, alors plus valorisante. Ce n'est que beaucoup plus tard qu'ils ont pris conscience des qualités que présentait leur terroir pour l'élaboration des vins rouges. Mais la véritable évolution date seulement des années 80. Le Fitou est aujourd'hui très demandé à l'étranger, et notamment en Grande-Bretagne, au Danemark ou en Belgique. En effet, plus de 75% du volume produit est vendu à l'exportation.

L'aire d'appellation comprend deux zones différentes du massif des Corbières qui ont pour points communs le climat essentiellement méditerranéen avec des étés chauds et secs, et la texture caillouteuse des sols. Les parcelles de la zone maritime sont situées sur les versants orientaux des Corbières où l'on rencontre des sols essentiellement argilocalcaires, mais aussi arides et rocailleux. Les vignes atteignent les plateaux de garrigue désertiques. La proximité de la mer leur assure une bonne humidité et favorise ainsi la maturité des raisins, et tout particulièrement du mourvèdre.

La zone montagneuse, située au cœur des Corbières, est dessinée par un relief de mamelons, de collines et de vallées encaissées. Les sols sont principalement schisteux et légers. Le mourvèdre n'y est pas répandu à cause de l'éloignement de la mer, par contre, la syrah y donne de bons résultats. Comme dans tout le reste du Languedoc-Roussillon, ces 2 cépages occupent une place de plus en plus importante dans les assemblages des cuvées, déterminant ainsi des vins plus riches en arômes. La typicité du Fitou est pourtant basée sur le carignan qui exprime au mieux ses qualités grâce aux faibles rendements, et au grenache noir qui apporte au vin du corps, du gras et du fruit.

Au cours des dernières années, on a introduit la macération carbonique qui permet d'élaborer des vins à boire plus jeunes. Lorsqu'on le vinifie en méthode traditionnelle, le Fitou est un vin charpenté qui développe en vieillissant un bouquet animal intense et complexe. En règle générale, un assemblage des 2 méthodes est pratiqué.

Le Fitou est produit par 7 caves coopératives et une vingtaine de caves particulières.

---

# Cabanes-Lapalme

## ▓ Domaine de La Grange

**G.A.E.C. Frères Dell Ova, ♦**
11480 Cabanes-Lapalme
tél. 68.48.17.13.

Superficie : 64 ha. Sol : calcaire.
A.O.C. Fitou, Rivesaltes et Muscat
de Rivesaltes.

Prix départ cave : 20 à 28 F T.T.C.
Œnologue conseil : M. Melado.

*En G.A.E.C. depuis 2 ans, André et Thierry réalisent d'importants investissements avec beaucoup d'enthousiasme.*
*Le sol est fertilisé uniquement avec des engrais organiques et des apports d'oligo-éléments.*
*Améliorer le chai de vinification et compléter l'encépagement pour privilé-*

gier la production d'A.O.C. Fitou, font partie de leurs préoccupations. Actuellement, ils proposent un A.O.C. Rivesaltes vieilli en fût à la robe ambrée, aux arômes typiques de fruits secs et de sucre roux qui se retrouvent en bouche autour d'une charpente solide.

L'A.O.C. Fitou 1988, avec une couleur profonde, présente un nez épicé où se mêlent les fruits mûrs. La bouche offre des tannins riches, et sa touche sauvage révèle un vin d'avenir.

# Cascatel

## ▓ Cave des Vignerons de Cascatel

11360 Cascatel
tél. 68.45.91.74.

Sol argilo-calcaire et schiste. 450 hectares.
A.O.C. Fitou, A.O.C. Corbières, A.O.C. Rivesaltes et muscat de Rivesaltes.
Prix départ cave : 12 à 40 F T.T.C.
Œnologue conseil : M. Mellado.
Président : M. Christian Marty.

Dans un pays tourmenté par son relief et son histoire, les vignerons de Cascatel se sont unis pour créer une cave à vocation unique de vins d'appellation. Une qualité marquée par le mûrissement des produits dans le bois.
Actuellement ils assurent un élevage en barriques sur 250 hectos.
Dans l'avenir, nous dit M. Arnaud le directeur, la capacité de ce chai sera

multipliée par quatre. Leurs efforts ne s'arrêtent pas là, dans leur cuvier déjà conçu pour la maîtrise des températures, ils prévoient à terme d'élaborer toute leur production en macération carbonique pour accentuer les arômes bien marqués de leurs vins.
Récemment récompensés pour leur muscat de Rivesaltes, nous avons cependant beaucoup apprécié leur A.O.C. Fitou Cuvée spéciale à la robe pleine d'éclats. Son nez évoque les plantes de la garrigue où se mêlent les fruits rouges confits et des notes animales. En bouche, il est racé, rond, bien présent avec des tannins souples.

# Fitou

## ▓ Domaine Abelanet

Jean Abelanet et Fils,
11510 Fitou
tél. 68.45.76.50.

Sol : schiste et calcaire. 40 hectares tout en A.O.C. Fitou. A.O.C. Fitou rouge.
Prix départ cave : 15 à 20 F T.T.C.
Œnologue conseil : M. Noell.

La famille Abelanet de père en fils depuis treize générations perpétue la tradition vigneronne de ce domaine.
Un endroit chargé d'histoire qui en 1620 sous l'invasion espagnole a pris le relais du château de Fitou détruit par un incendie.
« De par la diversité de nos cépages et de notre terroir et par souci de la perfection, les vignes sont récoltées à maturité optimale et la vinification a lieu soit en semi-macération carbonique, soit en classique, mais toujours en ayant pour souci de respecter l'intégrité de la baie de raisin.
Les vins obtenus, profitant de l'aridité et de la maigreur de ces coteaux, élevés lentement en fûts de chêne, offrent un bouquet particulier. »
Jean Abelanet nous parle fièrement d'une lettre de félicitations qu'il a reçue du secrétaire privé du général de Gaulle pour ses vins d'une belle lignée.

*Nous avons dégusté avec un réel plaisir des fitous de différents millésimes tous d'une expression aromatique très intense mêlant les épices, les fruits rouges aux notes plus animales de gibier et de fourrure.*

*D'une bonne aptitude au vieillissement, élégants et persistants ils sont fondus, ronds et très savoureux.*

## ■ Domaine des Fenals

Mme **Andrée Roustan-Fontanel**,
11510 Fitou
tél. 68.45.71.94.

Sol à dominante calcaire. 25 hectares. A.O.C. Fitou, A.O.C. Corbières, V.D.N. Vins de pays.
Prix départ cave : 16 à 30 F T.T.C.
Œnologue conseil : Philippe Noell.

*Un domaine à vocation viticole, doté d'un joli mas languedocien qui, au XIᵉ*

*siècle, était la métairie du château de Fitou.*

*Tout un passé dans un pays authentique et sauvage pour lequel Andrée Roustan-Fontanel totalement éprise abandonne son métier de sage-femme et s'engage dans celui de vigneron au prix de nombreuses difficultés.*

*Cette femme passionnée et sensible mène son vignoble avec conviction dans le respect de la terre, du végétal et du raisin. Des soins très attentifs sont prodigués à la vigne.*

*Andrée Roustan-Fontanel, lucide, gère son exploitation comme on construit un édifice avec des fondations solides par étape. Aucun détail n'est épargné.*

*Son Domaine de Fenals 1986 issu d'une vinification traditionnelle de carignan, grenache, syrah est fort séduisant dans sa robe grenat foncé. Au nez il est puissant, généreux, complexe. En bouche, d'une grande sensualité, il est charnu, ample avec beaucoup de relief et d'élégance.*

## ■ Cave des Producteurs de Fitou

11510 Fitou
tél. 68.45.71.41.

Sol argilo-calcaire. 500 hectares dont 200 en appellation Fitou.
A.O.C. Corbières, Rivesaltes et Fitou.
Prix départ cave : 17 à 35 F T.T.C. pour les Fitou.
Œnologue conseil : M. Mellado.

*Créée en 1933 cette coopérative qui compte 175 adhérents est dirigée par M. Meurisse et présidée, fait rarissime, par une femme Mme Loubatière.*

*Ce duo de choc, en place depuis 1984, veut donner une impulsion nouvelle à cette cave un peu isolée dans ce très beau paysage du littoral audois.*

*Pour sauvegarder le fruité des cépages traditionnels sans en altérer leur puissance, ils créent un atelier de macération carbonique.*
*Conscients de la relation étroite qui existe entre le cépage et son terroir, ils répertorient les tènements les plus qualitatifs, sélectionnent le raisin pour les vinifier à part.*
*Ils créent un nouveau chai de vieillissement pour prouver la valeur et la pérennité de leurs produits.*
*Les vins obtenus sont à la mesure de leurs efforts.*
*Leur Fitou « terre natale 1985 » plusieurs fois médaillé en est l'exemple.*
*D'une belle présentation à la robe rubis où transparaît quelques reflets tuilés, il évoque au nez le pollen des fleurs de la garrigue et la figue séchée.*
*Vinifié en macération carbonique, élevé en fût, il en a la souplesse et le gras.*

# Leucate

## ▨ Cave coopérative « Les Vignerons du Cap Leucate »

2, avenue Francis-Vals ♦
11370 Leucate
tél. 68.40.01.31.

Sol diversifié à dominante argilo-calcaire. 350 hectares. V.D.P., A.O.C. Corbières, Rivesaltes, Muscat de Rivesaltes, Fitou.
Prix départ cave : 16 à 30 F T.T.C.

pour les A.O.C. Fitou.
Œnologue conseil : M. Noell.

*Dans un site privilégié, en bordure du littoral, visité chaque année par des milliers de touristes, cette cave, présidée par M. Gonzales, reçoit la vendange de 160 adhérents.*
*Le vignoble situé dans la presqu'île de Leucate sur un plateau stratifié d'époque tertiaire nous offre un paysage diversifié, très beau à contempler.*
*Le carignan traité en macération carbonique s'harmonise au grenache noir et au mourvèdre de vinification traditionnelle pour cette belle cuvée « Fitou réserve ».*
*La robe de ce vin est intense avec des reflets bleutés. Remarquable par son nez il évoque la mûre, le cassis et le thym. En bouche racé et puissant, il est harmonieux par son équilibre et la douceur de ses tannins.*
*Le Rivesaltes, issu du cépage maccabeu, d'un beau jaune doré, offre un nez d'abricots secs finement mielleux. En bouche, bien fondu, il s'accompagne d'un léger caractère grillé.*

# Paziols

## ▨ Cave de Paziols

11530 Paziols
tél. 68.45.40.46.

Sol calcaire. 750 hectares. Vins de pays, A.O.C. Corbières, Muscat de Rivesaltes, A.O.C. Fitou.
Œnologue chef de cave :
M. Salgas.
Œnologue conseil : M. Mellado.

*« Notre région a soif de qualité et de respect pour ce que nous produisons. Des années d'efforts, de remise en question ont contribué à redonner à nos appellations leurs lettres de noblesse. »*
*Ces résolutions nous sont tenues par M. Planas, le directeur de cette coopérative qui, régie par trois présidents tous très actifs, veut faire oublier les a priori que les gens peuvent avoir sur les vins du Midi.*

Créée en 1913 pour répondre aux besoins techniques de l'époque, cette cave et ses 262 adhérents ne cessent d'évoluer pour préserver leur acquis, renforcer leur image de marque.

Sur ce sol très calcaire, le carignan et le grenache noir expriment tous leurs caractères.

C'est cette harmonie parfaite entre le terroir, le climat et le cépage, le lent et patient travail du vinificateur, le savoir-faire dans l'élevage et le vieillissement qui apportent cette qualité, justifient le respect que nous devons à ces vignerons.

A travers toute une gamme de produits allant du vin de pays très agréable, aux A.O.C. Corbières charnus et concentrés, en passant par les Rivesaltes qui nous donnent la sensation de croquer un raisin frais, nous avons particulièrement remarqué leur sélection de Fitou.

Tous irréprochables, constants, dans des notes de fruits très mûrs, épicés, ils offrent en bouche beaucoup de richesse, une belle structure, et une bonne aptitude au vieillissement.

liale. Un vignoble morcelé, presque centenaire pour le grenache noir et le carignan, récent pour la syrah et le mourvèdre.

Cet homme honnête avant tout a le respect de sa production. Tout est conçu avec rigueur, de la vigne au produit fini. Un vigneron dirigé par la qualité et qui se donne les moyens d'y parvenir. Peu bavard sur lui-même il exerce son savoir-faire dans un chai de construction récente où ses vins issus de vinification mixtes et d'assemblages judicieux, mûrissent dans des fûts de chêne neufs.

Son millésime 1986 nous ravit l'œil par sa belle robe grenat. Un nez puissant et fin où se mêlent harmonieusement les épices, le cuir et la cannelle. En bouche, charnu et rond, bien équilibré, il persiste finement marqué par la vanille du bois.

# Treilles

## ▧ M. Jean-Marc Gautier ♦

11510 Treilles
tél. 68.45.71.23.

Sol : argilo-calcaire très caillouteux. 30 hectares. A.O.C. Corbières, Rivesaltes et Muscat, Fitou.
Prix départ cave : 20 à 30 F T.T.C. pour les Fitou.
Œnologue conseil : M. Mellado.

Homme rigoureux, discret, Jean-Marc Gautier, œnologue, exploite avec talent son domaine situé sur la commune de Treilles.
Le vignoble surplombe la mer sous l'emprise du soleil et des vents qui

## ▧ Cellier de Roudene

M. Jean-Pierre Faixo, ♦
11350 Paziols
tél. 68.45.43.47.

Sol de schiste et argilo-calcaire. 20 hectares. A.O.C. Fitou, A.O.C. Corbières, V.D.N.
Prix départ cave : 15 à 35 F T.T.C.
Œnologue conseil : M. Mellado.

En 1986, Jean-Pierre Faixo, technicien supérieur reprend la propriété fami-

balayent les collines où la vigne souffre et se bat pour donner ses fruits généreux.

Dans une très belle cave enterrée aux deux tiers dans la falaise, il perpétue la tradition sans cesser d'améliorer l'image de marque du domaine.

La vendange ramassée avec soin est vinifiée en macération carbonique et traditionnellement.

Depuis son arrivée il y a trois ans, Jean-Marc a considérablement modernisé la cave pour mieux personnaliser ses vins.

Il fait bon s'arrêter dans ce chai naturellement tempéré et y déguster toute la gamme qui nous est offerte.

Dans le Corbières se mêlent la crème de cassis, la chair de cerise mûre et la réglisse.

Le Muscat au nez intense chargé d'agrumes et de miel a beaucoup de charme.

Le Fitou 1986, où le mourvèdre est bien présent, a une fort jolie robe. Au nez sauvage marqué d'épices et de grillé, il annonce une bouche charnue aux notes boisées et vanillées bien fondue.

# Tuchan

## ▦ M. Paul Colomer ♦

11350 Tuchan
tél. 68.45.46.34.

Sol schiste et un peu de calcaire. 20 hectares. A.O.C. Fitou, Rivesaltes, Muscat de Rivesaltes et du rosé A.O.C. Corbières.
Prix départ cave : 20 F T.T.C. pour l'A.O.C. Fitou.
Œnologue conseil : M. Mellado.

Vigneron depuis 1964, Paul Colomer très attaché à son pays décide en 1982 de présenter sa production en bouteilles.

Il sait adapter des techniques d'élaboration actualisées pour les besoins de ses cépages et, traditionnellement il vinifie dans des cuves en pierres de taille, habillées de carreaux émaillés.

Cet amoureux de la terre, bien ancré dans la tradition, produit et élève en pipes bordelaises un Rancio de couleur dense, rond et gras à souhait bien typé. Son A.O.C. Fitou est un vin très expressif qui invite au repas. La robe intense a des reflets violines. Le nez est complexe, aux senteurs de fruits bien mûris, où s'allient des odeurs plus animales de cuir. En bouche, il a beaucoup de matière, un bon équilibre alcool/tannins et termine harmonieusement.

## ▦ Château de Nouvelles

**M. Robert Daurat-Fort,** ♦
11350 Tuchan
tél. 68.45.40.03.

Sol schisteux, sablonneux, argilo-calcaire. 88 hectares tout en A.O.C. A.O.C. Corbières, Rivesaltes, V.D.N., Fitou.
Prix départ cave : 30 à 75 F T.T.C.

Une riche histoire se rattache à ce domaine de la région des Hautes-Corbières.

Propriété familiale depuis 1834, Robert Daurat-Fort, ingénieur agricole et œnologue, exploite depuis 1948. Par son savoir-faire, sa foi et son enthousiasme, il a su en faire l'exploitation phare du Fitou.

*Cet avant-gardiste atteste d'un très grand respect de la vigne et du vin. « Le vin est le type même du produit qu'on ne peut pas contourner », nous dit-il.*
*Sur des coteaux schisteux, siliceux, mais surtout argilo-calcaires, il implante les cépages syrah, mourvèdre et cultive son vignoble avec passion dans la tradition.*
*La vendange faite à la main permet la macération carbonique sur de vieux carignans issus de zones de schistes, ce qui procure au vin sa grande intensité aromatique.*
*Le reste de la vendange rouge vinifiée traditionnellement est menée pour donner des vins de garde avec de longues macérations dans des cuves à pigeage.*
*La vinification du muscat en macération pelliculaire, à température bien réfléchie, donne des résultats étonnants : d'une couleur cristalline, il nous offre un nez éclatant, fleuri, délicatement épicé. En bouche, il a l'exquise fraîcheur du grain de raisin dont il est issu.*
*Le Rivesaltes dans une belle parure pourpre à reflets ambrés est fin et très velouté.*
*Le rosé A.O.C. Corbières nous dévoile d'emblée par sa belle couleur une grande partie de ses charmes. Frais, friand, il coule en bouche avec toute sa vivacité.*
*Le Fitou « Château de Nouvelles » est flamboyant, solide, charnu ; il nous offre des saveurs épicées, poivrées très intenses avec des notes fruitées de coing.*

### ▧ Cave Coopérative du Mont-Tauch

11350 Tuchan, ♦
tél. 68.45.40.13.

Sol calcaire et de schiste très filtrant. 1 000 hectares. A.O.C. Fitou, A.O.C. Corbières, Muscat de Rivesaltes. Prix départ cave : 17 à 40 F T.T.C.

Œnologue conseil : M. Mellado.
Œnologues : Michel Not, directeur et Mme Rouanet, chef de cave.

*Tuchan, un vieux village fortifié, situé au sud des Hautes-Corbières, au pied du mont Tauch qui culmine à 900 m d'altitude.*
*Dans ce pays de coteaux arides et pauvres, balayé par des vents violents où géographiquement on raisonne en temps de route et non pas en kilomètres, ils choisissent la voie des vins de haute qualité.*

*Créée en 1913, cette cave a investi récemment dans d'importantes installations techniques alliant les performances de production au respect des qualités œnologiques.*
*Des ateliers de vinification à la pointe du progrès pour assurer l'élaboration d'une quinzaine de produits différents.*
*Une capacité de 10 000 hl de stockage en inox complète l'unité d'embouteillage où des conditions d'hygiène et d'asepsie sont portées à un haut niveau.*
*Promue à un bel avenir par sa haute technicité, cette cave pèse de tout son poids sur les marchés extérieurs. De plus, pour affirmer sa vocation de producteur, elle a racheté en 1987 « l'exploitation du Château de Segure ».*
*La cuvée qui en est issue s'offre à nous dans une robe grenat aux reflets légèrement tuilés. Au nez, très fin, elle associe la vanille aux petits fruits rouges bien mûrs. En bouche, racée et charnue, elle dévoile par sa finale élégante un passage en bois bien maîtrisé.*

# Villeneuve-les-Corbières

## ▨ Cave Pilote de Villeneuve

11360 Villeneuve-les-Corbières, ◆
tél. 68.45.91.59.
fax : 68.45.81.40.

Sol schisteux. 450 hectares. A.O.C. Corbières, Rivesaltes, Muscat de Rivesaltes, Fitou.
Prix départ cave : 17 à 48 F T.T.C.
Œnologue conseil : M. Mellado.

*Appuyé par un Conseil d'administration dynamique présidé par M. Izard, le jeune directeur de cette coopérative, M. Nozeran, s'engage à fond dans la production de vins de qualité.*

*Cette cave fondée en 1948 dans le berceau de l'appellation Fitou, compte 80 adhérents tous passionnés de leur métier, ce qui a rapidement entraîné le renouveau des plantations.*
*De ces sols schisteux, ils produisent un raisin riche et concentré qui, bien vinifié en macération carbonique ou traditionnellement, donne des vins très prisés à l'extérieur de nos frontières. Pour eux, l'avenir réside dans le renouveau, la commercialisation de cuvées originales personnalisées par un nom de domaine, de château, de cuvées spéciales afin de se démarquer des A.O.C. génériques plus impersonnelles.*
*L'orgueil de la cave : le château de Montmal, qu'ils ont acheté en 1987 et qui leur sert de phare.*
*Les vins de la cave de Villeneuve ont acquis une solide réputation couronnée par une collection de médailles.*

*Les Corbières sont opulents et puissants, les Rivesaltes offrent une grande richesse. Généreux, longs en bouche ils ont la typicité de leur terroir.*

*Le Muscat à la robe paillée dévoile des notes de raisins de corinthe et de miel. Les Fitou, élevés en vieux foudres ou en barriques comme le Château Montmal ont une robe foncée rappelant le grenat. Au nez, élégant tout en notes de fruits rouges et d'épices, ils ont une bonne structure tannique qui affirme une bouche ample et harmonieuse.*

**Fitou,** voir aussi :
— Rivesaltes : Clos del Pila.

# Minervois

A.O.C. depuis le décret du 15 février 1985.
Aire d'appellation : 61 communes dont 45 dans l'Aude
et 16 dans l'Hérault.
Terroir : très varié : marno-gréseux, calcaire, terrasses quaternaires ;
localement schistes primaires.
Encépagement : rouges : carignan (60% maxi), cinsault ; grenache,
syrah et mourvèdre (30% minimum dont syrah et mourvèdre 10%) ;
accessoirement picpoul, terret, aspiran.
blancs : bourboulenc et maccabeu (50% minimum), grenache blanc,
terret blanc, picpoul blanc, clairette.
Production en 1988 : 250 000 hectolitres.
Rendement : 50 hl/ha.

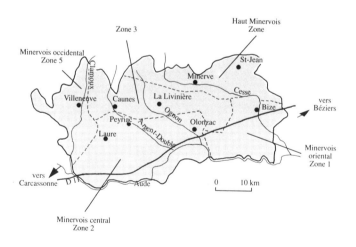

Le Minervois correspond à un vaste glacis incliné vers le sud se raccordant au nord à la Montagne-Noire et au sud à la basse vallée de l'Aude. A l'est il atteint le méridien de Narbonne tandis qu'à l'ouest il parvient aux portes de Carcassonne. Au total 35 000 hectares de vignes dont environ 18 000 ont été incluses dans l'aire A.O.C.

Le Minervois est ce que les géographes appellent un « pays », c'est-à-dire une petite région comportant une forte individualité physique, économique ou historique. Ce pays est ancien puisqu'il est mentionné pour la première fois en 844 (« in pago menerbense »), mais il est vraisemblable que son origine remonte plus loin encore. Le Minervois fut en effet occupé et exploité très tôt : les grottes préhistoriques, dont certaines comme à Fauzan sont ornées, les mégalithes, les oppida, les villas romaines enfin abondent et témoignent, chacun pour leur époque, de la continuité du peuplement.

La capitale de ce pays était Minerve qui abritait au Moyen Age un puissant château juché sur un promontoire que cernent les gorges de la Cesse et de son affluent le Brian. On sait qu'en 1210 l'armée de Simon de Montfort, un an à peine après avoir rasé Béziers et massacré tous ses habitants, vint mettre le siège devant la ville où s'étaient réfugiées des centaines de Cathares. Minerve résista 40 jours puis capitula. Plutôt que de se rendre, 140 Cathares se jetèrent dans l'immense brasier que les croisés avaient allumé en contrebas de la forteresse.

Pays chargé d'histoire, le Minervois lia très tôt son destin à la vigne. Sa culture y fut introduite certainement par les Grecs, plus d'un siècle avant la conquête romaine. Même au temps des grandes invasions on continua de tailler et de vendanger. Le village de La Livinière est désigné à plusieurs reprises dans les chartes médiévales sous les termes de « Cella vinaria » (la première fois en 569). Nul doute que les frères celleriers veillèrent à ce que leurs caves fussent toujours convenablement approvisionnées. La vigne pourtant n'occupait à cette époque qu'une faible proportion des terroirs. Olonzac, comme Béziers et Carcassonne furent longtemps des marchés aux grains. Au XVIIIe siècle, les ceps commencèrent à gagner du terrain. Jullien, qui écrit au début du siècle suivant, vante les mérites des vins produits dans le canton de Ginestas, vendus alors comme « vins de Narbonne » : « Ils ont une belle couleur sans être durs, beaucoup de corps, de moelle, du spiritueux et un fort bon goût. » Mais il précise que tous n'ont pas les mêmes qualités : « Ceux des bas crus — dit-il — sont grossiers, pâteux, lourds, et ont presque tous un goût de terroir désagréable. » Déjà la viticulture de masse se substituait aux pratiques traditionnelles. La crise de 1907 fit ici cruellement sentir ses effets et c'est en Minervois que germa la révolte. Marcelin Albert était en effet d'Argeliers, au sud-est du secteur. Cette vulnérabilité entraîna une prise de conscience précoce chez certains vignerons. Dès 1919, grâce à l'appui de M. Caffort, député-maire d'Olonzac, fut créé un syndicat de défense du cru minervois et entreprise une première (mais encore assez laxiste) délimitation de l'aire. Le Minervois manqua à la fin des années trente le premier train de classement en A.O.C. Les esprits n'étaient sans doute pas assez mûrs. Aussi la région partagea-t-elle le sort de la plupart des vignobles méridionaux : classement en V.D.Q.S. en 1951 ; longue quarantaine sous ce statut le temps d'amorcer les progrès décisifs ; admission tardive en A.O.C. en 1985 assortie de conditions strictes et d'un calendrier de modification de l'encépagement.

Les terroirs classés du Minervois présentent une certaine diversité :

— Le haut Minervois : il s'agit de la partie septentrionale de l'aire. On y trouve d'abord des terrains primaires mais la vigne, du fait de l'altitude, y est peu présente. Lorsqu'elle est cultivée, comme à Salsigne, Trassanel ou Cassagnoles, elle croît sur des schistes, les mêmes qu'à Faugères ou à Saint-Chinian. Immédiatement au sud on passe à des calcaires (de l'éocène inférieur). Le paysage devient alors tout différent ; c'est celui des Causses, vastes plateaux désolés où la roche affleure. La vigne ici doit se contenter des poches d'argile rouge provenant de la décomposition des calcaires qui, çà et là, subsistent.

— La plaine du Minervois : en contrebas du Causse commence le bas Minervois (autrefois appelé « plaine » lorsque ce terme n'évoquait pas encore les forts rendements viticoles). L'essentiel du vignoble y est concentré sur deux formations géologiques de nature différente. La première est constituée de marnes gréseuses donnant des sols bruns souvent limités en profondeur par la présence d'une barre de grès dur. L'alternance de couches résistantes et d'autres plus tendres confère à certains secteurs du Minervois un paysage caractéristique de buttes souvent allongées, baptisées « mourrels ». Les sols y sont donc très variés ainsi que les conditions locales du drainage. Tous n'ont d'ailleurs pas été retenus par les experts de l'I.N.A.O. L'autre grand type de formation correspond à des épandages cailouteux d'origine fluviatile. Ils couvrent d'importantes surfaces au centre et dans le sud-est du Minervois, secteurs drainés par l'Ognon, l'Argent-Double et la Cesse. Les sols y sont d'autant plus appauvris que les terrasses qu'ils couvrent sont anciennes. Là encore leur profondeur peut être limitée par un horizon induré (le turet) qui fait parfois obstacle à la pénétration des racines. La sécheresse estivale peut alors s'avérer redoutable.

Cette diversité est encore accentuée par d'importants contrastes climatiques. L'altitude joue un rôle bien entendu — le haut Minervois étant plus frais et plus arrosé que le bas — mais elle n'est pas seule en cause. Le Minervois occupe en effet une situation déjà occidentale en Languedoc. Si l'est de l'aire est encore de plain-pied dans la zone méditerranéenne, l'ouest tout proche de Carcassonne laisse filtrer des influences océaniques. Le ciel y est plus fréquemment nuageux et les pluies plus abondantes. Le déficit hydrique estival, voisin de 100 jours à Narbonne, n'y atteint pas 50 jours. On peut d'ailleurs se demander si ce Minervois occidental ne devrait pas être rattaché au Cabardès, aire V.D.Q.S. qui prolonge le Minervois vers l'ouest et auquel il s'apparente par bien des points.

Le Service d'utilité agricole de la chambre d'agriculture de l'Aude qui a étudié en détail les différents milieux naturels du Minervois est parvenu à distinguer cinq secteurs dont les caractéristiques physiques finiront par donner, lorsque le plan de réencépagement sera achevé, cinq types de vin ayant chacun leur personnalité :

— Les Côtes Noires (nord-ouest) : schistes sous climat frais et humide.

— La Clamoux (sud-ouest) : terroirs marno-gréseux et terrasses sous climat méditerranéen mâtiné d'influences océaniques.

— Le Causse : calcaires sous climat méditerranéen rafraîchi par l'altitude.

— L'Argent-Double (Minervois central) : mosaïque de terrains marno-gréseux et de terrasses quaternaires sous climat méditerranéen.

— Les Serres (sud-est) : sols variés sous climat très chaud et très sec.

Pour l'heure, l'encépagement du Minervois est encore fortement dominé par le carignan, héritage de l'époque (pas si lointaine) où ce vignoble fournissait au négoce des vins de coupage à forte teneur alcoolique. Depuis 1990 toutefois il ne doit plus dépasser 60% du total. Parallèlement syrah et mourvèdre doivent être aujourd'hui présents à hauteur de 10% minimum. Pour les vins blancs une proportion de 50% au moins de bourboulenc et de maccabeu est également demandée.

Dans certaines communes, les progrès ont été plus rapides qu'ailleurs, tant en matière d'encépagement que d'amélioration de la qualité des vins. Cette situation a conduit celles-ci à vouloir se démarquer des Minervois génériques. Ainsi, la commune de La Livinière a-t-elle créé son propre syndicat de cru en 1988 et espère bien se faire reconnaître par l'I.N.A.O. Si cette entreprise était couronnée de succès on s'acheminerait vers une organisation à plusieurs niveaux : génériques, villages, etc., organisation qui existe déjà dans maints vignobles, y compris dans le Midi (Côtes du Rhône, Côtes du Roussillon).

44 caves coopératives et 170 caves particulières produisent du Minervois. Toutes ne mettent pourtant pas en bouteilles et ne pratiquent pas la vente directe. Les meilleures d'entre elles figurent dans notre sélection.

# Aigne

## ▓ Cave « Les Crus Minervois »

Aigne
34210 Olonzac
tél. 68.91.22.44.

Sol origine plutôt calcaire. 450 hectares dont 160 en A.O.C. rouge et blanc.
Prix départ cave : moins de 20 F T.T.C.
Œnologue conseil : M. Parnaud.

*Créée dans le début des années 1950, cette cave coopérative, accrochée aux pieds d'un très beau village du XIIᵉ siècle en forme de coquille d'escargot, a bien pris le tournant de la qualité.*

*Son directeur, José Rosich, technicien dynamique, a entrepris une politique d'appellation qui passe en premier lieu par l'encépagement.*

*Privilégier les plantations de grenache noir et syrah, sélectionner les vieilles vignes au caractère accentué, vinifier le tout avec doigté, élever les vins avec amour, tout ici est entrepris pour réaliser des produits de qualité.*

*Témoin leur cuvée image : d'une robe grenat, aux arômes fruités relevés par une touche vanillée qui témoigne du passage en fût en font un vin agréable bien équilibré et d'une bonne concentration.*

# Argeliers

## ▓ Cave « La Languedocienne et ses Vignerons »

11120 Argeliers
tél. 68.46.11.14.

Sol diversifié cailouteux et argilocalcaire. 1 250 hectares dont 100 en A.O.C. rouge, rosé, blanc en A.O.C. et vins de pays de cépage merlot et cabernet sauvignon.

Prix départ cave : moins de 15 F T.T.C.
Œnologue conseil : M. Mathieu.

*Cave d'importance par les volumes vinifiés, elle ne compte que peu d'hectares de son territoire en A.O.C. mais le président M. Richard et le directeur M. Maury sont des battants.*

*Il fallait déjà l'être en 1907 quand, d'Argeliers, la colère des vignerons s'est fait entendre par la voix de Marcelin Albert. Si « Lou Cigal » dont c'était le sobriquet était toujours présent, il ne reconnaîtrait plus rien ici.*

*Fini le carignan, le terroir le permettant, on replante à « tour de bras » syrah, mourvèdre, grenache noir dans l'aire d'appellation, merlot, cabernet sauvignon, chardonnay dans la zone des vins de pays.*

*Nous avons dégusté l'A.O.C. blanc Minervois « Lou Cigal » : une belle robe dorée à reflets verts laisse présager d'une bonne technique de vinification. Le nez est intense et fait saliver par sa fraîcheur. En bouche, agréable, il est marqué par des arômes de pivoine légèrement épicés.*

# Azillanet

## ▓ Cave « Les Vignerons du Haut-Minervois »

34210 Azillanet ◆
tél. 68.91.22.61.

Sol argilo-calcaire et schisteux. 600 hectares dont 300 en A.O.C. rouge, rosé, blanc. A.O.C. et vins de pays.
Prix départ cave : 12 à 25 F T.T.C.
Œnologue conseil : M. Parnaud.

*En plein cœur du Minervois, aux portes de Minerve, site célèbre dans l'histoire de la tragédie cathare, les vignerons des communes d'Azillanet, de Cesseras et de Minerve conjuguent leur volonté pour produire et commercialiser les vins sous le nom « Les Trois Blasons ».*

*Grâce à une installation par bennes aériennes, le raisin est acheminé, grains entiers, dans les cuves de vinification. Il ne subit ainsi aucun choc mécanique.*

*Guy Vidal, le directeur de cette cave fondée en 1922 dans des bâtiments de 1889 qui ne sont pas sans rappeler la structure de la tour Eiffel, est très fier de cette installation parfaitement bien adaptée.*

*Nous y avons dégusté des A.O.C. Minervois rosé et rouge « Cuvée Guilhem » et « Cuvée de la Centenaire » et des vins de pays rouge et blanc, « Cuvée Guilhem » : très belle robe profonde et intense dans les tons de pourpre. Nez subtil aux fines senteurs de garrigue sauvage. En bouche : savoureux, fortement épicé, il est très élégant.*

*A noter : en préparation une cuvée élevée en fûts.*

## ▓ Pech d'André

**Germaine et Marc Remaury,** ♦
Azillanet
34210 Olonzac
tél. 68.91.22.66.
Sol argilo-calcaire. 30 hectares dont 19 en A.O.C. rouge et rosé. Un blanc pour la récolte 90.
Prix départ cave : 17,50 à 20 F T.T.C.
Œnologue conseil : M. Olivier François.

*D'André, c'était le nom porté de 1750 à 1920 par les ancêtres de Marc et Germaine Remaury. Depuis 1966, ils assurent la continuité de ce domaine avec des convictions bien ancrées au terroir. Très respectueux des traditions pour la conduite du vignoble où le labour reste de mise, ils font aussi appel aux oligoéléments pour obtenir sur des vignes en bonne santé des produits sains et équilibrés. Quant à l'encépagement très judicieux, il répond parfaitement aux exigences qu'ils ont pour leurs produits. Dans leur caveau ouvert toute l'année, ils proposent entre autres : la cuvée Jacques d'André où la syrah domine pour 40% et la cuvée du domaine à laquelle le mourvèdre, pour 50%, donne ses lettres de noblesse. Ce dernier a la robe légèrement nuancée de pourpre. Le nez, encore fermé, devrait se dévelop-*

*per au vieillissement. En bouche souple et fruité, il a une finale épicée.*

# Azille

## ▓ Château La Rèze

**MM. Louis et Henri Andrieu,** ♦
11700 Azille
tél. 68.78.10.19.

Sol argilo-calcaire. 80 hectares dont 30 en A.O.C. Rouge, rosé, blanc.
Prix départ cave : 18 à 22 F T.T.C.
Œnologue conseil : M. Natoli.

*Produit et commercialisé par M. Andrieu, négociant apprécié sur la place de Sète, le château La Rèze se situe entre Rieux-Minervois et La Redorte.*

*Sur les terrasses quaternaires du Minervois l'encépagement est constitué de carignan, grenache, syrah, cinsault, bourboulenc et marsanne pour les A.O.C., de cabernet sauvignon, sauvignon blanc et même viognier pour les vins de pays.*

*La vinification est essentiellement traditionnelle, mais la macération carbonique fait son entrée en force sur le domaine.*

*Affinée par un passage en fût de chêne, superbement habillée d'une très belle étiquette. Nous avons dégusté la cuvée issue en partie de macération carbonique.*

*La robe d'un joli rouge, très brillante manque un peu d'intensité.*

*Le nez, par contre, puissant se distingue par une forte présence de cassis.*

*En bouche, très bien équilibré, il est élé-*

*gant avec des arômes épicés et un boisé très bien maîtrisé.*

# Badens

## ▓ M. Pierre Cros

Badens
11800 Trèbes
tél. 68.79.21.11.

Sol argilo-calcaire et cailloutis. 14 hectares dont 12 en A.O.C. Rouge A.O.C. et vins de pays de zone de Badens.
Prix départ cave : 17 à 20 F T.T.C.
Œnologue conseil : M. Fabrol.

*Au centre de Badens se situe la cave en cours de rénovation de Pierre Cros. Son vignoble, un bien de village qui lui vient de ses parents et qu'il ne cesse d'améliorer, s'étend sur deux zones, au nord, des cailloutis très filtrants, au sud un sol peu profond, argilo-calcaire.*
*Pour Pierre, être vigneron, c'est mettre à profit l'expérience des anciens qu'il adapte à une technologie de pointe. Il vendange toujours avec des comportes, raisins entiers non tassés, utilise un pressoir vertical et maîtrise la macération carbonique avec dextérité et bon sens.*
*Nouveau venu à la vente en bouteilles, il propose un A.O.C. élaboré avec de vieux grenache et carignan où la syrah domine pour 30%.*
*En dégustation, la robe rubis est brillante et vive. Le nez riche est complexe avec des fruits mûrs se mariant harmonieusement aux notes de venaison. La bouche de structure ronde et bien équilibrée présage un bel avenir. Il prévoit pour les vendanges 1990 l'élaboration d'un rosé.*

## ▓ Château La Grave

**Josiane et Jean-Pierre Orosquette,**
Badens
11800 Trèbes
tél. 68.79.01.69.

Sol argilo-calcaire. 40 hectares dont 15 en A.O.C. Rouge, rosé, blanc. A.O.C., vins de pays de cépage et cartagène.
Prix départ cave : 16 à 35 F T.T.C.
Prix carthagène : 48 F T.T.C.
Œnologue conseil : M. Sanchez.

*Josiane et Jean-Pierre Orosquette..., le couple aux multiples passions. Aller de l'avant, en conservant toujours le cap sur la qualité est chez eux l'itinéraire à suivre. Issus d'une famille de longue tradition vigneronne, ces aventuriers du vin cultivent la vigne, vinifient et élèvent leur produit avec amour, habilement secondés par leur fils Jean-François, âgé de 26 ans.*
*Ils vous feront partager le plaisir de la dégustation dans un caveau creusé à même la roche. Dans une cave ancienne mais très bien aménagée, entièrement carrelée, ils élaborent des rouges de longue macération pour mieux en extraire la vigueur du cépage. Les blancs, après une macération pelliculaire de 10 à 15 heures selon la vendange, sont saignés, pressurés, décantés et mis à fermenter en barriques.*
*Fort de l'idée que les vins trouvent toute leur expression en pleine mer, au cours de la fameuse transat des Alizes en 1984, Jean-Pierre a réalisé l'assemblage de ce millésime en plein océan et l'a baptisé : « Sélection du Marin ».*
*Son Château La Grave nouvellement habillé d'une belle étiquette nous séduit par sa robe nette d'une belle brillance, un nez original où le tabac, le cassis s'allient à des notes épicées, poivrées. En bouche charnu, rond, il termine sur une longue persistance réglissée.*

## ▓ Château Sainte-Eulalie

**M. Bruno Astruc, ◆**
Badens
11800 Trèbes
tél. 68.79.17.21.

Sol : terrasses de graves. 30 hectares, 23 plantés dont 17 en A.O.C. Rouge, rosé.
Prix départ cave : 15 à 20 F T.T.C.
Œnologue conseil : M. Fabrol.

*Au sud de Badens, entre le mont Alaric et la Montagne-Noire, se dresse le château de Sainte-Eulalie qui date du début du siècle.*

*Bruno Astruc, jeune vigneron dans l'âme, poursuit depuis six ans le chemin tracé par son grand-père. Dynamique, il agrandit le vignoble où la syrah domine pour personnaliser ses vins.*

*Il rénove et modernise le cuvier très ancien où l'inox côtoie les vieux foudres centenaires. Celui-ci permet des techniques bien appropriées, dont la macération carbonique réservée aux vieilles vignes pour l'élaboration des hauts de gamme. Le millésime 1988 offre à l'œil toute sa jeunesse dans une belle robe pourpre et brillante. Au nez, complexe et délicat, il fleure bon la garrigue. En bouche, finement structuré, souple et gras, il développe des caractères épicés.*

# Bagnoles

### ▓ Château du Donjon

**M. Guy Panis-Mialhe, ♦**
Bagnoles
11600 Conques-sur-Orbiel

Sol argilo-calcaire. 45 hectares dont 23 en A.O.C. Rouge.
Prix départ cave : moins de 20 F T.T.C.
Œnologue conseil : M. Favrol.

*Le château du Donjon se situe dans le joli village de Bagnoles, dans la vallée de la Clamoux, petit torrent qui descend*

*du pic de Nore, sommet de la Montagne-Noire. A douze kilomètres de Carcassonne, dans la partie ouest de l'appellation, c'est une ancienne propriété de l'abbaye de Caunes-Minervois.*

*La zone A.O.C. s'étend sur des terres peu fertiles, à faible rendement et sur la partie haute des coteaux.*

*L'encépagement se compose de carignan, grenache, syrah sur des terrasses graveleuses et un sol argilo-calcaire et de merlot, tempranillo et cinsault sur des sols plus fertiles de la zone des vins de pays.*

*Le vigneron Guy Panis-Mialhe, ingénieur agronome, a travaillé le vin et la vigne toute sa vie. Propriété familiale depuis le XVIᵉ siècle, toutes les générations qui s'y sont succédé ont toujours fait le maximum dans le but d'obtenir la meilleure qualité.*

*La vendange, récoltée mécaniquement, arrive dans les cuves préalablement remplies de gaz carbonique. Une partie du jus, 20% environ, est alors soutirée pour être vinifiée en rosé afin d'augmenter la proportion de marc dans la cuve de vendange et obtenir des vins rouges fortement charpentés, très colorés.*

*Vice-président du cru Minervois, Guy Panis-Mialhe produit des vins parmi les plus médaillés de la région.*

*Son Minervois rouge d'une très belle robe grenat foncé, brillante au nez finement marqué par des notes empyreumatiques s'ouvre sur des senteurs épicées des plus intéressantes.*

*En bouche puissant, plein, harmonieux, il est marqué par cette belle finale qui consacre un grand vin.*

# Bize-Minervois

### ▓ Château Cabezac

**M. Serge Azais,**
11120 Bize-Minervois
tél. 68.46.23.05.

Sol argilo-calcaire. 40 hectares dont 23 en A.O.C. Rouge, rosé, blanc.

Prix départ cave : 20 à 26 F T.T.C.
Œnologue conseil : Mme Catherine
Tournier.

*Situé en façade méditerranéenne, à
l'orée du Minervois, le vignoble du Château possède un encépagement type de
l'appellation et produit des vins d'une
bonne régularité.*

*Ce bougre de vigneron très entrepre-
nant a acquis cette exploitation de 20
hectares en 1968 ; aujourd'hui 40 hectares sont plantés.*

*Producteur courageux, volontaire, il
commercialise lui-même ses produits.
Une cuvée particulière, où la syrah est
présente pour 50% élevée en barriques
neuves, côtoie dans son caveau bien
situé en bordure de route, une cuvée spéciale en macération carbonique de carignan, mourvèdre et grenache noir.
Ce vin à la robe cerise aux reflets grenat a un nez expressif, floral avec une
dominante de vanille. En bouche, bien
équilibré et fondu il a une finale où le
boisé domine.*

# Blomac

## ▓ Château de Blomac

M. **Jean de Thelin**, ♦
11700 Capendu
tél. 68.79.01.54.

Sol argilo-calcaire. 110 hectares
dont 35 en A.O.C. Rouge, rosé.
A.O.C. et vins de pays cépages
merlot et cabernet sauvignon.
Prix départ cave : 12 à 17 F. T.T.C.

Œnologue conseil : M. Marc
Dubernet.

*Très beau domaine où les vieux cari-
gnans côtoient grenache, cinsault et
syrah sur des terrasses alluviales
anciennes de grès lutétien, recouvertes
de cailloutis argilo-calcaires.*

*Ancien château des seigneurs du lieu :
la propriété a été structurée dans son
ensemble par une famille de drapiers
au début du XIXᵉ siècle.*

*Depuis vingt ans Jean de Thélin, admi-
nistrateur du Cru minervois, ancien
ingénieur civil des mines, s'est mis au
charbon.*

*Partisan des faibles rendements, il res-
tructure son vignoble en privilégiant la
syrah.*

*Il vinifie son carignan en macération
carbonique, grappes entières pour
mieux en extraire le fruit et les autres
cépages récoltés mécaniquement, de
façon traditionnelle avec des cuvaisons
de 7 à 8 jours, juste ce qu'il faut pour
obtenir l'agrément aromatique sans
choquer par une astringence trop
présente.*

*Un élevage en foudres de chênes, un
vieillissement en bouteilles, viennent
affiner ce produit qui, tout en finesse
et charnu, est marqué par une présence
d'arômes fortement épicés.*

# La Caunette

## ▓ Domaine de Blayac

M. **Jacques Blayac**, ♦
34210 Vialanove-la-Caunette
tél. 68.91.25.40.

Sol calcaire et argilo-calcaire. 40
hectares. Rouge en bouteille.
Rouge et blanc au détail.
Prix départ cave : 20 F T.T.C.
Œnologue conseil : M. Robert.

*Le domaine de Blayac produit des vins
de coteaux, affirme Jacques Blayac
héritier de ce domaine entièrement
classé en A.O.C.*

*Le vignoble est pentu, installé sur des
terres fortement caillouteuses où syrah,
grenache, carignan donnent toute la*

*puissance de leur expression variétale. Dans cette cave ancienne, la vinification classique est de règle. Elle est suivie d'un long vieillissement en vieux foudre de chêne pendant lequel le vin prend le temps de trouver toute sa plénitude.*

*Cette famille respectueuse de la tradition vigneronne prépare pour cet été un caveau joliment aménagé pour la dégustation et la présentation de ses cuvées. Domaine de Blayac rouge : la robe grenat est brillante avec des reflets légèrement tuilés. Son nez complexe laisse apparaître des notes de fruits rouges et de gibier. En bouche il est chaleureux, bien structuré juste ce qu'il faut pour en assurer la garde.*

## ▓ Château Coupe-Roses

Mme **Jacqueline et Françoise Le Calvez,**
La Caunette
34210 Olonzac
tél. 68.91.11.73.
      68.91.23.12.

Sol très caillouteux, argilo-calcaire.
22 hectares A.O.C. Rouge, rosé, vin de pays blanc.
Prix départ cave : 15 à 20 F T.T.C.
Œnologue conseil : M. Jean Natoli.

*Dans cette très belle région à l'empreinte cathare, les ancêtres de la famille Le Calvez acquièrent en 1614 les vignes et les jardins du château Coupe-*

*Roses. Un nom prédestiné pour deux femmes Jacqueline et sa fille Françoise qui, depuis 1987, expriment leur passion sur ce domaine de 22 hectares situé sur des falaises karstiques dans une zone aride.*

*Un terroir d'exception où les cépages syrah, carignan, cinsault et particulièrement le grenache donnent toute leur puissance aromatique.*

*S'ajoute à cela un rendement à l'hectare qui n'excède jamais les 45 hl, même dans les meilleures années.*

*Françoise, ingénieur agronome, jeune femme dynamique, entreprenante transforme avec maestria le vignoble et la cave. Un cuvier de 240 m², semienterré, tout inox, reçoit une sélection rigoureuse de la vendange transportée en bac de petites capacités.*

*Avec recherche, elle pratique des méthodes de vinification diversifiées pour personnaliser au mieux ses produits qu'elle désire d'une belle élégance, finement aromatiques avec beaucoup de présence en bouche.*

*La voici récompensée de ses efforts, une première médaille au concours des vins de Mâcon pour son Millésime 1988.*

*Fière d'appartenir à cette appellation, elle est la première femme à rejoindre le rang des hommes au sein du syndicat de cru.*

*Un domaine à suivre où Françoise se fera un plaisir de vous accueillir dans le nouveau caveau qu'elle a créé pour la dégustation de ses produits.*

# Caunes-Minervois

## ■ Cave Coopérative La Vigneronne

11160 Caunes-Minervois ♦
tél. 68.78.00.98.
fax : 68.78.08.60.

730 ha dont 550 en A.O.C. Sur sol argilo-calcaire et schisteux. Rouge, rosé et blanc A.O.C. et vins de pays. Prix départ cave : 15 à 25 F T.T.C. Œnologue conseil : M. Robert.

*Tout est mis en œuvre dans cette cave coopérative dirigée de main de maître par Philippe Salles pour réaliser de bons produits.*
*Au pied de la Montagne-Noire, où jadis on extrayait de ces collines un marbre précieux, s'étend le vignoble de Caunes. Si le carignan est encore majoritaire, tous les efforts de replantation se portent aujourd'hui sur le grenache noir et surtout la syrah.*
*La vinification traditionnelle et la macération carbonique permettent l'élaboration de crus élevés dans un très beau caveau de l'ancienne abbaye bénédictine comme la « réserve du palais abbatial ». L'élevage en fût confère à ce vin un caractère ample et charnu, riche et généreux.*
*Également à déguster : les cuvées « Ambroise le Veneur », « Prieuré du Cros » et la « Cuvée Barriques ».*

## ■ M. Daniel Domergue

Paulignan
11160 Caunes-Minervois
tél. 68.78.32.37.

Sol : sur un banc rocheux. 4 hectares 65. Rouge.
Prix départ cave : 30 à 60 F T.T.C.
Œnologue ami : M. Foulloneau.

*Le domaine Daniel Domergue, petit par sa superficie, est digne de rentrer dans la légende tant la foi de ce vigneron qui s'efface devant sa vigne pour mieux la servir est grande.*
*Par sa famille, il a acquis le goût des vins, par sa formation littéraire il en a la curiosité, par ses rencontres qui ont aiguisé sa passion il s'exprime aujourd'hui avec tout son art.*
*Lui qui abhorre la vérité dogmatrice est traité de marginal... Mais faire du vin comme on réalise une œuvre artistique, sans concession, n'est-ce pas la vocation première du vigneron, son obligation même ?*
*Daniel Domergue mène depuis 1975 son exploitation comme une salle de travaux pratiques. Il expérimente tout : de la conduite en lyre du mourvèdre sur un sol « passoire » jusqu'au pinot noir planté en état de souffrance extrême, de la cuve en bois à pigeage au vieillissement en barriques neuves.*
*Ce Méditerranéen passionné crée des vins à son image, nobles et à forte personnalité.*
*Ses vins, nous pourrions en écrire des pages : floraux avec des senteurs de violette et de roses, épicés où le genièvre, le poivre, la cannelle, la vanille se marient, typés un peu boisés, importants, promis à un bel avenir...*

## ■ Château Villerambert-Julien

Famille **Julien**,
11160 Caunes-Minervois
tél. 68.78.00.01.

Sol argilo-calcaire et schisteux. 60 hectares. Rouge et rosé.
Prix départ cave : 20 à 40 F T.T.C.
Œnologue conseil : M. Sanchez.

*Avec le château Villerambert-Julien, nous découvrons une famille étonnante de « punch », ouverte sur le monde extérieur, animée par cette passion du vin qui les remet sans cesse en question.*

Le vignoble pour 95% classé en A.O.C., se situe sur les coteaux sud de la Montagne-Noire.

Depuis vingt ans, l'encépagement a été complètement remodelé.

Ils ont la fierté du produit de qualité et pour ce faire, restent à son écoute.

Les deux hommes techniciens perfectionnistes transforment leur cuvier.

Cette année, un égrappoir leur permet de réaliser des temps de fermentation plus longs dans des cuves thermorégulées.

Leur cuvée Prestige, où syrah et mourvèdre dominent, trouve son épanouissement dans des fûts de chêne où le temps de passage est déterminé à la dégustation.

Comme nous l'exprime si bien Mme Julien, « nous sommes au service du vin et en ayant la volonté de toujours mieux faire, les produits s'améliorent d'eux-mêmes ».

Nous avons particulièrement apprécié l'élégance de ce vin brillant à la robe soutenue. Le nez est très expressif, un mariage délicat de fruits rouges, de vanille et de réglisse. En bouche, il est rond et harmonieux avec des tannins bien fondus.

## ▓ Château de Villerambert-Moureau

## ▓ Château de Villegly-Moureau

Famille **Marceau Moureau et Fils,** ◆
11160 Caunes-Minervois
tél. 68.78.00.26.

### Villerambert-Moureau

Sol : argilo-calcaire riche en schiste et en manganèse. 38 hectares tout en A.O.C. Rouge en A.O.C.

### Villegly-Moureau

Sol : terrasses argilo-calcaires. 40 hectares dont 17 en A.O.C. Rouge, rosé. A.O.C. et vins de pays de cépage cabernet sauvignon.

Prix départ cave : 20 F T.T.C.
Œnologue conseil : M. Robert.

Dans la famille Moureau, chacun joue son rôle au sérieux. Mme Moureau et ses trois fils se partagent la tâche.

Elle assure la comptabilité et la gestion des deux exploitations, aidée dans cette tâche par Jean-Jacques qui s'occupe également du service export. Frédéric et Marc ont pour mission respective l'exploitation et la vinification de Villerambert et Villegly.

A Villerambert, très belle bâtisse du XIIe siècle située tout près de Caunes, la vinification est traditionnelle, de cuvaison longue.

Dans un superbe caveau aménagé dans l'ancienne salle d'armes du château on apprécie des produits de qualité à la robe bien soutenue de couleur rubis au nez sauvage de cassis et de mûre, à la bouche souple, bien structuré avec un bon équilibre.

Le château de Villegly, distant du premier de huit kilomètres est depuis peu de temps devenu le centre de réunion du Conseil général et un lieu d'études et de recherches de l'histoire cathare.

Vendange manuelle, vinification raisins entiers en macération carbonique sur des carignans centenaires dans un

*chai semi-enterré, les vins après élevage sont soumis à une longue garde.*
*Dans une robe grenat bien soutenue, ils dévoilent un nez épicé associé à des notes de cuir et de venaison. En bouche un équilibre agréable en fait de beaux vins.*

# Ginestas

M. **Laurent Fabre**
11120 Ginestas
tél. 68.46.26.93.

Sol argilo-calcaire et galets roulés époque quaternaire. 15 hectares dont 6 en A.O.C. Rouge, rosé, blanc.
Prix départ cave : 16 à 18 F T.T.C.
Œnologue conseil : Catherine Tournier.

*Situés sur des coteaux bien exposés de Ginestas, les 15 hectares du domaine de Laurent Fabre présentent un encépagement type de l'appellation où le mourvèdre et la syrah donnent l'accent aromatique nécessaire aux cuvées élevées en fûts de chêne.*
*Depuis 1985, année de création de cette propriété, il adopte résolument une politique en faveur des hauts de gamme. Une vinification mixte lui permet d'extraire le potentiel optimum favorable à l'expression de ses produits.*
*En dégustation, la robe de belle intensité présente une nuance tuilée.*
*Le nez est fin et expressif avec des notes de vanille. Il est rond et souple à l'attaque et évolue vers des tannins épicés.*

# La Livinière

« Cru la Livinière »
**Association des Vignerons,**
34210 La Livinière
tél. 68.91.42.67.

*A l'image de ce qui existe déjà dans d'autres aires d'appellation comme les*
Côtes du Rhône ou les Côtes du Roussillon, la commune de La Livinière a entamé des démarches visant à se faire reconnaître en tant que cru. L'association des Vignerons « Cru la Livinière » regroupe l'ensemble des producteurs du village, qu'ils soient en cave particulière ou en cave coopérative. Leur objectif : améliorer la qualité de leurs vins en s'appuyant sur un terroir exceptionnel et des règles de production plus strictes encore que celles de l'A.O.C. Minervois. Une expérience intéressante à suivre de près car elle pourrait faire des émules.

## ▨ Domaine de la Combe-Blanche

M. **Guy Vanlancker,** ♦
34210 La Livinière
tél. 68.91.44.82.

Sol argilo-calcaire. 10 hectares. Rouge, rosé, blanc.
Prix départ cave : 25 F T.T.C.
Œnologue conseil : M. Rouquette (I.C.V.)

*Guy Vanlancker (également régisseur du château Laville-Bertrou) s'installe en 1981 sur les coteaux arides, peu fertiles — où la vigne exprime si bien son terroir — du haut Minervois.*
*Persuadé du potentiel de son terroir, il entreprend la plantation de cépages de qualité avec pour objectif l'élaboration de grands vins blancs.*
*Avec toute sa fougue et son amour des vins, il produit un Minervois rouge vinifié de façon traditionnelle à la belle robe grenat foncé composé à parts éga-*

les de grenache, syrah, carignan et cinsault.

Le nez de ce vin encore fermé, à caractère épicé confirme une bouche de forte structure tannique qui devrait s'épanouir avec le temps. Un grand vin de garde.

Il élabore aussi un rosé de saignée à partir de cinsault, grenache gris et syrah (20%).

## ▧ Château de Gourgazaud

M. **Roger Piquet,**
34210 La Livinière

Sol argilo-calcaire. 70 hectares dont 35 en A.O.C. Rouge, rosé, blanc. A.O.C. et vins de pays.
Prix départ cave : 12 F T.T.C. (prix unique).
Œnologue conseil : M. Robert.

Roger Piquet, négociant de talent, achète en 1973 ce très beau domaine situé à La Livinière, cœur de l'appellation.

C'est un homme aux idées bien plantées, doté d'une forte personnalité tout comme ses produits commercialisés par la S.I.C.A. de Peyriac.

Un encépagement bien étudié en fonction de la nature du sol et de l'exposition, où le carignan est en voie de disparition, avantageusement remplacé par la syrah, nous permet de découvrir des vins riches et gras particulièrement typés.

L'élevage en barriques, dans un chai semi-enterré contenant plus de trois cents fûts, confère au vin du château Gourgazaud le liant, la douceur des tannins et des notes épicées de vanille et de cannelle.

## ▧ Château Laville-Bertrou

34210 La Livinière
tél. 68.91.44.82.

Sol graveleux et argilo-calcaire. 30 hectares dont 15 en A.O.C. Rouge et rosé en A.O.C.
Prix départ cave : 22 à 35 F T.T.C.
Œnologue conseil : Marc Dubernet.

Nous retrouvons ici notre ami belge Guy Vanlancker du domaine de la Combe-Blanche.

Régisseur du château, il nous propose des produits d'une bonne qualité en rouge et en rosé (Médaille d'or au Concours général de Paris).

Le château, situé à La Livinière, est planté de syrah, de cinsault, de grenache noir, et de vieux carignan de plus de quarante ans d'âge.

Une sélection parcellaire très sévère, une vendange faite à la hotte, une macération carbonique longue bien menée ou une fermentation classique permettent d'obtenir une belle bouteille à la robe pourpre, au nez fruité et épicé, à la bouche équilibrée et bien structurée.

Le rosé superbe de présentation, très élégant, nous offre beaucoup de fraîcheur.

## ▧ Cave « Les Vignerons du Haut-Minervois »

34210 La Livinière
tél. 68.91.42.67.

Sol : coteaux argilo-calcaires. 650 hectares dont plus de 400 en A.O.C. Rouge, rosé et blanc.
Prix départ cave : moins de 20 F T.T.C.
Œnologue conseil : M. Robert.

Une cave menée tambour battant par Maurice Picinnini qui a su en faire une référence.

Omniprésent, écouté de tous, il a su imposer sa façon de voir et préside depuis plus de 20 ans aux destinées de La Livinière.

Ici, l'empreinte de ce président rigoureux mais toujours prêt à vous faire partager sa passion marque ses produits de fort belle qualité.

Très respectueux des traditions, tant dans l'encépagement que dans la vinification, la cave n'en est pas moins une des plus performantes de la région.

Dans ce haut lieu, berceau de la macération carbonique, le raisin est ramassé avec le plus grand soin à maturité parfaite puis amené en cuve où il va fermenter, en respectant toute son intégrité.

Le passage en barriques bordelaises dans un chai enterré sous la cave, le vieillissement en bouteilles particulièrement soigné, permettent d'obtenir des vins très remarqués.

Nous avons dégusté la cuvée « Jacques de la Jugie ».

Élevé pendant 12 à 15 mois avant sa mise en bouteilles ce vin a une robe vive et intense.

Le nez où transparaît le cassis, la mûre, le pruneau se prolonge par des notes de tabac et de poivre.

En bouche les saveurs de fruits très mûrs viennent confirmer l'olfaction, il est à la fois gras, souple et bien persistant.

Sous l'impulsion de Maurice Picinnini, vient de se créer une association du cru de La Livinière entre cave coopérative et caves particulières pour proposer au consommateur des bouteilles soigneusement sélectionnées par des professionnels à haut potentiel qualitatif.

## ▦ Domaine Maris

**M. Jacques Maris,**
Chemin de Parignoles
La Livinière
34210 Olonzac
tél. 68.91.42.63.

Sol argilo-calcaire, graviers, schiste. 70 hectares dont 50 en A.O.C. Rouge, rosé, blanc. Vin mousseux de tradition.

Prix départ cave : 15 à 25 F T.T.C.
Œnologue conseil : M. Robert.

Jacques Maris, un homme entièrement dévoué à sa terre natale. Il s'engage avec foi, ténacité et courage dans son métier d'authentique artisan vigneron. En 1966, il hérite d'un vignoble de 15 hectares, aujourd'hui il en exploite 70. Son domaine morcelé sur un diamètre de 10 kilomètres au nord et au sud de La Livinière, offre une palette de sols qui donne à ses vins ce bouquet spécifique et majestueux.

Dans l'un des plus anciens celliers du village, il adapte une vinification de pointe pour chaque produit élaboré avec un bon sens de maître en la matière. Sa Carte Noire, vin à haute expression appartient à cette lignée des grands qu'il n'est pas aisé de définir. Vêtu d'une robe pourpre, profonde, il a la brillance de ces pierres précieuses. Au nez, il jaillit du verre avec puissance et complexité. En bouche, il est magnifiquement équilibré dans sa structure, gras et onctueux, il nous offre toute sa plénitude dans sa longue persistance.

## ▦ Domaine Sainte-Eulalie

**M. Gérard Blanc,**
34210 La Livinière
tél. 68.91.44.32.

Sol argilo-calcaire. 25 hectares. Rouge, rosé et blanc en A.O.C. Prix départ cave : moins de 20 F T.T.C.
Œnologue conseil : M. Parnaud.

Gagné sur la garrigue des premiers contreforts de la Montagne-Noire, au sol argilo-calcaire à la limite des schistes, au sous-sol fissuré qui rend le terrain très filtrant, le domaine produit la totalité en A.O.C.

*Aller toujours plus loin pour atteindre la plénitude, tel est le but de Maurice Picinnini le gestionnaire de l'exploitation.*

*Un homme en harmonie parfaite avec lui-même et le paysage qui l'entoure. Il aime son métier avec sincérité.*

*Au domaine de Sainte-Eulalie, il a tout conçu, tout modelé avec précision tel un sculpteur devant son marbre.*

*La vinification est réalisée entièrement en macération carbonique pour les rouges et une macération pelliculaire de quelques heures est pratiquée sur les raisins de bourboulenc pour les blancs.*

*Le cuvier très bien équipé et le soin apporté à la récolte et à la vinification permettent d'obtenir des vins d'exception reconnus par tous.*

*L'élevage parfaitement maîtrisé en barriques neuves pour une partie vient affiner les vins pour notre plus grand plaisir.*

*Le rouge à la robe grenat très intense a un nez où la syrah domine avec toute sa générosité.*

*En bouche, particulièrement puissant, charnu il a beaucoup d'élégance et nous séduit par son soyeux.*

*Le blanc a une belle robe or-vert, un nez riche, fin aux arômes complexes de fruits exotiques, de poire mûre et d'amandes grillées.*

*Vif, riche en bouche, il est bien fondu et harmonieux.*

*la propriété de Jean-Pierre Ormières, homme délicat qui fait de sa profession un véritable acte de foi. La culture est traditionnelle.*

*Le vignoble, très bien encépagé avec une belle proportion de cépages aromatiques, est exposé plein sud sur un sol argilo-calcaire mais varié où affleurent des galets de silex et de grès.*

*La vinification se fait en traditionnel avec égrappage total pour éviter les notes végétales ; les macérations sont très longues (de 20 à 24 jours) pour obtenir un vin riche en arômes et aux tannins très liés. Le tout est réalisé dans une cave ancienne bien rénovée, entièrement climatisée mais surtout d'une propreté exemplaire.*

*Les vins destinés aux têtes de cuvée sont élevés en fûts dans une salle isolée, climatisée, à l'hygrométrie contrôlée. Un vin haut de gamme où le mourvèdre domine vieilli en barriques neuves y est en élevage : il portera le nom de son petit-fils à qui Jean-Pierre Ormières le dédie ; c'est la « Cuvée Alexandre ».*

*Château Fabas 1986 : un vin tout en dentelle où les arômes fruités et épicés de genièvre, de cannelle et de poivre sont d'une belle intensité. En bouche, un tannin présent mais onctueux lié à des notes finement boisées laisse présager d'un bel avenir.*

# Laure-Minervois

## ▓ Château Fabas

M. **Jean-Pierre Ormières,** ♦
11800 Laure-Minervois
tél. 68.78.17.82.

Sol argilo-calcaire. 55 hectares dont 42 en A.O.C. Rouge, rosé et blanc.
Prix départ cave : 17,50 à 34 F T.T.C.
Œnologue conseil : M. Eugène Sanchez.

*Isolé dans un paysage sauvage, le château Fabas, ancienne ferme fortifiée est*

## ▓ Château Gibalaux

M. **Jean-Baptiste Bonnet,** ♦
11800 Laure-Minervois
tél. 68.78.12.02.

Sol argilo-calcaire. 65 hectares dont 40 en A.O.C. Rouge, rosé, blanc en A.O.C. et vins de pays cépage chardonnay et merlot.
Prix départ cave : 16 à 28 F T.T.C.
Œnologue conseil : M. Sanchez.

Jean-Baptiste Bonnet est vigneron dans l'âme, « comme mon père, comme mon grand-père... », nous dit-il avec la fierté d'un homme attaché à sa terre.
Depuis qu'il a repris la propriété familiale, ancien prieuré du couvent de Caunes, il a entièrement restructuré son château.

Sol argilo-calcaire sur marnes ou grès bleu. 1 250 hectares dont 600 en A.O.C. Rouge, rosé, blanc en A.O.C. et vins de pays des coteaux de Peyriac.
Prix départ cave : 10 à 20 F T.T.C.
Œnologue conseil : M. Parnaud.

Actuellement son vignoble particulièrement bien soigné dont l'encépagement est exemplaire, s'étend sur 65 hectares avec des différences d'altitude qui atteignent jusqu'à 80 mètres.
La vinification traditionnelle, dans des installations de qualité, se fait cépage par cépage, clos par clos, pour tirer le meilleur parti de chacune des parcelles.
C'est une fois les fermentations achevées, les soutirages réalisés, que Jean-Baptiste Bonnet, verre et éprouvette en main, procède au minutieux travail d'assemblage de ses cuvées.
Bien connaître ses vins pour mieux en apprécier leur complémentarité tant au niveau de la structure que du potentiel aromatique, cet homme aime son métier et le vin le lui rend bien.
De belles barriques en chêne dans lesquelles s'élèvent ses cuvées reposent dans une cave climatisée.
Le vieillissement en bouteilles se fait à l'abri des écarts de température dans un local thermiquement isolé.
Ses rouges ont une belle robe intense tout en pourpre.
Le nez complexe aux arômes de mûres et au parfum de violette annonce la bouche qui, particulièrement fruitée, un rien vanillée, a une évolution des plus agréables.

## ▓ Cave Coopérative de Laure

11800 Laure-Minervois
tél. 68.78.12.12.

Dans un joli petit village bien à l'abri derrière un plateau, cette coopérative de 280 adhérents reçoit la vendange des communes de Laure-Minervois, Villarzet et Saint-Frichoux.
Tout miser sur l'appellation nous disent le président M. Mestre et le directeur M. Dhoms, voilà qui est clair.
L'encépagement évolue sans cesse vers le grenache noir et la syrah sur des sols pauvres à faible rendement.

Les apports rigoureusement sélectionnés sont vinifiés en macération carbonique et en classique dans des installations très bien agencées avec du matériel performant qui prouve que cette cave est bien décidée à s'engager à fond dans la bataille de la qualité.
De tradition, les vins de Laure sont élevés dans le bois dans un chai de vieillissement isolé et enterré en partie.
Du nom du seigneur du XIe siècle qui défendit sa religion au moment de la croisade des Albigeois, ils ont baptisé leur cellier « Lauran Cabaret ».

*La cuvée « Jordanne de Lauran » se présente à nous dans une robe grenat très profonde. Au nez il fleure bon le café frais et la vanille. En bouche, beaucoup de volume et de matière nous séduisent dans ce Minervois où le tannin bien présent a un beau boisé.*

## ▨ Château Russol

**M. Bernard de Soos,** ♦
Laure-Minervois
11800 Trèbes
tél. 68.78.17.68.

Sol argilo-calcaire. 67 hectares dont 35 en A.O.C. Rouge, rosé, blanc.
Prix départ cave : 16 à 18 F T.T.C.
Œnologues conseil : MM. Favrol, Souquie, Roques.

*Le château Russol du XVIII siècle, maintes fois reconstruit, puise ses origines à l'époque romaine, « Villa Risselo ».*
*Bernard de Soos, un homme calme et volontaire assuré d'une grande expérience de terrain, perpétue depuis 2 ans comme fermier du G.F.A. la continuité de quatre générations vigneronnes.*
*Syrah, mourvèdre, grenache dominent sur le vignoble classé dont la moyenne est de vingt ans d'âge, c'est-à-dire la maturité nécessaire pour produire des vins de belle qualité. En deux ans, il plante sur les terres non classées les cépages sauvignon, chardonnay, merlot, toujours dans le sens d'une politique qualitative de produit.*
*Le cuvier semi-enterré très bien conçu a deux fonctions. La première pour des vinifications mixtes, la deuxième pour*

*l'élevage en barriques et en foudres. La macération carbonique représente 40%. Le reste en classique avec la maîtrise des températures permet des temps de cuvaison rarement inférieurs à quinze jours.*
*Son Millésime 1988 : la robe est très belle, profonde aux reflets pourpres. Le nez est encore discret, mélange d'épices et de truffe. La bouche conforte l'impression de jeunesse. Puissants, les tannins très présents nous garantissent une longue garde remplie de promesse.*

## ▨ Domaine de la Tour Boisée

**Marie-Claude et Jean-Louis Poudou,**
11800 Laure-Minervois
tél. 68.78.19.33.

Sol argilo-calcaire sur des marnes érodées. 85 hectares dont 33 en A.O.C. Rouge, rosé, blanc.
Prix départ cave : 21 à 50 F T.T.C.
Œnologue conseil : M. Sanchez.

*Du nom des bosquets d'arbres qui entourent une tour érigée au cœur de l'exploitation, les Poudou, jeunes vignerons d'un dynamisme débordant, gèrent leur domaine familial comme une véritable entreprise.*
*Orienté vers l'exportation, l'enfant du pays de Badens a un regard sans cesse tourné vers l'extérieur.*
*Ils investissent en matière d'encépagement et jouent à fond le jeu de la syrah qui représente aujourd'hui plus de 30% de l'encépagement du vignoble.*
*Homme de communication, Jean-Louis*

*Poudou veut donner une image forte de son domaine.*

*Pour ce faire, il poursuit l'amélioration de son cuvier pour posséder une des plus belles caves de la région, il crée un chai enterré dans une ancienne citerne pour y entreposer ses barriques, il met en place un service export pour accroître sa présence sur les marchés extérieurs...*

*De la belle ouvrage qui fait honneur aux gens du terroir.*

*Le Domaine de la Tour Boisée a une robe grenat d'une bonne intensité.*

*Au nez de fruits rouges aux nuances florales de violette, il est d'une belle complexité avec des tannins de qualité.*

# Minerve

## ▓ Domaine de Granies

Mme **Roselyne Bourdiol,**
34210 Minerve
tél. 68.91.22.54.
    68.91.16.38.

26 hectares. Sol : argilo-calcaire.
A.O.C. Minervois blanc et rouge.
Prix départ cave : 20 F T.T.C.
Œnologue conseil : M. Mathieu.

*Dans la famille depuis trois siècles, le domaine Granies exposé sur un plateau à 300 m d'altitude déploie son vignoble sur 4 communes, Minerve, Azillanet, La Caunette et Aigne.*

*Un paysage grandiose à une croisée de chemins, où il fait bon faire une halte.*

*Dans cette ancienne fauconnerie des comtes de Minerve, Roselyne et son époux transforment la vieille bâtisse, aménagent le cuvier, créent une ferme-auberge, imaginent le futur caveau, un tout bien accueillant. Comme un plaisir n'arrive jamais seul. Imaginez une truite de fontaine charnue et dorée à point, un coq au vin du domaine, à la chair ferme et savoureuse accompagnés d'une cuvée de Granies, un régal...*

*Un vin à la robe sombre qui mêle la délicatesse et le gras du grenache, la puissance et la structure de la syrah,*

*la finesse et la fraîcheur du cinsault dans un accord harmonieux.*

M. **Roger Marcouire**
34210 Olonzac
tél. 68.91.26.81.

Sol argilo-calcaire. 10 hectares 60 ares dont 8 hectares en A.O.C.
Rouge, rosé, blanc.
Prix départ cave : 10 à 25 F T.T.C.
Œnologue conseil : M. Parnaud.

*Au cœur du village de Minerve, haut lieu historique, Roger Marcouire, le sourire aux lèvres, vous reçoit dans sa cave. Animé d'une joie de vivre sans pareil, il parle suavement de son pays. Des projets, il en a plein la tête, ses objectifs, faire chaque année des produits nouveaux. Au total, il en présente dix pour notre plaisir.*

*Homme de bon sens et de savoir-faire, il organise son vignoble où les ceps s'offrent au soleil levant et couchant. Le sol recouvert de galets limite volontairement sa production à l'hectare, la syrah ne dépasse jamais les 15 hl/ha.*

*Dans son cuvier, tout est merveilleusement orchestré, l'assemblage des cépages en cuve pour les diverses vinifications, la macération carbonique pour le carignan, l'égrappage du grenache, la macération pelliculaire pour les cépages blancs, l'élevage en barriques neuves des hauts de gamme.*

*Les vins Boucard (du surnom de son grand-père), marque commerciale déposée pour personnaliser sa production, s'agrandit cette année avec l'élaboration d'un vin gris.*

*Le Boucard rouge : séduisant avec sa belle robe grenat bien soutenue, le nez jaillit du verre, intense puissant, il évolue élégamment sur des notes vanillées. En bouche, il est gourmand, doté d'un joli grain avec des tannins bien fondus.*

## ▓ Domaine de Mayranne

M. **René Maynadier,** ♦
Minerve
34210 Olonzac
tél. 68.91.22.93.

Sol hétérogène à dominante argilo-calcaire. 10 hectares. Rouge et rosé.
Prix départ cave : 17 à 22 F T.T.C.
Œnologue conseil : M. J.-Natoli.

*Mayranne, le nom d'un hameau qui se situe à deux kilomètres de Minerve.*
*Depuis trente ans, la famille Mayna-dier de tradition vigneronne exploite ce vignoble de 10 hectares entièrement classé en A.O.C.*
*Ici pas de vieillissement en bois. René Maynadier nous dit qu'il préfère conserver dans ses vins les arômes spé-cifiques des cépages, sans les associer à des notes boisées et vanillées. Cet homme délicieux élabore des vins authentiques de grande lignée, telle sa syrah ample, puissante, réputée pour sa belle expression.*
*Son rosé, cuvée intimiste par sa pro-duction de 26 hl, se présente très élé-gamment avec ses nuances, ses arômes et beaucoup de présence en bouche.*

### ▓ Domaine Tailhades-Mayranne

M. **André Tailhades,** ♦
Minerve
34210 Olonzac
tél. 68.91.26.77.

Sol argilo-calcaire et de fine gra-vette rouge. 25 hectares A.O.C. Rouge, rosé, blanc.
Prix départ cave : 18 à 25 F T.T.C.
Œnologue conseil : M. Jean Natoli.

*Aux portes de Minerve, André Tailha-des exprime avec sagesse et rigueur son attachement au terroir. Héritier d'une*

*longue tradition vigneronne, il exploite depuis 1965 son vignoble de 25 hectares planté sur des coteaux bien exposés au sud.*
*C'est un homme fier de ses vignes, de grandes parcelles conduites en gobelet qui assurent un rendement moyen de 55 hl/ha.*
*Une sélection au terroir et son respect de la baie du raisin lui permettent de mener parfaitement ses macérations carboniques longues de préférence pour obtenir une extraction judicieuse.*
*Sa cuvée Pierras, d'une robe pourprée très intense, a le nez délicatement par-fumé, de petits fruits rouges bien mûrs, un rien épicé. En bouche, puissant, ample, complexe, d'une belle rondeur, long à souhait, il s'épanouit pleinement chambré à 17° et après un débouchage préalable d'une heure.*

# Mirepeisset

### ▓ Domaine de L'Herbe-Sainte

M. **Guy Rancoule et Fils,** ♦
11120 Mirepeisset
tél. 68.46.13.24.

Sol : terrasses caillouteuses peu pro-fondes très filtrantes. 40 hectares dont 15 en A.O.C. Rouge, rosé, blanc.
Prix départ cave : 10 F (vin de pays) ; 18 à 32 F (A.O.C.).
Œnologue conseil : M. Jean Natoli.

Guy Rancoule, Lauragais de naissance, ancien rugbyman de formation agricole, était aussi le régisseur des Hospices de Narbonne.

Cet homme charmant a le goût de la bataille. Il s'installe au domaine de l'Herbe-Sainte, le coin le plus sec du village, la draille aux herbes odorantes, nous dit-il, où le vignoble bien encépagé s'exprime admirablement.

Ce terrien par passion est à l'écoute de ses produits. Les vinifications sont parfaitement adaptées pour donner des vins bien structurés d'une longue garde. Il a su transmettre à ses fils son savoir et le respect du client. Ainsi la commercialisation ne pourra que mieux se développer.

Chose rare dans la région, on peut même déguster chez lui de vieux millésimes rouges et blancs qui nous séduisent par leur complexité, leur richesse aromatique.

Des produits harmonieux qui présentent un côté épicé des plus intéressants.

arômes et les tannins du raisin et en macération carbonique pour adoucir les vieux carignans si riches en structure.

Ils ont enrichi la cave de cuverie en acier inox pour améliorer la qualité des vins produits à travers les nouvelles technologies en maîtrisant les températures de fermentation et les temps de macération pendant la vinification.

Les essais d'élevage en barriques ayant donné des résultats plus qu'encourageants, ils projettent d'aménager un chai enterré pour y laisser reposer les vins en fûts avant de les mettre en bouteilles.

Vous pourrez également apprécier les œuvres de Mme Jeanjean, peintre à ses heures, qu'elle expose dans un caveau joliment décoré en musée pour la clientèle.

Château Bassanel 1985 : un vin à la robe rubis encore vive, au nez riche et complexe où se mêlent cassis, framboise et des arômes de sous-bois.

En bouche, parfaitement fondu, il est équilibré et puissant, très savoureux, et d'une grande richesse aromatique.

# Olonzac

## ▨ Château Bassanel

Famille **Jeanjean**, ◆
34210 Olonzac
tél. 68.91.21.75.

Sol argilo-calcaire. 60 hectares dont 30 en A.O.C. Rouge, rosé en A.O.C.
Prix départ cave : 16 F T.T.C.
Œnologue conseil : M. Sanchez.

Arrêtez-vous dans cet endroit magnifique entouré d'un bois de pins au bord du canal du Midi.
M. et Mme Jeanjean, leurs deux filles et leurs deux beaux-fils vous accueilleront avec gentillesse et le sens inné de l'hospitalité qui les caractérise.
Domaine de 128 hectares dont 65 en vignes où la syrah règne avec 30% sur ce sol miséreux mais ô combien expressif, il fut, dit-on, visité par Lamartine.
La vinification est mixte : traditionnelle, conduite de façon à extraire les

## ▨ Cave Coopérative « La Vigneronne Minervoise »

34210 Olonzac ◆
tél. 68.91.20.20.

Sol : coteaux faits de terrasses argilo-calcaires. 1 050 hectares dont 300 en A.O.C. Rouge, rosé en A.O.C. Rouge, rosé, blanc en vins de pays.
Prix départ cave : moins de 15 F T.T.C.
Œnologue conseil : M. Parnaud.

Fort éprouvée lors du gel de 1956, cette coopérative fondée en 1919 par Charles Caffort qui fut à l'origine de la création du syndicat du cru minervois a retrouvé aujourd'hui toute son importance.

Henri Poch, l'actuel président, se bat avec acharnement pour poursuivre l'effort d'amélioration de l'encépagement, des méthodes de vinification et d'élevage des vins.

« Il faut savoir recevoir pour mieux faire connaître nos produits », nous dit cet homme de bon sens : aussi a-t-il convaincu son conseil d'administration de créer une très belle salle pour l'accueil de la clientèle.

Pas de macération carbonique, actuellement la production est vinifiée traditionnellement avec un égrappage partiel de la vendange et des cuvaisons de 12 à 14 jours.

Nous avons dégusté le « Domaine Montplaisir » à la robe de couleur rouge rubis pas très soutenue mais très brillante ; il a un nez fin, élégant ; une touche légèrement épicée le caractérise. En bouche, souple, bien équilibré, il manque encore un peu de persistance aromatique.

### ▓ U.C.A.R.O.

**Maison du Minervois,**
Boulevard Louis-Blazin
34210 Olonzac
tél. 68.91.35.74.

Créée en 1979, l'Union des coopératives agricoles de la région d'Olonzac regroupe 14 villages, 8 celliers de producteurs et 60 caves particulières qui produisent sur 6 500 ha des vins de pays et des vins d'appellation Minervois et Muscat Saint-Jean-de-Minervois.

Si avec la collaboration de techniciens de pointe, le groupement contribue au développement de la qualité des produits, son rôle essentiel reste la commercialisation.

Une des particularités de l'U.C.A.R.O. est de proposer des vins dans le respect de l'identité de chaque production et des mises en bouteilles faites à la propriété, comme le domaine de Camberaud.

Vinifiée et mise en bouteilles à la cave coopérative d'Aigne, cette cuvée couleur rubis offre des arômes de fruits rouges avec une touche réglissée. Complexe, délicate, elle a l'élégance de ses tannins bien fondus.

Des cuvées génériques, réalisées pour occuper une place de choix sur l'échiquier du Languedoc, portant pour nom Chevalier de Cadirac répondant à des critères de qualité très stricts, nous sont proposées.

Le Chevalier de Cadirac 1988, superbe de couleur, a un nez puissant de fruits mûrs écrasés. En bouche, rond, souple à l'attaque, il a un tannin un peu rigide mais finit sur des notes fruitées, épicées, éclatantes.

# Oupia

### ▓ Château d'Oupia

**M. André Iche,**
Oupia
34210 Olonzac
tél. 68.91.20.86.

Sol : des causses calcaires et argilocalcaires. 45 hectares dont 30 en A.O.C. Rouge et rosé.
Prix départ cave : 17 à 24 F T.T.C.
Œnologue conseil : M. Parnaud.

Le château fort édifié au XIIᵉ siècle se situe en bas de la serre d'Oupia qui culmine à 293 m d'altitude.

André Iche, héritier sans conteste de la fibre vigneronne, fidèle à l'art du vin exploite un vignoble morcelé qui offre l'avantage de s'exprimer par différents goûts de terroir.

La syrah vinifiée traditionnellement épouse fort bien ce très vieux carignan de 80 ans élaboré en macération carbonique de longue cuvaison, pour donner naissance à cette très belle cuvée des Barons élevée au rang des grands dans un chai voûté du XIIIᵉ siècle prévu pour le vieillissement en fûts neufs.
Elle doit son nom à un tènement du domaine.
Élégant dans sa robe grenat, le vin est complexe au nez, avec des arômes bien mêlés de myrtille et de sous-bois. Ample et rond en bouche, il offre beaucoup de plaisir dans sa longueur où la vanille apparaît.

# Paraza

### ▨ Château Paraza

**Dominique de Girard-Passerieux,**
Paraza
11200 Lézignan
tél. 67.43.20.76.

Sol argilo-calcaire. 130 hectares.
Rouge, rosé.
Prix départ cave : 25 à 40 F T.T.C.
Œnologue conseil : M. Marc Dubernet.

*Dominique de Girard-Passerieux, une personne peu loquace à qui il faut vraiment montrer patte blanche.
Heureusement, les vins du château sont très bavards eux...*

*Des références, il n'en manque pas à Paraza : des vins de nombreuses fois médaillés mentionnés dans les différents guides, une des plus grandes propriétés de la région d'une superficie totale de 230 hectares couvrant 130 hectares de vignes dont 80 hectares d'A.O.C. Minervois.
Paul Riquet, créateur du canal du Midi, y séjourna et, en remerciements, fit construire de magnifiques terrasses à l'italienne dans le parc boisé du château.
Les vins du château de Paraza :
— La Cuvée spéciale, qui offre un nez de violette et de fruits rouges bien mûris, nous laisse présager d'une macération carbonique et d'un pourcentage bien marqué en cépage syrah.
— La Cuvée Chêne Neuf, souple, en bouche bien fondu, délicat aux tannins liés, épicés et vanillés, nous confirme la présence de syrah, et laisse entrevoir le grenache ainsi qu'un élevage de qualité en barriques neuves.*

# Peyriac-Minervois

### ▨ Le Cellier Jean d'Alibert

**S.I.C.A. Vigneronne et Vinicole de Peyriac, ◆**
11160 Peyriac-Minervois
tél. 68.78.22.14.

*Cette S.I.C.A. présidée par M. Agnel dirigée par M. Poudou, commercialise les 550 000 hectolitres des 3 500 vignerons qu'elle regroupe.
Officiellement reconnu en 1978, ce groupement associé aux établissements Chantovent existe depuis 1964.*

Initiative plus qu'intéressante, elle travaille sous forme de partenariat avec l'interprofession.

Elle aide les vignerons à travers les conseils de techniciens de pointe, tant sur le plan viticole qu'œnologique.

Son rôle essentiel, la commercialisation, est rempli à travers la mise en marché de vins Domaines et Châteaux embouteillés à la propriété et de cuvées génériques répondant au « goût du consommateur ».

La cuvée « Jean d'Alibert » à la robe soutenue, au nez fruité a en bouche une bonne intensité aromatique et une jolie persistance.

Le « Cellier d'Hautpoul » est vinifié et mis en bouteilles à la cave coopérative de Félines-Minervois située sur les pentes abruptes du causse calcaire, sur un sol difficile où affleure le schiste.

Le vin en a les senteurs de garrigue et la rondeur de ses tannins.

Le « Comté de Mérinville » est défini à la cave de Rieux-Minervois où le château des anciens comtes du lieu domine toujours le village à côté de l'église heptagonale qu'ils firent construire.

Le « Château Mirausse » de M. Raymond Julien à la belle robe rubis, au nez de petits fruits rouges est un vin puissant rond et gras à souhait.

Le célèbre « Château de Gourgazaud » de M. Roger Piquet, négociant bien connu de tous, s'accommodera fort bien des viandes en sauce et des fromages du terroir.

dirigeants qui veulent démontrer que la coopération ne s'endort pas et qu'elle est bien présente dans le combat vers la qualité.

Ils ont compris l'intérêt de l'encépagement et orientent les coopérateurs vers des cépages aromatiques sur ces sols faits de terrasses calcaires au nord-est du village, qui donnent au vin la charpente nécessaire au vieillissement, et d'un plateau plus argileux au sud qui apporte aux produits la finesse et l'élégance.

De ce terroir très cailouteux (peyriac = pierre) où la vigne souffre et se bat, ils produisent des Minervois de haut de gamme élaborés avec soin et minutie.

Le « Domaine de Roquerlan » produit sur un sol particulièrement rocailleux, sur les premiers contreforts de la Montagne-Noire, est un vin riche, généreux d'une très belle structure.

Séparé du premier par un joli cours d'eau, l'Argent-Double, le « Domaine du Moulin Nouvel » est situé sur un terroir plus graveleux. Exposé plein sud il génère des vins souples et ronds, harmonieux et soyeux.

Enfin la cuvée « Tour Saint-Martin » élevée en fûts de chêne dans les caves de l'ancien château de Peyriac est représentée par des vins de garde au bouquet complexe, aux tannins ronds et puissants.

## ◼ Cave Coopérative Peyriac-Minervois

11160 Peyriac-Minervois
tél. 68.78.11.20.

Sol argilo-calcaire. 500 hectares dont 350 en A.O.C. rouge et blanc.
Prix départ cave : 15 à 25 F T.T.C.
Œnologue conseil : I.C.V.

Une équipe jeune, entreprenante où la moyenne d'âge du Conseil d'administration n'excède pas 40 ans.

Philippe Coste, également président de l'appellation, Joël Venture, le directeur appartiennent à cette lignée de jeunes

# Pouzols-Minervois

## ◼ Cave « Les Coteaux de Pouzols-Minervois »

11120 Pouzols-Minervois
tél. 68.46.13.76.

Sol hétérogène à dominante argilo-calcaire.
Rouge, rosé, blanc. Carthagène.
Prix départ cave : 13 à 20 F T.T.C.
Prix Carthagène : 45 F T.T.C.
Œnologue conseil : M. Marc Dubernet.

La coopérative de ce joli village médiéval du XIIIᵉ siècle avec son église romane de Saint-Saturnin compte 138 adhérents.

Présidée par M. Sournies et dirigée par M. Escande, la cave poursuit une politique de produits à travers des sélections au terroir et des types de vin bien définis à l'avance.

Le raisin bien sélectionné, ramassé à bonne maturité, est transporté en comportes pour la macération carbonique et encuvé traditionnellement pour la vinification classique qui, de courte durée, va permettre l'élaboration de vins gouleyants, faciles à boire dans leur prime jeunesse.

L'encépagement est classique, mais la syrah et le mourvèdre s'imposent de plus en plus.

Produisant des minervois blanc, rosé et rouge de bonne qualité, ils proposent également une carthagène élaborée à base de moût de syrah, de maccabeu et bourboulenc.

Actuellement un rouge puissant s'élève en barriques et sera commercialisé courant 1990. Le nom de cette cuvée reste encore à définir.

Nous avons dégusté la cuvée « Ancien Comté de Pouzols », de macération carbonique pure, à la robe intense, au nez épicé harmonieux en bouche.

Le rosé « cuvée des Lauriers » est frais et fruité avec des notes de framboise.

Le blanc, sélection au terroir de maccabeu, grenache blanc et bourboulenc, a un bouquet floral puissant.

# Puichéric

## ▩ Cave Coopérative Puichéric « Le Progrès »

11700 Puichéric
tél. 68.43.70.23.

Sol argilo-calcaire. 480 hectares dont 153 en A.O.C. Rouge, rosé.
Prix départ cave : 15 à 20 F T.T.C.
Œnologue conseil : M. Robert.

Vinification séparée en fonction de la situation, du rendement, du cépage, de l'âge des vignes, maîtrise des tempéra-

tures, cuvier de vinification bien tenu et même un chai séparé dans les caves de l'ancien château de Roquecourbe aménagé pour la macération carbonique, cette coopérative « le Progrès » porte bien son nom.

Elle est présidée par M. Carbou et dirigée par un oenologue M. Chavanette.

Fort d'une politique commerciale où le partenariat avec la S.I.C.A. de Peyriac et le groupe Chantovent est de règle, cette cave reçoit la vendange des communes de Puichéric, Blomac et Roquecourbe.

Actuellement, ils aménagent un local spécialement conçu pour le vieillissement des vins en fûts pouvant contenir 1 200 barriques.

La cuvée « Château de Roquecourbe » est d'un beau rouge grenat foncé. Le nez complexe dévoile des senteurs de fruits bien mûris. En bouche, un accent d'épices vient marquer une finale où le tannin est encore très présent.

# Rieux-Minervois

## ▩ Domaine de Homs

M. **Bernard de Crozals,**
Rieux-Minervois
11160 Caunes-Minervois
tél. 68.78.10.51.

Sol : terrasses caillouteuses. 18 hectares. Rouge.
Prix départ cave : 18 à 19 F T.T.C.
Œnologue conseil : M. Elisabelar.

Depuis 70 ans, le domaine des Homs (ou Ormeaux) est la propriété de la famille de Crozals.

Au cœur du Minervois, dans le triangle Rieux-Minervois, Puichéric, Laredorte, Bernard exploite ce vignoble dont 15 hectares sont classés en A.O.C.

Sur des terrasses très caillouteuses, les vieux carignans et la syrah trouvent, associés à une vinification traditionnelle bien menée, le chemin des vins dits de garde.

Une sélection rigoureuse de ses meilleures têtes de cuvée où la syrah est présente pour 45% et élevée en fûts de chêne.

Car pour Bernard de Crozals, la notoriété du produit a pour règle le vieillissement. Respectueux de son appellation, il consacre 12% de son chiffre d'affaires à la promotion.

Il vous propose deux vins d'une belle maturité.

Sa sélection élevée en barriques est fort séduisante à l'œil. Le nez délicatement épicé est vanillé. En bouche, il est harmonieux, gras, avec des tannins discrètement présents et bien fondus. Il se termine sur une note d'épice.

### ▧ Cave « Les Vignerons Mérinvillois »

11160 Rieux-Minervois ♦
tél. 68.78.10.22.

Sol diversifié de terrasses et en coteaux. 1 500 hectares dont 700 en A.O.C. rouge, rosé, blanc.
Prix départ cave : 12 à 18 F T.T.C.
Œnologue conseil : M. Robert.

Une cave traditionnelle mais très à jour au point de vue de l'équipement. Des rendements faibles, un terroir bien exposé, tout est réuni pour réaliser des vins de qualité.

Tout d'abord l'encépagement, aujourd'hui si le carignan est encore majoritaire, il est remplacé par la syrah. La vinification en macération carbonique, grâce à une installation d'amenée de vendange par tapis à partir de vignes sélectionnées, permet l'élaboration d'une cuvée haut de gamme « Comté de Mérinville ».

Efficacité, partenariat avec le négoce en place sont les objectifs du président M. Jean Agnel et du directeur M. Revel.

Témoin la médaille d'or obtenue par la cave du concours des vins de Mâcon 1989, pour la cuvée « Comté Mérinville » (A.O.C. Minervois Millésime 1988).

Ce vin issu à parts égales de vieux carignan et de syrah se présente à nous dans une belle robe vive et profonde. Au nez la cerise, le cassis se mêlent à des senteurs plus florales de violette. En

bouche, souple, de bonne longueur il est bien fondu et finement épicé.

---

# Saint-Jean-de-Minervois

### ▧ Domaine de Barroubio

Mme **Marie-Thérèse Miquel**,
34360 Saint-Jean-de-Minervois
tél. 67.38.14.06.

Sol à dominante calcaire. 30 hectares tout en A.O.C. Moitié-moitié en appellation Minervois et en Muscat Saint-Jean-de-Minervois. A.O.C. rouge et rosé. Muscat Saint-Jean-de-Minervois.
Prix départ cave : 17 à 36 F T.T.C.
Œnologue conseil : M. Natoli.

C'est dans un cadre majestueux sur un sol de plaques calcaires broyées, concassées, gagné sur la garrigue, que s'étend le vignoble de Barroubio.

Le muscat Saint-Jean-de-Minervois produit là est remarquable et le Minervois rouge nous a séduit.

Situé sur un plateau entre deux combes très à pic, sur un sol très aride, Marie-Thérèse Miquel a eu bien du mérite d'avoir su garder et agrandir ce domaine dont elle a hérité en 1976. Tout était à refaire sur ce sol empierré mais permettant le parfait mûrissement du muscat à petits grains et des cépages traditionnels de l'appellation Minervois.

Elle a su conserver de vieux carignans de 80 ans d'âge et les vinifier avec art en macération carbonique pour mieux les « civiliser » et les adoucir par un long élevage en fûts.

Finalement heureuse, elle se fait un plaisir de vous recevoir, de parler de ses vins avec une passion peu commune et le verre à la main, vous pourrez partager avec elle le plaisir de la dégustation de ses produits.

Domaine de Barroubio 1988 : un très beau vin à la robe pourpre à la teinte bleutée.

Au nez finement relevé par la pivoine, il marie avec harmonie le poivre, le cassis et la chair de cerise.

La faible production des vignes en fait un vin riche et concentré en bouche où le tannin harmonieux nous conduit sur une finale très poivrée, de toute beauté.

# Tourouzelle

## ▨ Cave Coopérative de Tourouzelle

11200 Tourouzelle
tél. 68.91.23.29.

Sol argileux calcaire. 380 hectares dont 25% en A.O.C. rouge, rosé, blanc.
Prix départ cave : 15 F T.T.C.
Œnologue conseil : M. Druckder.

Dirigée par un jeune œnologue Stéphane Chauvet, située au sud de l'appellation à la limite des Corbières, la

coopérative qui compte 130 adhérents poursuit inlassablement sa marche en avant.

A la limite de l'aire A.O.C., elle a une politique commerciale tournée vers le groupement des Vignerons catalans à travers les produits hauts de gamme. Pour y arriver, les vignerons continuent avec détermination l'amélioration de l'encépagement, la modernisation du chai de vinification, l'élevage des vins en barriques issus de vieilles vignes sur les terroirs les mieux exposés, les moins productifs.

Nous avons dégusté leur minervois rouge très typé par la macération carbonique dont il est issu, c'est une belle réussite.

Doté d'une bonne puissance où s'allient le café, le cacao, la réglisse et des senteurs fruitées de cassis et de myrtilles, il est harmonieux et bien équilibré.

# Trausse-Minervois

## ▨ Cave Coopérative « Costos Roussos »

Trausse-Minervois
11160 Caunes-Minervois
tél. 68.78.31.15.

Sol argilo-calcaire typique. 600 hectares dont 400 en A.O.C. Rouge, rosé, blanc A.O.C. et vins de pays.
Prix départ cave : 10 à 30 F T.T.C.

Un terroir des plus pauvres aux rendements faibles, Costos Roussos, du nom des coteaux argilo-calcaires de terre rouge au pied de la Montagne-

Noire, tient une place à part dans le monde des coopératives.

Le vignoble en pleine évolution est de qualité et le mourvèdre y trouve une place de prédilection.

Le président jeune et dynamique, Luc Lapeyre, administrateur responsable du syndicat du cru est un adepte de la qualité et a réussi à mener sa cave aux rangs des meilleures.

Des vins élaborés dans un cuvier bien adapté, un outil de gestion important qui permet une sélection pointue des cépages et du terroir, un élevage en barriques dans un chai en pierre de taille, tout cela pour obtenir un produit original à haute expression.

Mais il ne faut pas s'arrêter là, nous dit Luc Lapeyre, dont la ressemblance avec le célèbre chanteur Carlos est évidente.

Il faut poursuivre nos efforts dans le souci de dynamiser la commercialisation, seule planche de salut, sur des produits à haute valeur ajoutée.

Si « Costos Roussos » demeurera en tant que nom de cuvée, la raison sociale de la cave va se franciser et devenir « Côtes Rousses ».

Nous avons dégusté le « Traussan » 1988 à la belle robe aux reflets violets, au nez de petites baies sauvages, à la bouche équilibrée où transparaît un tannin de qualité.

Et la cuvée Gaston Dhomps 1986 où le mourvèdre exprime tout son caractère. Une robe profonde, soutenue qui rappelle la couleur de la cerise bien mûre. Le nez, floral au début, évolue sur des notes grillées de café fraîchement torréfié.

En bouche, l'attaque est réglissée et le fût de chêne apporte sa touche vanillée, il laisse une persistance de fruits bien mûris par le soleil.

# Villalier

## ▧ Cave Coopérative de Villalier

11600 Conques-Sur-Orbiel ◆
tél. 68.77.16.69.

Sol hétérogène à dominante argilo-calcaire. 370 hectares dont 100 en A.O.C. Rouge, rosé et blanc en A.O.C. et vins de pays d'Oc.
Prix départ cave : 25 à 30 F T.T.C.
Œnologue conseil : M. Favrol.

Cette coopérative qui compte 120 adhérents est présidée par M. Agnoletto et dirigée par un jeune œnologue Gilles Cutilles.

Conscients des difficultés, ils ont pris le virage de la qualité. Ils sont sur la bonne voie et proposent dans leur caveau de vente attenant au chai de vinification bien entretenu au matériel performant des vins dont ils peuvent être fiers.

Des projets, ils en ont plein la tête : poursuivre la politique d'amélioration de l'encépagement (et ce n'est pas ici un vain mot), créer un chai pour l'élevage des vins en fûts et le vieillissement en bouteilles, augmenter la capacité de réception de raisins entiers pour la macération carbonique.

Produisant déjà un beau produit élaboré en majorité en macération carbonique et aromatisé par un fort pourcentage de syrah sous la dénomination Pech-Gardy, ils viennent d'embouteiller une cuvée 100% syrah élevée en barriques. Un rosé de saignée cépage syrah, un blanc de marsanne et roussanne, des vins de pays de cépage merlot, cabernet sauvignon viennent compléter la gamme.

Cuvée Pech-Gardy : belle extraction de couleur grenat. Nez de fruits très mûrs et de violette à l'agitation. Rond et souple à l'attaque, il évolue sur un tannin assez doux.

# Villeneuve-en-Minervois

## ▨ Cave Coopérative de Villeneuve

**Cellier des Chanoines**
11160 Villeneuve-en-Minervois
tél. 68.26.16.02.

Sol schisteux et argilo-calcaire. 900 hectares dont 450 en A.O.C. Rouge, rosé, blanc en A.O.C. et vins de pays d'Oc.
Prix départ cave : 12 à 35 F T.T.C.
Œnologue conseil : M. Rouquette.

*Présidée par M. Grès, dirigée par M. Pinos, la coopérative de Villeneuve fondée en 1919 compte 350 adhérents. A l'ouest de l'appellation, cette belle cave où la vinification est traditionnelle mais longue et conduite à la dégustation est l'espoir des jeunes viticulteurs du cru qui sont nombreux à y occuper des postes importants.*
*Sur des sols allant du schiste à l'argilo-calcaire, sur des terrasses quaternaires recouvertes de marnes, le vignoble est en permanente modification, le cépage syrah y est introduit en fort pourcentage.*
*Les rouges, réserve du domaine, Château de Villeneuve, cuvée du bicentenaire, sont élevés en fûts de chêne.*
*Le blanc, original, y est produit tout en macération pelliculaire à partir des cépages marsanne, maccabeu, grenache blanc.*
*D'une robe or pâle à reflets verts, au nez fruité, très fleuri, délicatement mielleux il a un bel équilibre en bouche. Rond et frais à la fois, il a beaucoup de gras.*

**Minervois**, voir aussi :
— Corbières : Coop. d'Escales, S.I.C.A. du Val-d'Orbieu.

# Saint-Chinian

A.O.C. depuis le décret du 5 mai 1982.
Aire d'appellation : 20 communes de l'Hérault.
Terroir : schisteux au nord, marno-calcaire au sud.
Encépagement : carignan (50% maxi), cinsault, grenache, plus 10%
minimum de mourvèdre et syrah.
Production en 1988 : 130 000 hectolitres : rouges et rosés.
Rendement : 50 hl/ha maxi.

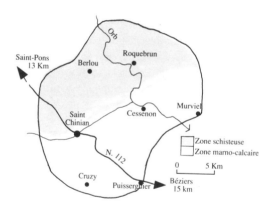

Dans le grand puzzle des aires d'appellation languedociennes, Saint-Chinian s'insère entre le Minervois et Faugères. Comme ses voisins, il occupe les premières pentes de la Montagne-Noire, ces coteaux qui depuis si longtemps abritent les vignobles méridionaux de qualité.

L'implantation de la vigne remonte ici certainement à des temps très reculés. L'oppidum d'Ensérune n'est pas loin (à quelques kilomètres à peine plus au sud) où l'on sait que la viticulture était pratiquée dès le IIIe siècle avant notre ère.

Pourtant c'est aux moines bénédictins, près de mille ans plus tard, qu'on doit la véritable naissance du vignoble actuel. La région sortait alors d'une longue période de troubles qui avait vu la forêt revenir en force sur les terroirs. Une communauté de moines dirigée par Anian, compagnon de Saint-Benoît d'Aniane, installa ses quartiers en 782 sur les bords du Vernazobres puis fonda en 826 un puissant monastère qui fut baptisé du nom de son fondateur : Saint-Anian (Saint-Chinian). Seigneurs du lieu, les abbés successifs s'attachèrent à faire mettre en valeur un patrimoine qui enflait au fil des donations. La vigne, comme toujours avec les moines, ne fut pas oubliée et bientôt prospéra alentour. Elle n'a pas cessé d'être cultivée depuis.

Un temps pourtant, Saint-Chinian se découvrit une vocation industrielle. Colbert, dont l'idée fixe était de développer les exportations du royaume, suscita en effet la création dans la ville d'une manufacture de draps au XVII$^e$ siècle. En 1822, 660 ouvriers y filaient et y tissaient encore la laine pour une quinzaine de fabricants. De cette activité, il ne reste rien aujourd'hui depuis que le dernier atelier a fermé ses portes en 1893. La vigne demeure la seule ressource des habitants de la région.

La viticulture de masse connut ici comme ailleurs son heure de gloire, bientôt suivie d'amères désillusions. Il fallait réagir. Saint-Chinian eut la chance de compter parmi les siens un homme d'une grande clairvoyance : le professeur Jules Milhau, maire de la commune voisine de Causses-et-Veyran. En 1951, il arracha le statut de V.D.Q.S. Esprit éclairé s'il en fut, Jules Milhau avait compris avant beaucoup d'autres que la production de gros rouge sur des terroirs à faibles rendements conduisait à une impasse. Trente ans plus tard après bien des tergiversations, l'I.N.A.O. admit Saint-Chinian et 19 communes environnantes dans le club des A.O.C. Le décret fut signé le même jour que celui de Faugères, le 5 mai 1982.

Les terroirs de l'aire d'appellation Saint-Chinian présentent une grande diversité :

• Au nord du Vernazobres, affluent de l'Orb, la vigne est implantée sur des schistes primaires, les mêmes qu'à Faugères. Cette partie septentrionale bénéficie en outre d'un climat local exceptionnel : position d'abri, exposition au sud, roches sombres garantissent un printemps précoce et un été lumineux en dépit de l'altitude qui dépasse 300 mètres en maints endroits. A Berlou, les mimosas poussent spontanément au bord des vignes ; à Roquebrun, lovée au fond de la vallée de l'Orb, ce sont les orangers qui croissent en pleine terre. Ces conditions, habilement exploitées par les vignerons, participent à l'élaboration de vins chaleureux, ronds et bouquetés dans lesquels le carignan, moins rugueux et plus aromatique qu'ailleurs, se mêle harmonieusement au cinsault, au grenache et de plus en plus à la syrah et au mourvèdre.

• Au sud du Vernazobres le paysage est tout différent. Ici la règle est la diversité. Presque tous les étages géologiques se côtoient du trias (début du secondaire) à l'époque actuelle. De surcroît ces couches ont été ployées, fracturées, broyées parfois ; elles se cisaillent, se chevauchent... De quoi donner des maux de tête aux apprentis géologues qui accourent de l'Europe entière pour étudier ces structures originales mises en place au début de l'ère tertiaire. Depuis, l'érosion a mis en valeur les contrastes de résistance. Si les calcaires durs ont été à peine entamés — ils forment l'armature des plateaux que limitent de vigoureuses corniches — les séries tendres gréseuses et marneuses ont été profondément incisées et déblayées par les cours d'eau. Le schéma se répétant à plusieurs reprises sur de courtes distances, la topographie de ce secteur rappelle un peu la surface d'une mer démontée dont les vagues viendraient se briser en rangs serrés sur le môle primaire.

Mosaïque géologique, diversité des versants, contrastes d'exposition multiples contribuent à créer une riche palette de terroirs dont les vignerons, récemment reconvertis à la qualité, redécouvrent peu à peu toutes les potentialités pour le plus grand plaisir des amateurs. Pour l'heure, les vins de ce secteur méridional sont charpentés, virils, parfois un peu rustiques et gagnent à attendre quelques années. Les progrès sont néanmoins rapides, tant dans le domaine de l'encépagement que dans celui de la vinification. Au fil des vendanges ils gagnent en finesse et en diversité.

Environ 35 caves particulières et 11 caves coopératives produisent bon an mal an une centaine de milliers d'hectolitres d'A.O.C. Saint-Chinian. Une partie, variable selon les années (16 000 hectolitres en 1988), est vendue sous l'étiquette Coteaux du Languedoc. Saint-Chinian produit principalement des vins rouges auxquels viennent se joindre 4 à 5 000 hectolitres de rosés. Quant aux blancs, qui ne peuvent être déclarés qu'en Coteaux du Languedoc, leur production démarre tout juste.

# Berlou

## ▓ Cave « Coteaux de Rieu-Berlou »

Berlou ◆
34360 Saint-Chinian
tél. 67.38.03.19.
     67.89.58.58.

580 hectares entièrement classés en A.O.C.

Sol : schiste.
Rouge, rosé, blanc.
Prix départ cave : 15 à 30 F T.T.C.
Œnologue conseil : M. Dubernet.

*La cave dont on parle le plus dans l'appellation.*
*M. Fabre, le président, très bien secondé par son directeur, M. Goute, poursuit avec sérieux l'œuvre de son prédécesseur, M. Dardé, président fondateur.*
*Tout est mis en œuvre entre l'équipe dirigeante et l'œnologue conseil Marc Dubernet, pour la recherche de la qua-*

*lité optimum et faire de Berlou une appellation communale.*

*Le suivi de la maturité des raisins, de l'état sanitaire et physiologique du vignoble par les adhérents eux-mêmes est mis sur ordinateur pour mieux gérer les apports de vendange et suivre les parcelles.*

*Le terroir où le schiste domine peut cependant se différencier en trois zones :*

*— une de schiste et de cailloux qui donne des vins ronds et aimables ;*

*— une de schiste pur qui produit des raisins concentrés à l'origine d'un vin typé au caractère très marqué ;*

*— une zone plus profonde de schiste et de terre où est produit le fameux schisteil (schiste et soleil).*

*Un cuvier très bien aménagé pour la macération carbonique, un chai à barriques pour l'élevage des vins et le tour est joué.*

*Il faut ajouter à cela une politique dynamique vers l'exportation par l'intermédiaire du groupement du Val-d'Orbieu.*

*Arrêtez-vous au caveau où vous pourrez déguster les vins : le schisteil, la cuvée des Arbousiers, le château des Albières et surtout la fameuse cuvée Berloup Prestige.*

*Ce dernier séduit d'emblée le consommateur par sa très belle robe purpurine. Son nez riche et complexe marie le musc un peu sauvage à des notes plus douces de violette et d'épices fines. En bouche, il est généreux, avec des tannins très élégants qui s'harmonisent aux arômes puissants.*

Prix départ cave : 20 F T.T.C.
Œnologue conseil : M. Jean Natoli.

*Un métier passion qui unit la sagesse d'une mère à la fougue de son fils pour la continuité d'un domaine familial vieux de deux siècles.*

*Le vignoble couvre 27 ha sur des coteaux bien exposés au pied des Cévennes, là où les premiers mouvements du sol affirment la puissance de son caractère complexe.*

*L'encépagement désiré pour l'appellation s'enrichira sous peu du mourvèdre.*

*Des rendements moyens de 55 hl/ha contribuent à la fiabilité qualitative de leurs produits qu'ils veulent naturels. Un cuvier ancien bien équipé, une vinification traditionnelle bien adaptée, associée à une macération carbonique donnent ce qu'ils désirent en arômes et en structure.*

*Pour Thérèse et Philippe, « le rosé est le vin plaisir pour faire rêver à leur région », un rien perlant pour exciter vos papilles, d'une apparence délicate et séduisante.*

*Le rouge, fort bien vêtu d'une robe sombre, a un nez de sous-bois avec des notes animales et de muscade. En bouche, il est puissant, son tannin ferme et jeune demande à s'arrondir avec le temps. Celui qui sait attendre découvrira à la fin de l'année 1990 leur haut de gamme qui aura séjourné en barriques bordelaises de deuxième vin.*

# Causses-et-Veyran

## ▓ Domaine de Fonsalade

**Thérèse et Philippe Maurel,**
34490 Causses-et-Veyran
tél. 67.89.66.73.

27 hectares.
Sol caillouteux argilo-calcaire et schiste.
Rouge et rosé.

## ▓ Domaine Guiraud-Boyer

**M. Xavier Guiraud,**
34490 Causses-et-Veyran
tél. 67.62.44.73.
      67.89.62.14.

20 hectares.
Sol argilo-calcaire.
A.O.C. Saint-Chinian et A.O.C. Coteaux du Languedoc.
Rouge. Vin d'une nuit.
Prix départ cave : 22 à 40 F T.T.C.
Œnologue conseil : M. J.P. Escorne, par amitié M. José Tastavy.

Parce que la finalité est de parler de ses produits pour les commercialiser, Xavier Guiraud, jeune vigneron, élabore des vins qu'il aime.

Il fait partie de cette génération d'hommes lucides et affirmatifs.

Passionné de syrah délicate et subtile, elle est présente dans ses A.O.C. Saint-Chinian et Coteaux du Languedoc pour 80%. Dès l'année prochaine, un pourcentage de 10% de mourvèdre s'ajoutera à cette complexité aromatique fort remarquée dans la dégustation de ses millésimes.

Il limite volontairement la production des carignans gardés pour la macération carbonique.

Sa conduite de culture est respectueuse des traditions. Il a cependant réalisé des essais prometteurs de vignes palissées en lyre.

« Toujours mieux faire », dans cette optique il démolit les vieux foudres, rénove complètement son cuvier avec un matériel adapté à sa vinification. Il prévoit dans cet ensemble un atelier pour l'élaboration d'un vin blanc à base de roussane et marsanne.

Après un vieillissement de quatre mois en barriques neuves, son A.O.C. Saint-Chinian est paré d'une robe pourpre, très intense et profonde, délicatement bleutée. Au nez, cerise et cassis se mêlent à la réglisse.

En bouche, après une bonne attaque, le vin est généreux, un rien poivré, avec des tannins pas complètement maîtrisés. D'une longue persistance aromatique, il demande cependant à vieillir.

Œnologue conseil : Mme Sabine Julien.

Depuis quatre générations la famille Calmette exploite un domaine viticole dans ce site magnifique de Cazedarnes. En 1966, Gérard et Françoise Calmette entreprennent à la veille de leur retraite de vivre leur passion, l'art du vin. Avec détermination et acharnement, ils deviennent des pionniers de l'appellation Saint-Chinian et font connaître leurs produits dans plusieurs pays d'Europe. L'encépagement classique possède 50% de cépages aromatiques.

Le vignoble de 25 ha, sur un sol argilo-calcaire, confère aux vins leur caractère spécifique, en particulier leur aptitude au vieillissement.

Avec leur fils qui a repris le flambeau depuis trois ans, la qualité est chez eux le maître mot puisqu'en 1987, millésime difficile, ils ont refusé la mise en bouteilles de leur produit.

Chasseur passionné, tout est prétexte pour se retrouver à table autour d'un gibier en dégustant les vins du château ayant séjourné quelques mois dans de vieux foudres ventrus en chêne de Hongrie.

Leur 1985 habillé de rubis, sombre, profond, annonce élégamment les arômes puissants de venaison, de fruits bien mûrs, et une pointe de pruneaux.

En bouche, il flatte complètement l'espace gustatif et le gras qu'il renferme donne une impression de volume et de relief.

# Cazedarnes

## ▦ Château des Calmettes

S.C.E.A. **Calmette,**
34460 Cazedarnes
tél. 67.38.02.37.

25 hectares.
Sol argilo-calcaire.
Rouge, rosé, blanc.
Millésimes 85, 86, 88.
Prix départ cave : 16 à 30 F T.T.C.

# Cebazan

## ▦ Union des Caves Coopératives

34360 Cebazan
tél. 67.38.01.74.

Environ 3 000 hectares. Sol : schiste et argilo-calcaire. Rouge, rosé, blanc en A.O.C. et vins de pays. Prix départ cave : moins de 30 F T.T.C.

Cette union créée en 1977 a pour président M. Razimbeau, un homme qui dérange parfois parce qu'il dit publiquement ce qu'il pense.

Pour lui, véritable chef d'entreprise, réussir c'est savoir vendre à leur juste prix des produits qui répondent à la demande de la clientèle.

Aider les viticulteurs dans la restructuration de leur vignoble, améliorer la mise en marché des vins et les techniques de vinification pour les produire, sont les trois axes pour lesquels ce groupement est né.

L'union représente environ la production de 3000 hectares de vignes réparties sur six communes aux sols de schiste et argilo-calcaire.

Un chai de stockage ultramoderne permet d'assembler des types de produits vendus dans 70 points en France et à l'étranger.

Nous avons dégusté la cuvée A.O.C. Saint-Chinian « Carte Noire » : d'une belle robe foncée dans les tons pourpres, au nez agréable où le cassis et la mûre s'allient à des notes plus sauvages de venaison.

En bouche, souple, ample, un tannin rond caractérise ce vin qui finit élégamment sur une bonne persistance aromatique.

héritier d'un vignoble déjà en culture biologique depuis une quinzaine d'années où le carignan domine encore, il met actuellement l'accent sur le mourvèdre.

Agréé par « Nature et Progrès », il jouit d'un créneau commercial particulier de vente par correspondance.

Un homme simple qui parle avec calme et franchise de son métier et qui se bat contre les difficultés financières qu'il rencontre dans cette profession de foi si nouvelle pour lui.

Il produit 90% de sa production en rouge qu'il vinifie traditionnellement mais en respectant l'intégrité des grains de raisins.

Un élevage en vieux foudres de chêne entre 9 et 15 mois laisse son empreinte sur le vin produit.

Son rouge présente une belle couleur rubis. Au nez, des arômes de cerise confite et de framboise mûre sont masqués par des notes ligneuses.

En bouche, l'attaque est chaude, voire même un peu brûlante, un vin un peu séché par un passage en bois mal maîtrisé.

A noter la nouvelle étiquette, œuvre d'un peintre local, qui habille fort bien la nouvelle bouteille du Château la Bousquette.

# Cessenon

## ▧ Domaine de la Bousquette

M. Ginoulhac,
34460 Cessenon
tél. 67.89.65.38.
        67.90.53.66.

23 hectares. Sol : argilo-calcaire. Rouge et rosé.
Prix départ cave : 20 à 30 F T.T.C.
Œnologue conseil : Mme Julien de l'I.C.V.

Médecin de métier, M. Ginoulhac abandonne sa profession pour reprendre l'exploitation de son grand-père.
Depuis, la fibre vigneronne l'habite ;

## ▧ Château Cazals-Viel

M. Henri Miquel,
S.C.E.A. Miquel Frères
34460 Cessenon
tél. 67.89.63.15.

70 hectares dont 55 en A.O.C. Sol argilo-calcaire.
Prix départ cave : 22 à 40 F T.T.C.
Œnologue conseil : M. Bascou de l'I.C.V.

Heureux propriétaire dont la famille a acquis après la révolution cette splendide exploitation.

Le château de Cazals-Viel, situé dans l'un des plus beaux reliefs de l'appellation au centre d'une cassure géologique sur un sol très varié où la syrah excelle, produit des vins à l'expression de terroir très marquée.

*Henri Miquel, véritable homme d'entre-prise, a su gérer depuis longtemps son vignoble et aménager un cuvier très moderne pour élaborer des produits authentiques.*

*C'est un homme obstiné qui a su pré-voir à l'avance les évolutions pour pro-poser aujourd'hui une gamme de jolis vins élégants, fruités, avec des notes d'épices et de réglisse, d'une belle ampleur ; ce sont des vins à déguster maintenant.*

*Son très beau sauvignon blanc de macé-ration pelliculaire vinifié en barriques neuves, gras à souhait, onctueux, par-ticulièrement aromatique, termine sur une longue persistance.*

## ▓ Louis Navarre et fils ♦

Avenue de Balaussan
34460 Cessenon
tél. 67.89.64.21.

10 hectares. Sol : schiste. A.O.C. Rouge. Vins de pays grenache, muscat.
Prix départ cave : 20 à 30 F T.T.C.
Œnologue conseil : laboratoire Olivier-Escorne.

*C'est avec beaucoup de gentillesse que Louis Navarre nous parle de son domaine qui lui vient de son grand-père.*

*Au pied du très joli village de Roque-brun, il exploite dans le respect de la tradition un vignoble de 10 hectares qui trouve toute son expression sur ce sol particulièrement schisteux.*

*Homme conscient, il transmet à son fils Thierry tout son savoir et son bon sens d'homme de la terre.*

*Un encépagement conforme à l'appel-lation, un mode de culture où le labour a toujours sa place, une vinification classique, mais surtout, affirme-t-il, ses vins doivent trouver calme et repos dans de vieux foudres de chêne avant la mise en bouteilles.*

*Le Laouzil, cuvée étonnante comme l'homme, d'une très belle prestance, sa robe nous rappelle ces pierres précieu-ses citées dans l'allégorie vinique comme le grenat.*

*Les arômes jaillissent du verre, puis-sants, musqués. En bouche, bien char-penté, équilibré, il nous laisse présager d'un bel avenir.*

# Murviel-les-Béziers

## ▓ Château de Coujan

MM. **Guy et Peyre,**
34490 Murviel-les-Béziers
tél. 67.37.80.00.

100 hectares dont les 2/3 en A.O.C. Sol : atoll corallien et cailloutis cal-caires. Rouge, rosé, blanc A.O.C. et vins de pays des coteaux de Murviel.
Prix départ cave : 19 à 35 F T.T.C..
Œnologue conseil : M. Marc Dubernet.

*C'est sur un sol très particulier fait de récif corallien fossile en sous-sol et de cailloutis calcaires en surface que s'étendent les 100 hectares du château de Coujan.*

*Le mourvèdre règne en maître dans ce site gallo-romain au milieu des oliviers et des paons.*

*Si vous vous arrêtez là, François Guy, cet ancien étudiant en droit, vous mon-trera avec fierté un acte notarié de 1790 stipulant que la seigneurie de Coujan devait fournir chaque année à la mar-quise de Spinola une pièce du meilleur vin de ses caves.*

*Pionnier, il prend le pari de planter au début des années 1970 les cépages caber-*

net, sauvignon, merlot, sauvignon blanc pour les vins de pays et mourvèdre à « tour de bras » pour son A.O.C. Prestige « cuvée Marquise de Spinola ».

Dans son chai où un alignement de vieux foudres entretenus avec amour vous attend, vous pourrez déguster toute une collection de vieux millésimes. De quoi faire une belle verticale de 1974 à 1988 : attention de ne pas tomber à l'horizontale.

A sa cuvée « Marquise de Spinola », à la robe légère, au nez fin, épicé mais discret, nous avons préféré ses vins de pays des « Coteaux de Murviel » marqués par des senteurs d'épices, de réglisse, de bourgeons de cassis et des tannins bien arrondis par le vieillissement qui ne laissent pas indifférents.

# Prades-sur-Vernazobre

## ▓ Domaine des Jougla

**MM. André et Alain Jougla**
34360 Prades-sur-Vernazobre
tél. 67.38.07.30.
        67.38.06.02. (heures repas)

28 hectares. Sol : schisteux et argilo-calcaire. Rouge et rosé, blanc. Vin de pays.
Prix départ cave : 20 à 30 F T.T.C.
Œnologue conseil : M. Crassus.

Sur les contreforts des Cévennes au sud de la Montagne-Noire, la famille Jougla de longue tradition vigneronne travaille la vigne avec respect depuis 1580. Terroir d'exception où le schiste flirte avec le cailloutis calcaire et les galets sablonneux. Une mosaïque de grandes parcelles où la syrah et le mourvèdre dominent, des rendements faibles par ceps donnent à ce domaine de 28 hectares cette ampleur et ce volume qui en font aujourd'hui un des ténors de l'appellation.

Son projet pour 1991 : atteindre 35 hectares en implantant les cépages nécessaires à l'élaboration d'un vin blanc de haute tenue.

Une vinification qui tient compte de la nature de ce sol si complexe. Dans un cuvier complètement rénové, des temps de macération bien maîtrisés, le verre à la main, donnent des produits à forte personnalité et d'une grande originalité structurelle et aromatique.

Domaine des Jougla 1988 : un bijou dans un écrin : un vin à la robe grenat foncé, au nez intense, puissant, qui dévoile des arômes de poivre, de cerise, de mûre et de venaison.

En bouche, riche, complexe, généreux, rond et ample, il confirme les notes sauvages perçues à l'olfaction. Une touche de vanille laisse transparaître l'élevage en foudre.

A noter pour 1990 : la naissance d'une cuvée signée actuellement en vieillissement en barriques neuves.

# Puisserguier

## ▓ Château Milhau-Lacugue

**MM. Lacugue, ♦**
34620 Puisserguier
tél. 67.30.75.38.

34 hectares dont 18 en A.O.C. Sol : argilo-calcaire. Rouge, rosé, blanc A.O.C. et vins de pays de Fontcaude.
Prix départ cave : 20 à 40 F T.T.C.
Œnologue conseil : M. Elisabelar.

Un domaine rempli d'histoire à proximité de l'abbaye de Fontcaude, bordé depuis 1439 par des pierres frappées de la croix des Templiers.
Cette ancienne métairie des Chevaliers de Malte est depuis 20 ans la propriété de Joseph et Emilienne Lacugue.

*Avec leur fils Jean, œnologue, ils élaborent des vins rouges et rosés dont ils sont très fiers et même un vin de pays blanc de chenin, cépage blanc des bords de Loire qu'ils ont acclimaté à la région.*

CHÂTEAU
MILHAU-LACUGUE
1986
SAINT CHINIAN
APPELLATION SAINT-CHINIAN CONTROLEE
12% vol  Cuvée Prestige  75 cl
MIS EN BOUTEILLE AU CHATEAU
Mme E. LACUGUE, PROPRIETAIRE-VIGNERON - 34620 PUISSERGUIER - FRANCE

PRODUCT OF FRANCE

*La culture est traditionnelle, tout au labour, la vendange manuelle est triée avant d'être encuvée cépage par cépage. Les rouges sont élevés dans le bois. On pourra déguster chez eux de vieux millésimes à la robe tuilée, au nez finement évolué, très bien équilibré en bouche, où des notes de cannelle se dévoilent en finale.*
*Le rosé, souvent récompensé, dans les tons pétale de rose, a un nez intense et frais, en bouche les arômes fruités et floraux sont bien marqués. C'est un vin généreux, vif, désaltérant qui se termine sur une note de fraîcheur.*

# Quarante

## ▦ Domaine de Roueire

**Cave des Coteaux de Roueire**
34310 Quarante
tél. 67.89.40.10.
67.89.49.22.

3 000 hectares. 300 000 hl dont 10 000 hl en bouteilles.
Prix départ cave : A.O.C. : 15 à 20 F T.T.C.
Vins de cépages : 12 à 18 F T.T.C.
Vins de pays : 11 à 13 F T.T.C.
Président : M. Lautie.
Directeur : M. Houles.

Œnologues conseil : Mme Sabine Julien, M. Elisabelar.

*Sur la commune de Quarante, à l'ouest de l'appellation, quatre caves coopératives (Creissan, Maureilhan, Puisserguier, Quarante) décident de créer en 1973 une Union de cave des Coteaux Roueire-Viste, qui fut agréée en 1978. Elle se réalise pleinement au domaine de Roueire devenu aussi un complexe touristique remarquable par son architecture et son concept.*
*Vous serez reçu dans un caveau superbement étudié pour le monde du vin dans lequel vous sera présentée une jolie gamme de produits : séduisants, plaisants, fruités, complexes, structurés. Des A.O.C. Saint-Chinian — rouge, des vins de cépages (merlot, cabernet, sauvignon — rosé et rouge —, syrah...), des vins de pays — blanc, rosé, rouge.*

# Roquebrun

## ▦ Cave Les Vins de Roquebrun

34460 Roquebrun
tél. 67.89.64.35.

400 hectares.
Sol : 100% schiste.
Onze références : rouge, rosé, blanc. A.O.C. St-Chinian.
Carthagène.
Prix départ cave : 16 à 42 F T.T.C.
Directeur et œnologue : Alain Rogier.
Président : M. Mailhac.
Caveau de dégustation ouvert du lundi au samedi 8 h - 12 h, 14 h - 18 h, le dimanche en juillet et août.

*Roquebrun « Le petit Nice du Languedoc », magnifique village où toutes les maisons « se lovent » contre le flanc de la montagne.*
*Fier, il regarde le Sud et bénéficie d'un climat fort doux où les rutacées et les myrtacées se régalent de pousser.*

*Créée en 1967, la cave fut bâtie pour répondre aux exigences technologiques de la macération carbonique. Comme précise le dynamique M. Ogier, « il faut être excellent dans ce que l'on fait avant de faire autre chose ».*

*Vinification en cépages séparés à partir de vignes sélectionnées en fonction de leur expression terroir, de leur exposition et de leur aptitude à la qualité, c'est le secret de la réussite de cette très belle cuvée Prestige.*

*Le pourpre éblouissant de ce vin produit sur ce schiste exceptionnel nous impressionne d'emblée favorablement. Son nez complexe de fruits mûrs et confits avec une touche d'épices nous séduit. En bouche, sa puissante structure tannique laisse présager une bonne évolution dans le temps.*

# Saint-Chinian

## ▓ Clos Bagatelle

**Henri et Marie-Françoise Simon,**
34360 Saint-Chinian
tél. 67.93.61.63.
    67.38.04.23.

35 hectares.
Sol : argilo-calcaire.
Rouge, rosé, blanc, muscat Saint-Jean-de-Minervois.
Prix départ cave : 21 à 30 F T.T.C.

*Le clos Bagatelle, joli domaine entouré de murailles sur les hauteurs de Saint-Chinian, reflète bien la passion de Marie-Françoise et Henri Simon.*

*Un vignoble entièrement remodelé privilégiant la syrah et le mourvèdre, un cuvier où les vieux foudres côtoient une batterie de cuves en acier inoxydable, un caveau de dégustation joliment aménagé, un musée de la vigne, un chai d'élevage en barriques bourguignonnes, montrent bien que cette famille de tradition s'accommode parfaitement de la nouvelle technologie.*

*Ces vignerons ont également créé en 1979, en défrichant la garrigue et en concassant les cailloux, un vignoble de 8 ha sur l'aire de production du muscat de Saint-Jean-de-Minervois.*

*Comme ils le disent si bien eux-mêmes : ce métier, « nous l'avons dans les tripes, au plus profond de nous ».*

*Les vins rouges d'A.O.C. Saint-Chinian, s'ils ont beaucoup de charmes dans leur jeunesse avec des senteurs réglissées, poivrées, des parfums de sous-bois généreux, sont à laisser vieillir car charpentés et pleins de sève, ils évolueront de façon fort élégante.*

*Le muscat Saint-Jean-de-Minervois est étonnant ; une belle robe jaune d'or, des arômes élégants de miel sauvage, de thym et d'amande amère en font un produit harmonieux.*

*Long en bouche, il laisse l'impression d'un bon équilibre onctueux.*

## ▓ Château La Dournie

**G.F.A. La Dournie,** ♦
34360 Saint-Chinian
tél. 67.38.00.37.

52 hectares dont 22 en A.O.C.
Sol : schiste sur les coteaux.
A.O.C. et vins de pays.

Rouge et rosé.
Prix départ cave : 20 à 30 F T.T.C.
Œnologue conseil : M. Natoli.

*En direction de Mazamet, à un kilomètre de Saint-Chinian, sur le site d'une ancienne draperie royale, nous découvrons ce qui reste du château La Dournie, un pigeonnier du XIXᵉ siècle et une bergerie qui porte la date de 1675.*

*On ne peut pas faire le métier sans amour, nous disent Henri et Annick Etienne, héritiers depuis 25 ans de cinq générations de vignerons.*

*Le vignoble (52 ha sur les 80 du domaine) s'étend en A.O.C. sur les sols schisteux du mont de la Grage et pour les vins de pays, de part et d'autre d'un petit cours d'eau : le Vernazobre.*

*Un vignoble à vocation de rouge : Annick Etienne, consciente de ses responsabilités, entreprend une formation d'œnologie pour assurer pleinement la vinification et élaborer avec passion les vins du château La Dournie.*

*Ils se présentent à vous dans une robe légère et séduisante ; au nez épanoui s'exhalent des senteurs végétales intéressantes. En bouche, élégants, équilibrés, ils terminent sur des notes réglissées.*

## ▨ Domaine des Pradels - Le Priou

**Roger et Armelle Quartironi,** ♦
34360 Saint-Chinian
tél. 67.38.01.53.

10 hectares.
Sol : 100% schiste.
Rouge et rosé.

Prix départ cave : 20 F T.T.C.
Œnologue conseil : M. J.-P. Escorne.

*Roger et Armelle, amoureux de leur métier d'artisan vigneron, sont à l'écoute des vins issus de leur terroir de schiste.*

*Héritiers d'un vignoble de 10 ha, ils ont le respect d'une culture traditionnelle et d'une vinification classique pour l'ensemble des cépages hormis le carignan qui est vinifié en macération carbonique.*

*Conscients et exigeants, ils concentrent leurs efforts sur l'élevage en vieux foudres de chêne avant la mise en bouteilles.*

*Pour l'avenir, ils cherchent à améliorer la cave de stockage et de vieillissement.*

*En dégustation, leur vin d'une robe rubis foncé, brillante nous séduit favorablement. Le nez est fruité et minéral. En bouche, généreux avec des tannins bien présents légèrement boisés, il se prolonge agréablement.*

*Ne demande pas à vieillir.*

# Saint-Nazaire-de-Ladarez

**M. Jacques Madalle,** ♦
34490 Saint-Nazaire-de-Ladarez
tél. 67.89.62.64.

17 hectares. 100% schiste. Rouge, rosé.

Prix départ cave : 18 à 30 F T.T.C.
Œnologue conseil : M. Jean Natoli.

*Saint-Nazaire-de-Ladarez, zone schisteuse de l'appellation Saint-Chinian où le soleil joue avec les rondeurs des coteaux pour en accentuer le relief.*

*Depuis deux générations, la famille Madalle travaille ce vignoble de 17 ha avec l'intelligence et le bon sens du terrien respectueux de son milieu.*

*Dans cette situation, les rendements faibles à l'hectare où la syrah et le mourvèdre exaltent toute leur puissance aromatique offrent des vins puissants et structurés.*

*De vinification traditionnelle, chaque cépage est élaboré séparément pour parvenir à son expression optimum.*

*L'extraction est recherchée pour développer les corps gras nécessaires à la rondeur de leurs vins.*

*Les produits, après un long et patient travail d'assemblage, éprouvettes et verres à l'appui, trouvent leur épanouissement dans de vieux fûts de 50 hl.*

*Pour Germaine et Jacques Madalle, l'amour de leur pays et la liberté n'ont pas de prix. Ils nous reçoivent merveilleusement dans leur caveau de roche schisteuse où il fait bon savourer leurs millésimes anciens.*

**Saint-Chinian,** voir aussi :
— Vins de pays de l'Hérault : la Grange des Quatre-Sous.

# Les vins de pays

Les vins de pays, tels qu'ils ont été définis en 1979, constituent une catégorie de vins avec laquelle il faut de plus en plus compter. En 1988 leur production a frôlé les 7 millions d'hectolitres dont près de 70% dans le seul Languedoc-Roussillon.

Qu'est-ce qu'un vin de pays ? D'abord, il n'y a pas un vin de pays, mais des vins de pays appartenant à trois catégories :

• Les vins de pays de zone : on en compte 62 en Languedoc-Roussillon. Leur aire de production peut s'étendre sur une ou, cas le plus fréquent, plusieurs communes.

• Les vins de pays à dénomination départementale : ils sont au nombre de quatre (Aude, Hérault, Gard et Pyrénées-Orientales). Comme leur nom l'indique ils sont produits à l'intérieur d'un département.

• Les vins de pays à dénomination régionale : le Midi n'en compte qu'un, le vin de pays d'Oc dont l'aire s'étend sur les quatre départements viticoles du Languedoc-Roussillon.

Tous ont en commun des règles de production précises. Et d'abord un rendement limité (à 90, voire 80 hl/ha dans le cas des vins de pays de zone). Seuls peuvent être utilisés les cépages recommandés : exit donc les aramons, hybrides et autres variétés pisse-vin. Les vins de pays doivent en outre respecter des normes analytiques strictes et ne sont agréés qu'après dégustation. La législation européenne, après les avoir longtemps rangés dans la catégorie « vin de table », vient en 1989 de les autoriser à ne plus mentionner cette appartenance sur les étiquettes. Les vins de pays se positionnent donc comme des vins de qualité provenant d'une zone géographique précise (mais ils n'ont pas droit à l'appellation d'origine). Ils se distinguent donc nettement des V.C.C. (Vins de consommation courante) dont ni les rendements, ni l'encépagement, ni bien sûr l'origine géographique ne sont contrôlés.

Le développement de la production de vins de pays en Languedoc-Roussillon s'inscrit dans l'évolution du marché. Les volumes commercialisés augmentent en effet car ce type de vin répond au désir d'un nombre croissant de consommateurs de boire des vins personnalisés dont la provenance est clairement indiquée. On peut toutefois se demander si les vignerons méridionaux n'ont pas poussé un peu loin leur volonté de se démarquer de leurs voisins : comment s'y retrouver dans cette liste impressionnante ?

| | | |
|---|---|---|
| Aude | Vin de pays de l'Aude | 1 300 000 hl |
| | Coteaux de Miramont | 69 000 hl |
| | Littoral audois | 25 000 hl |
| | Coteaux du Lézignanais | 32 000 hl |
| | Coteaux de la Cabrerisse | 17 000 hl |
| | Hauterive en pays d'Aude | 23 000 hl |
| | Côtes de Lastours | 12 000 hl |
| | Haute vallée de l'Aude | 32 000 hl |
| | Val de Cesse | 25 000 hl |
| | Vallée du Paradis | 38 000 hl |
| | Coteaux de Peyriac | 334 000 hl |
| | Côtes de Prouilhe | 600 hl |
| | Cucugnan | 5 500 hl |
| | Côtes de Pérignan | 19 000 hl |
| | Hauts de Badens | 2 200 hl |
| | Coteaux de Narbonne | 15 500 hl |
| | Coteaux de la Cité de Carcassonne | 40 000 hl |
| | Coteaux du Termenes | 2 000 hl |
| | Val d'Orbieu | 43 000 hl |
| | Val de Dagne | 10 000 hl |
| | Torgan | 9 000 hl |
| Gard | Vin de pays du Gard | 572 000 hl |
| | Mont Bouquet | 43 000 hl |
| | Coteaux flaviens | 27 000 hl |
| | Uzège | 18 000 hl |
| | Serre de Coiran | 3 600 hl |
| | Coteaux de Cèze | 11 000 hl |
| | Coteaux cévenols | 6 500 hl |
| | Côtes du Salavès | 16 000 hl |
| | Coteaux du Pont du Gard | 40 000 hl |
| | Vaunage | 2 200 hl |
| | Côtes du Vidourle | 18 000 hl |
| | Sables du Golfe du Lion | 175 000 hl |
| | Vistrenque | 370 hl |
| | Val de Montferrand | 0 hl |

Hérault

| | |
|---|---:|
| Vin de pays de l'Hérault | 1 040 000 hl |
| Côtes de Thau | 46 000 hl |
| Bérange | 6 800 hl |
| Bessan | 11 000 hl |
| Coteaux de Foncaude | 22 000 hl |
| Caux | 17 000 hl |
| Coteaux du Libron | 58 000 hl |
| Coteaux d'Ensérune | 18 000 hl |
| Collines de la Mourre | 95 000 hl |
| Vicomté d'Aumelas | 20 000 hl |
| Coteaux du Salagou | 5 200 hl |
| Mont Baudille | 13 000 hl |
| Côtes du Céressou | 3 600 hl |
| Mont de la Grage | 1 200 hl |
| Pézenas | 5 500 hl |
| Cessenon | 650 hl |
| Côtes du Brian | 44 000 hl |
| Val de Montferrand | 34 000 hl |
| Ardailhou | 14 000 hl |
| Gorges de l'Hérault | 5 500 hl |
| Haute vallée de l'Orb | 550 hl |
| Cassan | 14 000 hl |
| Bénovie | 10 000 hl |
| Côtes de Thongue | 43 000 hl |
| Coteaux de Laurens | 21 000 hl |
| Coteaux de Murviel | 33 000 hl |
| Coteaux de Bessilles | 12 000 hl |

Pyrénées-Orientales

| | |
|---|---:|
| Vin de pays des Pyrénées-Orientales | 168 000 hl |
| Val d'Agly | 15 000 hl |
| Coteaux des Fenouillèdes | 14 000 hl |
| Catalan | 114 000 hl |
| Côtes catalanes | 59 000 hl |
| Côte vermeille | 61 hl |

| | |
|---|---:|
| Vin de pays d'Oc | 350 000 hl |

Rares sont les vins de pays de zone dont la production dépasse 100 000 hl : Coteaux de Peyriac, sables du golfe du Lion, vin de pays catalan. A chaque fois cela s'explique par le dynamisme de la structure qui les commercialise : Chantovent, les Salins du Midi (marque Listel) et les Vignerons catalans. A côté de ces trois succès (et de quelques autres) bon nombre de vins de pays font pâle figure. Il est clair qu'un peu d'ordre ne ferait pas de mal. La redéfinition du vin de pays d'Oc en 1987 (cette dénomination s'étendait auparavant très largement au-delà des limites du Languedoc-Roussillon) peut être considérée comme un premier pas dans cette direction. D'autres suivront certainement dans les années à venir.

Les vins de pays du Languedoc-Roussillon n'en présentent pas moins dès à présent un grand intérêt qui provient pour une large part de la souplesse de leur réglementation en matière d'encépagement. En rouge, vous trouverez des assemblages insolites de merlot, de cabernet sauvignon, de syrah, de grenache, de carignan, de mourvèdre, de pinot pourquoi pas. En blanc vous tomberez sur du sauvignon, du chardonnay mêlés à du grenache blanc, du maccabeu, de l'ugni blanc... Certains de ces vins sont d'ailleurs élaborés à partir d'un seul cépage : on les appelle alors « vin de cépage ».

Signalons pour terminer l'existence de vins de pays primeurs dont la production dépasse depuis 1989 les 100 000 hectolitres. Leur sortie est en général fixée au troisième jeudi d'octobre.

## Vins de pays de l'Aude

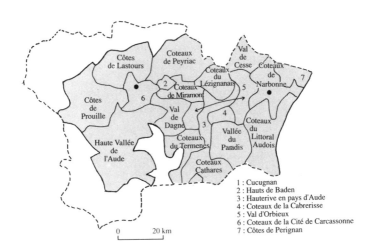

1 : Cucugnan
2 : Hauts de Baden
3 : Hauterive en pays d'Aude
4 : Coteaux de la Cabrerisse
5 : Val d'Orbieux
6 : Coteaux de la Cité de Carcassonne
7 : Côtes de Perignan

0    20 km

# Aude

# Cepie

## ▦ Domaine Laurent Maugard

MM. **Roger et Christian Laurent, ◆**
11300 Cepie
tél. 68.31.33.85.
    68.31.21.41.

35 hectares. Sol : argileux et caillouteux sur coteaux, A.O.C. Blanquette de Limoux et méthode ancestrale. V.D.Q.S. Côte de la Malepère. Vins de pays rouge et rosé. Chardonnay.
Prix départ cave : 13 à 32 F T.T.C.
Œnologue conseil : M. Sanchez.

*De 4 hectares de vignes, Roger et Christian Laurent exploitent aujourd'hui un domaine morcelé de 35 hectares.*

*Leur première mise en bouteilles date de 1984 avec la méthode ancestrale et les vins de pays. En cinq ans, ils s'emploient à tout réorganiser, ils agrandissent la cave, et plantent les cépages merlot et cabernet sauvignon pour répondre aux besoins toujours croissants.*

*Ils proposent pour 1990 de nouveaux produits ; un chardonnay en vin tranquille et un V.D.Q.S. Côtes de la Malepère.*

*La cuvée du domaine Laurent Maugard de cépage merlot est un vin très élégant. Ses parfums subtils et délicats se mêlent aux notes plus marquées de cassis. En bouche, il dévoile son avenir par sa fraîcheur et sa structure où se répètent les arômes perçus.*

# Cuxac-d'Aude

## ▦ Cave Coopérative de Germinian

11590 Cuxac-d'Aude
tél. 68.33.40.42.

700 hectares. Sol : limoneux et cailouteux en coteaux. Vins de pays de cépage rouge, blanc, vins de pays des coteaux de Narbonne rouge, rosé et blanc.
Prix départ cave : 9,50 à 25 F T.T.C.
Directeur et œnologue : M. Serge Dubois et laboratoire Dubernet.

*Dans un joli petit village du XIIᵉ siècle, cette cave coopérative créée en 1935, résolument tournée vers le modernisme, a pris le virage de la qualité.*
*Sous l'impulsion de son directeur œnologue, Serge Dubois, et de son président Christian Gailhau, grâce à des installations sophistiquées, la cave de Germinian élabore des vins originaux qui répondent à la demande.*
*L'encépagement est de qualité. Le raisin est rigoureusement sélectionné grâce à un quai de réception de vendange permettant douze choix simultanés. La vinification est mixte depuis l'installation d'un atelier de macération carbonique.*
*Certaines cuvées passent dans le bois et sont élevées dans un chai où trônent 200 barriques et 14 vieux foudres.*
*Tout ceci nous permet d'apprécier une importante palette de bons produits tel un blanc de chardonnay vinifié et élevé en barrique. Le nez est complexe, intense, aux senteurs de fruits exotiques, finement vanillé. Bien équilibré, rond et nerveux, il termine sur une bonne persistance aromatique.*
*A noter : ils commercialisent une boisson à base de vin aromatisée à l'abricot baptisée « Abricotine ».*

## ▨ Domaine de Rabbes

**M. Herail**
11590 Cuxac-d'Aude
tél. 68.33.40.29.

120 hectares dont 80 en vignes.
Sol : très caillouteux. Vins de pays
rouge, rosé, blanc.
Prix départ cave : moins de 15 F
T.T.C.
Œnologue conseil : M. Dejean.

*Le domaine de Rabbes, un patrimoine*
*familial géré par M. Herail, responsa-*
*ble du G.F.A.*
*Situé à mi-chemin de Capestang et*
*Cuxac-d'Aude, cet important vignoble*
*couvre un terroir d'alluvions du qua-*
*ternaire, et ne permet pas de gros ren-*
*dements.*
*M. Herail, cet homme charmant, nous*
*exprime sa conviction et son amour*
*pour la vigne et le vin.*
*Il se plaît à dire qu'il élabore des « vins*
*de coteaux plats ».*
*Son rosé de cabernet joli à l'œil, nous*
*séduit par sa franchise et la finesse de*
*ses arômes de fruits mûrs, il persiste*
*agréablement.*
*Le rouge élevé pendant deux ans dont*
*une année sous bois est très expressif,*
*il allie fraîcheur et générosité. Bien*
*équilibré et rond en bouche, il mérite*
*toute notre attention.*
*Si par hasard vous passez par là,*
*arrêtez-vous. Vous pourrez admirer*
*dans une vieille cave traditionnelle*
*l'alignement de gros foudres ventrus de*
*430 hectolitres.*

# Moussan

## ▨ Cave Coopérative « L'Avenir »

11120 Moussan
tél. 68.93.61.22.

520 hectares. Sol : sablonneux et
semi-coteaux caillouteux. Vins de
pays coteaux de Narbonne. Vins
de pays de cépage.

Prix départ cave : 8 à 12 F T.T.C.
Œnologue conseil : M. Estibales.

*Dans le monde des coopératives, la cave*
*de « l'Avenir » ne veut plus regarder*
*vers le passé.*
*Actuellement si les cépages tradition-*
*nels sont encore majoritaires, ils sont*
*en constante régression, remplacés par*
*le merlot, le cabernet sauvignon, la*
*syrah, le mourvèdre et le chardonnay.*
*Avec la sélection au terroir, les inves-*
*tissements en matériel de froid,*
*M. Pepy, le président, et M. Vera, le*
*directeur, veulent mettre toutes les*
*chances de leur côté pour devenir des*
*producteurs dont on reparlera dans les*
*prochaines années.*
*Ils nous proposent actuellement un vin*
*de pays rouge Coteaux de Narbonne,*
*gouleyant, qui présente de beaux arô-*
*mes fruités. La syrah donne une tou-*
*che particulière à ce vin léger au*
*bouquet agréable.*
*Le merlot sélection terroir est un vin*
*équilibré, charnu et bien fondu. Sa*
*structure devrait lui permettre de*
*s'épanouir pleinement.*

# Ouveillan

## ▨ Mme Hélène Gleizes

6, avenue de Saint-Chinian
11120 Ouveillan
tél. 68.46.81.68.

37 hectares. Sol : calcaire dominant. Vins de pays de l'Aude rouge,
rosé, gris, muscat sec.
Prix départ cave : 15 à 18 F T.T.C.
Œnologue conseil : Jean Natoli.

*Une exploitation de 37 hectares très*
*morcelée, située sur la route de Nar-*
*bonne à Saint-Pons.*
*Ici la qualité est une longue histoire*
*d'amour entre le vin et une femme.*
*Hélène Gleizes dut reprendre au décès*
*de son mari les destinées de l'exploi-*
*tation.*
*Chez cette femme qui vous parle de son*
*domaine comme d'une partie d'elle-*
*même, on découvre de jolies cuvées*
*issues de macération carbonique.*

« Un vin tout simple en robe du dimanche », comme le précise l'étiquette au nez fruité, délicat, doté d'une touche de cassis et de crème de framboise. La bouche est ample, avec un agréable rappel de réglisse en finale.

# Roubia

## ▩ Ets Jean Vivien

Roubia
11200 Lézignan-Corbières
tél. 68.43.21.72.

30 hectares. Sol : argilo-calcaire. Vins de pays rouge et rosé. Prix départ cave : 14 à 22 F T.T.C. Œnologue conseil : Catherine Tournier.

C'est la meilleure vigne qui donne le nom de Granclaus au domaine. La famille Vivien est vigneronne par tradition. Jean et ses deux fils Jacques et Gérard décident en avril 1989 de commercialiser leur production en bouteilles.

Chez nous, tout est récent, disent-ils... animés de cette soif d'entreprendre, ils restructurent le vignoble, reconstruisent la cave, créent une entreprise de travaux agricoles et préparent un caveau pour recevoir.

Outre la cuvée Jean Vivien merlot, toute en finesse et en rondeur, ils nous présentent la cuvée Granclaus issue de cabernet sauvignon, élevée sous bois. Un joli vin pourpré. Il révèle le doigté du vinificateur par sa structure et sa longueur en bouche. Très complexe, il livre des arômes de petits fruits rouges aux notes de sous-bois.

# Gard

Coteaux Cévenol
Coteaux de Cèze
Serre du Coiran
Coteaux du Pont Du Gard
Mont Bouquet
Uzège
Coteaux du Salaves
Salaves
Côtes du Vidourle
Nîmes
Vaunage
Vistrenque
Coteaux Flaviens
Sables du golfe du Lion
0    10 km

# Aigues-Mortes

## ■ Domaine du Petit Chaumont

**M. Alain Bruel,**
30220 Aigues-Mortes
tél. 66.53.60.63.

Superficie : 180 hectares dont 107 en vigne.Sol : sables. Vins de pays du golfe du Lion rouge, rosé, gris et blanc.
Prix départ cave : 12 à 18 F T.T.C.
Œnologue conseil : M. Alain Kaneko.

*Homme de technique et d'expérimentations, brevetant une tête de récolte pour machine à vendanger, M. Alain Bruel exploite avec ferveur son domaine. Passionné par la vigne et le vin, désirant toujours le meilleur, il restructure en quinze ans 80% de l'encépagement de son vignoble.*
*Entouré par de nombreux et compétents professionnels du vin, il élabore d'excellentes « œuvres d'art », nous dit-il, ce qui lui vaut un partenariat avec la Maison JeanJean.*
*Ce vigneron, qui croit en son métier, ne veut pas faire de son exploitation un « trust » du vin mais sensibiliser le consommateur par le côté artisanal et culturel de son produit.*
*Très ouvert aux contacts, n'admettant pas la tricherie avec les gens, il n'a pas peur de se confronter à ses voisins et organise de nombreuses dégustations. Fondamentalement convivial, ses qualités humaines lui valent d'être président de la Fédération régionale des caves particulières et vice-président au niveau national.*
*Il vous propose des cuvées fraîches et charmantes à savourer l'été entre amis sous une tonnelle.*
*Le gris de gris très limpide attaque en souplesse, et laisse une agréable sensation fruitée.*
*Le blanc de sauvignon, clair et brillant, exhale de délicates senteurs de fleurs blanches sur fond d'agrumes. Ce vin fruité très sympathique se révèle tout*
*à fait digne de ce terroir particulier des sables.*

## ■ Domaines viticoles des Salins du Midi

68, cours Gambetta
34063 Montpellier
tél. 67.58.23.77.

Prix de vente magasin :
• Listel gris : 13 à 15 F.
• Château de Malijay : 16 à 19 F.

*« Le sel et le vin... A priori, rien ne laissait deviner que leurs destinées se croiseraient ailleurs que sur une table bien garnie, et pourtant... »*
*Créée en 1856, la Compagnie des Salins du Midi acquiert les grands domaines viticoles de la compagnie à la fin du XIXᵉ siècle. Détruit par la Seconde Guerre mondiale, le vignoble est entièrement reconstruit. A l'heure actuelle, il s'étend sur 1 800 hectares dont :*
*— En Languedoc, 1 400 hectares de vignobles de sable composés des domaines de Jarras, Bosquet, Saint-Jean-La-Pinède, Daladel, Soult, Sylve, Villeroy.*
*— En Provence, deux domaines classés en appellation : Château de la Gordonne (A.O.C. Côtes de Provence), Abbaye de Saint-Hilaire (V.D.Q.S. Coteaux Varois).*
*— Et en Côtes du Rhône, le Château de Malijay.*
*Les parcelles de ces vignobles ont été restructurées pour favoriser la mécanisation : tracteurs enjambeurs et machines à vendanger.*
*C'est dans une cave d'une capacité de 410 000 hectolitres avec des cuves métalliques thermorégulées associant des méthodes principalement physiques à la technologie de pointe que sont vinifiés les raisins.*

*Avec trois chaînes d'embouteillage, les Salins du Midi commercialisent plus de 40 millions de bouteilles par an. Leurs vins sont principalement connus sous le nom de Listel ou Billette, Listel étant une marque déposée et non une appellation d'origine contrôlée.*

*Dans cette gigantesque entreprise, les vins fins sont élevés dans de grands foudres de chêne que vous admirerez dans « l'immense cathédrale du vin » du domaine de Jarras. C'est aussi le premier propriétaire récoltant de France qui utilise le meilleur de la technique et conserve le meilleur de la tradition pour une qualité toujours à l'ordre du jour.*

*Le Listel blanc de blanc sur lie est né d'une trilogie de trois cépages où chacun exprime sa typicité, le carignan blanc, sa force de caractère, l'ugni blanc sa souplesse, le sauvignon, sa fraîcheur et sa puissance aromatique dans un tout où la nervosité donne le ton.*

*Le Listel blanc de blancs du Domaine de Villeroy se présente vif et fruité. La rondeur perçue est apportée par le bon élevage sur lie fine.*

*Enfin, au domaine de Jarras, vous dégusterez le Listel gris vedette incontestée de cette gamme, ce gris qui a un grain clame haut et fort la renommée de cette Maison plus que centenaire.*

*Œnologue conseil : Claude Espeillac.*

*Située au pied des très beaux remparts, l'Union de la baie d'Aigues-Mortes dont le siège social se tient à la cave des Sablons est une des plus importantes unités de production de vins de pays des sables avec son partenaire de choc : « Les Salins du Midi ».*

*Résolument tournée vers des produits de qualité, de très importants moyens techniques sont les garants de la fiabilité des produits proposés sous la marque « Dune ».*

*Aujourd'hui, grâce à un très lourd investissement et la volonté féroce des dirigeants, nous dit M. Bruchet, responsable administratif du groupement, ils ont réussi l'impossible.*

*Leur secret réside dans un bon état sanitaire du raisin, beaucoup de propreté, une vinification bien menée grâce à la haute technologie allant des groupes de froid permettant la régulation des températures, au pressoir pneumatique dernier cri, en passant par une cuverie en acier inoxydable, jusqu'à la puissante centrifugeuse.*

*Optimiser les arômes provenant du raisin et de la fermentation est le but atteint dans leur gris qui exhale le fruité et la finesse caractéristique de ce type de vin.*

*Le blanc de sauvignon qui vient d'obtenir les médailles d'or au Concours général de Paris présente des notes aromatiques typiques du cépage préexistantes dans le raisin. Il a fallu toute l'intelligence du vinificateur et une parfaite technique pour avoir saisi ces composés volatiles très odorants au fruité caractéristique.*

## ▓ Cave Les Sablons

Union de la Baie d'Aigues-Mortes
30220 Aigues-Mortes
tél. 66.53.75.20.

Superficie : 1 300 hectares. Sol : sable. Vins de pays des sables du golfe du Lion blanc, rosé, gris, rouge.
Prix départ cave : 13,50 F T.T.C.

# Aimargues

## ▓ Domaine de Valescure

M. **Patrick Guiraud,**
30470 Aimargues
tél. 66.88.03.77.

Superficie : 38 hectares. Sol : argilo-limoneux. Vins de pays du Gard

rouge, rosé et blanc.
Prix départ cave : 9,50 à 17 F T.T.C.
Œnologues : Patrick Guiraud lui-même et Michel d'Abrigeon.

*Sur la route des plages, non loin d'Aimargues, au lieu dit Valescure s'étend le domaine du même nom.*
*Dans cette plaine baignée de lumière et de soleil, Patrick Guiraud, œnologue de son état, exerce le passionnant métier de vigneron. « Parce que la région est considérée avec des a priori », nous dit-il, ce battant se donne à fond dans son travail afin de créer une notoriété basée sur la qualité de ses produits.*
*Avec une volonté de réussir à tout prix, il décide de renouveler entièrement son vignoble et implante de nobles cépages. Dans deux caves très bien équipées, il vinifie avec art et passion en respectant l'intégralité du grain de raisin.*
*Son système de réception lui permet de mettre en cuve des raisins entiers et de conserver ainsi tout le potentiel aromatique variétal.*
*Une parfaite extraction de la couleur et des arômes, une bonne maîtrise des températures de fermentation, une macération pelliculaire pour les raisins blancs donnent naissance à d'excellents vins. Très prisées à l'étranger, ces cuvées sont essentiellement exportées, mais n'ayez crainte, au domaine Valescure, vous trouverez toute sa gamme de produits.*
*Responsable de la commission vin au sein du C.D.J.A. (Centre départemental des jeunes agriculteurs), Patrick Guiraud assure à tous les niveaux un travail d'équipe.*
*Son chardonnay nous envahit par ses senteurs florales et exotiques. Vif et plein, élégant et équilibré, il dévoile tout le savoir-faire de son serviteur.*
*Quant à son rouge né de l'assemblage de trois cépages, il nous comble par la richesse de sa chair et la puissance des arômes. Des cuvées à garder jalousement.*

# Aspères

## ■ Les Vignerons d'Aspères

30250 Aspères
tél. 66.80.01.23.

Superficie : 350 hectares. Sol : silex.
Vins de pays rouge et rosé. Vins de pays d'Oc.
Prix départ cave : 10 à 14 F T.T.C.
Œnologue : M. Draperi, le directeur.
Président : M. Calmet.

*Aux confins sud-ouest du département gardois, le petit village d'Aspères jouit d'un sol où « le goût du terroir » prend toute sa dimension.*
*Ici, les vignerons ont pris conscience de leur fabuleux patrimoine et décident de le mettre en valeur. La cave complètement rééquipée permet à son jeune directeur de conjuguer au présent technologie et technicité pour l'avenir des cuvées élaborées.*
*Le résultat est étonnant, tant au niveau de la puissance et de la richesse aromatique, qu'au niveau de la structure.*
*Apprenez à les mettre en bouche. Qu'ils se nomment cabernet sauvignon ou syrah, le charnu de ces vins enveloppe merveilleusement l'espace gustatif où les épices et la réglisse se fondent aux notes minérales. A suivre... de près.*

## ■ Cellier du Mas Montel

M. **Marcel Granier,**
30250 Aspères
tél. 66.80.01.21.

Superficie : 28 hectares. Sol : argilo-calcaire caillouteux. Vins de pays du Gard, Vins de pays d'Oc rouge, rosé et blanc de chardonnay.
Prix départ cave : 15 à 25 F T.T.C.
Œnologue : Jean-Philippe Granier.

*Le mas Montel, assis sur des coteaux caillouteux, est une véritable symphonie de couleurs.*
*Témoin d'un passé lourd d'histoire, localisé autour des ruines d'une*

*ancienne abbaye bénédictine, le domaine mérite une attention toute particulière.*

*Marcel Granier et ses deux fils Dominique et Jean-Philippe ne sont pas peu fiers de leur propriété. A juste titre, puisqu'ils vinifient leurs vins comme des grands crus, et se situent parmi les ténors de la région.*

*La noble tradition, rappelée par un alignement de beaux foudres où chacun a son histoire, se combine à des installations techniques les plus modernes, ce qui explique l'incontestable qualité des vins du domaine.*

*Ajoutez à cela le souci permanent de la recherche de la perfection, sans oublier le plaisir de recevoir, la fierté d'être vigneron en cave particulière et le savoir-faire technique de Jean-Philippe, œnologue, et vous comprendrez mieux la grande qualité des produits qu'ils veulent comme étant « le complément d'un bon mets, véritable gourmandise liquide qui ravit le consommateur ».*

*Au cellier, à côté de flacons tous plus aromatiques les uns que les autres, vous découvrirez la cuvée Psalmodie 1988. Ici, les Granier tiennent à conserver l'authenticité, en employant des méthodes ancestrales qui préservent la typicité du produit.*

*Une vinification très soignée où l'extraction de la couleur et des arômes donne un vin charnu, noble, très expressif, qui procure de très agréables sensations, est une des clés de la réussite du mas Montel.*

*Un tel succès leur vaudra prochainement de rejoindre la grande famille des A.O.C. « Coteaux du Languedoc ».*

Vins de pays primeur 100% syrah. Prix départ cave : 15 à 17 F T.T.C. Œnologue conseil : M. Gueganic.

*A six kilomètres au sud-est de Sommières, Aubais est un ravissant petit village né au milieu de la garrigue. C'est ici que nous rencontrons Gérard Fabre, un personnage digne des romans de Marcel Pagnol. Un vrai vigneron comme on les aime, bavard et coquin et qui parle de son métier comme d'une partie de lui-même.*

*Un vigneron certes, un artisan assurément, mais avant tout un artiste pour qui le vin est une œuvre d'art. Pour ce respectueux de la matière première, grand adepte des petits rendements, la qualité se fait toute l'année et au premier chef à la vigne. Plantés sur un sol d'argile rouge recouvert de pierraille, les ceps reçoivent les soins les plus attentionnés.*

*Fier, il peut l'être, ils sont exemplaires de beauté. La vendange venue, les raisins sont cueillis manuellement et triés sur le volet pour être apportés dans la cave très ancienne attenante au clos qui donna son nom au mas. C'est dans ce cuvier où l'inox jouxte les vieux foudres que Gérard Fabre vinifie « le temps des secrets », des cuvées à vous faire tourner la tête, « peuchère »...*

*Son cabernet sauvignon 1988 est un vin empreint d'une grande élégance où les senteurs suaves des raisins surmûris côtoient avec harmonie les nuances de poivron vert sur fond de cassis. Bien structuré, ample et rond ; les nobles tannins présagent de son bel avenir.*

# Aubais

## ▓ Clos de la Tourie

**M. Gérard Fabre, ◆**
Aubais
30250 Sommières
tél. 66.80.70.77.

Superficie : 14 hectares. Sol : argilo-calcaire. Vins de pays du Gard et

# Blauzac

## ▓ Domaine de Malaïgue

**M. Jean-Claude Reboul, ◆**
Blauzac
30700 Uzès
tél. 66.22.25.43.

Superficie : 38 hectares. Sol : argilo-calcaire de coteaux très caillouteux. Vins de pays de l'Uzège

rouge, rosé, blanc. Effervescent, jus de raisin.
Prix départ cave : 14 à 18 F T.T.C.
Œnologue conseil : M. Gérard Alméras.

*Malaïgue s'est transformé, modernisé, climatisé, rénové sans que soient bouleversés, Dieu merci, le cadre et l'atmosphère merveilleux de ce domaine, si bien rajeuni dans ses vieilles pierres. Les Templiers, à l'origine de cette bâtisse, n'y seraient pas dépaysés.*

*Jean-Claude Reboul est un homme heureux qui a un profond respect de la nature. Pour faire un produit « de confiance » nous dit-il, point n'est besoin d'engrais de synthèse, de désherbants chimiques... bien au contraire, restons naturels.*

*Membre de l'association « Nature et Progrès », il veut assurer la pérennité à travers ses vins authentiques qui ont, de tout temps, régalé des générations d'Uzéciens.*

*Confiant dans la qualité de ses vins de pays, il crée en association avec des propriétaires de Bourgogne, du Bordelais, de Champagne, des Costières de Nîmes et des Côtes de Provence une gamme de produits éclectiques et délicieux.*

*Le rosé 1988, vin de pays de l'Uzège du domaine de Malaïgue, dans sa belle robe couleur grenadine, offre un nez très frais où l'on retrouve la groseille, la framboise et le cassis.*

*Bien équilibré en bouche, sa générosité s'harmonise à la savoureuse fraîcheur des fruits exotiques et se termine sur une note légèrement épicée.*

# Bourdic

### ■ Cave Coopérative Les Collines de Bourdic

30190 Bourdic ♦
tél. 66.81.20.82.

Superficie : 1 100 hectares. Sol : argilo-calcaire. Vins de pays de l'Uzège blanc, rosé, rouge.

Prix départ cave : 10 à 12 F T.T.C.
Œnologue conseil : Gérard Almeras.

*Il y a quatre ans, la cave vendait tout au négoce, sans même commercialiser elle-même une seule bouteille.*

*Aujourd'hui, à force de travail et d'ingéniosité, grâce à l'effort consenti par les producteurs eux-mêmes sur la limitation des rendements, l'implantation de cépages nobles, et une sélection terroir rigoureuse, les vins embouteillés par la cave ne laissent personne indifférent.*

*Gilbert Foucard, le vinificateur, n'hésite pas à rechercher sans cesse la qualité aidé en cela par une palette de bons cépages : merlot et cabernet sauvignon pour les rouges, sauvignon pour les blancs. Ces plantations sont en partie financées par la cave présidée par M. Rouveyrolles.*

*Le résultat ne se fait pas attendre et la qualité des produits proposés est en constante évolution.*

*Un fin et délicat bouquet caractérise cet ugni blanc agréable et bien équilibré. Le cabernet sauvignon, d'une belle couleur dense offre des arômes complexes qui évoluent vers les petits fruits noirs et les épices. Structuré et ample, ce 1989 promet une belle bouteille.*

# Calvisson

### ■ Mas d'Escattes

**Robelin père et fils,**
30420 Calvisson
tél. 66.01.40.58.

Superficie : 23 hectares. Sol : argilo-calcaire. Vins de pays de Vaunage rouge, rosé, blanc. A.O.C. Coteaux du Languedoc dès 1990.
Prix départ cave : 10 à 20 F T.T.C.
Œnologue conseil : M. Jean-François Vrinat.

A l'extrémité nord ouest du petit village de Calvisson, le mas d'Escattes, entouré de ses 23 hectares de vignes, jaillit telle une source.

Dans ce site magnifique et sans défaut où la logique des choses et les choses de la nature se rencontrent, M. Robelin, ingénieur en génie rural, nous dit « avoir des racines qui poussent ».

Il replante et implante des cépages nobles et aromatiques qui, par la maîtrise des vinifications bien adaptées, trouvent toute l'expression de leur personnalité.

Le cabernet sauvignon 1988, d'une robe empourprée, présage par sa densité et ses nuances profondes de sa belle constitution. Au nez, il séduit par ses arômes complexes où s'allient le cassis et les épices. En bouche, il surprend par sa puissance, sa concentration et son ampleur où les tannins très présents demandent à se fondre avec le temps. Un vin et un vigneron à rencontrer et à écouter.

# Carnas

## ▓ Cave Coopérative Les Vignerons de Carnas

30260 Carnas ♦
tél. 66.77.30.76.

Superficie : 500 hectares. Sol : calcaire. A.O.C. Coteaux du Langue-doc rouge depuis 1986. Vins de pays Coteaux du Salaves rouge et rosé. Vins de pays du Gard rouge et rosé.
Prix départ cave : 10 à 14 F T.T.C.
Gérant : M. Cachatal.
Président : M. Feuillade.
Œnologue conseil : M. Laures.

Limitrophe des départements du Gard et de l'Hérault, au sud de Quissac, le petit village de Carnas possède depuis 1925 sa cave coopérative.

Il y a quelques années, les vignerons inquiets du devenir de leur situation ont décidé de prendre le virage de la qualité. Depuis dix ans donc, ils replantent vivement des cépages mieux appropriés.

De son côté, la cave s'est modernisée par l'achat de matériel technologiquement et œnologiquement performant.

Dans le caveau de dégustation tout spécialement aménagé, vous dégusterez des produits typés qui vous donneront entière satisfaction dont le vin de cépage syrah et le délicat rosé.

*D'une belle couleur chatoyante, le rouge de syrah offre une belle impression aromatique et se distingue par des nuances de violette et de subtiles notes épicées et sauvages. Une bonne rondeur et un bel équilibre en font une bouteille de caractère.*

*Le rosé, dans les tons saumonés, offre au nez de délicates senteurs d'aubépine et de fruits rouges frais. Une belle réussite dans son équilibre où la fraîcheur se fond à la rondeur.*

# Crespian

## ■ Domaine du Mas de Coste

**Les Vignerons d'Art S.C.A.**
30260 Crespian
tél. 66.77.81.87.

Superficie : 480 hectares. Sol : argilo-calcaire de texture grossière. Vins de pays du Gard rouge, rosé, blanc. Vins de cépage. A.O.C. Coteaux du Languedoc dès 1990. Prix départ cave : 11,50 à 16,50 F. Œnologue : le directeur, M. Chabanon.

*L'intitulé de cette cave et les propos tenus par son jeune directeur nous invitent à citer Pierre Poupon, bibliothécaire de la confrérie des Chevaliers du Tastevin.*

*« L'art n'est-il pas le produit de l'union d'un esprit humain avec la nature et du rêve avec la réalité ? »…*

*Un art de faire qu'ils mettent en œuvre depuis peu et qui porte déjà ses fruits. Une réalité qui les mène à restructurer le vignoble et à investir lourdement dans le cuvier où la technologie est telle, qu'ils deviennent aujourd'hui des spécialistes incontestés en matière de vins rosés.*

*Située à dix kilomètres au nord de Sommières, sur la route des Cévennes, ils vous invitent à passer un bon moment autour d'un bon verre.*

*Imaginez une coupe remplie de framboises fraîches… Cette cuvée parée de*

rose tendre en exhale tous les parfums. En bouche, l'harmonie des flaveurs nous rappelle le velours de ce fruit.

# Foissac

## ■ Cave Coopérative de Foissac

30700 Uzès
tél. 66.81.21.82.
66.22.03.10.

Superficie : 474 hectares. Sol : argilo-calcaire. Vins de pays d'Uzège rouge, rosé, blanc. Méthode traditionnelle blanc et rosé brut et demi-sec. Pétillant de raisin. Prix départ cave : 8,70 à 25,30 F T.T.C. Président : M. Pierre Fabre. Œnologue : M. Jean-Luc Laurent, le directeur.

*Ce pays au charme fou cache dans son sol un cahot géologique impressionnant. Rien en apparence ne le dénonce, pas même l'ingénieuse croisée des courbes et des pentes recouvertes de vignes. Située à l'ouest d'Uzès, l'hétérogénéité des terroirs décide de l'implantation des cépages nobles.*

*Devant ce fait, la cave détermine une politique de vins de cépage et privilégie le chardonnay, le sauvignon et la marsanne.*

*Pour Jean-Luc Laurent, « la qualité est synonyme d'harmonie, de la souche à la bouteille ».*

*Facile à dire, direz-vous… Cependant, c'est par la performance du matériel œnologique et la parfaite technicité de son vinificateur que certaines cuvées parviennent à ce niveau.*

*Belle réussite pour ces blancs qu'ils se nomment chardonnay ou sauvignon. Ils ont l'éloquence aromatique de leur variété respective. La bouche fait la différence, le premier plus rond énumère ses saveurs, le deuxième plus vif se présente avec beaucoup de délicatesse.*

# Garons

## ◼ Domaine de la Colombière

M. **Robert Barry,** ◆
R.N. 113
30128 Garons

Sol : galets roulés de Costières. Vins de pays du Gard rouge, rosé. Œnologue conseil : M. Serge Testard.

*Quel homme attachant et sympathique ! Robert Barry, vigneron, horticulteur, arboriculteur, restaurateur, trouve encore le temps de consacrer du temps à sa fidèle clientèle et de vous faire partager son amour du vin et sa passion pour la pêche au gros.*

*Propriétaire depuis cinq ans de ce beau domaine viticole, il élabore avec sérieux et beaucoup d'attention un produit vivant, magnifique expression du cépage dans ce « gress » rhodanien, terrain de prédilection de la vigne qui y puise toutes ses vertus pour les communiquer au vin.*

*La course au rendement, ce n'est pas pour lui. Ce vigneron, à la fantastique vitalité, préfère produire moins et ne pas diluer la concentration de ses produits.*

*Au bord de la R.N. 113, à la sortie de Nîmes, en direction d'Arles, Robert Barry est parvenu à créer son propre style de vin, grâce à un encépagement d'avant-garde et à des modes de vinification très proches des méthodes ancestrales.*

*Le merlot « Cuvée féria d'Or » 1988 est un vin de caractère. Non seulement expressif par sa robe et ses senteurs fruitées, il possède aussi ce qu'il faut de charnu et de gras. Avec des tannins bien fondus et d'agréables saveurs épicées, l'ensemble est fort élégant.*

*Le cabernet sauvignon « Féria d'Or » 1988 se présente paré d'une superbe couleur à la fois intense et brillante. Par son bouquet délicat, par ses saveurs complexes alliant les notes épicées aux nuances de fruits mûrs et de grillé, il possède l'élégance et la race que l'on attend de ce cépage.*

# Le Grau-du-Roi

## ◼ Domaine de la Janine

M. **Ceccarini,**
30240 Le Grau-du-Roi
tél. 66.51.41.65.

Superficie : 35 hectares de vigne. Sol : sable de bord de mer. Vins de pays des sables du golfe du Lion gris de gris et rouge. Prix départ cave : 14 F T.T.C. Œnologue conseil : M. Kaneko.

*Très joli domaine de 217 hectares au total dont 35 sont recouverts de vigne. Sur ce vignoble de bord de mer, exposé plein sud, les cépages méridionaux se développent à merveille.*

*Propriété familiale, le domaine de la Janine est dirigé par M. Ceccarini. Avec son régisseur M. Della Santina, il vinifie dans un cuvier entièrement réaménagé des vins appréciés par les*

milliers de touristes venus profiter de la mer et du soleil dans la pittoresque cité balnéaire du Grau-du-Roi.
Commercialisés par les Ets Jeanjean, les vins de pays des sables du golfe du Lion du domaine sont élaborés dans le souci constant de rechercher une qualité toujours meilleure.
Le « gris de gris », caractéristique de son type, bien équilibré, offre toute une palette de saveurs fruitées. Fin et harmonieux en bouche, il se révèle gourmand.

sur des versants favorables à la bonne maturité des raisins. Et parce qu'il aime recevoir, il aménage un caveau dans son cuvier vieux d'un demi-siècle où il élabore de délicieuses cuvées.
Le rouge bien équilibré, rond, à la charpente harmonieuse, tout en fruits bien mûrs se prolonge joliment.
Le rosé, tout en rondeur, vif et tendre exprime la délicatesse de ses arômes où la poire offre son originalité.

# Lezan

## ▓ Rotonde Cavalier

M. **Paul Fossat,** ♦
30350 Lezan
tél. 66.83.08.81.

# Junas

## ▓ Domaine de Christin

M. et Mme **André et Marie-France Mahuzies,** ♦
30250 Junas
tél. 66.80.95.90.
     66.80.96.34.

Superficie : 22 hectares. Sol : argilo-calcaire et coteaux de cailloutis roulés. Vins de pays.
Prix départ cave : 15 à 17 F T.T.C.
Œnologue conseil : M. Jean-François Vrinat.

Superficie : 45 hectares. Sol : argilo-calcaire et petit grès. Vins de pays du Gard rouge, rosé, blanc.
Prix départ cave : 14 à 18 F T.T.C.
Œnologue conseil : M. Jean-François Vrinat.

A Junas, au sud-est de Sommières, dans un terroir exceptionnel, André et Marie-France Mahuzies agrandissent par achat le domaine familial qui, en son époque, appartenait au marquisat d'Aubais.
André, un terrien dans l'âme, dont la vigne est sa passion depuis toujours, décide de réencépager tout son vignoble

A cinq kilomètres au nord-ouest de Lédignan, sur les contreforts du massif des Cévennes dans un paysage enchanteur de verdure et de lumière, s'étend sur vingt-deux hectares le domaine Rotonde Cavalier.
Propriétaire depuis 1978, M. Fossat, soutenu par une famille chaleureuse, entreprend une politique de restructuration du vignoble tout en gardant les parcelles de syrah plantées il y a une quinzaine d'années par son père.
Son cuvier est des plus typiques et peut-

être même unique en France puisqu'il est aménagé dans une ancienne gare S.N.C.F. sur la ligne Alès-Montpellier. Ici, pas besoin d'isoler le bâtiment, les épaisses pierres de taille s'en chargent ; pas besoin non plus d'utiliser l'eau de ville, non loin, une source jaillit constamment avec la fraîcheur nécessaire pour permettre la thermorégulation naturelle des fermentations.

Autre particularité soulignant tous les soins apportés aux raisins, il n'y a pas de conquet de réception : la vendange est directement mise en cuve par l'intermédiaire de bennes autovidantes. Toutes ces attentions en font des vins très aromatiques correspondant à la démarche originale et moderne de ce vigneron « qui veut élaborer des produits pour une cuisine jeune » et ainsi apporter le plaisir sur la table des consommateurs. Cet homme nous offre de bien beaux produits qui, s'ils ne prétendent pas à l'appellation, sont tout de même exposés au domaine de Saporta à Montpellier (siège promotionnel du syndicat de l'A.O.C. Coteaux du Languedoc), preuve d'une qualité incontestable.

La cuvée Paradoxe : un vin où la syrah avoue franchement ses parfums de violette ambrée, où les épices omniprésentes nous préparent à l'enchantement gustatif. En bouche, souplesse, rondeur, harmonie, un vin promis au plaisir gourmet de la table.

domaine Le Pian datant de 1875 appartient aujourd'hui à M. Durand. Dynamique et entreprenant, avec son fils Thierry, il s'adapte au terroir pour en conserver toute la typicité.

Dans une cave très bien équipée de cuves revêtues d'epoxy et d'un groupe de froid permettant une thermorégulation des fermentations, les raisins égrappés, s'il vous plaît, sont vinifiés avec beaucoup d'attention.

Afin de valoriser leurs produits, les Durand créent une société de négoce Codivia-Rhône et à travers 50 caves-entrepôts appelées Géant du vin réparties en France, commercialisent leurs vins et d'autres produits.

Ces vignerons nous ont séduits par leur « punch » et si l'on est bien loin du temps des élevages de vers à soie, leur évolution rapide ne leur a pas fait oublier l'accent du terroir.

Le Domaine Le Pian 1988, par la brillance de sa robe rubis, par ses arômes de petits fruits noirs, par sa bouche expressive et charnue, par ses tannins fins et bien fondus, se présente à nous plein de charme.

# Nîmes

## ◼ Domaine de la Barben

**MM. Robert et Jean-Pierre Brunel,**
Route de Sauve
30900 Nîmes
tél. 66.81.10.52.

Superficie : 55 hectares. Sol : argilo-calcaire très caillouteux. Vins de pays du Gard rouge, rosé, blanc. A.O.C. Coteaux du Languedoc dès 1990.
Prix départ cave : prix unique 11 F T.T.C.
Œnologue conseil : M. Laures.

# Moulezan

## ◼ Domaine Le Pian

**M. Francis Durand et fils,**
Moulezan
30350 Lédignan
tél. 66.77.81.25.

Superficie : 50 hectares. Sol : argilo-calcaire. Vins de pays rouge, rosé et blanc.
Prix départ cave : 13 F T.T.C.
Œnologue conseil : M. Laures.

Ancienne magnanerie où les propriétaires vivaient en complète autarcie, le

Une histoire exemplaire de courage et de volonté commencée il y a quatorze ans par les frères Brunel. Originaires de Moulesan, ils avouent avoir pris « un virage à 180° » en venant s'installer aux portes ouest de Nîmes.

*Le domaine de Barben, devenu magnifique, a été entièrement gagné sur la garrigue de chênes verts, à grands coups de défriches et de concassages. Le vignoble constitué pour 75% de grenache noir est implanté dans un sol squelettique fait d'une dalle calcaire broyée. Un terroir étonnant où, s'il vient à pleuvoir, le raisin gagne rapidement en maturité et en concentration. Ici, les rendements à l'hectare n'excèdent jamais les 40 hectolitres. Nous comprenons mieux l'extraordinaire richesse aromatique des vins dégustés. La cave, très bien aménagée, en constante évolution privilégie la technicité et le maîtrise des températures à tous les niveaux. Parfaitement isolée, elle permet l'affinage en fûts de chêne de cuvées issues de cépages grenache et syrah. Toujours à la recherche de l'équilibre gustatif et des composants aromatiques du fruit, ils vinifient les blancs et les rosés en cuves thermorégulées où la macération pelliculaire de quatre à cinq heures offre des vins d'une belle élégance.*

*Les rouges nous séduisent par la puissance des fruits bien mûrs, où les épices et le clou de girofle donnent le ton. En bouche, tout est harmonie.*

# Puechredon

## ▨ Domaine de Puechredon

M. **Michel Cuche**, ♦
30610 Puechredon
tél. 66.77.31.25.

Superficie : 50 hectares. Sol : argilo-calcaire. Vins de pays du Gard. Vins de cépage. Mousseux de tradition. Carthagène.
Prix départ cave : 13 à 50 F T.T.C.
Œnologue conseil : M. Michel d'Abrigeon.

*Entre Quissac et Lédignan, non loin du barrage de la Rouvière, le domaine de*

*Puechredon depuis plus de vingt ans montre au travers de ses cuvées le savoir-faire incontestable de son vigneron.*

*Dans ce pays de coteaux graveleux, Michel Cuche crée un vignoble où les cépages cabernet sauvignon, merlot, syrah et sauvignon, chardonnay côtoient les variétés traditionnelles pour offrir des vins aromatiques et bien structurés. Et c'est dans la cave ancienne par ses foudres et moderne par sa technologie qu'il accomplit le miracle de la transformation.*

*La cuvée spéciale nous séduit par les nuances cerisées de sa robe. Un vin très complexe au nez avec des effluves odorantes de fruits bien mûris sur un fond joliment boisé. En bouche, les saveurs se partagent dans un fondu très harmonieux.*

# Quissac

## ▨ Cave Coopérative La Vigneronne Quissaçoise

Route de Saint-Théodorit
30260 Quissac
tél. 66.77.30.87.

Superficie : 580 hectares. Sol : argilo-calcaire et galets. Vins de pays Coteaux du Salaves rouge et rosé. Vins de pays du Gard. Vins de cépage.
Prix départ cave : 9 à 13 F T.T.C.
Œnologue conseil : M. Laures.
Directeur : M. Garcia.
Président : M. Huguet.

*Créée en 1921, la cave coopérative des vignerons de Quissac se situe au nord-ouest du département du Gard. Le vignoble s'étend sur 580 hectares d'un terroir de coteaux et de plaines sur lequel nous distinguons cailloux et gros galets.*

*En quinze ans, cette cave a énormément investi en matériel performant et parallèlement, s'est effectué un renouveau de l'encépagement. Ici, la qualité rime avec technicité, mais provient aussi d'une sélection ardue du terroir.*

*Avis aux vacanciers curieux : chaque année au mois d'août, la cave organise une journée portes ouvertes, ce qui ne vous empêche pas de venir déguster durant toute l'année dans le caveau les différentes cuvées : des vins qui apportent par leur expression aromatique le charme et les qualités gustatives de leur cépage.*

*Le merlot est souple à l'attaque, d'une bonne présence, et se termine agréablement.*

*Le cabernet sauvignon, plus structuré, plus ample, se révèle digne d'intérêt. La syrah dévoile la subtilité de ses parfums de petits fruits noirs un rien épicés. Chacun d'eux répond au plaisir de l'instant gourmand.*

# Saint-Ambroix

## ▨ Clos de Berguerolles

**M. Saint-Etienne Robert,** ♦
30500 Saint-Ambroix
tél. 66.24.01.84.

Superficie : 20 hectares. Sol : de grès et d'argile très caillouteux. Vins de pays des coteaux cévenols rouge, rosé et blanc.
Prix départ cave : 11 F T.T.C.
Œnologue conseil : M. Jacques Laux.

*Au fur et mesure que nous nous approchons du domaine de Berguerolles, nous demeurons stupéfaits par la beauté des lieux à laquelle nous ne pouvons rester insensibles.*

*Après avoir quitté la route de Saint-Ambroix à Barjac, fait quelques pas sur un petit chemin bordé de mille fleurs, nous aboutissons en bordure de la Cèze où les ceps de vigne se lovent autour de croupes graveleuses.*

*Sitôt passé le portail du domaine, nous sommes accueillis par Robert Saint-Etienne et sa charmante fille. La bouche gourmande quand ils parlent du vin, attachés à leur terroir comme peut l'être le vigneron à sa vigne, nous comprenons très vite pourquoi leurs vins sont aussi bien faits.*

*Tout en faisant le tour des cuves et des très beaux foudres de la cave, nous parlons vinification. Intarissable sur ce sujet, Robert Saint-Etienne nous dit comment, en se fiant beaucoup à son palais, il goûte les raisins pour juger de leur assemblage en cuve.*

*La cuvaison est conduite de façon à conserver le maximum du caractère du cépage. Quand il estime, toujours le verre à la main, que le raisin a donné le meilleur de lui-même, il écoule le jus et laisse reposer le vin ainsi fait jusqu'à l'achèvement de sa deuxième fermentation, sa fermentation malolactique.*

*Après soutirage, le vin ira s'affiner en foudres de chêne jusqu'au moment de sa mise en bouteilles. C'est autour de l'immense table monastère qui trône dans l'imposante salle à manger du domaine que nous dégustons les vins du Clos de Berguerolles pendant que Mme Saint-Etienne nous mitonne une de ses collations cévenoles dont elle a le secret. Le rosé 89 est étonnant ! Flatteur dans sa jolie robe pimpante, il offre au nez de fines senteurs où la délicatesse de la pivoine se marie à une pointe de framboise. Capiteux, vif et soyeux à la fois, une touche de fenouil apporte une fraîcheur délicate en finale.*

# Sainte-Anastasie

## ▓ Domaine de Gournier

M. **Maurice Barnouin,**
Sainte-Anastasie
30190 Saint-Chaptes
tél. 66.81.20.28.
    66.83.30.91.

Superficie : 38 hectares sur quatre communes. Sol : argilo-calcaire cailouteux. Vins de pays de l'Uzège blanc, rosé, rouge.
Prix départ cave : 14 à 25 F T.T.C.
Œnologue conseil : M. Alain Demezon.

*Depuis son adolescence, Maurice Barnouin vit avec la vigne, pour la vigne et par la vigne. Dans son très beau domaine, véritable oasis de tendresse, ce jeune vigneron, pépiniériste de surcroît, vous parlera avec chaleur de sa maison (ancienne commanderie de l'ordre du Temple), de son goût du travail bien fait et surtout de ses vins qu'il aime par-dessus tout.*

*« Depuis mon enfance, avec mon père, je fais ce métier — nous dit-il — même si ça n'a pas toujours été facile. »*
*Un passionné de son art qui rêve de ses vins comme le ferait un grand chef avec ses recettes devant une assiette.*
*Au domaine de Gournier, Maurice Barnouin cherche constamment à améliorer la qualité. il choisit les tènements les mieux adaptés pour y implanter des cépages soigneusement sélectionnés. Une méthode de culture appropriée et surtout un travail de vinification et d'élevage très soigné aboutissent à cette qualité tant recherchée.*
*Persuadé que qualité et quantité varient en sens inverse, il met tout en œuvre pour produire un raisin riche et concentré qui fera de véritables petites merveilles.*
*Deux chais lui permettent d'exercer son art.*
*Le premier spacieux, rationnel pour la vinification, abrite tout le matériel nécessaire à la bonne conduite de la transformation du jus de raisin en vin. Le second dans la partie la plus ancienne des bâtiments sous des voûtes séculaires permet aux cuvées de mûrir et de s'affiner en cuves et en barriques neuves à l'abri de la lumière et des variations de température.*
*Le tout pour obtenir des vins dont le charme ne tardera pas à vous conquérir.*
*Le blanc de sauvignon, issu de raisins récoltés avec le plus grand soin, d'une vinification méticuleuse est un vin pourvu d'une jolie robe aux reflets verts et dorés. Ses arômes fleuris de genêt, de miel et de fleurs d'acacia le rendent très harmonieux et expansif. Généreux, soyeux et puissant, il flatte nos papilles avec délice. Un vin plein de promesse !*
*Le rouge cuvée Templière 1988, vieilli en fûts de chêne neufs laisse sur les parois du verre les traces de sa puissante vinosité. Le nez dévoile toute sa richesse et sa subtilité avec des notes sensuelles de fruits juteux et des odeurs pénétrantes d'épices fortes. En bouche, il envahit l'espace gustatif par son charnu et son gras. Tout en subtilité, les notes vanillées et épicées se fondent*

*dans la puissante structure tannique. Cette bouteille promet de beaux instants pour qui saura l'attendre.*

*A noter la médaille d'or obtenue cette année à Paris pour le blanc de sauvignon.*

# Saint-Gilles

## ▥ Domaine du Petit Saint-André

**Famille Guichard,**
30800 Saint-Gilles
tél. 66.87.46.47.

Superficie : 130 hectares dont 100 classés en A.O.C. Costières de Nîmes. Sol : galets roulés mêlés à de l'argile « Gress » un peu sablonneux par endroits. Vins de pays rouge de cépage cabernet. A.O.C. Costières de Nîmes blanc et rouge.
Prix départ cave : 10 F T.T.C. pour les vins de pays.
Œnologue conseil : M. Alain Kaneko.

*Il y a neuf ans, quand la famille Guichard achète cette propriété, toute la récolte était vinifiée en cave coopérative.*

*Philippe et sa sœur Estelle, gagnés par le virus du vin, décident, il y a trois ans, de prendre leur envol.*

*« L'important — nous dit Philippe — c'est la qualité de la matière première. Sur notre sol, prolongement naturel de la vallée du Rhône, les cépages expriment leur qualité essentielle. »*

*Croyant beaucoup au devenir des vins blancs, ils expérimentent tout, du rolle au chardonnay en passant par le viognier, la roussane, la marsanne, le sémillon, le chenin... pour orienter son encépagement futur.*

*Une sélection pointue des terroirs, des plants rigoureusement choisis, une ferveur sans pareil, permettent à cette jeune cave de se hisser rapidement au rang des meilleurs.*

*Audacieuse, créative, la famille Guichard, par son goût accru de la recher-*

*che et de l'expérimentation, mise aujourd'hui, « terroir oblige » sur l'A.O.C. Costières de Nîmes.*

*En attendant de vous le présenter (son élevage en chai n'étant pas terminé), nous avons dégusté le vin de pays des coteaux flaviens, cépage cabernet sauvignon 1988. Très élégant dans sa robe d'un beau rouge où se reflètent des nuances rubis, ce vin sait se rendre séduisant. Puissant par ses senteurs qui évoquent les petits fruits noirs sauvages et le coing confit, il s'offre très harmonieusement en bouche où il ne manque ni de gras ni d'ampleur avec ses notes agréables d'épices et de café fraîchement torréfié.*

# Saint-Hippolyte

## ▥ Cave Coopérative Les Vignerons Réunis de Saint-Hippolyte-du-Fort

30170 Saint-Hippolyte-du-Fort
tél. 66.77.21.30.

Superficie : 593 hectares. Sol : hétérogène. Vins de pays Coteaux de Salaves, rouge, rosé, blanc. Vins de pays du Gard rouge, rosé et blanc.
Prix départ cave : 8 à 12 F T.T.C.
Directeur : M. Portalier.
Président : M. Laurent.
Œnologue conseil : M. Laures.

*Blotti au pied des Cévennes, Saint-Hippolyte-du-Fort était auparavant connu pour ses magnaneries.*

*Depuis 1951, la cave coopérative reçoit les raisins de ses nombreux adhérents répartis sur les sept villages voisins.*

*Ici, nous dit le président M. Laurent, « la qualité le maître mot : c'est une discipline qui commence au jour de la taille ».*

*Désirant toujours le meilleur et soucieuse de ses vignerons, la cave les soutient activement et les aide dans le choix des cépages à travers des études de potentialité et d'adaptation de la vigne au terroir.*

*Côté cave, rien à redire : une petite production bien maîtrisée, un équipement plus que satisfaisant avec un pressoir pneumatique dernier modèle, une propreté exemplaire qui se retrouve sur les bulletins d'analyse des vins, tout est réuni ici pour élaborer de bons produits.*

*Encouragés et récompensés par une rémunération directement liée au prix de vente des bouteilles, les vignerons de Saint-Hippolyte-du-Fort peuvent être fiers de leurs vins.*

*Le Salavès rosé 1989 dans sa belle robe claire et brillante, léger, fin et fruité offre par sa bonne nervosité en bouche beaucoup d'agréments.*

*Le rouge « sélection terroir » marie la finesse et la chaleur du grenache à la puissance et l'élégance de la syrah dans un ensemble très harmonieux.*

*Le vin de pays cépage merlot, à la couleur soutenue, au bouquet intense se montre rond et persistant.*

*Bien charpenté, le cabernet sauvignon affirme sa typicité et se poursuit par un bon équilibre corsé.*

# Saint-Quentin-la-Poterie

## ▨ Union des Caves de l'Uzège

Saint-Quentin-la-Poterie
30700 Uzès
tél. 66.22.56.55.

Superficie : couvre 5 200 hectares.
Sol : argilo-calcaire. Vins de pays de l'Uzège rouge, rosé, blanc.
Prix départ cave : 9 à 17 F T.T.C.
Directeur œnologue : M. Sylvain Meix.
Œnologue conseil : M. Gérard Almeras.

*Conduite de main de maître par le sympathique président Roger Pichot, l'Union des caves de l'Uzège est née de la volonté des producteurs de la région de s'unir pour mieux commercialiser leur produit tout en améliorant sans cesse la qualité.*

*Dans cette très belle région d'Uzès, les viticulteurs, loin des villes et de l'industrie, ont une forte motivation et croient en l'avenir.*

*Le vignoble qu'ils cultivent couvre 5 200 hectares sur les trente-six communes réparties autour du duché. Sylvain Meix, le dynamique directeur, et Gérard Almeras, l'œnologue du groupement déploient toute leur énergie à aider les producteurs dans leurs caves et les conseillent sur la recherche d'un encépagement le mieux adapté au terroir et sur les nouvelles techniques de vinification.*

*Depuis sa création, le groupement a aidé au renouvellement de plus de 30% du vignoble, portant ainsi à un très fort pourcentage la part des grands cépages nobles.*

*Les technologies les plus sophistiquées ont été mises en œuvre dans un chai attenant aux bureaux de l'Union pour proposer à la clientèle des vins expressifs, susceptibles de répondre aux exigences du marché.*

*La cuvée Prestige « Marquise des Terres Rouges », issue de l'ensemble des meilleures cuvées des adhérents est un vin à base de grenache, syrah et merlot. Puissant, aromatique et long, nous percevons dans ce vin des arômes qui évoquent la mûre, le cassis et la violette sur un fond d'épices. L'ensemble est harmonieux avec juste ce qu'il faut de tannin et une savoureuse enveloppe chaleureuse.*

*Souhaitons aux caves du groupement de pouvoir bénéficier dans un avenir très proche de l'appellation V.D.Q.S. ... ils le méritent bien !*

# Savignargues

## ▨ Domaine du Grand-Chemin

**M. Jean-Marc Floutier**
30350 Savignargues
tél. 66.83.41.71.

Superficie : 30 hectares. Sol : calcaire et marne. Vins de pays rouge, rosé, blanc. Vins de pays d'Oc de cépage cabernet.
Prix départ cave : 14 à 17 F T.T.C.
Œnologue conseil : M. Jean-François Vrinat.

*Au nord-ouest de Nîmes, tout près de Lédignan, le domaine du Grand-Chemin étend son vignoble sur deux terroirs bien distincts. L'un de coteaux fort caillouteux, l'autre en fond de vallée sur un sol très foncé.*

*Un jeune vigneron qui « fait un peu le pépiniériste », dit-il et profite de cette expérience pour planter des cépages nobles et très aromatiques.*

*Soucieux de vinifier des vins authentiques, il les veut avant tout au goût du consommateur.*

*Et, c'est dans un cuvier où l'inox « flirte » avec les foudres de chêne, où la conservation se fait en cuves enterrées, et le vieillissement dans la partie souterraine qu'il élabore des cuvées de belle facture.*

*Comme ses rosés aux parfums délicats où la vivacité et la rondeur apportent la note friande.*

*Plus complexe, son blanc issu des cépages chardonnay-sauvignon se présente dans une belle robe pâle aux reflets verts. Les senteurs de fleurs sèches l'emportent sur le fruit. Il dévoile en bouche des saveurs très vives.*

*Son cabernet sauvignon 1988 plaisant et ample au caractère aromatique très développé, aux tannins souples et fondus est à déguster dans sa jeunesse.*

# Sommières

## ▓ Cellier du Domaine de Massereau

M. **Louis Mahuzies,**
Route d'Aubais
30250 Sommières
tél. 66.80.07.30.

Superficie : 37 hectares. Sol : argilo-calcaire et siliceux. Vins de pays du Gard rouge, rosé et blanc. Vins de cépage.
Prix départ cave : 13,50 à 18 F T.T.C.
Œnologue conseil : M. Patrick Leenhardt.

*A deux kilomètres de Sommières, le cellier du Domaine de Massereau, dont l'entrée est signalée par un pressoir à main et un fût, date de la Révolution. Propriétaire depuis 1973, M. Mahuzies qui vit la terre au fond de lui-même, entreprend le renouvellement de son vignoble.*

*Sur le terroir argilo-calcaire des garrigues et siliceux des bords du Vidourle, il plante de nobles cépages tels que le cabernet sauvignon, le merlot, la syrah et le grenache.*

*Mais, ne vous détrompez pas, ce passionné de la vigne et du vin, cela va de soi, possède aussi des cépages blancs. Dans le respect du sol et de la plante, il récolte d'excellents raisins vinifiés avec précaution.*

*Dans une cave qu'il nous dit « ancienne » et qu'il espère réaménager très bientôt, il élabore de très bons produits dont sa cuvée spéciale J.L. Danilou, spéciale de par sa dénomination qui reprend la première syllabe du prénom de toute sa petite famille.*

*Spéciale par les soins attentionnés dont elle est entourée. Et, enfin, spéciale par le choix judicieux des cépages qui apportent à ce vin une sève riche de flaveurs odorantes.*

# Vers Pont-du-Gard

## ▒ U.C.V. des Coteaux du Pont-du-Gard

**Vers Pont-du-Gard**
30210 Remoulins
tél. 66.22.80.35.

Superficie : 16 000 hectares. Sol : hétérogène, galets roulés, siliceux au sud, terrasses anciennes au nord. Vins de pays des Coteaux du Pont-du-Gard rouge, rosé, blanc. Vins de cépage. Primeur. A.O.C. Costières de Nîmes. Pétillant de raisin.
Œnologue conseil : M. Jean-Claude Vic.
Directeur : M. Jaussaut.
Président : M. Bousquet.

*Créée en 1981, l'Union de Vers Pont-du-Gard comprend aujourd'hui huit caves coopératives.*
*Ici, ce n'est pas un chai de vinification mais seulement d'assemblage. Sous le nom d'Union, les vignerons développent l'image du Pont-du-Gard avec un vin qui, comme cet édifice romain, est unique en son genre de par son assise.*
*Un primeur, leader du département, une excellente maîtrise du produit sur toute la chaîne permettent à l'Union de travailler avec l'importante maison de négoce Chantovent.*

*Si « seulement » un million de bouteilles sont commercialisées, l'objectif de cette cave, dans les trois ans à venir, est de tripler cette production.*

*Alors, bonne chance à tous les vignerons qui ont à cœur de mieux faire découvrir cette si belle gorge du Gardon par le biais de leur production de qualité et peut-être un jour verrons-nous cet aqueduc alimenter la ville de Nîmes de leur divin breuvage.*

*Un rouge élégant, riche d'éclat, très fruité syrah, où se mêlent la violette et les épices dans un ensemble riche de parfums. En bouche, il est complet aux tannins bien fondus et démontre le choix judicieux des cuvées qui rentrent dans sa composition.*

## Hérault

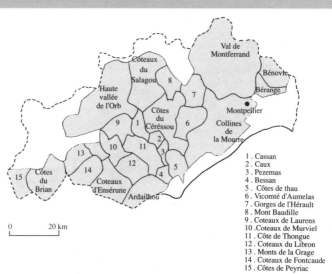

1 . Cassan
2 . Caux
3 . Pezemas
4 . Bessan
5 . Côtes de thau
6 . Vicomté d'Aumelas
7 . Gorges de l'Hérault
8 . Mont Baudille
9 . Coteaux de Laurens
10 .Coteaux de Murviel
11 . Côte de Thongue
12 . Coteaux du Libron
13 . Monts de la Grage
14 . Coteaux de Fontcaude
15 . Côtes de Peyriac

# Agde

## ▓ Domaine de la Grange-Rouge

voir **Delta Domaines** sur la commune de Vias.

# Alignan-du-Vent

## ▓ Domaine Deshenrys

M. **Bouchard,**
Alignan-du-Vent
34290 Servian
tél. 67.24.91.67.

Superficie : 40 hectares. Sol : argilo-calcaire. Vins de pays des Côtes de Thongue blanc, rouge.
Prix départ cave : 15 à 25 F T.T.C.
Œnologue conseil : M. Marc Dubernet.

*Pour qui veut quitter la Nationale 113, à sept kilomètres à l'est de Pézenas sur la route de Bédarieux, le domaine Deshenrys, appartenant à M. Bouchard, est une heureuse halte pour découvrir l'ivresse d'un moment.*
*Désirant toujours faire mieux et meilleur, ce propriétaire élabore d'excellents vins dont les réputés cabernet sauvignon et merlot.*
*A la politique de vins de cépage, il préfère celle des vins d'assemblage, « vins marqués par une personnalité représentant le domaine ».*
*Désirant élargir sa gamme de produits, il se lance dans la vinification en blanc avec un sauvignon et nous promet pour 91 un chardonnay.*
*Un vin élégant dans une présentation impeccable, à boire régulièrement et à suivre de près.*
*Le blanc de blancs cépage sauvignon se présente dans une robe magnifique d'or platiné et offre un nez de fleur d'oranger, de citron vert, d'amande fraîche et de miel. En bouche, il est plein, vif, et révèle dans le goût la fleur d'acacia, le*
*fruité du raisin et une réminiscence de citron vert et de menthe.*

# Aniane

## ▓ Mas de Daumas Gassac

M. et Mme **Guibert de La Vaissière,**
Aniane
34150 Gignac
tél. 67.57.71.28.

Superficie : 25 hectares. Sol : grèzes glaciaires profondes. Vins de pays rouge, rosé, blanc.
Prix départ cave : 100 à 200 F T.T.C.
Œnologue conseil : M. Émile Peynaud.

*A trente kilomètres à l'ouest de Montpellier, sur la commune d'Aniane, le mas de Daumas Gassac est une invitation à la fascination.*
*Ancien maître peaussier, cévenol, protestant, M. Guibert se définit comme le « gérant, fermier, vigneron de sa femme » puisque ce domaine est la propriété de Madame. Cet homme, fasciné par la Création du Seigneur respecte profondément cette vallée sauvage qu'il ne veut en aucun cas déstabiliser.*
*Profitant d'un exceptionnel terroir — une arête calcaire coiffée d'une accumulation de poussières glaciaires de 20 mètres de profondeur riche en oligo-éléments — ce fervent protecteur des biens naturels entretient avec dévotion son vignoble. Les vignes plantées en 1978 sont et seront toutes issues de vignes mères plus que centenaires et les rendements n'excèdent pas 20 hl/ha... véritable « matériel végétatif en l'état ».*
*La beauté pastorale de sa vallée, il la veut intacte, c'est ainsi que son cuvier il le construit souterrain à l'aide des compagnons du Tour de France et en fait l'un des plus beaux cadres en matière œnologique. Cet homme appartient au cercle privé des gens qui ont dans la tête, le cœur, les mains, le don de faire des choses magnifiques. Il sait faire partager sa fascination et son respect de la beauté des lieux aux 5 000*

visiteurs venus chaque année découvrir cette propriété, à défaut d'avoir un jour dans leur cave ce vin si prisé.

Le blanc, millésime 1988 de Daumas Gassac, est un vin d'une étonnante complexité. Ses arômes riches et racés, ses saveurs délectables en font une bouteille de grande classe. La vinification en fûts de chêne neuf permet grâce à un affinage naturel de développer les arômes délicats du pur jus de raisin fermenté.

Le rouge millésime 1987 se présente dans une robe splendide. Très expressif, il procure beaucoup de satisfactions même aux plus exigeants par son nez aussi complexe que riche. Des soins jaloux dont il est entouré au cours de son élevage en barriques il a retiré le fondu et le parfait équilibre entre le bois neuf et la chair de ses tannins nobles. Il explose en bouche avec une structure généreuse et puissante, preuve de sa bonne aptitude au vieillissement.

# Assignan

### ▓ La Grange des Quatre-Sous

MM. **Hildegard Horat et Ernst Wirz,**
34360 Assignan
tél. 67.38.06.41.

Superficie : 5 hectares. Sol : argilo-calcaire. Vins de pays des Monts de la Grage rouge et rosé.
Prix départ cave : 20 à 35 F T.T.C.
Œnologue conseil : M. Olivier François.

Les yeux remplis d'émotion quand ils parlent de leur vin, la bouche gourmande quand ils dégustent leurs cuvées, Hildegard Horat et Ernst Wirz sont des vignerons comme on en rencontre peu.

Et pourtant, c'est dans le Saint-Chinianais dans le magnifique décor du petit village d'Assignan que nous avons rencontré ce couple suisse.

Difficile de comprendre ce désir profond qui pousse ces anciens restaurateurs d'églises à faire leur propre vin.

Leur rencontre avec Daniel Domergue décide de ce revirement.

Ils découvrent tout des cépages, de la vinification, de la culture en lyre... à travers les écrits, et les voilà prêts à cette reconversion.

Limitant volontairement leur rendement à 30, 35 hl/ha et ne laissant rien au hasard ils ont réussi le pari de transformer leur violon d'Ingres en occupation à plein temps.

Un couple qui ne se prend pas au sérieux, même s'il a toutes les raisons d'être fier de ses belles réussites.

Leur vin de pays à base de grenache, cot et mourvèdre, vinifié et élevé dans de magnifiques demi-muids est flatteur, corsé, charnu avec des notes réglissées et épicées qui ne couvrent pas un fruité rappelant la cerise, le cassis et la mûre.

# Belarga

### ▓ Domaine des Amourettes

M. **Emmanuel Maffre-de-Bauge,**
11, avenue du Grand-Chemin
34230 Belarga
tél. 67.25.00.58.

Superficie : 15 hectares. Sol : argilo-calcaire limoneux sablonneux. Vins de pays rouge, rosé et blanc.
Prix départ cave : 14 à 15 F T.T.C.
Œnologue conseil : M. Feneuil.

A dix kilomètres de Clermont l'Hérault, le domaine des Amourettes est une propriété de 15 hectares caractérisée par le morcellement des parcelles sur un éventail de terroirs.

M. Maffre de Bauge, le propriétaire, très ouvert à l'apport généreux d'œnologues compétents allie avec brio tradition et techniques nouvelles : « Le Domaine des Amourettes épouse le temps. »

Vinifiant avec soin, maîtrisant parfaitement toutes les étapes de l'élaboration du vin, « il n'a jamais fait de bibine », son remarquable blanc en est la preuve. Superbe dans sa robe d'un jaune doré bien soutenu, il dévoile au nez de puissants arômes d'agrumes et dégage à l'agitation des parfums d'abricot, de poire et de fleurs sauvages. L'attaque en bouche propose une fraîcheur agréable et offre un équilibre harmonieux doté d'une bonne évolution aux parfums de pomme verte et de miel.

Cet homme dynamique et entreprenant a décidé de se mettre désormais à la disposition de ses amis vignerons et de dire partout à qui veut l'entendre que le vin est une longue histoire d'amour entre des hommes porteurs d'une longue tradition et une nature sauvage qui favorise la conception de vins originaux.

Avec Jeannette, son épouse, ils maîtrisent rigoureusement toutes les étapes, de la vigne à la bouteille. Méticuleux et soigneux, ils pratiquent une véritable culture des ceps qui reçoivent les soins les plus attentifs, car, pour ce couple attentionné, « c'est la baie du raisin qui fait la différence ».

Depuis dix ans, ils se donnent à fond dans des vinifications qui ne laissent rien au hasard et permettent aux vins de s'épanouir dans un chai climatisé. Mais pour ce couple fort sympathique, le métier de vigneron consiste surtout à offrir du plaisir dans la joie de la dégustation. Ils présentent toute une palette de cuvées gourmandes.

Tel le rosé aux saveurs acidulées qui invite à l'hédonisme olfactif et apporte toute la fraîcheur des raisins frais.

Le rouge plus discret se révèle en bouche, très harmonieux. Fin et friand, il persiste joliment sur des notes de petits fruits rouges juteux. Et son chardonnay 1987, somptueux, nous réjouit pleinement par ses senteurs enivrantes et rares de complexité. En bouche, riche de substance, aux saveurs fraîches et onctueuses, il annonce de grands moments.

# Béziers

## ▓ Domaine La Colombette

**M. François Pugibet,**
Ancienne route de Bedarieux
34500 Béziers
tél. 67.31.05.53.

Superficie : 17 hectares. Sol : argilo-calcaire. Vins de pays rouge, rosé, blanc.
Prix départ cave : 12 à 25 F T.T.C.
Œnologue conseil : M. Benoît Dufort.

La Colombette, sur les coteaux du Libron, est un domaine familial situé à quatre kilomètres au nord de Béziers. Héritier de deux générations de vignerons, François Pugibet appartient aujourd'hui à cette belle lignée de vinificateurs compétents.

## ▓ Château de Raissac

**M. Jean Viennet,** ♦
Route de Murviel
34500 Béziers
tél. 67.28.15.61.

Superficie : 106 hectares. Sol : argilo-calcaire et sablonneux. Vins de pays rouge, rosé et blanc.
Prix départ cave : 15 à 18 F T.T.C.
Œnologue conseil : M. Guy Bascou.

*Au bord de la rivière Orb, au nord de Béziers s'étendent les domaines du Château de Raissac, baignés par un climat typiquement méditerranéen.*

*Couvrant une superficie de 106 hectares, les terroirs de ce vignoble s'étalent sur deux étages : une plaine constituée d'alluvions et de galets du tertiaire et des coteaux riches en fossiles marins.*

*Sous la dénomination Domaines du Château de Raissac, distinguons deux étiquettes : le Domaine de Raissac et le Domaine de Puech Cocut (colline du coucou). Deux types de vin élaborés avec les mêmes soins.*

*Un contrôle rigoureux et permanent des températures de fermentation, des macérations bien comptées en fonction des besoins, un élevage en barriques de chêne pour les cuvées prestige font que les vins de Raissac sont très élégants et se doivent d'être dégustés avec la plus grande attention.*

*Son Domaine Puech Cocut de cépage merlot 1988 a la brillance et les reflets d'un rubis. Un nez très subtil où l'épice l'emporte sur les petits fruits noirs. En bouche, il exprime haut et fort un parfum à l'accent chypré qui domine la structure fine et harmonieuse. Un régal... à savourer maintenant.*

*Son Domaine de Raissac de cépage cabernet sauvignon 1988 porte l'éclat d'un grand vin. Il s'exprime merveilleusement. Le nez élégant s'enveloppe de cerise et de cassis, un rien ambré. Rien d'agressif en bouche, tout en rondeur et délicatesse, il révèle sa puissance aromatique et sa complexité. Il chuchote longtemps la rémanence des senteurs d'épices et de réglisse vanillée sur fond de musc. Quel plaisir !...*

Superficie : 50 hectares. Sol : terre rouge et cailloux. Vins de pays rouge, rosé et blanc. Carthagène. Blanc de Blanc, mousseux de tradition.
Prix départ cave : 15 à 60 F T.T.C.
Œnologue :    M. Jean-Philippe Granier.

*Non loin de Montpellier sur la commune de Castries, le domaine de Fontmarie déploie ses 50 hectares de terre rouge. A partir de novembre 1990, il faudra dire Château de Fontmarie ; en effet, 40% des vignes seront classées sur l'aire d'A.O.C. des coteaux du Languedoc.*

*Datant de 1880, ce très vieux domaine appartient à M. et Mme Janin depuis 1977.*

*Limitant les rendements, vinifiant avec soin, ces propriétaires volontaires veulent faire parler du Languedoc-Roussillon à travers leurs produits et créent l'association « Les amis du vin ».*

*Ils vous invitent à visiter leur domaine oh ! pardon château, et à déguster les cuvées Dubout et Janus.*

*La cuvée Dubout est issue d'un mariage heureux de syrah, merlot où chaque cépage apporte sa typicité sans excès. Sous des arômes de fruits bien mûrs, légèrement épicés, elle éveille le plaisir gustatif.*

*La cuvée Janus est un cabernet sauvignon de fort belle facture. Intense dans sa robe sombre, il exhale des senteurs complexes où s'allient le cassis et le poivre. Charnu en bouche, il se révèle bien structuré et finit sur des tannins qui demandent à se fondre. Il avoue encore timidement son devenir...*

# Castries

## ▓ Domaine de Fontmarie

M.Mme **Bernard et Jacqueline Janin,**
34160 Castries
tél. 67.70.12.40.

## ▓ Domaine Saint-Jean-de-L'Arbousier

M.Mme **Jean-Luc et Catherine Viguier,** ♦
34160 Castries
tél. 67.87.04.13.

Superficie : 110 ha dont 44 ha en vignes. Sol : conglomérat de l'oligocène, terre rouge et gros galets. Vin de pays d'Oc, vin de pays de l'Hérault, et pour la récolte 1990 A.O.C. Coteaux du Languedoc. Prix départ cave : 16 à 40 F T.T.C. Œnologue conseil : M. Auclair.

*Nous attendons avec impatience de découvrir la Cuvée cabernet sauvignon 1988, actuellement en élevage sous bois neuf.*

DOMAINE
SAINT JEAN
DE l'ARBOUSIER

*Ce domaine porte bien son nom. A cheval sur trois communes, le vignoble de coteaux entouré d'arbousiers et de pins se déploie d'un seul tenant. C'est dans ce lieu dont l'antériorité viticole remonte à l'ordre de Jérusalem, que la famille Viguier a depuis des générations ses racines ancrées dans les terres à vignes.*

Produit de France
**Domaine
Saint Jean de l'Arbousier**
Vin de pays de l'Hérault
1988
Mis en bouteille au Domaine par
**Jean-Luc et Catherine VIGUIER**
PROPRIÉTAIRE ÉLEVEUR À CASTRIES 34160
12.5% vol.                          75cl

*Aujourd'hui, Jean-Luc et Catherine se partagent les responsabilités. Ce jeune couple fait évoluer le domaine avec un objectif majeur, offrir à la clientèle le plaisir de la dégustation de vins de qualité.
La richesse du terroir et la rigueur de ces vignerons permettent de tirer le maximum d'expression des cépages implantés.
Vinification traditionnelle et macération carbonique se conjuguent pour offrir un vin de pays d'Oc d'un joli tempérament. Profond et brillant, il révèle par ses arômes et sa structure beaucoup de caractère. Les notes de petits fruits noirs et d'épices se fondent harmonieusement.*

# Fabrègues

## ▓ Château du Mujolan

**Héritiers de Forton**
34690 Fabrègues
tél. 67.85.11.06.

Superficie : 55 hectares. Sol : à dominante argilo-calcaire. Vins de pays rouge et rosé.
Prix départ cave : 11 F T.T.C.
Œnologue conseil : M. Patrick Leenhardt.

*Enclavé entre l'autoroute et la Nationale 113, au bout d'une allée de platanes, le château du Mujolan bâti au XVIIIe siècle nous invite à la rêverie. Le vignoble en forme de fer à cheval entoure cette belle demeure de « style Louisiane ».
Depuis 1963, une politique de réencépagement est entreprise et aujourd'hui, les trois quarts du domaine sont complantés de cépages nobles.
Dans une très ancienne cave plafonnée, permettant une climatisation naturelle, M. Rouanet, le régisseur, vinifie traditionnellement des vins qui, vieillis en foudres de chêne, deviennent des cuvées délicates et élégantes.
Son vin de pays, issu de cabernet sauvignon et de merlot en est le reflet. Il s'annonce au nez timidement puis devient exubérant. En bouche, c'est une ronde de senteurs et de saveurs dans un bel équilibre savoureux.
Une qualité et une constance bien remarquées par la rigoureuse maison Skalli, qui se réserve chaque année le vin de cépage merlot, à juste raison d'ailleurs...*

# Gignac

## ▨ Domaine de Capion

M. **Philippe Salasc,**
34150 Gignac
tél. 67.57.71.37.

Superficie : 45 hectares. Sol : grès et calcaire. Vins de pays de cépages. Vins de pays rouge, rosé, blanc. Prix départ cave : 30 à 45 F T.T.C. Œnologue conseil : M. Jean-François Vrinat.

*Le domaine de Capion appartient à la famille Salasc depuis 1960. L'ancienne bâtisse édifiée au XVIe siècle fut par deux fois détruite puis reconstruite. Aujourd'hui, majestueuse, elle se dresse au milieu du vignoble.*

*Les exigences en matière d'encépagement, de culture, de récolte, de vinification et d'élevage ont permis à Philippe Salasc, jeune vigneron dynamique, d'élaborer des cuvées qui répondent aux besoins du marché.*

*Excessivement exigeant envers lui-même, il a su tirer parti de la richesse de son noble terroir.*

*En véritable artisan, ce puriste sait utiliser les moyens les plus modernes pour perpétuer une tradition de qualité.*

*Comme lui, ses vins sont le reflet d'une forte personnalité.*

*Des vins de garde qui expriment leur caractère par une bonne expression aromatique, des tannins puissants qui promettent un bel avenir.*

## ▨ Domaine de Salente

M. **Louis Dupin-Leygues,** ♦
34150 Gignac
tél. 67.57.54.79.

Superficie : 35 hectares. Sol : argilo-calcaire, galets et grès. Vins de pays, vins de cépage, cabernet sauvignon, merlot, syrah, chardonnay, sauvignon, viognier et mousseux de tradition.

Prix départ cave : 12 à 31 F T.T.C. Œnologue conseil : M. Patrick Leenhardt.

*Quelle belle lumière au domaine de Salente... Situé sur un mamelon, il offre un spectacle grandiose où le soleil joue avec le relief et caresse le vignoble qui se répand sur des terrasses exposées au sud.*

*Un endroit à vous couper le souffle par la sérénité des lieux, où les vins expriment toute la complexité de leur élaboration.*

*C'est dans son cuvier que Louis Dupin-Leygues marie avec dextérité tradition du vin et technologie moderne. Le résultat est étonnant : des vins qu'il faut apprendre à attendre.*

*Son cabernet sauvignon est superbe dans sa robe au liséré violine. Au nez, il révèle des parfums complexes et délicats, et nous avoue en bouche l'éloquence des saveurs riches et pleines des raisins bien mûris. Il confirme par sa structure tout le savoir-faire de son vigneron.*

*Son merlot nous charme par son élégance et sa rondeur. La bouche énumère longuement les flaveurs perçues qui se fondent dans un ensemble harmonieux.*

# Hérépian

## ▓ Cave Coopérative d'Hérépian

34600 Hérépian
tél. 67.95.03.53.

Superficie : 736 hectares. Sol : hétérogène, argilo-calcaire, schiste, marne. Vins de pays rouge, rosé, blanc.
Prix départ cave : 10 à 15 F T.T.C.
Œnologue directeur : M. Philippe Crea.

*Dans le triangle de Faugères, Bédarieux, Lamalou-les-Bains, Hérépian est un petit bourg à une croisée de chemins. Prenez la direction de Notre-Dame-de-Capimont, c'est sur cette route du col des 13 vents que la coopérative met le cap sur l'avenir.*
*Un pays de montagnes où le vignoble fait de petites parcelles, grimpe sur des coteaux pentus, et nous démontre toute la volonté de ces vignerons à exister. Une cave qui a su, par l'ingéniosité et la technicité de son directeur, présenter des cuvées de fort belle facture. C'est le cas de ce vin de pays rouge issu des cépages merlot, cabernet, syrah, qui mérite beaucoup d'intérêt ne serait-ce que par son rapport qualité/prix. C'est un très joli vin charmeur et flatteur à la fois. Expressif et charnu, ferme et rond où se mêlent les fleurs et les fruits, la réglisse et les épices douces... une belle réussite.*

# Lézignan-la-Cèbe

## ▓ Domaine d'Ormesson

**M. Jérôme d'Ormesson,**
34120 Lézignan-la-Cèbe
tél. 67.98.23.80.

Superficie : 35 hectares. Sol : argilo-calcaire caillouteux. Vins de pays rouge, rosé et blanc, mousseux de tradition.

Prix départ cave : 20 à 52 F T.T.C.
Œnologue conseil : M. Olivier François.
Maître de chai : Jean-Louis Aureille.

*Sur la route de Clermont-l'Hérault à Pézenas au cœur du village de Lézignan-la-Cèbe se dresse majestueusement le château du domaine d'Ormesson. Ce site classé dont l'origine remonte à 1610 a vu se succéder de nobles familles dont celle de Jérôme d'Ormesson depuis plus d'un siècle. Si la beauté et l'élégance de cette propriété nous conquièrent dès le premier coup d'œil, nous sommes tout autant séduits par le chai voûté où 160 barriques bien alignées nous imposent une profonde émotion.*

*C'est de ce cadre étonnant que naissent des vins d'une qualité et d'une finesse incontestées. M. Jérôme d'Ormesson réussit brillamment cet heureux mariage du vin et de la vieille pierre grâce à un long et patient travail, « être vigneron est un métier de passion pour lequel on se dévoue 24 h/24 », nous dit-il. Mais c'est aussi le résultat d'un travail d'équipe où l'œnologue et le maître de chai originaires de Bordeaux utilisent tout leur savoir-faire.*
*Des vignes soignées, une cave impeccable de propreté, une adaptation aux*

techniques nouvelles, des barriques pour la touche finale, tout est réuni pour l'élaboration de vins très élégants.
Un lieu de paix et de recueillement à visiter dès le 1er juin, avis aux amateurs d'œuvres d'art ainsi qu'aux gourmets gourmands...
Jérôme d'Ormesson, un homme expansif qui nous avoue fièrement les qualités de ses cuvées. Et c'est vrai...
Le dernier-né, le merlot cabernet sauvignon 1988 issu d'une sélection sols et cépages d'un même enclos, élevé un an en barriques, est superbe...
Le blanc de sauvignon du « haut d'Ormesson » rappelle le raisin frais, juteux, croqué à pleines dents...
Le gris de gris issu de grenache parfumé à souhait offre le gras et l'onctuosité désirés...
Et le mousseux de tradition baptisé « Le Page d'Ormesson » avec élégance nous présente sa révérence...

Un seul domaine ne suffit pas à ce battant qui crée parallèlement en 1982 le domaine du Rouge-Gorge dont la totalité du terroir se situe sur l'aire d'appellation A.O.C. Faugères. Le vin qui jaillit de cette propriété est une petite merveille et les médailles d'or du 88 récompensent bien les efforts de ce fougueux vigneron.
Le vin de pays du domaine d'Affanies comme son grand frère de Faugères présente une robe bien soutenue, un nez très attirant par ses senteurs délicates de petits fruits sauvages et d'épices, une bouche souple et aromatique qui allie avec beaucoup d'harmonie la chaleur et le gras.

## ▨ Domaine des Arbourys

MM. **Granier Frères,** ◆
34480 Magalas
tél. 67.36.20.83.

# Magalas

## ▨ Domaine d'Affanies

M. **Alain Borda,**
34480 Magalas
tél. 67.36.28.56.

Superficie : 21 hectares. Sol : argilo-calcaire. Vins de pays rouge, rosé, blanc et moelleux.
Prix départ cave : 14 à 29 F T.T.C.
Œnologue conseil : M. Olivier François.

Aux confins de l'aire d'appellation Faugères, sur la commune de Magalas, nous découvrons le domaine d'Affanies, ancienne paroisse en l'an 1200.
Cette demeure familiale appartient à M. Borda qui habite ces lieux de schiste depuis sa naissance. Ce passionné du vin s'investit totalement dans sa propriété faisant tout lui-même.
Pour assurer une qualité toujours améliorée de son produit, il récolte manuellement, vinifie en macération carbonique extrayant ainsi tout le potentiel aromatique des raisins.

VIN DE PAYS DE CÔTES DE THONGUE
CEPAGE MERLOT
Domaine des Arbourys
1986
MIS EN BOUTEILLE AU DOMAINE
VIN DE TABLE DE FRANCE
75cl
GRANIER FRÈRES, F 34480 MAGALAS
PROPRIÉTAIRES RÉCOLTANTS, F 34480 MAGALAS - FRANCE

Superficie : 100 hectares. Sol : argilo-calcaire très caillouteux. Vins de pays d'Oc. Vins de pays de cépages. Vins de pays des Côtes de Thongue rouge, rosé, blanc.
Prix départ cave : 12 à 20 F T.T.C.
Œnologue conseil : M. Jean Natoli.

Les Granier font du vin depuis qu'ils ont l'âge de travailler, mais ils ne négligent pas pour autant l'apport des techniques modernes.
En plein cœur de Magalas, sur un terroir qui jouxte l'aire d'appellation, ces deux frères possèdent l'excellence du métier de vigneron et tirent le meilleur parti des vertus de ce sol si caillouteux.
Entreprenants, ils implantent une col-

lection impressionnante de cépages qui entrent dans la composition des nombreux vins présentés.

Un vieillissement en foudres de chêne vient terminer les cuvées qui présentent de réelles qualités.

Ces vignerons de talent nous proposent avec beaucoup de gentillesse des produits hauts de gamme à des prix justement calculés.

Le rouge 1987 de merlot et cabernet sauvignon est un vin séduisant par ses saveurs fruitées et épicées dont le parfum évoque les fruits cuits et les sous-bois en automne. Assez ferme en bouche, il devient très vite gras et enrobé et débouche sur une belle finale persistante.

Le rosé de syrah allie la finesse de ses arômes à un parfait équilibre en bouche. Frais et racé c'est une belle réussite.

Le blanc de chardonnay étonne par son nez exubérant de fleur sauvage et de fruit sec sous une très belle robe dorée. Son équilibre chaleureux est soutenu par une bonne fraîcheur avec des notes subtiles d'amande amère.

# Marseillan

## ▓ Domaine Saint-Victor
## ▓ Domaine de la Fadèze

Voir **Delta Domaines** sur la commune de Vias.

# Montagnac

## ▓ Domaine de Saint-Martin-de-la-Garrigue

MM. **Henry père et fils,** ◆
34530 Montagnac
tél. 67.24.00.40.

Superficie : 40 hectares. Sol : argilo-calcaire. Vins de pays rouge, rosé, blanc.
Prix départ cave : 11 à 35 F T.T.C.
Œnologue conseil : M. François Serre.

S'étendant sur quarante hectares d'un sol argilo-calcaire, nous découvrons le domaine de Saint-Martin-de-la Garrigue.

M. Henry, cet adorable propriétaire qui nous a accueilli avec grande gentillesse, s'occupe de son domaine depuis 15 ans. Dès le départ, il a misé sur la qualité et c'est dans une cave très bien équipée qu'il élabore avec son fils des vins très typés.

Son chardonnay est vinifié en barriques ; quant à sa cuvée réserve, elle se fond lentement avec les composés aromatiques des foudres.

Des vins personnalisés à conserver avec précaution et à déguster avec délicatesse.

Le chardonnay 1988 a un nez très fin qui s'ouvre sur des notes de fleurs sauvages, de noisettes et d'amandes grillées. En bouche, un bel ouvrage tout en dentelle où finesse et mœlleux s'épanouissent sur une touche de vanille et de pain grillé.

# Montblanc

## ▓ Domaine de Bellevue

M.Mme **Pera,**
34290 Montblanc
tél. 67.98.50.01.
     67.98.58.66.

Superficie : 30 hectares. Sol : argilo-calcaire. Vins de pays rouge, rosé et blanc.
Prix départ cave : 17 à 30 F T.T.C.
Œnologue conseil : M. Cardot.

A mi-chemin entre Béziers et Pézenas, au sommet d'un mamelon argilo-calcaire, le domaine de Bellevue nous séduit par sa beauté simple.

Derrière un imposant mais non moins splendide portail, se dévoile une superbe bâtisse construite dans les années 1790. Elle surplombe le vignoble qui s'étend sur les coteaux de cet ancien rendez-vous de chasse des ducs de Montmorency.

M. et Mme Pera en sont les heureux propriétaires depuis 1977, mais très pris par son entreprise de matériel viticole, M. Pera délègue ses pouvoirs à son épouse Hélène. Ce « petit bout de femme » adorable aime plus que tout son domaine et, avec force et dynamisme, se démène pour restructurer son vignoble et rénover sa « maison ».

Depuis quatre ans, dans une cave toujours impeccable, elle réaménage son cuvier avec des cuves inox, « cadeaux de Noël et de fêtes des mères », nous dit-elle en souriant.

C'est dans un chai souterrain qu'elle aligne avec ferveur ses barriques où le vin évoluera lentement. Recherchant sans cesse la finesse, cette spécialiste des blancs, connue pour son remarquable sauvignon aux saveurs gourmandes et généreuses, vous a concocté une cuvée intimiste, petite merveille, où se marient les parfums délicats du chardonnay et du bois.

Si vous êtes de passage dans la région, n'hésitez pas à découvrir cette splendide demeure et à y déguster ses vins élégants en compagnie de la charmante et chaleureuse propriétaire.

sion, il montre l'image positive de sa foi dans l'art du vin.

Il replante entièrement son vignoble en cépages nobles. Il crée trois chais : celui de vinification, tout inox superbement équipé, assure la maîtrise des technologies de pointe. Celui de conservation, là encore tout inox, permet la meilleure garde des vins. Et enfin celui du vieillissement, où s'alignent les fûts qui confèrent aux cuvées sélectionnées cette touche magique où la sève du bois épouse la fibre du vin.

Paul Bertier, c'est aussi la communication, à travers le club des grands vins de châteaux du Languedoc dont il fait partie. Il œuvre pour donner aux vins de cette association l'image vivante de la qualité française. A telle enseigne, ce marché de 600 hl de vins de cépage commercialisés en Australie.

Cet homme, pour qui la qualité c'est « d'adapter sa production au goût du consommateur », vous reçoit avec gentillesse pour déguster ses cuvées dans son musée du vin.

Son millésime 1987 est un bien joli rouge, intense et brillant. Beaucoup de senteurs complexes au nez, où les petits fruits noirs dominent sans exagération. En bouche une grande satisfaction, soyeux et velouté à la fois, il exprime par sa matière le doigté du vigneron.

## ▨ Domaine de Coussergues

**M. Paul Bertier**
34290 Montblanc
tél. 67.77.42.40.

Superficie : 200 hectares de vignes. Sol : argilo-calcaire. Vins de pays d'Oc et des Côtes de Thongue rouge, rosé, blanc.
Prix départ cave : 8 à 20 F T.T.C.
Œnologue conseil : M. François Serre.

Parce qu'il est amoureux de sa région, Paul Bertier décide en 1976 « de faire table rase » au domaine de Coussergues.

Ici, nous dit-il, « le vin était négatif », aujourd'hui par sa volonté et sa pas-

## ▨ Château de Montmarin

**Famille Bertier,**
34290 Montblanc
tél. 67.77.46.26.

Superficie : 90 hectares. Sol : argileux et sablonneux. Vins de pays des Côtes de Thongue. Vins de pays de cépage blanc, rosé, rouge.
Prix départ cave : 10 à 12 F T.T.C.
Œnologue conseil : M. Marc Dubernet.

Au cours de notre conversation, Mme Bertier nous a parlé avec beaucoup de chaleur de son vignoble, de son château, dans la famille depuis plus de 500 ans comme en témoigne un parchemin datant de 1488, du goût du travail bien fait de son mari et de son fils Philippe, et de ses vins qu'elle affectionne par-dessus tout.

Dans ce très beau site viticole, la qua-lité du vin est l'œuvre de tout un ensem-ble de facteurs dont certains sont incontournables ; le climat et le terroir. Les autres sont le résultat de la main de l'homme.

La sélection rigoureuse des variétés de vigne met en valeur la qualité.

La façon de vinifier dans un chai en constante évolution permet d'extraire tous les éléments aromatiques du raisin.

Les héritiers de cette vieille famille lan-guedocienne sont aujourd'hui très actifs au sein du club très fermé des grands vins de domaines et châteaux du Lan-guedoc.

Le rouge de merlot témoigne comme le reste de la gamme du savoir-faire de ces vignerons. Beaucoup de brillant dans la robe d'un rouge soutenu de ce beau vin, riche d'arômes fruités et floraux, qui se montre agréable, souple et gras avec un tannin bien fondu.

# Montoulieu

## ▓ Domaine de la Devèze

M. **Marcel Damais,**
34190 Montoulieu
tél. 67.73.70.21.

Superficie : 27 hectares. Sol : cal-caire et graveleux. Vins de pays du Val de Montferrand rouge, rosé, blanc et vins de pays d'Oc. Mous-seux de tradition blanc de blanc et rosé d'une nuit. Carthagène. Jus de fruits naturels.
Prix départ cave : 12 à 45 F T.T.C.
Œnologue conseil : M. Jean-François Vrinat.

Le domaine de la Devèze, aux confins nord de l'Hérault étend son vignoble à quelques encablures de la grotte des Demoiselles. Sur les contreforts des Cévennes, il épouse les dénivellations d'un sol tourmenté et squelettique où seules les plantes robustes peuvent se développer.

Dans ces lieux où la terre se nuance de sienne et d'ocre, la vigne remplace le mûrier des vers à soie.

Terrien et vigneron, Marcel Damais double la surface cultivable pour implanter des cépages nobles, et vini-fie traditionnellement des vins qui vieil-lissent deux ans en foudres de chêne avant leur mise en bouteilles.

C'est dans cette ancienne magnanerie qui vit naître le célèbre fabuliste Cla-ris de Florian que la famille Damais vous reçoit chaleureusement.

Le millésime 1988 de cépage merlot nous charme par ses saveurs harmo-nieuses, souples et rondes, toutes enve-loppées de senteurs de sous-bois où la réglisse donne le ton...

# Murviel-les-Béziers

## ▓ Domaine de L'Imbardié

M. **Henri Boukandoura** et Mme **Madeleine Hutin,**
34490 Murviel-les-Béziers
tél. 67.37.90.40.

Superficie : 16,5 hectares. Sol : sablo-limoneux calcaire. Vins de pays des coteaux de Murviel. Vins de pays de cépage rouge et rosé. Prix unique départ cave : 80 F T.T.C., le carton de 6 bouteilles.
Œnologue conseil : M. François Escorne.

« Ici, on aime les vins jeunes, les vins qui éclatent dans le verre de tout leur fruit et que l'on boit tout de suite après la récolte. » Cette petite phrase est la règle de conduite d'Henri Boukandoura et de Madeleine Hutin depuis qu'ils se sont installés un jour de décembre 1987 au domaine de Limbardie dont le nom occitan signifie « gros lézard ».

Cette philosophie en tant que vigneron, ils l'ont apprise de Louis-Marie Teis-serinc, le propriétaire du domaine de *l'Arjolle où ils sont venus en 1975 pour le plaisir faire une vinification.*

*Ce couple de vignerons discrets, mais ô combien sympathique, produit après seulement sa deuxième vendange des vins « plaisir » qui font « courir » les foules anglaises, friandes de l'élégance de ces cuvées.*

*Des vins qui « entonnent » de belles gammes fruitées et florales sur des mesures charmeuses et délicates, joliment mis en valeur par une très belle étiquette.*

---

# Nezignan-l'Evêque

## ▨ Domaine de la Condamine-L'Evêque

MM. **M.-C. et G. Bascou,**
34120 Nezignan-l'Evêque
tél. 67.98.27.61.

Superficie : 42 hectares. Sol : terrasses du villafranchien, marne du miocène, plaine d'alluvion. Vins de pays d'Oc, de cépage rose, blanc, rouge.
Prix départ cave : 12 à 25 F T.T.C.
Œnologue conseil : M. Guy Bascou lui-même.

*Guy Bascou, ingénieur agronome, œnologue, directeur de l'Institut coopératif de Béziers a depuis onze ans avec sa charmante épouse entrepris un programme ambitieux. Grâce à sa formation scientifique, ce vigneron éclairé se*

*passionne à élaborer des vins qui procurent beaucoup de plaisir.*

*Sur ce terroir diversifié, la tentation était forte d'implanter un encépagement « dernier cri » où merlot, cabernet sauvignon, mourvèdre, syrah, sauvignon blanc assurent l'essentiel.*

*Sitôt passé le pas de la porte du chai, nous avons la certitude qu'au domaine de la Condamine-l'Evêque, on fait du bon vin... La propreté, ça ne trompe pas !*

*Ici, c'est le royaume de Guy Bascou. Fort de sa propre expérience et profitant des avis de ses confrères œnologues, cet ardent promoteur de la qualité en Languedoc-Roussillon définit le niveau de complexité de ses vins par la juxtaposition des terroirs qui détermine la concentration complexe des produits.*

*Sur le terrain, il prélève les baies de raisin pour suivre l'évolution de la maturité. Portée au cuvier, la vendange récoltée avec soin est vinifiée dans le souci d'avoir toujours plus d'arômes et de saveurs.*

*Les Bascou en sont à mettre au point un nouveau blanc de sauvignon vinifié en barriques : une splendeur !*

*Le merlot de la gamme prestige dévoile un nez très concentré de fruits mûrs avec des notes grillées et épicées. En bouche, il est bien structuré, rond et gras ; le fruit est présent mais avec une foule d'autres saveurs qui confèrent une grande complexité à ce beau vin.*

*... Ainsi, de cuvée en cuvée, nous avons dégusté des vins délicats et subtils à inviter à votre table si vous aimez la franchise et le plaisir.*

---

# Pézenas

## ▨ Seigneurie de Peyrat

M. **Luc Viennet,**
34120 Pézenas
tél. 67.24.94.72.
   67.24.93.39.
fax : 67.28.19.75.

Superficie : 145 hectares. Sol :

argilo-calcaire. Vins de pays rouge et blanc.
Prix départ cave : 16 à 20 F T.T.C.
Œnologue conseil : M. Guy Bascou.

*Membre du Club des grands vins de Châteaux du Languedoc, la seigneurie de Peyrat est l'un des rares châteaux à avoir traversé le cours des âges sans heurt, offrant aux visiteurs une façade du XVIIe siècle, classée monument historique.*

*Soucieux de la qualité, M. Luc Viennet plante sur les coteaux à l'ouest de Pézenas de nobles cépages tels que le merlot, le cabernet sauvignon et la syrah. Des vendanges soignées, une vinification très bien suivie, un vieillissement en fûts de chêne et une mise en bouteilles à la propriété sont des atouts non négligeables pour une qualité toujours meilleure.*

*Dans un cadre paisible, le propriétaire vous invite à déguster son vin charmeur dans une bouteille très élégante habillée d'une superbe étiquette.*

*La seigneurie de Peyrat 1986 est vêtue de grenat intense et brillant. Il embaume le verre où les notes de raisins surmûris se mêlent avec élégance aux senteurs de cerise confite et de fourrure. Il enrobe l'espace gustatif par des saveurs rondes et des tannins souples et fins qui confèrent à ce vin sa tenue d'aujourd'hui.*

*Si comme on le dit, le péché de gourmandise n'est plus un péché, alors c'est sans complexe que nous dégusterons les vins savoureux du domaine de l'Arjolle afin de contenter nos papilles avides de flatteries gourmandes.*

*Des vins qui reflètent bien l'image du propriétaire, amoureux de la beauté et de l'harmonie, persuasif lorsqu'il nous dit « que les choses de l'estomac n'excluent en rien celles de l'esprit ».*

*Louis-Marie Teisserenc, puisque c'est de lui que nous parlons, exploite avec son frère Prosper et ses deux neveux Charles et Guilhem le domaine de l'Arjolle tout près de Pézenas dans le petit village de Pouzolles.*

*Rien ne lui résiste... Depuis 1974, il arrache un vignoble à vocation quantitative pour replanter des cépages très qualitatifs.*

*Parfait symbole de cette nouvelle race de jeune vigneron de par sa formation d'œnologue et son goût de l'expérimentation, il élabore au milieu de ses superbes vieux foudres, des vins faits pour donner du plaisir et colporter la convivialité entre les êtres.*

*Dans son vin de muscat sec, il a su extraire, conserver et amplifier les arômes délicats et toute la fraîcheur du raisin. Merveilleux de souplesse et d'onctuosité, ce vin est doté d'une excellente harmonie et d'une forte personnalité. Ainsi de cuvée en cuvée, vous pourrez déguster des vins qui affirment leur distinction et leur élégance.*

# Pouzolles

## ▓ Domaine de l'Arjolle

MM. **Prosper** et **Louis-Marie Teisserenc,**
34480 Pouzolles
tél. 67.24.69.72.
        67.24.81.18.
Superficie : 40 hectares. Sol : argilo-calcaire. Vins de pays des Côtes de Thongue rouge, rosé, blanc.
Prix départ cave : 15 à 25 F T.T.C.
Œnologues : M. Louis-Marie Teisserenc lui-même et M. François Serre en conseil.

## ▓ Cave Les Vignerons de Pouzolles-Margon

Pouzolles
34480 Magalas
tél. 67.24.61.62.

Superficie : 1 100 hectares. Sol : sédiments limono-sableux et du villafranchien. Vins de pays rouge, rosé et blanc.
Prix départ cave : 8 à 35 F T.T.C.
Œnologue conseil : M. Roch Anglade.
Directeur : M. Jean Mantion.
Président : M. Alain Gilly.

*A une vingtaine de kilomètres au nord de Béziers, la cave coopérative de Pouzolles regarde le très joli château de Margon mais n'a rien à lui envier.*

*En effet, cette cave dynamique par son jeune conseil d'administration a entrepris sous la direction de M. Jean Mantion une politique de renouvellement.*

*Les 360 adhérents motivés par l'envie de faire toujours mieux plantent à « tour de bras » de nobles cépages sur un terroir hétérogène.*

*Une fois ramassé et trié, le raisin est vinifié dans une cave très bien conçue, divisée en trois ateliers, un pour l'élaboration des vins rouges, l'autre pour les rosés et le dernier pour les vins blancs.*

*Cette année, le bois a fait son apparition dans la cave, bois dans lequel le vin de cépage merlot a vieilli ; un essai concluant laissant prévoir une extension du chai à barriques à partir des vendanges 1990.*

*Si l'accent a été mis sur la culture et la maîtrise technologique, ces charmants vignerons n'ont pas oublié la convivialité et vous réservent un accueil chaleureux autour de leur vin subtil de qualités.*

*Très clair, aux reflets verts, ce sauvignon 1988 effleure nos sens olfactifs par la délicatesse de ses parfums de fleurs.*

*En bouche, ce vin est vif, souple, plaisant, et ne manque pas d'élégance.*

*Il vous reste à découvrir la cuvée des sept pechs où la syrah et le carignan s'épousent merveilleusement autour d'une corbeille de fruits. Et surtout, laissez-vous séduire par le merlot élevé en fûts de chêne, présenté dans un magnum sérigraphié. Une bouteille sympathique à partager entre amis.*

# Saint-Jean-de-Vedas

## ▨ Domaine Le Claud

**Famille de Boisgelin,**
12, rue Georges-Clemenceau
34430 Saint-Jean-de-Vedas
tél. 67.42.55.15.

Superficie : 40 hectares dont 32 en production. Sol : argilo-calcaire et gréseux. Vins de pays blanc, rosé, rouge des collines de la Moure.
Prix départ cave : 12 à 20 F T.T.C.
Œnologue conseil : M. Jean-François Vrinat.

*Aux portes sud de Montpellier au milieu des garrigues, le domaine Le Claud entoure son magnifique château du XVIIIe siècle.*

*M. de Boisgelin, le propriétaire retraité mais omniprésent et ses deux fils ont effectué depuis quinze ans d'énormes efforts en vue d'une qualité toujours meilleure.*

*Cédant leur terroir de plaine au profit des coteaux, améliorant l'encépagement, ils élaborent dans une cave réaménagée des vins charmeurs, et c'est le verre à la main qu'ils vous invitent à déguster leurs produits dont l'excellente cuvée du Roumanis. D'une très belle robe foncée, ce vin présente au nez des senteurs animales alliées à des odeurs de pruneau, de fruits rouges très mûrs. Encore fermé pour l'instant, il est doté d'une puissante structure et offre une belle matière où l'on retrouve la crème de cassis avec un joli rappel réglissé en finale... Un vin d'avenir.*

# Servian

## ▨ Prieuré d'Amilhac

MM. **Max et Régis Cazottes,** ♦
B.P. 11
34290 Servian
tél. 67.39.10.51.

Superficie : 100 hectares. Sol : plateau du villafranchien agrémenté de résidus volcaniques. Vins de pays blanc, rosé, rouge. Eau-de-vie de marc du Languedoc.
Prix départ cave : 12,50 à 30 F T.T.C.
Œnologue conseil : professeur André Lefebvre de la faculté d'œnologie de Bordeaux.

Situé à sept kilomètres au nord-est de Béziers, sur l'emplacement d'une ancienne villa romaine, le prieuré d'Amilhac est, depuis la Révolution, un domaine à vocation viticole.

1988

Produit · de France

DOMAINE DU
PRIEURÉ D'AMILHAC

SAUVIGNON BLANC/CHARDONNAY
VIN DE PAYS DES CÔTES DE THONGUE
Mariage réussi du SAUVIGNON et du CHARDONNAY
le roi des cépages blancs Bourguignons
MIS EN BOUTEILLE AU DOMAINE
par Régis et Max CAZOTTES, Maîtres Vignerons, 34290 SERVIAN   75 cl

Max et Régis Cazottes revendiquent aujourd'hui une démarche qualitative commencée en 1971 par l'implantation de cépages de grands crus sur un terroir privilégié. Exigeants, ils équipent un cuvier à la pointe des progrès techniques. Mais pour ces deux acharnés, la qualité passe impérativement par une reconnaissance en matière de vieillissement.

Cuvée Jean de Bonsi
1986

DOMAINE DU
PRIEURÉ D'AMILHAC

CABERNET-SAUVIGNON

Ce CABERNET-SAUVIGNON, le plus grand des cépages BORDELAIS est acclimaté sur les terres du PRIEURÉ D'AMILHAC, par les Maîtres Vignerons Régis et Max CAZOTTES à SERVIAN 34290.

MIS EN BOUTEILLE AU DOMAINE

12,5%   VIN DE PAYS DES CÔTES DE THONGUE   75 cl

En témoigne l'excellence des cuvées vieillies dans de vastes caves souterraines d'une capacité de plus de 500 000 bouteilles.

Amoureux de leur métier, ils aménagent un caveau de dégustation dans une salle du XVII<sup>e</sup> siècle, devenue un musée de la vigne et du vin. Et, l'été venu, ils unissent l'art et le vin en accrochant quelques peintures sur les murs de la chapelle du XI<sup>e</sup> siècle.

La cuvée Jean de Bonsi : 100% cabernet sauvignon, élevée 18 mois en foudres de chêne, est un vin très typé, au bouquet complexe et délicat. Il s'impose en bouche par sa puissance

aromatique et la finesse de ses tannins dans un fondu savoureux.

La cuvée Artémis : issue des cépages merlot, syrah, grenache, carignan et mourvèdre, élevée 18 mois en foudres de chêne. C'est une très belle bouteille dont on apprécie la remarquable complexité aromatique.

# Sète

## Fortant de France

278, avenue du Maréchal-Juin
B.P. 53
34210 Sète Cedex
tél. 67.48.49.48.

Filiale du groupe agro-alimentaire Skalli, dirigée par Robert Skalli depuis sa création en 1988, Fortant de France est, aujourd'hui, avec plus d'un million de caisses de douze bouteilles prévues pour 1990 le symbole du dynamisme et le leader des vins de cépage.

Cette unité qui bénéficie d'un réel crédit dans la région a su sensibiliser un nombre toujours croissant de producteurs à investir pour améliorer la qualité de l'encépagement.

De la plantation jusqu'à la vinification et l'élevage, avec l'appui de vrais professionnels, le groupe Skalli apporte à la propriété l'assistance technique nécessaire afin de produire un vin irréprochable et de proposer des crus de qualité émanant des meilleurs cépages.

Le Languedoc-Roussillon en pleine mutation se prêtait très bien à cette évolution. Poussés par Robert Skalli et toute son équipe, les vignerons ont très vite compris l'intérêt économique de la valeur de l'encépagement.

Chez Fortant de France, le mot d'ordre est rentabilité et développement.

Dans une unité ultramoderne, ils embouteillent, à la cadence de 18 000 bouteilles/heure, une gamme complète de dix vins de cépages répartis en trois grandes séries : « cépages purs », « jeunes premiers » et « références ».

Conscients qu'il fallait répondre aux besoins du consommateur « qui, s'il boit moins de vin, s'oriente vers des produits de meilleure tenue », nous dit Colette Drape, la responsable commerciale ; Fortant de France assure le challenge de la qualité au travers du concept du cépage.

Dans la série « cépages purs », nous avons particulièrement apprécié le cabernet sauvignon qui se dévoile avec beaucoup de concentration. Bien équilibré, corpulent, c'est un vin qui a l'étoffe pour durer. Le chardonnay de la série « références » est l'exemple parfait d'une belle réussite. La robe est d'un beau jaune pâle. Le nez laisse percevoir des arômes d'ananas, de poire ainsi que des nuances de grillé et de beurre frais. Le fruité éclate en bouche pour finir avec beaucoup de fraîcheur.

---

# Thézan-les-Béziers

## ▓ Domaine de Ravanes

M. Guy Benin,
Thézan-les-Béziers
34490 Murviel-les Béziers
tél. 67.36.00.02.
télex : 490016F.

Superficie : 67 hectares dont 58 plantés. Sol : graveleux. Vins de pays rouge coteaux de Murviel.
Prix départ cave : 23 à 35 F T.T.C.
Œnologue conseil : M. Olivier François.

Une demeure typiquement languedocienne entourée de son vignoble, tel est le domaine de Ravanès à Thézan-les-Béziers.

Cette antique villa gallo-romaine (une des sept villas de cette époque dans la région) cultivait la vigne et produisait du vin déjà sous la domination des Romains. En 1955, M. Benin issu d'une famille de quatre générations de négociants en vins acquiert cette propriété. Sur un terroir graveleux analogue à ceux du médoc, il implante les cépages de cette région à savoir, le cabernet sauvignon, le merlot et le petit verdot. Ce perfectionniste se définissant comme « un Japonais-Français qui n'a pas inventé le vin mais le connaît », l'élabore tel qu'il l'aime pour son plaisir personnel.

Une vinification dans les règles de l'art, une cuvaison suffisamment longue permettant une extraction maximale des constituants aromatiques des raisins, un vieillissement de 24 à 36 mois en cuve font, de ces vins d'élégants nectars à déguster savoureusement.

Passionné et père attentif, il adore son enfant, le vin plus que tout et se fait un plaisir de communiquer la joie de sa paternité. Après l'avoir élevé avec tant de soins et d'amour, c'est le bleu à l'âme qu'il le voit s'éloigner vers de lointains horizons.

Un domaine à visiter, un homme à écouter et un vin charmeur, garanti sur facture pendant 20 ans, à acheter avec « diplomatie » ! ! !

Le cabernet sauvignon 1985 impressionnant par sa richesse aromatique, complexe dans son bouquet, dévoile des saveurs pleines et onctueuses. Par la noblesse de ses tannins bien fondus il avoue et promet un superbe avenir.

Le merlot, souple et onctueux, chaleureux et élégant, aux arômes de fruits, de noyau et d'épices, s'avère racé et prometteur grâce à son bouquet qui reste longtemps en bouche.

# Vias

## ◼ Les Grands Vins de Delta Domaines

**M. Pierre Besinet, ♦**
Delta Domaines
Siège social : domaine du Bosc
34450 Vias
tél. 67.21.73.54.

Animés d'une volonté commune, les Maîtres Vignerons de Delta Domaines regroupés en S.I.C.A. se sont donnés pour vocation de commercialiser ensemble le fruit de leurs efforts intensifs sous l'impulsion de Pierre Besinet. De ces vignobles de bord de mer, sur des terrains et sous un climat particulièrement bien adapté à la culture de la vigne, chacun des domaines et châteaux est fier de vous faire découvrir, dans le respect de sa propre personnalité, des produits adaptés aux exigences du consommateur.
De par leur sérieux et leur compétence, avec une production de 2 millions de bouteilles, ils commercialisent partout en Europe et dans une partie du monde des vins de pays et vins de cépage consacrés par les plus hautes distinctions à travers les différents concours internationaux.
Ainsi, vous pourrez apprécier la performance de ces hommes animés de la volonté de créer de grands vins.
Chacun des cinq propriétaires cités ci-dessous a su par sa volonté mieux faire apprécier l'originalité de ses terroirs et relier l'image du vin à celle de leur beau paysage du Languedoc.

## ◼ Domaine de la Grange-Rouge

**MM. Pourthie,**
(Delta Domaines)
34300 Agde

Superficie : 43 hectares. Sol : argilo-calcaire, cailloutis et galets. Vins de pays de cépages blanc, rosé, rouge.
Prix départ cave : 18 à 40 F T.T.C.
Œnologue conseil : M. Marc Dubernet.

Situé à proximité de la mer, sur un sol de cailloutis et de galets mêlés à des argiles rouges qui ont donné son nom au domaine, le vignoble jouit d'une situation très favorable qui favorise l'expression aromatique des nombreux cépages.
Le blanc de chardonnay puissant et racé, floral et épicé est un bel ouvrage. Le rouge de merlot présente une robe rouge sombre qui enveloppe ce vin de belle manière. Souple, profond, il est en pleine maturité et dévoile des parfums sauvages et animaux dans une tonalité agréable de fruits mûrs.
... Et ainsi, de cuvée en cuvée, vous pourrez savourer des vins dignes du plus grand intérêt.

## ◼ Domaine Saint-Victor

**M. Jean Pourthie,**
(Delta Domaines)
34340 Marseillan

Superficie : 27 hectares. Sol : cailloutis argilo-calcaire. Vins de pays de cépage blanc et rouge.
Prix départ cave : 18 à 21 F T.T.C.
Œnologue conseil : M. Marc Dubernet.

Si l'Ephèbe d'Agde pouvait à nouveau débarquer dans l'Agadès, il remplirait volontiers sa coupe du vin du domaine de Saint-Victor pour sceller l'amitié entre les hommes.
Il y verrait un vin de Picpoul de couleur jaune clair aux jolis reflets verts, sentirait des arômes très fruités accompagnés d'une note de fleur séchée et dégusterait un vin agréable, nerveux et

*ample qui développe une bonne intensité aromatique.*

*Et si l'envie de rester lui prenait, il s'enivrerait des effluves des rouges de grenache, syrah et merlot qui complètent la gamme des vins blancs du domaine.*

## ▧ Domaine de la Fadèze

**MM. Lentheric père et fils,**
(Delta Domaines)
34340 Marseillan

Superficie : 35 hectares. Sol : argilo-calcaire caillouteux. Vins de pays de cépage blanc, rosé, rouge.
Prix départ cave : 18 à 27 F T.T.C.
Œnologue conseil : M. Marc Dubernet.

*La recherche de la qualité est une préoccupation de tous les instants chez les Lentheric.*

*En bordure de l'étang de Thau, face à l'île et à la montagne de Sète, le domaine constitue un ensemble saisissant avec pour toile de fond les incomparables couleurs du paysage languedocien.*

*Utiliser les moyens les plus modernes dans une cave qui perpétue une tradition de qualité par la beauté de ses foudres est l'objectif de la maison.*

*Le blanc de terret-bouret marie avec beaucoup de charme les arômes floraux à ceux des fruits exotiques.*

*Agréable à boire avec de bonnes saveurs d'agrume en rétro-olfaction, c'est un vin bien équilibré.*

*Fraîcheur et parfums du cépage se retrouvent dans ce beau vin de sauvignon puissant et délicatement parfumé.*

*De couleur franche, le rosé de grenache se caractérise par des senteurs amples et charmeuses de fruits frais. Un bon équilibre en bouche soutenu par un léger perlant flatte ce vin très aromatique.*

*Les rouges aussi, où le terroir apporte toute sa typicité traduisent bien le cépage qui les particularise.*

## ▧ Domaine du Bosc

**M. Pierre Besinet,**
(Delta Domaines)
34450 Vias

Superficie : 51 hectares. Sol : d'origine volcanique. Vins de pays de cépage blanc, rosé, rouge.
Prix départ cave : 19 à 30 F T.T.C.
Œnologue conseil : M. Marc Dubernet.

*A quelques encablures du célèbre Cap d'Agde, Pierre Besinet exploite le domaine du Bosc qui couvre 51 hectares plantés sur des sols d'origine volcanique relativement acides et poreux. Depuis qu'il a quitté l'industrie, Pierre Besinet gère son domaine et la S.I.C.A. avec efficacité, sans arrêt à l'écoute des besoins du marché actuel.*

*Le vignoble entièrement renouvelé par un encépagement de choix permet à cet ingénieur de talent d'élaborer, dans un chai en constante évolution, un éventail impressionnant de cuvées de belle qualité particulièrement remarquées dans les différents concours internationaux. De grenache blanc, de marsanne, de muscat ou de sauvignon, vous pourrez apprécier à travers tous ces vins blancs l'art du vigneron qui a su extraire et développer toute la fraîcheur et la saveur du pur jus de raisin, le tout dans un ensemble très harmonieux.*

*Le rosé, dans sa belle robe d'un rose tendre, offre généreusement ses arômes fruités. Une fraîcheur bien agréable vient conforter une bouche élégante. Séduisants, les rouges nous apportent la preuve que la civilisation du vin reste bien présente dans cette région et que de ces remarquables terroirs du Languedoc, des hommes, animés d'une grande volonté doublée d'un savoir-faire sans pareil, sont à même de créer de grands vins.*

## ▧ Domaine de Preignes-le-Vieux

**M. Robert Vic,**
(Delta Domaines)
34450 Vias
tél. 67.76.38.89.

Superficie : 150 hectares tout en vignes. Sol : argilo-graveleux et lave volcanique. Vins de pays rouge et rosé.
Prix départ cave : 13 à 16 F T.T.C.
Œnologue conseil : M. Marc Dubernet.

*Situé sur la commune de Vias, près d'Agde, nous découvrons un château typique construit en pierres de lave de la région, qui appartenait aux évêques d'Agde.*

*Si la famille Vic habite le domaine de Preignes-le-Vieux depuis le début du siècle, l'origine viticole de cette propriété date du Moyen Age.*

*Soucieux de l'élaboration de son produit, M. Vic aménage sa vaste cave, investissant dans une batterie de cuves inox de différentes capacités.*

*Dans un immense chai de vieillissement où 37 gros foudres joufflus se côtoient, le vin évolue lentement. Menant une politique de communication afin de faire découvrir la région et ses produits aux nombreux touristes, ce propriétaire crée une salle de dégustation, où est visionné un film sur « son métier de vigneron éleveur ». Notons une traduction en anglais et en allemand... une autre façon de ne pas bronzer idiot ! ! !*

*Quel que soit le millésime, les cuvées reflètent la parfaite maîtrise de son vinificateur.*

*Le rosé 1988 est très flatteur avec ses nuances pâles et vives, la finesse de ses parfums et la fraîcheur de ses saveurs.*

*Le merlot 1986 est un vin soyeux et bien structuré où les arômes du fruit se mêlent joliment au réglisse du bois.*

## Pyrénées-Orientales

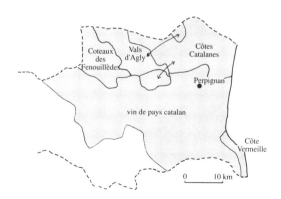

# Bages

## ▨ Les Producteurs de la Barnède

66670 Bages
tél. 68.21.60.30.

700 hectares. Sol : argilo-limoneux. A.O.C. Côtes du Roussillon. Rivesaltes, Muscat de Rivesaltes. Vins de pays, vins de cépages.
Prix départ cave : 11 à 50 F T.T.C.
Œnologue de la cave : M. Thierry Gibiard.

*Sérieux, qualité et suivi sont les maîtres mots qui caractérisent cette cave résolument tournée vers l'optimisme.*
*Le vignoble situé sur la commune de Bages, entoure une cuvette et profite avantageusement de l'hétérogénéité des sols.*
*Consciente de la demande, l'accent est mis sur les plantations de cépages aromatiques...*
*Les techniques de vinification judicieusement adaptées, permettent l'élaboration de cuvées qui répondent aux besoins devenus plaisir.*
*M. Iac est un jeune président fort sympathique qui aime à parler de sa cave, mais surtout bavard et gourmand de ses vins.*
*Le rivesaltes, nous dit-il, est bon à faire rougir un banyuls avec ses notes de cerise, de kirsch, de pruneaux, de cacao sur un fond de torréfaction.*
*Le primeur, léger et gouleyant aux arômes de framboise, est un vin rafraîchissant et plaisant pour l'été.*
*La cave est aussi célèbre pour ses vins verts aux arômes primaires qui s'ouvrent sur des parfums de zeste de citron vert, de fleurs blanches, avec des notes exotiques. Très frais, ils affirment l'expression de leurs cépages.*

# Claira

## ▨ M. Joseph Puig

Boulevard des Albères
66330 Claira
tél. 68.28.08.65.

34 hectares. Sol : argilo-calcaire et limoneux. A.O.C. Rivesaltes. Vins de pays rouge, rosé, blanc.
Prix départ cave : 16 à 100 F T.T.C.
Œnologue conseil : M. Jean Riere.

*Au nord-est de Perpignan, le petit village de Claira se situe entre la nationale 9 et la Méditerranée.*
*Allez directement à la mairie, vous y rencontrerez plus facilement Joseph Puig, le maire.*
*Ce vigneron passionné explique avec ardeur les soins qu'il prodigue à ses vins très originaux et spécifiques de leur millésime.*
*Dans sa famille depuis trois siècles, le vignoble s'étend sur quatre grandes parcelles.*
*Le chai climatisé permet à cet orfèvre du vin d'élaborer et d'élever en fûts neufs des cuvées remarquables.*
*Son chardonnay-sauvignon a une présence qui envahit le verre, brillant et complexe, d'une sève soyeuse, il semble tout dire sans rien avouer...*

# Elne

## ▨ Mas Chichet

**M. Jacques Chichet,**
Chemin de Charlemagne
66200 Elne
tél. 68.22.16.78.

35 hectares. Sol : argileux. Vins de pays rouge et rosé.
Prix départ cave : 15 à 25 F T.T.C.
Œnologue conseil : M. Jean Riere.

*Pour Jacques Chichet, le vin est avant tout une activité industrielle, il avoue cependant se passionner pour lui.*

*Il succède à quatre générations de vignerons dont le principal souci est toujours la quête de la plus grande qualité.*

*Sur un sol riche, complanté des principaux cépages du sud-ouest et de la vallée du Rhône, le mas Chichet possède une personnalité propre liée à des choix rigoureux.*

*Le vignoble bénéficie des soins les plus attentifs pour obtenir la quintessence des variétés. Le végétal est suivi de très près.*

*Jacques Chichet, par exemple, pratique systématiquement un éclaircissage de la récolte en juillet afin d'assurer aux grappes restantes une meilleure concentration.*

*La vinification, c'est « une grande bataille », dit-il... les cuvées élaborées « mûrissent » lentement dans un chai climatisé où les 350 barriques alignées sont renouvelées par quart chaque année.*

*Ces choix font du Mas Chichet un cru fin et élégant aux arômes complexes et contrastés de longue garde. Tel son cabernet 1985 qui suscite l'émotion.*

# Tressère

## ▧ Domaine Vaquer

**M. Bernard Vaquer,**
66300 Tressère
tél. 68.38.80.32.

30 hectares. Sol : argileux des Aspres. Vin de table rouge, rosé, blanc.
Prix départ cave : 34 et 36 F T.T.C.
Œnologue conseil : M. André Brugirard.

*Le domaine Vaquer, entièrement classé en A.O.C. et planté de cépages classiques au Roussillon, produit des vins de table à haute expression.*

*Pour Fernand Vaquer, le père, « qu'importe le titre, nous commercialisons du Vaquer ». Un sacré beau vin, son blanc 100% maccabeu, il flatte le nez par ses parfums subtils et délicats où se mêlent l'angélique et les agrumes confits. En bouche somptueusement structuré, il nous laisse supposer son devenir.*

*Un domaine à suivre, où le savoir-faire d'un père va se conjuguer au savoir de son fils Bernard, bientôt œnologue.*

**Vins de pays :** la plupart des vignerons des aires d'appellation du Languedoc-Roussillon élaborent aussi des vins de pays.

# Les vins doux naturels

En s'installant sur la Costa Brava au VIe siècle avant Jésus-Christ, les Grecs fondèrent la ville d'Ampurias. Le Canigou, évoquant leur « Pyréne » (montagne de feu), les attirait à cause de ses richesses minières. C'est à ce moment-là qu'ils plantèrent les premières vignes en Roussillon. On retrouve dans les écrits de Pline l'Ancien au Ier siècle de notre ère, la mention d'un vin liquoreux provenant des Pyrénées méditerranéennes dont il aurait raffolé. Il est fort probable qu'à cette époque ce vin ait été aromatisé avec des plantes ou même enrichi avec du miel.

Au Moyen Age, une méthode particulière était employée dans le Midi pour une meilleure conservation du vin : du jus de raisin concentré par une longue cuisson était ajouté au vin, ce qui avait pour effet d'augmenter la teneur en sucre et de stopper l'action des levures. C'est de là que vient l'expression « vin cuit » qui a malheureusement traversé les âges jusqu'à nos jours et est encore aujourd'hui attribuée fort mal à propos aux vins doux naturels.

Le grand problème du vigneron méditerranéen a toujours été celui de la conservation du vin. A la fin du XIIIe siècle, Arnau de Vilanova mit au point une méthode simple mais pourtant révolutionnaire. Ce médecin qui allait devenir ensuite recteur de l'université de Montpellier, avait rapporté d'une croisade en Orient les principes de la distillation mis au point par les Arabes. C'est dans les caves du mas Deu, près de Perpignan, qui était à l'époque une commanderie des Templiers ainsi qu'un vaste domaine viticole, qu'il réussit le « miraculeux mariage de l'esprit et du suc de raisin ».

Autrement dit, il découvrit là le secret du mutage, c'est-à-dire l'interruption de la fermentation par l'addition d'alcool. Dès lors, le vin ainsi stabilisé devient doux grâce aux sucres résiduels qu'il contient. Il présente également l'intérêt non négligeable de se conserver parfaitement et de pouvoir voyager. C'est alors l'époque du royaume de Majorque, et le roi Jacques II lui confère une lettre patente le 17 novembre 1299 à Perpignan. Parmi les premiers amateurs du vin de Collioure, ainsi baptisé du nom de son port d'expédition, on compte Jeanne d'Evreux, épouse de Pierre IV, roi d'Aragon. Jacques Cœur expédiait les vins doux naturels, qui venaient de voir le jour, vers la Flandre et l'Angleterre. En 1659, lorsque la province du Roussillon fut définitivement annexée par le royaume de France, ces vins avaient leur place sur la table de Louis XIV. Voltaire, quant à lui, préféra le muscat de Frontignan, alors que le « gourmand » Grimod de la Reynière se prononçait pour celui de Rivesaltes.

François Arago, né à Estagel en Roussillon, s'engagea pour la renommée des vins doux de sa région natale et obtint en 1872 la loi qui allait porter son nom, visant à confirmer la particularité et l'origine de ces vins. La loi PAMS du 13 avril 1898 va conférer aux vins doux naturels le statut de vins, et ainsi permettre de ne payer que des demi-droits sur l'alcool utilisé pour le mutage. Le 15 juillet 1914, la loi Brousse définira les cépages autorisés pour l'élaboration des vins doux naturels en les limitant aux grenache, maccabeu, malvoisie et muscat. En août 1936, un an à peine après la création de l'I.N.A.O. (Institut national des appellations d'origine), les vins doux naturels accèdent au statut d'A.O.C. (Appellation d'origine contrôlée) à cause de leur forte tradition. Le muscat de Frontignan, lui, y a déjà accédé le 31 mai 1936.

Selon les décrets, le moût à la récolte doit contenir au minimum 252 grammes de sucre par litre, ce qui correspond à un degré d'alcool de 14,4. Pour arriver à ces quantités de sucre, des conditions particulières de climat, d'exposition et de sols doivent être réunies. Toutes les appellations de vins doux naturels sont situées sur une étroite « bande » dont le climat est régulé par la Méditerranée. Le Roussillon, qui bénéficie en moyenne d'un ensoleillement de 2 600 heures par an, produit à lui seul 90% de l'ensemble des vins doux naturels français. A l'intérieur de son vignoble, les terrasses les plus sèches et chaudes, les plus pauvres et caillouteuses, sont réservées aux vins doux naturels.

De tous les cépages destinés à l'élaboration de ces vins, c'est le grenache noir qui occupe une position privilégiée. Cette position se vérifie également dans le cas des vins rouges secs du Languedoc-Roussillon. Il est le mieux adapté aux conditions extrêmes et supporte la chaleur, la sécheresse, le vent et la pauvreté des sols. Dans ces conditions, et avec des rendements faibles, il ne développe pas seulement un potentiel alcoolique et des matières colorantes, mais il est aussi riche en fruit et en tannins ronds et plutôt dépourvu d'acidité. Etant le seul cépage rouge admis dans l'appellation, il est responsable des arômes de petits fruits rouges et noirs, principalement cerise, mûre et cassis. Il vieillit remarquablement bien en développant un bouquet riche qui donne des vins de caractère. C'est au grenache noir que les meilleurs banyuls et maury doivent leur renommée. Les grenaches gris et blancs, quant à eux, manquent de richesse aromatique. Le maccabeu, cueilli avant maturité, donne des vins blancs secs frais et fruités. Si on le laisse mûrir, il peut atteindre des taux de sucre élevés, mais il est alors moins robuste que le grenache : il aime les terroirs ni trop secs, ni trop humides,ni trop fertiles. Sa fragilité l'expose aux dégâts causés par la tramontane, mais lorsqu'il dispose de bonnes conditions et d'un petit rendement, le maccabeu produit des vins doux naturels fins et fruités. La malvoisie du Roussillon, appelée aussi tourbat, est vraisemblablement un cépage local catalan. Il possède un potentiel aromatique très intéressant, souligné par une bonne acidité. Il se plaît dans les terroirs chauds, car il mûrit tardivement. Il a pourtant presque complètement disparu à cause de la dégénérescense infectieuse. Une renaissance de ce cépage original serait plus que souhaitable.

L'origine du muscat à petits grains, souvent appelé muscat de Frontignan, se situe en Grèce. C'est un cépage délicat, qui mûrit tôt, est sensible à l'oïdium et aux parasites, supporte mal la sécheresse, pourrit vite et préfère les terroirs frais et calcaires. Il possède de bonnes qualités aromatiques, une note typique « muscatée » souvent agrémentée d'accents floraux, et produit des vins légers et élégants. Il est l'unique cépage des vins doux naturels du Languedoc. Neuf communes de l'Aude rattachées aux vins doux du Roussillon font exception, ayant le droit d'inclure d'autres cépages.

Les grains du muscat d'Alexandrie, ou muscat romain, sont plus gros et de forme ovale. Pour cette raison, on l'appelle aussi muscat à gros grains. Ce cépage qui supporte très bien la sécheresse a été introduit en Roussillon par les Romains. Se prêtant à de multiples utilisations, il peut être consommé comme raisin de table ou raisin sec, ou transformé en jus de raisin, en vin sec ou en vin doux. Dans tous les cas, il fait preuve d'un grand potentiel aromatique. Très répandu sur le pourtour de la Méditerranée, il n'est admis dans nos régions que pour l'A.O.C. Muscat de Rivesaltes.

En général, les raisins destinés à l'élaboration des vins doux sont cueillis en surmaturité, lorsqu'ils sont plus riches en sucre concentré. Les rendements maxima sont fixés à 30 hl/ha pour les appellations du Roussillon, et à 28 hl/ha pour les muscats du Languedoc. Le premier cépage que l'on vendange est le muscat à petits grains, alors que le muscat à gros grains est récolté le dernier.

Le principe de la vinification de tous les vins doux naturels est basé sur le mutage. Ainsi, on ajoute de l'alcool au vin en fermentation, ce qui a pour effet de stopper l'action des levures. La quantité d'alcool ajoutée varie de 5 à 10% du volume total. Les vins ainsi obtenus devront titrer entre 15 et 18 degrés d'alcool acquis, qui ajoutés aux sucres résiduels doivent représenter un potentiel minimum de 21,5°. L'alcool utilisé pour le mutage doit être de l'alcool neutre à 96%, d'origine viticole. Ainsi, les arômes que l'on trouvera dans le vin seront exclusivement ceux des raisins utilisés, développés par le procédé de fermentation, et de ce fait entièrement naturels. La fourchette entre 5 et 10% d'alcool permet au vinificateur d'élaborer des vins de types différents. Le moment choisi pour procéder au mutage est aussi l'une des façons de typer le vin. En effet, plus tôt sera stoppé le processus de fermentation, plus le vin conservera de sucres naturels non encore transformés en alcool, et sera donc plus doux. C'est ainsi que l'on détermine les différentes classifications : doux, demi-doux, sec et demi-sec. Un banyuls sec, par exemple, contient autour de 54 g de sucre par litre. Par contre, une quantité minimum de sucre est fixée pour toutes les appellations de muscat à 125 g par litre. Seul, le muscat de Rivesaltes peut être un peu moins riche en sucre avec 100 g/l. Les vins doux naturels blancs élaborés à base de maccabeu, de grenache blanc ou gris sont obtenus par une vinification en blanc. Le mutage est pratiqué sur le moût au moment désiré. Quelquefois, une légère macération est utilisée, qui assure souvent pour les muscats une meilleure extraction des arômes. Pour les vins doux naturels rouges, on pratique le mutage sur le jus de coule après un soutirage. A Maury et à Banyuls surtout, une autre méthode est souvent pratiquée, sur le grenache noir : le mutage sur grains ou sur marc. L'alcool est alors soigneusement mélangé aux raisins éraflés qui macèrent dans la cuve. Ainsi, il aide à extraire davantage de matières colorantes, de tannins et d'arômes traditionnels au cours d'une macération qui peut durer jusqu'à un mois. Cette méthode donne des vins très intenses, mais est plus délicate et coûteuse parce qu'une partie de l'alcool est perdue pendant le pressurage. Alors que les muscats doivent être protégés de l'oxydation et consommés jeunes, la plupart des autres vins doux naturels nécessitent un vieillissement. Ce qui s'avérerait catastrophique pour un vin sec, permet au contraire aux banyuls, maury et rivesaltes de développer leurs caractères particuliers. Dans ce but, on utilise des milieux oxydants qui peuvent prendre des formes spectaculaires, comme ces demi-muids à Banyuls alignés au soleil et exposés à toutes les variations de climat, ou encore les bonbonnes de verre exposées de la même façon à Maury. Malgré tout, un affinage en bouteilles ajoute considérablement à la finesse des vins doux naturels.

Alors que la plupart des vins doux naturels sont des vins d'assemblages entre plusieurs millésimes, les meilleures qualités sont souvent vendues millésimées. Ces dernières années, on a assisté à l'apparition des termes « vintage » ou « rimage » sur les étiquettes. Ces termes s'appliquent aux vins doux naturels élaborés sur une base de grenache noir majoritaire (90% en général), le faible pourcentage d'autres cépages étant représenté principalement par le carignan. Ces vins sont mis en bouteilles tôt, et conservent lorsqu'ils sont bus jeunes, toute l'intensité de leurs arômes de petits fruits rouges et noirs. Ils possèdent néanmoins une structure leur permettant de vieillir très longtemps (on parle de décennies) et sont millésimés.

En général, les vins doux naturels présentent des arômes floraux et fruités dans leur jeunesse, qui se transforment en arômes de fruits cuits, principalement figue, mais aussi pêche, abricot, prune ou cerise au cours de leur premier stade de développement. Le stade de transition entre ces arômes et ceux des fruits secs reste flou. Les vins plus vieux présenteront des notes de raisin sec, de pruneaux, de figues sèches mais aussi de noix et d'amandes. Aux environs de la septième année, on verra apparaître des arômes de torréfaction dont le caramel, le pain grillé et les noix grillées. Les vins les plus nobles développeront des notes de cacao, de café ou de cognac. Le dernier stade de vieillissement aborde les arômes fins de rancio. Les vins dits « rancios » sont souvent des vins plus rustiques, marqués par le vieux bois et par une oxydation accélérée. Les Rivesaltes doivent leur premier succès à la mode du début de ce siècle qui a également rendu populaires les apéritifs à base de vin et les vermouths. L'âge d'or des vins doux naturels se situe à partir de la fin de la Seconde Guerre mondiale jusqu'aux années soixante-dix, quand soixante millions de litres étaient vendus chaque année. La plupart des vignerons ne se préoccupaient pas du fait que ces vins doux étaient considérés comme « l'apéritif du pauvre ». A l'exception de quelques avant-gardistes qui occupaient d'autres créneaux de vente, les gens auraient dû commencer à réfléchir à ce problème, lorsque avec les années quatre-vingt, on est passé à cinquante millions de litres seulement. Mais à quelque chose malheur est bon, et l'effet positif de cette crise des vins doux aura été le fait que l'on regarde à présent les vins doux naturels comme des vins. A partir de ce moment-là, on a vu se développer des vins plus intéressants et personnalisés.

La grande richesse d'arômes différents que l'on trouve dans les vins doux naturels, donne au gourmet la possibilité de découvrir de nombreuses et inhabituelles harmonies entre les mets et les vins tout spécialement dans les cas où aucun vin sec ne peut vraiment convenir. On peut facilement envisager d'accompagner un menu complet de différents vins doux naturels, trouvant pour chaque étape le mariage idéal à travers la grande diversité de types de vins et de mets. Avec un foie gras par exemple, on goûtera avec succès les banyuls, maury et rivesaltes. Tous les plats contenant des notes douces ou aigres-douces s'accommodent de ces mêmes vins ou des « vintages » qui peuvent accompagner la cuisine asiatique (les exportations vers le Japon sont en augmentation). Les canards laqués sont de bons compagnons pour les vins doux aux bouquets complexes. Les fromages forts le sont également, avec des associations clés comme celle du roquefort avec les vieux banyuls ou dans un autre registre avec des muscats. Les fromages de chèvre, les vieux cantals et tous les fromages bleus trouvent leur compagnon idéal à travers le choix d'un vin doux naturel. En ce qui concerne les desserts, il en existe peu qui ne puissent être associés avec un vin doux. Les muscats et les vintages pourront être servis avec les pâtisseries, les tartes aux fruits rouges, à l'orange, aux figues, feront résonner les arômes correspondants dans les vins doux rouges qu'ils soient « vintage » ou plus traditionnels. Avec le chocolat, le mariage idéal (préconisé par nombre de chefs français) est le banyuls. De manière générale tous les vins doux riches en arômes de torréfaction pourront lui être associés avec succès.

Plus les vins doux naturels sont jeunes, plus on devra les servir frais. Les températures « idéales » sont 8° pour les muscats, entre 10 et 12° pour les jeunes rivesaltes. Les rivesaltes dorés et rouges, les banyuls et maury seront meilleurs servis entre 13 et 16°, les vieux rivesaltes rouges, les vieux maury et les banyuls grand cru aux alentours de 18°. Sans aucun doute, les vins doux naturels sont ceux parmi tous nos vins qui offrent le plus de possibilités d'associations gastronomiques.

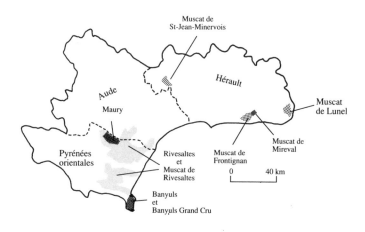

# Grand Roussillon

A.O.C. depuis le décret du 5 août 1938.
Aire d'appellation : l'ensemble des aires des A.O.C.
Rivesaltes, Maury et Banyuls.
Terroir : très varié.
Encépagement : grenaches noir, gris et blanc, maccabeu, malvoisie, muscats.
Rendement : 30 hl/ha.

Cette appellation qui a été créée en 1938 afin de regrouper les 5 appellations de vin doux naturel qui existaient à l'époque, devait permettre aux négociants de faire des assemblages entre eux. Mais après la revalorisation du rivesaltes en mai 1972, l'importance de l'A.O.C. Grand Roussillon s'est trouvée diminuée. Aujourd'hui, elle est principalement utilisée en tant qu'appellation régionale pour les vins doux déclassés. Ainsi, le nom de Grand Roussillon, pourtant plus facile et commercial, n'est pratiquement pas mis en avant comme l'est celui de Rivesaltes.

# Banyuls et Banyuls grand cru

A.O.C. Banyuls depuis le décret du 6 août 1939.
A.O.C. Banyuls Grand Cru depuis le décret du 19 mai 1972.
Aire d'appellation : 2 300 ha sur 4 communes des Pyrénées-Orientales
(Collioure, Port-Vendres, Banyuls et Cerbère).
Terroir homogène : schistes du cambrien.
Encépagement : pour les Banyuls : grenache noir (50% mini), grenaches gris et blanc. Cépages accessoires : carignan, cinsault, syrah, mourvèdre (10% maxi).
Pour les Banyuls grand cru : grenache noir (15% mini) ; grenaches gris et blanc, cépages accessoires (10% maxi).
Rendement : 30 hl/ha.
Production : 35 000 hl.

On peut certainement considérer le vignoble du Cru Banyuls comme l'un des plus spectaculaires des vignobles du Midi. Les vignes sont structurées en terrasses étroites sur le versant est des Albères, dernier maillon de la chaîne pyrénéenne, qui tombent ici de façon brutale dans la Méditerranée. Les vignes s'étendent tout le long de la Côte rocheuse, également appelée Côte vermeille, située sur la partie la plus méridionale de l'hexagone. La roche, composée de schistes bruns, se colore de rouge au soleil couchant. Cette Côte vermeille est une succession de falaises et de criques. Quatre baies principales abritent les quatre communes de l'appellation : Collioure, Port-Vendres, Banyuls et Cerbère. Ces 4 villages constituent également l'aire d'appellation de l'A.O.C. Collioure qui se superpose à celle du Banyuls. Les dernières vignes du cru touchent presque la frontière espagnole qui se trouve à quelques kilomètres à peine au sud de Cerbère, le dernier village de France. L'arrière-pays est sauvage et entrecoupé de vallées profondes. On y rencontre des bois de chênes-lièges, des bosquets d'oliviers et le parfum entêtant des cystes, des genêts, de la lavande sauvage, du thym et du romarin. Cette végétation idyllique ne présente que l'inconvénient de subir les ravages des incendies d'été.

Sur le plan géologique, on peut dire que le sol du terroir de Banyuls est homogène : la roche mère étant constituée de schistes du cambrien. Cette roche est recouverte d'une mince couche de terre instable. Les sols pauvres et acides, et le degré d'inclinaison des coteaux ont obligé les vignerons à étager le vignoble en une multitude de petites terrasses étroites s'élevant jusqu'à 400 mètres au-dessus du niveau de la mer. Les conditions climatiques sont ici particulièrement favorables au grenache. Banyuls bénéficie d'une moyenne annuelle de 2 500 heures d'ensoleillement. L'été est sec et chaud et l'hiver relativement doux grâce à la protection naturelle des Albères. Le vent dominant est la tramontane qui souffle du nord-ouest bien souvent avec violence, et contribue à assurer un bon état sanitaire de la vigne. Avec plus de 600 mm de précipitations annuelles, la majeure partie de l'aire d'appellation Banyuls correspond à une zone sub-humide. La proximité de la mer aide à maintenir un taux d'humidité suffisant à l'arrière-saison, et permet ainsi aux raisins d'atteindre leur degré de maturité optimale. Malheureusement, les coteaux abrupts du terroir de Banyuls sont souvent à la merci des dégâts considérables que peuvent provoquer les orages violents.

La viticulture du Cru Banyuls est restée très traditionnelle. On replante souche par souche, remplaçant au fur et à mesure les ceps trop âgés et procurant ainsi à la vigne une vie éternelle. Dans une même parcelle, on peut côtoyer de jeunes pieds de vigne et des souches presque centenaires. La moyenne d'âge globale de la vigne est supérieure à 40 ans pour 70% du vignoble. C'est là un gage de qualité. Il faut apporter un soin constant aux jeunes plants de vigne car ils ont du mal à prendre racine dans la maigre couche de terre qui recouvre le schiste. Cette couche atteint rarement plus de 10 à 20 cm. Aujourd'hui encore, le travail de la vigne est entièrement manuel.

A Banyuls, le transport de la vendange a toujours posé des problèmes. Au Moyen Age, les Templiers, qui ont joué un rôle important dans le développement du vignoble, avaient adopté une solution astucieuse en tenant compte des impératifs géographiques du terrain. Le système qu'ils avaient mis au point fonctionnait encore au siècle dernier. Des postes de vinification étaient répartis sur les hauteurs du vignoble, d'où le vin fait était ensuite « expédié » jusqu'à la cave principale de la commanderie à travers un réseau de canalisations souterraines en grès émaillé. Ce système avait pour but d'éviter le transport du raisin rendu difficile par l'éloignement des parcelles et l'inexistence des chemins.

Les banyuls doivent être conservés à la propriété jusqu'au 1er septembre qui suit la vendange. Pour les Banyuls grand cru, un vieillissement de 30 mois sous bois est obligatoire. Mais en règle générale, le vin reste plus longtemps en cave. A l'exception de quelques types particuliers, les « vintages » ou « rimages », pour lesquels on cherche à conserver les arômes de fruit, les banyuls sont soumis à un vieillissement sous bois. La taille des contenants de chêne utilisés est variable : 10 à 350 hl pour les cuves ou foudres, à 600 hl pour les demi-muids et 225 l pour les barriques. Certains banyuls dorment à la belle étoile en demi-muids ou bonbonnes de verre, afin de subir un vieillissement accéléré. Les Banyuls grand cru continueront à vieillir au cours d'un affinage en bouteilles pendant plusieurs années. Les appellations Banyuls et Banyuls Grand Cru sont élaborées par une trentaine de vignerons, un groupement de producteurs réunissant 5 caves coopératives et 3 caves coopératives indépendantes.

# Banyuls

## ▩ Coopérative de Banyuls L'Étoile

26,avenue du Puig-del-Mals, ◆
66650 Banyuls-sur-Mer
tél. 68.88.00.10.

Sol : schiste. 170 hectares. 11 A.O.C. Banyuls et 1 A.O.C. Collioure. Prix départ cave : 38 à 160 F T.T.C. selon les millésimes.
Œnologue attitré à la cave : M. Patrick Terrier.

*Cette cave fondée en 1921 est avant tout une association familiale de producteurs.*

*Le président, M. Marcel Centen, ce terrien au bon sens à l'image de son pays, aime sans réserve « la haute qualité » en toute chose.*

*Le directeur, M. Ramio, homme de la communication, passionné, se donne sans compter. Ce tandem de choc oriente la cave qui se spécialise dans le vieillissement naturel.*

*Pour ce faire, suivant leur finalité, les vins vont lentement s'oxyder par un passage en barriques, en demi-muids, en vieux foudres, dans des bonbonnes de verre exposées au soleil sur la terrasse pour en extraire le fameux « Doux Paillé », ou dans une cave en altitude aux murs très épais. Grâce à cette politique, ils offrent des vins hors du commun aux millésimes prestigieux. Comme ce Sélect Vieux 1972 de vinification traditionnelle avec mutage sur grains.*

*Paré d'une très belle robe fauve ambrée ; des arômes si puissants, si intenses nous transportent dans une ronde d'odeurs et de saveurs où se mêlent les épices, la griotte, les agrumes confits, le thé et des notes grillées. Harmonieux, il est très élégant avec une persistance étonnante.*

*Véritable plaisir des sens, c'est une invitation à déguster tous les autres Banyuls. Leur A.O.C. Collioure est très marqué par ce goût de « terroir de Banyuls », où la mûre charnue et mature domine ; puissant, gras et long, il nous promet une belle garde.*

## ▩ Cave Coopérative Les Vignerons

Quartier Matifoc ◆
66650 Banyuls-sur-Mer
tél. 68.88.31.11.

Terroir schiste. 234 hectares. A.O.C. Banyuls, A.O.C. Collioure.
Prix départ cave : 20 à 60 F T.T.C.
Le président : M. Becque.
Œnologue conseil : M. Marcel Rouille.
Maître de chai : M. Heren.

*Cette coopérative fondée en 1961 dans les anciens chais des Ets Bartissol est née de la volonté des petits producteurs de s'unir pour améliorer leurs produits et créer une structure de commercialisation. Dans le haut de Banyuls, cette bâtisse aux deux tiers enterrée sur son côté nord, aux murs très épais garantit une température constante de 16°. Conçu par gravité, chacun des quatre étages a son rôle propre. Le plus haut pour recevoir la récolte, le sous-sol pour l'élevage et le vieillissement du vin. Par vocation, elle produit des A.O.C. Banyuls de fort bonne qualité et pour accroître sa gamme propose depuis l'été 1990 un A.O.C. Collioure issu d'une sélection stricte à fort pourcentage de syrah et mourvèdre vinifié en macération carbonique.*

*La cuvée des vignerons est très généreuse avec ses arômes épicés et son gras. Le vintage 1985 est très harmonieux avec des notes de fruits rouges juteux et bien mûrs.*

*Le 7 ans d'âge, paré d'une belle robe acajou a un nez puissant où se mêlent les fruits secs et les agrumes confits. En bouche, il est savoureux, riche et persistant.*

## ▨ Château des Elmes

Mme **Nadège Sune**, ◆
66650 Banyuls-sur-Mer
tél. 68.88.32.30.

Sol : schiste. 12 hectares en A.O.C. Banyuls. 6 hectares en A.O.C. Collioure. 2 hectares en A.O.C. Muscat de Rivesaltes. A.O.C. Banyuls, Collioure, Muscat. Millésimes anciens. Prix départ cave : 35 à 100 F T.T.C. Œnologue conseil : M. Gérard Lupiac.

*Cette petite baie aux portes de Banyuls abrite le château des Elmes, de reconstruction récente, à l'architecture très particulière.*

*Nadège Sune, une femme adorable et pétillante, vous raconte l'histoire de sa cité avec des anecdotes pittoresques. Nous, c'est la tradition, dit-elle.*

*Depuis 24 ans avec son époux, ils cultivent, vinifient et élèvent leurs vins dans le respect des anciens.*

*L'oxydation des banyuls est réalisée dans des jarres de grès de 900 litres.*

*La grande cuvée Saint-Paul 1975 : la robe magnifique, vive, brillante est rubis légèrement ambrée. Le nez s'ouvre comme un éventail, prune, figue, genièvre, girofle, noix, noisette, café finement grillé, chocolat. En bouche, on retrouve le cacao, les griottes à l'alcool. Bien équilibré dans sa matière, il est soyeux, velouté, d'une belle longueur, il persiste sur la vanille qui effleure nos sens.*

*Une invitation pour suivre sur le Domaine de la Rocaille 1972, un petit poème.*

## ▨ G.I.C.B.

Route des Crêtes
66650 Banyuls-sur-Mer
tél. 68.88.31.59.

*Sur ce terroir d'exception où le vignoble s'accroche à des coteaux pentus le long des terrasses, la qualité est une passion pour tous.*

*Unir les vignerons pour tirer la qualité des produits vers le haut et en développer leur reconnaissance commerciale. Tel est l'axe du groupement interprofessionnel des vins de Collioure et Banyuls, maître d'œuvre du cellier des Templiers, de la Société des domaines et châteaux du Roussillon et de la S.I.V.I.R.*

*De la route des crêtes au mas Reig, les grands vins doux de tradition vieillissent en fûts, en bouteilles, dans une cave du XIIe siècle conçue pour les Templiers. Demain, ces prestigieux flacons pourront dormir au calme dans une cave de vieillissement pouvant recevoir trois millions de bouteilles.*

*De cette volonté de redonner aux banyuls et aux collioures leurs lettres* de noblesse sont nées de prestigieuses cuvées nous dit Mme Rousseill du G.I.C.B.

Le « Castell des Templers » 1978, de Domaines et Châteaux du Roussillon, tout ambré, a des arômes de fruits gorgés d'eau-de-vie. Marqué d'orange confite, musqué, au boisé très fin il a un équilibre onctueux et persiste sur des notes balsamiques.

La cuvée « Amiral Vilarem » 1975 du Cellier des Templiers, aux notes aromatiques alliant la figue, le cacao, le kirsch et l'abricot sec a des tannins très doux et parfaitement fondus... Et tant d'autres Banyuls et Banyuls grand cru que vous pourrez découvrir dans ces deux celliers pleins de charme.

Sans oublier les A.O.C. Collioure, à la puissante personnalité : ce sont des vins chaleureux et aromatiques avec des tannins bien présents mais assouplis par l'élevage en bois qui leur confère un équilibre gustatif séduisant.

## Domaine du Mas Blanc

MM. **André et Jean-Michel Parce**
9, avenue du Général-de-Gaulle
66650 Banyuls-sur-Mer
tél. 68.88.32.12.
        68.34.28.72.

14 hectares en A.O.C. Banyuls et 8 hectares en A.O.C. Collioure. Sol : schiste. A.O.C. Banyuls et Collioure. Prix départ cave : jusqu'à 150 F T.T.C. Œnologue conseil : M. Jacques Puisais.

Le docteur André Parce, médecin biologiste par métier, vigneron par passion, virtuose de l'appellation Banyuls possède un riche passé.

Défenseur ardent de son pays catalan, propriétaire du mas Blanc depuis 1935, il est actuellement secrétaire perpétuel de l'Académie internationale du vin, dont la philosophie est avant tout le respect dans l'élévation du vin noble ; ses banyuls sont à cette image.

Ils sont issus du grenache noir, de vignes très anciennes, d'un rendement qui ne dépasse pas les 18 hl à l'hectare, d'une macération en grains entiers,

d'un mutage en deux épisodes, suivi de quatre semaines de contact.

Un maître en matière de vieillissement, un savoir-faire qui lui vient de son grand-père Paul Vilarem. Le Banyuls Solera hors d'âge issu de cette méthode ancestrale de ouillage très particulière, est un vin fascinant par sa richesse, délicat par sa structure, du grand art.

La robe est d'une suprême élégance, étincelante et racée. Les parfums exaltent toute la gamme des ambres, l'orchidée vanillée, le cuir, la truffe... Le tout mesuré et exquis. Souple, ample, sensuel, long, une harmonie totale d'odeurs et de saveurs tellement complexe qu'il en reste indéfinissable.

Depuis 1977, Jean-Michel Parce, son fils, animé de cette même fibre apporte de nouvelles orientations sur la partie du vignoble située dans l'aire d'appellation Collioure.

Il regroupe les parcelles dans les lieux-dits les plus qualitatifs et aménage le relief pour travailler la terre mécaniquement.

Entre 1981 et 1987, il arrache le carignan et le grenache. Cet innovateur prévoit déjà « la nouvelle cuvée du Moulin » composée de mourvèdre, syrah et counoise. Ce dernier cépage, noble méditerranéen, est aux dires de Jean-Michel « La Dame en Dentelles ». Les trois se réunissent en un tout harmonieux, aux qualités désirées pour un grand vin noble.

## Domaine de la Rectorie

MM. **Marc et Thierry Parce,**
28, 54, 65, avenue du Puig-del-Mas
66650 Banyuls-sur-Mer
tél. 68.88.32.93.

1986
Domaine de La Rectorie
Appellation Banyuls Contrôlée
Cuvée Léon Parcé

Sol : schiste. 20 hectares. A.O.C. Banyuls. A.O.C. Collioure.

Prix départ cave : 50 à 100 F T.T.C.
Œnologue conseil : M. Brugirard.

*Dans un décor exquis fait de schistes,
les frères Parce ont un respect profond
de la vigne et du vin qui en est issu.
Marc s'occupe du vignoble, de la gestion, de la commercialisation, en
artiste.
Thierry vinifie, surveille le vieillissement de ses cuvées en amoureux du vin.
Un vignoble morcelé de vieilles vignes
à très faible rendement, une grande exigence envers eux-mêmes, une passion du
vin débordante qu'a su leur communiquer M. Brugirard, font que ce jeune
domaine obtient des résultats plus que
flatteurs.
Le vin, expression de leur terroir et de
leur culture les passionne.
Dans ce pays unique où le sol est si pauvre et si aride, ils arrivent à extraire
des produits riches, généreux, sensuels
et tellement vivants.
Le Collioure, élégant, concentré, puissant, finement boisé est d'une excellente
harmonie.
Mourvèdre et counoise offrent des notes
d'épices, de réglisse qui s'allient à des
arômes plus onctueux de fruits cuits.
Le banyuls, cuvée Léon Parce 1986,
élevé en fûts de chêne neufs (originalité
du domaine) a des senteurs de cassis,
de cerises, de fruits très mûrs agrémen-
tées de cannelle et d'épices. En bouche
parfaitement équilibré, il a une bonne
longueur accentuée par un passage en
bois bien maîtrisé.*

## ▦ Clos Saint-André

**Mme Monique Saperas,**
Vial-Magnères
66650 Banyuls-sur-Mer
tél. 68.88.31.04.

A.O.C. Banyuls et Collioure. Sol :
schiste. 12 hectares.
Prix départ cave : 35 à 85 F T.T.C.
Œnologues : MM. Saperas et Riere.

*Une antériorité vigneronne qui date
puisque les arrière-grands-parents de
Monique Saperas mettaient déjà leur
production de banyuls en bouteilles à
l'époque du décret de 1905.*

*Cette famille, les enfants oubliés de
Banyuls sont des gens de la terre qui
se sont modelés avec elle. Son mari, le
plus mordu de tous, ingénieur agronome par vocation vient d'élaborer le
premier blanc de Collioure.
Pour eux, le temps ne compte plus ; des
milliers d'heures de travail sont passées à veiller sur chacun des ceps du
vignoble dispersé par la volonté du
grand-père.
Le banyuls extra-vieux de 1974, issu
d'une vigne à trois grenaches, muté sur
grains avec une longue macération,
élevé en demi-muids, est superbe.
Brillant, habillé de vieil or. Le nez où
se mêlent harmonieusement des fruits
secs et des fruits gorgés d'eau-de-vie est
très puissant. En bouche, d'une belle
évolution, il est ample et bien équilibré.*

## ▦ La Cave Tambour

**M. Rémy Herre,** ◆
42, rue Charles-Foucault
66650 Banyuls-sur-Mer
tél. 68.88.11.71.

Superficie : 20 ha en A.O.C.
Banyuls. Sol : schiste. A.O.C.
Banyuls, A.O.C. Collioure.
Prix départ cave : 40 à 60 F T.T.C.
Œnologues conseil : MM. Loupiac
et André Brugirard.

*Jeunes, dynamiques, entreprenants,
accordant une grande importance aux
arts de la table, Rémy et Nathalie
Herre après un parcours étonnant décident de vivre l'aventure vineuse.
Le goût de la nouveauté pousse ces jeunes vignerons à continuer sans cesse*

*leur travail pour améliorer la qualité de leurs vins.*

*Si l'A.O.C. Banyuls représente un fort pourcentage de leur production, ils s'engagent aujourd'hui dans la voie des blancs et profitent de la présence d'une veine calcaire dans leur sol pour implanter le cépage viognier.*

*Il n'est pas étonnant alors que les orientations prises en matière d'encépagement et de vinification permettent à la famille Herre de présenter des vins reconnus par tous dans les différents concours.*

*Du vintage 1988, séduisant, aux arômes de fruits mûrs, de cacao et d'écorce d'orange confite, au Doré doux, finement rancio, en passant par le Macéré gorgé de senteurs de fruits surmûris... nous avons dégusté toute une palette de banyuls où chacun peut trouver son plaisir...*

## ◼ Domaine de Villa Rose

M.Mme **Pétra et Jules Campadieu,**
Chemin de la Coume-del-Mas
66650 Banyuls-sur-Mer
tél. 68.88.33.44.

Sol : schiste. 3 hectares. A.O.C. Banyuls et A.O.C. Collioure.
Prix départ cave : 35 à 65 F T.T.C.
Œnologue : M. Jules Campadieu.

*Jules, c'est le vinificateur, Pétra son épouse s'occupe du vignoble et de la commercialisation des flacons produits.*

*Un couple fait de charme et de sensibilité. Deux passionnés de ce pays où nature et culture semblent se confondre ; casots et murettes s'inscrivent dans un paysage grandiose entre mer et montagne.*

*Pour Pétra, c'est ce terroir au rendement très faible et qui donne cette substance unique et très concentrée.*

*« Nous privilégions les vieilles vignes qui, seules, offrent des vins de grande qualité. »*

*Au 10 de la rue Dugommier, Pétra vous accueille avec beaucoup de gentillesse et de simplicité.*

*Le Banyuls millésime 1985, élevé pendant trois ans en bouteille est joliment présenté.*

*La robe est superbe. Au nez, très jeune encore, se dévoilent des arômes de chair de cerise, de pruneau à l'armagnac de coing... En bouche, entre le moelleux, l'alcool et les tannins, très riches, nous retrouvons le fruit mûr et une finale légèrement chocolatée avec une pointe d'écorce d'orange, ce vin nous laisse une impression de velours.*

# Collioure

## ◼ Cave Coopérative de Collioure

Place Orfila
66190 Collioure
tél. 68.82.05.63.

Sol : schiste. 150 hectares A.O.C. Banyuls et 15 hectares A.O.C. Collioure. A.O.C. Banyuls.
Prix départ cave : 30 à 40 F T.T.C.
Œnologue conseil : M. Mayol.

*Collioure la magnifique, une cité riche d'histoire devenue si célèbre qu'elle voit son vignoble diminuer au fil des ans.*

*Créée en 1926, l'Union des producteurs de Collioure s'est établie dans l'ancien couvent des dominicains du XIIIe siècle, aujourd'hui classé monument historique. Un lieu superbe fait pour le recueillement où les vins vinifiés dans le respect de la tradition trouvent leur épanouissement dans de vieux foudres en chêne.*

*La cuvée du Dominicain, un dry de 6 ans d'âge brille d'un vif éclat dans une robe d'or aux reflets tuilés. Le nez est intense avec des arômes de fruits séchés, de moka, de clou de girofle. En bouche, bien présent il est très harmonieux, corsé et chaleureux.*

### ▨ Docteur **Géraud** et Mme **Piétri-Géraud** ◆

8, rue Dr.-Coste
66190 Collioure
tél. 68.82.07.42.
Cave : 22, rue Pasteur
66190 Collioure

Sol : schiste. 30 hectares dont 6 hectares en A.O.C. Banyuls et Collioure.
A.O.C. Banyuls - A.O.C. Collioure.
Prix départ cave : 32 à 42 F T.T.C.
Œnologue et courtier conseil : M. Peeff assisté de Mlle Grau.

*Cet octogénaire ancien médecin par vocation, vigneron par passion est aussi peintre à ses heures. Rien d'étonnant à ce que ses vins aient toute une palette d'odeurs et de saveurs.*
*Dans sa cave de Collioure, il vinifie, élève dans de vieux foudres très bien entretenus ses banyuls et son collioure.*
*Le vignoble, très morcelé, est implanté sous ces fameux sols de schistes ; cette pierre morte, hydrophile, qui a la faculté de pomper l'humidité marine pour la restituer à la plante.*
*Son banyuls, 8 ans d'âge à la robe rubis, légèrement orangée, présente des arômes typiques de fruits secs et de noix.*
*La bouche douce et harmonieuse dévoile des notes agréables de fruits confits et de cacao.*
*Le collioure se présente dans une belle couleur rouge sombre.*
*Au nez, il affirme avec beaucoup de personnalité des notes de cuir, une forte expression de terroir.*
*Le docteur Géraud prendra bientôt sa*

*retraite de vigneron. Il transmet à sa fille Mme Pietri-Géraud tout son savoir-faire.*

### ▨ Domaine La Tour-Vieille

**M. Vincent Cantie,**
3, avenue du Mirador
66190 Collioure
tél. 68.82.44.82.

Sol : terrasses schisteuses. 14 hectares. Rouge, rosé en A.O.C. Collioure, A.O.C. Banyuls, vins de pays.
Prix départ cave : 20 à 55 F T.T.C.
Œnologue conseil : M. Maillol.

*Que de passion, quelle modestie nous avons rencontré chez Vincent Cantie qui exploite avec François Bihan-Poudec sous forme de G.I.E. le domaine de la Tour-Vieille.*
*Le vignoble pentu à en avoir le vertige, installé sur des terrasses schisteuses, face à la mer où la mécanisation est impossible domine Collioure et donne à ce paysage toute sa force et toute sa beauté.*
*Des rendements de misère, le savoir-faire unique des vignerons du cru permettent d'obtenir des vins d'une rare authenticité.*
*Un vin de pays rosé de la Côte vermeille : riche et complexe, typique du Roussillon.*
*Des A.O.C. Collioure dont une cuvée de pur grenache noir où l'on ressent toute la richesse des raisins gorgés de soleil.*
*Des banyuls dans lesquels se marient des saveurs de fruits, de café, de fleurs séchées et de champignons secs, le tout mis en valeur par un très bel équilibre corsé et liquoreux.*

### ▨ Cave Veuve Banyuls

4, route de Port-Vendres ◆
66190 Collioure
tél. 68.82.05.22.

*Cette cave, ancien cloître des dominicains, idéal pour assurer la garde des vins qui y séjournent, porte le nom de la famille Banyuls.*
*Rachetée en 1986 par la S.C.V.*

*L'Étoile, elle sert aujourd'hui de maison de négoce et s'adresse essentiellement à la clientèle particulière et à la restauration pour présenter toute la gamme des appellations du Roussillon. Des produits de haute qualité nous sont présentés : vins de pays, A.O.C. Côtes du Roussillon, A.O.C. Collioure, muscat de Rivesaltes allant de 18 à 42 F T.T.C. et toute une gamme de banyuls (de 41 à 69 F T.T.C.) dont un « Banyuls Tuilé 10 ans d'âge » qui nous a particulièrement séduit par son nez intense, riche de cacao, de figues cuites, de fruits à l'eau-de-vie et sa bouche harmonieuse pleine de générosité.*

# Cosprons

## ▓ Mas Diogène PI

**MM. Laury Pares, Daniel Batut,**
66660 Cosprons
tél. 68.82.22.07.
    68.82.36.75. (magasin)

Sol : schiste. 14 hectares. A.O.C. Banyuls.
Prix départ cave : 42 et 55 F T.T.C.
Œnologue conseil : M. Riere.

*Le domaine, installé sur les terrasses schisteuses de Cosprons, le rognon de Banyuls, est aujourd'hui la propriété de Laury Pares et Daniel Batut.*

*Un soin minutieux est apporté de la culture de la vigne à la récolte du raisin.*

*La vendange, après mise en fermentation, subit le mutage sur marc ; opération délicate qui consiste à bloquer la fermentation au moment souhaité pour laisser la quantité de sucre désirée dans le produit final.*

*Après macération, écoulage, soutirage, le vin terminé est exposé au soleil pendant six à huit mois en bonbonnes pour y perdre son âpreté et acquérir ses merveilleux arômes caractéristiques.*

*Enfin le banyuls va s'accomplir en petits fûts de chêne et s'y épanouir. Le « Cosprons sélection 1985 », demi-doux, a une robe rouge orangée avec des nuances ambrées. Au nez un fumet de pain grillé, légèrement réglissé, plutôt rôti nous fait saliver.*

*En bouche, il est onctueux, savoureux, complexe.*

*A déguster lentement pour mieux le découvrir.*

*Le « Mas Diogène Pi 1982 » est plus sec. Une belle robe topaze brûlée, un nez riche de bonnes senteurs de miel du terroir, une bouche très bien équilibrée où les pruneaux à l'armagnac et le cacao dominent, en font une belle réussite.*

# Maury

A.O.C. depuis le décret du 6 août 1936.
Aire d'appellation : 1 750 ha principalement sur la commune de Maury, quelques parcelles sur St-Paul-de-Fenouillet et sur Tautavel.
Terroir : essentiellement des schistes aptiens.
Encépagement : grenache noir (50% mini), grenache gris et blanc, maccabeu, carignan, syrah et mourvèdre sont autorisés comme cépages accessoires (10% maxi).
Rendement : 30 hl/ha.
Production : 40 000 hl.

La qualité du vin doux naturel maury provient essentiellement de son terroir caractéristique. Le vignoble s'étend le long d'une vallée délimitée au nord et au sud par les falaises calcaires des Corbières. Les sols sont composés de schistes aptiens non métamorphiques. A l'ouest, la délimitation naturelle du terroir de maury est due au climat. En effet, dès la commune voisine de St-Paul-de-Fenouillet, on rencontre des influences atlantiques, que subissent donc les toutes dernières vignes de l'A.O.C. Maury. A l'est, l'aire d'appellation est délimitée par le prolongement d'un contrefort calcaire des Corbières. On trouve encore quelques vignes de maury sur le terroir voisin de Tautavel.

Les schistes noirs caractéristiques de maury emmagasinent durant la journée la chaleur du soleil et la restituent la nuit. Ce phénomène favorise grandement la maturité du raisin. Le climat est méditerranéen, chaud et sub-humide, les vignes situées à une altitude de 150 à 200 mètres. Ici, le grenache noir exprime au mieux les qualités de ce sol caractéristique et donne d'excellents résultats. Même si la réglementation de l'A.O.C. Maury, comme celle de l'A.O.C. Rivesaltes permet l'introduction jusqu'à 40 à 50% d'autres cépages autorisés pour les vins doux naturels, c'est pourtant le grenache noir qui est utilisé dans une proportion de 90 à 95%.

Maury, dominé par le château cathare de Quéribus, est un village à vocation essentiellement viticole — la cave coopérative regroupe 350 vignerons alors que le village ne compte qu'un millier d'habitants auxquels il faut ajouter 6 caves particulières seulement. En ce qui concerne l'élaboration des vins doux naturels, la cave coopérative a mis au point une méthode intéressante pour son 6 ans d'âge. Le vin est élevé sous bois de façon traditionnelle pour 1/4, tandis que les 3 autres quarts sont élevés en cuves ciment soigneusement ouillées de façon à éviter toute oxydation et à conserver les arômes de fruits rouges. L'assemblage final donne un vin rouge fruité et complexe.

Au mas Amiel, un domaine de 132 ha, situé à quelques kilomètres à l'est du village, on pratique encore une méthode de vieillissement dont l'origine remonte à l'époque romaine. Au mois de juin ou de juillet qui suit la vendange, le vin est soutiré et placé dans des bonbonnes de verre où il va séjourner durant une année, exposé à l'air, au soleil et aux fortes variations de températures. Ce spectaculaire parc de vieillissement de près de 3 000 bonbonnes de 80 litres chacune, représente la presque totalité de la récolte annuelle de la propriété, c'est-à-dire près de 2 000 hl. Le vin est soumis à un processus d'oxydation naturelle qui ne peut être appliqué qu'à un vin muté. Les énormes différences entre le jour et la nuit, l'été et l'hiver, le temps sec et humide, ainsi que l'échange d'air ininterrompu (les bonbonnes ne sont pas hermétiquement bouchées) contribuent à accélérer considérablement l'évolution, et à « ouvrir » le vin. Lorsque les bonbonnes sont vidées et que le vin revient en cave, il laisse derrière lui un dépôt de 10 à 15 cm. Il poursuit ensuite son vieillissement pendant plusieurs années dans des foudres centenaires de 350 hl. Les vins les plus vieux développent en finesse le bouquet typique de torréfaction et de « rancio ». Cette méthode de vieillissement en bonbonnes de verre est également utilisée à Banyuls (A.O.C. Banyuls), Tuchan et Villeneuve-les-Corbières (A.O.C. Rivesaltes) principalement par les caves coopératives. Le Maury doit être conservé en cave jusqu'au 1er septembre de la deuxième année qui suit la vendange.

# Maury

**M. Jean-Louis Lafage** ♦
13, rue Docteur-Pougault
66460 Maury
tél. 68.59.03.51.

Sol : coteaux schisteux. 16 hectares dont 8 en A.O.C. Maury. A.O.C. Maury. A.O.C. Côtes du Roussillon et Côtes du Roussillon Villages. A.O.C. Muscat de Rivesaltes.

Prix départ cave : 14,50 à 53 F T.T.C. Œnologue conseil : Mme Madeleine Fourquet, depuis 15 ans.

Ce domaine familial a vu naître quatre générations. Jean-Louis Lafage perpétue la cinquième. Vigneron par vocation depuis l'âge de 16 ans, il a ce sens inné de la terre et ses vignes n'ont plus de secrets pour lui.

Pour extraire la meilleure expression de ses raisins, il étale ses vendanges sur un mois de récolte aux heures fraîches. Chaque parcelle a sa cuve, chaque cépage a sa technique de vinification. Chaque vin obtenu est élevé en fonction de son potentiel pour en exploiter toute sa personnalité.

Son Maury Prestige, 100% grenache, qui a séjourné huit années en foudres de chêne est particulièrement savoureux. Sa robe brune a de beaux reflets rouges. Au nez subtil et délicat se marient la vanille, les épices et la figue sèche. En bouche, bien équilibré avec des notes discrètes de torréfaction, il persiste agréablement.

## ▨ Domaine René Martinez

Mme **Lydie Baissas,**
Mas Camps
66460 Maury
tél. 68.29.10.51.

Sol : schiste, argilo-calcaire, sablonneux. 20 hectares. Maury doré et rouge et A.O.C. Côtes du Roussillon Villages.
Prix départ cave : 21 à 35 F T.T.C.
Œnologues conseil : MM. Mayol et Miasse.

Dans la vallée de l'Agly, entre Estagel et Maury, région chargée d'histoire, c'est au mas Camps, ancien camp militaire que Lydie Baissas, œnologue, déploie toute sa ténacité pour perpétuer ce domaine qui lui vient de son arrière-grand-père. Pour Lydie, « faire du vin, c'est comme faire un enfant ».

Si le vignoble ancien est morcelé, le cuvier est neuf. Elle y pratique avec beaucoup de savoir-faire deux méthodes d'élaboration, l'une traditionnelle, l'autre dite de semi-macération carbonique qui donnent des produits bien équilibrés, expressifs et gouleyants à souhait.

Le maury doré surprend à l'œil, il est traité par le froid, sa robe est très claire, surtout dans sa jeunesse. Au nez, les fruits cuits participent à une belle complexité aromatique. En bouche, nous découvrirons un vin de caractère, bien présent, gras. Il finit sur des notes subtiles et fraîches.

## ▨ Mas Amiel

S.C. **Charles Dupuy**
66460 Maury
tél. 68.29.01.02.

Sol essentiellement schisteux. 130 hectares à vocation unique de vins doux naturels. Vins doux naturels rouges.
Prix départ cave : 39 à 63 F T.T.C.
Œnologue conseil : M. Mayol.

Vous le découvrirez au pied du château Quéribus dans des collines escarpées faites de schistes, couvertes de grenache noir.

Ancienne propriété de la famille Amiel, il est aujourd'hui dirigé par M. Charles Dupuy.

Le parc d'élevage des vins en bonbonnes est particulièrement spectaculaire : ces fameuses « touries » y attendent que le soleil par ses rayons et sa chaleur oxyde le vin de grenache dont elles sont remplies.

M. Jérémie Gaik, le directeur commercial nous parle avec passion de ses maury qui, jeunes, sont un véritable concentré de fruits rouges et qui après vieillissement deviennent somptueux, rappelant à la fois les épices, la confiture de figues, la bonne cire d'abeille, le cacao, le moka...

« *Bien dommage, nous-dit-il, que nous n'ayons pas la notoriété du porto, bien que nous obtenions par nos techniques de vinification et d'élevage qui sont identiques des vins aussi somptueux.* » *M. Jean-Marc Raynal, le régisseur, amoureux passionné de la vigne resté très proche des méthodes ancestrales entretient le vignoble de façon remarquable, vinifie et surveille le vieillissement avec art.*

*Une symbiose parfaite entre ces trois hommes pour qui la qualité passe par le vignoble, la vinification, le vieillissement et l'accueil.*

*Les « vintages » mis en bouteilles jeunes sont de couleur rouge foncée à reflets violets. Au nez puissant, dominé par toute leur jeunesse, ils sentent le moût de raisin. En bouche, ils ont des arômes concentrés de mûres écrasées et un équilibre corsé, charnu adouci par le côté liquoreux.*

*Dans le 15 ans d'âge, nous retrouvons des arômes de miel sauvage, de pruneaux, de fruits confits, de cacao, en bouche le chocolat, la cerise à l'eau-de-vie, la liqueur de fraise... Fantastique ! Et vous pourrez ainsi déguster de millésime en millésime des vins tous étonnants, avec chacun leur saveur et leur agrément.*

## ▨ Les Vignerons de Maury

128, avenue Jean-Jaurès
66460 Maury
tél. 68.59.00.95.
fax : 68590288.

Sol : schistes plus ou moins décomposés. 1 700 hectares. A.O.C. Maury A.O.C. Côtes du Roussillon. Muscat de Rivesaltes.

Prix départ cave : 17 à 24 F T.T.C., pour les Côtes du Roussillon.
30 à 100 F pour le Maury.
Œnologue conseil : Madeleine Fourquet.

*Cette cave dirigée par M. Delcour produit sur des collines de schistes aptiens des vins doux naturels magnifiques, uniquement à partir du grenache noir. Trois cent cinquante adhérents apportent leur raisin pour y produire 85% du volume de l'appellation. Production à laquelle viennent s'ajouter les muscats de Rivesaltes et les côtes du Roussillon.*

*La vendange ramassée à bonne maturité, sous les conseils de l'œnologue de la cave, M. Ferran, est entièrement égrappée à son arrivée au chai pour y être vinifiée et fermentée.*

*Lorsque le moût a atteint la densité souhaitée, il est soit écoulé de la cuve et muté sur jus seul, soit muté sur marc et suivi d'une longue macération.*

*L'élevage en vieux bois va permettre ensuite au maury de s'oxyder, de mûrir lentement pour donner ce vin particulièrement apprécié.*

*Une gamme de sept différents maury est à la vente.*

*La cuvée Chabert de Barbera 1974 de très nombreuses fois citée, aux arômes de pruneau, tabac, fruits confits, cacao est pratiquement épuisée mais nous attendons avec grande impatience que le 1975 sorte de ses fûts.*

*Le six ans d'âge dont Jacques Puisais a dit : « Un lion sur un lit de cerises écrasées », est un produit mis en bouteilles jeune, vieilli à l'abri de l'oxydation.*

*La cuvée Pollen, vinifiée à température contrôlée, offre un vin souple, très fruité, soyeux...*

*Toute une gamme à découvrir.*

# Saint-Paul-de-Fenouillet

▓ **M. Marc Majoral** ♦

Guillemet
66220 Saint-Paul-de-Fenouillet
tél. 68.59.23.20.
68.59.02.33.

Sol : schiste. 12 hectares. Maury deux ans et trois ans d'âge et Rivesaltes.
Prix départ cave : 29 à 33 F T.T.C.
Œnologue conseil : M. Casenobe.

*Marc Majoral, vigneron éleveur de tradition, héritier de 4,50 ha exploite aujourd'hui 12 ha à Guillemet, lieu-dit situé entre Maury et Saint-Paul-de-Fenouillet.*

*Son vignoble a pour vocation essentielle la production de vin doux. Il est constitué de grenache noir pour l'A.O.C. Maury et de maccabeu en A.O.C. Rivesaltes. Ils sont élaborés traditionnellement et élevés en fûts de chêne. A ce stade, le produit riche en alcool naturel évolue vers des impressions de rondeur et de velouté qui se mêlent admirablement aux arômes plus ou moins grillés. Cette famille qui a le sens de l'accueil vous reçoit avec beaucoup de gentillesse dans leur cave de vinification. La cuvée du Père Majoral rosée aux reflets ambrés est très limpide. Le nez a l'intensité nécessaire pour démasquer des notes de fruits secs et de café. Nous retrouvons les mêmes arômes en bouche qui enveloppent des tannins finement présents avec une bonne persistance.*

## Rivesaltes

A.O.C. depuis le décret du 6 août 1936.
Aire d'appellation : 86 communes des Pyrénées-Orientales et 9 communes de l'Aude, au total 18 000 ha.
Terroir : très varié : calcaire, argilo-calcaire, limons, schistes silurien et jurassique, gneiss et granit.
Encépagement : grenache noir, gris et blanc, maccabeu, muscat, malvoisie.
Rendement : 30 hl/ha.
Production : 340 000 hl.

En 1936, lorsque furent définies les Appellations d'origine contrôlées, un choix a dû être fait parmi les différents terroirs qui possédaient plus ou moins d'identité. Ainsi, après Banyuls et Maury dont on reconnaissait déjà le caractère et la qualité des vins, furent délimitées les appellations Rivesaltes, Côtes d'Agly et Côtes du Haut Roussillon. C'est au travers du décret du 19 mai 1972 que ces trois appellations ont été réunies sous le nom de « Rivesaltes ».
Si l'appellation Rivesaltes possède des caractéristiques communes en ce qui concerne le climat et les expositions, elle bénéficie cependant d'une grande diversité de sols. Des températures élevées sont absolument nécessaires pour permettre au raisin de concentrer des taux de sucre suffisamment élevés pour l'élaboration d'un vin doux naturel. En Roussillon, ainsi que dans les communes limitrophes de l'Aude, ces températures élevées sont garanties par l'influence du climat purement méditerranéen et par le fait que les parcelles ne dépassent jamais 300 m d'altitude. Dans les vallées de l'Agly et du Tech se trouvent les frontières naturelles de cette aire d'A.O.C., représentées par des zones subissant déjà des influences atlantiques. Quant à la haute vallée de la Têt, au niveau de Prades, elle se trouve naturellement exclue de l'aire d'A.O.C. à cause de l'influence des montagnes proches. En règle générale, l'aire d'appellation Rive-

saltes ne s'éloigne pas de plus d'une trentaine de kilomètres de la mer, sauf dans la région de l'Agly et du synclinal des Fenouillèdes, où elle atteint 50 km. Le vignoble de l'A.O.C. Rivesaltes, situé dans le bassin du Roussillon, est partagé par 3 cours d'eau. L'Agly, le Tech et la Têt, qui prennent leur source assez haut dans les massifs environnants, ont peu à peu constitué la plaine du Roussillon en déposant leurs alluvions à l'endroit où une subsidence avait été creusée par le plissement des Pyrénées. Pendant le pliocène, on a pu remarquer une sédimentation marine, qui a été suivie au quaternaire d'une sédimentation continentale. C'est au cours de phases d'érosion intermédiaires que les 3 cours d'eau ont construit des terrasses.

# Bages

## ▓ M. Emmanuel Munoz ♦

1, rue du Cinéma
66670 Bages
tél. 68.21.71.05.

17 hectares. Sol sablonneux argileux. Vins de pays. A.O.C. Côtes du Roussillon. A.O.C. Rivesaltes.
Prix départ cave : 9 à 37 F T.T.C.
Œnologues conseil : MM. Mayol et Miasse.

*Tout près de la côte, non loin d'un étang asséché, en plein cœur de la petite localité de Bages, Emmanuel Munoz gère avec bonhomie son domaine.*
*Outre un Côtes du Roussillon blanc, Cuvée Verte, 100% maccabeu, récolté avant maturité complète qui fait le régal des touristes venus déguster un plateau de coquillages, il propose un rivesaltes rancio bien typé.*
*Le bouquet puissant de notes d'évolution, complexe d'arômes de moka, de noix, de figues... en fait un produit personnalisé bien présent en bouche par sa persistance où le cacao domine.*

# Passa

## ▓ Cave Coopérative de Passa

Route de Villemolaque
66300 Passa
tél. 68.38.80.74.

711 hectares. Sol argileux et schiste. Vins de pays, muscat sec. A.O.C. Côtes du Roussillon. Muscat de Rivesaltes et Rivesaltes.
Prix départ cave : 12 à 26 F T.T.C.
Œnologues conseil : Mme et M. Casenove.

*M. Ducup de Saint-Paul, un directeur œnologue efficace choisit d'orienter sa cave vers des produits conviviaux et confidentiels d'où la multiplicité des cuvées.*
*La recherche d'une harmonie entre cépages terroir et climat, un profond respect pour la matière première, une macération pelliculaire sur les cépages blancs bien menée, sont autant de facteurs qui expriment les caractéristiques des vins de la cave de Passa.*
*Le Rivesaltes 1985 ; la robe grenat est superbe et éclatante. Le nez splendide avec ses arômes de petits fruits rouges et noirs de cacao et de fruits secs. Il s'épanouit en bouche harmonieux et velouté.*

## ▓ Domaine Saint-Luc

66300 Passa
tél. 68.38.80.38.

38 hectares de vignes. Sol argilo-siliceux. Vins de pays, A.O.C. Côtes du Roussillon, A.O.C. Rivesaltes, Muscat de Rivesaltes.
Prix départ cave : 18 à 30 F T.T.C.
Œnologues conseil : Mme et M. Casenove.

*A vingt kilomètres au sud de Perpignan, entre le Boulou et Thuir, le domaine Saint-Luc étend ses 220 ha sur les pentes du Canigou.*

Cet ancien mas catalan qui date de 1550 est un site magnifiquement arboré, au cœur duquel se dresse une chapelle dédiée à saint Luc.

Antoine Tallut, 85 ans, gère son exploitation avec toujours le même souci de perfection. Ses exigences en matière d'encépagement, de culture, de récolte, de vinification et d'élevage font que les vins produits, chacun avec leur spécificité, sont constants dans la qualité. Le Côtes du Roussillon, à la typicité bien marquée, montre un équilibre charpenté qui remplit l'espace gustatif. Le Rivesaltes Domaine de Saint-Luc 1980 à la robe claire et ambrée évoque au nez des parfums de fruits confits, d'amande grillée avec une pointe de rancio très plaisante. En bouche, il est rond, souple avec des accents de résine et de cacao.

# Perpignan

## ▓ Domaine de Sainte-Barbe

M. **Robert Tricoire,** ♦
66000 Perpignan
tél. 68.63.29.23.

37 hectares. Sol argilo-calcaire. Vins de pays, A.O.C. Côtes du Roussillon rouge et rosé, A.O.C. Rivesaltes.
Prix départ cave : 15 à 35 F T.T.C.
Œnologue conseil : Mme Madeleine Fourquet.

A deux cents mètres de la sortie sud de Perpignan, le domaine, ancien oratoire du XVIIe siècle dédié à Sainte-Barbe, déroule son vignoble sur des coteaux pentus.

Dans ce site, le très sympathique Robert Tricoire se fait un plaisir d'accueillir des groupes de visiteurs et, le verre à la main, autour d'un barbecue, les langues se délient pour parler vigne et vin... une vraie fête ! Dans une très jolie cave tout en pierre et en bois, restaurée dans le pur style catalan, il élabore des vins à son image.

Renommé pour son vieux Rivesaltes, vinifié en macération longue, muté sur marc, écoulé en cuves inox non remplies pour favoriser l'oxydation, il produit également des vins de pays et des côtes du Roussillon qu'il se fera un plaisir de vous raconter.

Photographe amateur, il prépare toute une collection de diapositives qui retracera l'histoire de la vigne et du vin, de la préparation du sol avant plantation jusqu'à la mise en bouteilles du vin fait.

Une projection que nous découvrirons dans sa cave climatisée à côté d'une copie de la Sainte-Barbe et d'une fresque peinte sur une cuve par un artiste local, M. Faure.

Le Rivesaltes 1983 se distingue par sa belle robe acajou aux reflets délicats. Au nez il exhale des parfums de cire, d'agrumes confits et de noix fraîches. En bouche c'est un vin chaleureux qui finit sur des notes mielleuses.

# Ponteilla

## ▓ Cave Coopérative de Ponteilla

66300 Ponteilla
tél. 68.53.47.64.

500 hectares. Sol : à dominante argilo-calcaire. Vins de pays, A.O.C. Côtes du Roussillon, A.O.C. Rivesaltes.

Prix départ cave : 10 à 29 F T.T.C.
Œnologue conseil : M. Rouille.

*Tout près de Thuir, dans la plaine du Roussillon, cette cave créée en 1928, conseillée par Marcel Rouille, est en pleine évolution.*

*Grâce à des investissements bien pensés, le directeur M. Combet a pour souci d'aller de l'avant.*

*Développer les A.O.C., améliorer les vins de pays par un encépagement approprié devrait, nous dit-il, aider les deux cents adhérents de la cave à retrouver un deuxième souffle et à émerger lentement d'un passé qui les a littéralement asphyxiés.*

*Des Côtes du Roussillon qui représentent 18% de la production, nous avons dégusté le millésime 1986 à la robe profonde, au fruité agréable, à la bouche bien équilibrée marquée par des arômes de fruits rouges.*

*Le Rivesaltes 1986, vieilli en fûts, est rempli des bonnes saveurs du cépage grenache où le cassis, la cerise, se marient pour donner une belle harmonie à ce vin bien équilibré d'une bonne tenue en bouche.*

# Rivesaltes

## ▨ S.C.E.A.
## du Clos del Pila

**Mmes Boudau et Pages, ♦**
6, rue Marceau
66000 Rivesaltes
tél. 64.64.06.07.
   68.64.07.40.

84 hectares. Sol argilo-calcaire et très caillouteux. A.O.C. Rivesaltes et Muscat de Rivesaltes. Côtes du Roussillon Villages, Fitou.

Prix départ cave : 19 à 31 F T.T.C.
Œnologue conseil : M. Parrère.

*Un négoce familial de plusieurs générations, aujourd'hui géré par deux femmes, Anne-Marie Boudau et sa fille Mme Pages. Une famille vigneronne qui croit et s'investit totalement dans la terre :*

*— le domaine Boudau : 61 hectares de vignes qui s'étendent sur trois communes où les souches se régalent des terrasses chaudes de galets roulés ;*

*— le Clos del Pila : 23 hectares enracinés sur les coteaux de Salses qui dominent la plaine du Roussillon.*

*La S.C.E. du Clos del Pila exploite ces deux domaines et s'oriente à fond vers la vente directe de ses produits.*

*Le vieux Rivesaltes est magnifiquement paré d'acajou aux reflets tuilés. Le nez très intense dévoile des arômes de fruits rouges confits et de cerise cuite enrobés de cacao et du pruneau qui apparaît soudain.*

*La S.C.E. du Clos de Pila commercialise aussi un Muscat de Rivesaltes et un Côtes du Roussillon villages.*

## ▨ Domaine
## du Mas Moutou

**Mmes Humbert-Janer,**
13, avenue Victor-Hugo
66600 Rivesaltes
tél. 68.64.06.20.

70 hectares tout en A.O.C. Sol : argilo-siliceux. A.O.C. Côtes du Roussillon, Rivesaltes et Muscat de Rivesaltes.

Prix départ cave : 12 à 100 F T.T.C.
Œnologue conseil : M. Rouille.

*Le domaine du mas Moutou est depuis*

*1976 une affaire de femmes motivées et volontaires.*

*Deux sœurs, Marguerite et Marie-Rose exploitent, vinifient et commercialisent une production dont les trois quarts sont des vins doux naturels de belle qualité.*

*Dans une cave où chaque génération a su apporter le modernisme nécessaire, elles améliorent sans cesse l'élaboration de leurs produits pour en extraire tout le potentiel aromatique.*

*Le Rivesaltes hors d'âge fait à l'ancienne, issu d'un bon élevage, s'offre à nous joliment évolué. Sa robe dorée a des reflets d'ambre. Son nez riche et complexe où se mêlent des notes de torréfaction et d'agrumes confits annonce une finale fondue et harmonieuse.*

# Saint-Estève

## ▨ Mas de la Garrigue

Mme et M. **Marcel Vila,** ♦
66240 Saint-Estève
tél. 68.92.06.56.

37 hectares. Sol : argileux très cailouteux. A.O.C. Rivesaltes et Muscat de Rivesaltes.
Prix départ cave : 30 à 42 F T.T.C.
Œnologue conseil : M. Rouille.

*Situé à quelques encablures de Perpignan, vers la montagne, en direction de Baho, le mas de la Garrigue est géré par M. et Mme Vila. 68 ans, mais toujours bon pied bon œil, Rose Vila est une femme délicieuse qui aime communiquer sa passion et parler de ses vins qu'elle trouve « spéciaux, aux arômes d'abricots sauvages, aux senteurs de raisins confits (...) d'une belle noblesse ». C'est un plaisir de la rencontrer.*

*Alors qu'autour de nombreux viticulteurs arrachent leur vignoble, elle est fière de nous apprendre que cette année encore ils allaient replanter en grenache une ancienne parcelle d'abricotiers. Dans sa vieille cave très typique, elle fait tout elle-même. De la surveillance de la cueillette à la vinification en passant par l'élevage jusqu'à la mise en bouteilles rien ne lui échappe. Seul son œnologue Marcel Rouille lui sert de complice.*

*Si nous avons aimé tout particulièrement son 1974, vin puissant et savoureux de fruits secs, de miel sauvage avec une pointe de torréfaction, elle nous a fait découvrir un très vieux Rivesaltes 1959... un véritable nectar.*

*D'une belle robe à la teinte ambrée, il est remarquable par ses arômes de cerise confite, de pruneau, de cannelle. Son onctuosité, ses notes réglissées, sa finale mellifère portent très haut l'exaltation palatale.*

*Une propriété à découvrir.*

**Rivesaltes,** voir aussi :

— Maury : marc Majoral.

— Vins de pays des Pyrénées-Orientales : Coopérative de Bages, Joseph Puig.

— Fitou : Coopérative de Cascatel, Paul Colomer, Coopérative de Fitou, Jean-Marc Gautier, Coopérative de Leucate, Château de Nouvelles, Coopérative de Paziols, Coopérative de Villeneuve-les-Corbières.

— Muscat de Rivesaltes : M. Baillie, Ch. de l'Esparrou, Georges Germa, Établissements Limouzy, Mas Pradal (Coll. Escluse), Pierre, Charles

Maler ; Coopérative de Pezilla-la-Rivière, Coopérative de Rivesaltes (les Vignerons), Coopérative de Saint-Hippolyte, Dom Sanac, Coopérative de Terrats.

— Côtes du Roussillon : Coopérative de Calce, Dom de Canterrane, Ch. de Casenove, Clos Saint-Georges, Ch. de Corneilla, Dom Ferrer, Dom Galy, Dom Jammes, Ch. de Jau, Raymond Laporte, Mas Rancoure, Dom du Mas-Rous, Dom du Moulin, Pierre d'Aspres, Ch. de Planeres, Coopérative de Rivesaltes, Coopérative de Saint-André, Coopérative de Saint-Jean-de-Lasseille, Salvat père et fils, Dom Sarda Mallet, Coopérative de Trouillas, Ch. Villeclare.

— Côtes du Roussillon Villages : Etablissements F. Baills, Coopérative de Baixas, Coopérative de Belesta, Dom Bonzoms, Dom Bousquet Comelade, Cazes frères, Cellier des Capitelles, Cellier de la Dona, Destavel, Coopérative d'Estagel (Vignerons de Saint-Vincent), Jean-Paul Henriques, Coopérative de Lesquerde, GAEC Mounié, JP et MT Pelou, Coopérative de Planèzes, Coopérative de Rasigueres, Coopérative de Salses (Sté des Vins fins), Coopérative de Tautavel, Vignerons catalans, Coopérative de Vingrau.

## Muscat de Rivesaltes

A.O.C. depuis le décret du 28 août 1956.
Aire d'appellation : 4 500 ha sur 86 communes des Pyrénées-Orientales,
9 communes de l'Aude classées en Rivesaltes et les 4 communes du cru Banyuls.
Terroir : très varié : sables, cailloux, limons, argile calcaire, schistes,
arènes granitiques et gneiss.
Encépagement : muscat d'Alexandrie, muscat à petits grains.
Rendement : 30 hl/ha.
Production : 100 000 hl.

L'aire de production du muscat de Rivesaltes s'étend sur l'ensemble des terroirs classés en vin doux naturel dans le département des Pyrénées-Orientales, mais aussi sur la zone limitrophe de l'Aude. Même si cette aire s'étend au cru Banyuls, on trouve là-bas très peu de vignes de muscat. Si l'on compare le muscat de Rivesaltes aux A.O.C. Muscat produites par d'autres régions (voir introduction), il apparaît qu'elle possède 2 particularités qui lui confèrent un caractère particulier. La première de ces particularités provient du mode de vinification qui permet d'élaborer des vins d'une teneur en sucre minimale de 100 g par litre, soit 25 g de sucre de moins que les autres muscats du Languedoc. On retrouve cette différence au cours de la dégustation, exprimée par une impression moins liquoreuse et des notes fruitées plus expressives. Mais l'équilibre alcool-sucre est plus fragile. La seconde particularité est la présence du cépage muscat d'Alexandrie, dont les qualités aromatiques sont très importantes, mais se situent dans un registre complètement différent de celles du muscat à petits grains. Chaque vigneron est libre d'élaborer son muscat éventuellement à l'aide d'une seule de ces 2 variétés ou bien d'un assemblage des deux. Par contre, le décret d'A.O.C. l'oblige à planter au minimum 50% de muscat à petits grains.

En ce qui concerne les superficies et la production, le muscat de Rivesaltes apparaît comme le géant des muscats du Midi. Avec des récoltes pouvant dépasser 100 000 hl, il représente sur le marché plus de la moitié du volume total des muscats, toutes appellations confondues. L'A.O.C. Muscat de Rivesaltes est produite par 59 coopératives et 285 caves particulières.

# Brouilla

## ▨ Georges Germa ◆

5, rue Pasteur
66620 Brouilla
tél. 68.89.71.88.

Sol : argilo-calcaire et siliceux. 30 hectares. Vins de pays, A.O.C. Côtes du Roussillon, Muscat de Rivesaltes et Rivesaltes.
Prix départ cave : 12,50 à 42 F T.T.C.
Œnologue : lui-même.

*Par désir d'en savoir plus, il devient œnologue. Par passion, il veut être vigneron. Aujourd'hui, c'est un homme heureux qui s'exprime à travers ses produits de grande lignée.*
*De son vignoble qui s'étend sur les dernières collines de la chaîne des Aspres, il connaît chaque parcelle et chaque cep. Dans son cuvier d'une propreté exemplaire, il peaufine avec des soins méticuleux des cuvées dont il a seul le secret. Il excelle dans l'art des arômes et des structures harmonieuses. « La qualité doit être démontrée et approuvée », nous dit ce membre de « Terroirs de France ».*
*Son muscat de Rivesaltes, paré d'or, jaillit du verre tel un bouquet de fleurs aux senteurs fines et complexes. L'équilibre judicieusement liquoreux révèle la fraîcheur d'une bouche élégante d'une grande persistance.*

# Canet-en-Roussillon

## ▨ Château de l'Esparrou

Château de l'Esparrou
66140 Canet-en-Roussillon
tél. 68.73.30.93.

Sol : argileux et siliceux. 76 hectares dont 70 en A.O.C. Vins de pays, A.O.C. Côtes du Roussillon, A.O.C. Rivesaltes et Muscat de Rivesaltes. Prix départ cave : 13 à 35 F T.T.C. Œnologue conseil : M. Jean Riere.

*Cette splendide propriété surplombe la célèbre station balnéaire de Canet. Dans un château du XIXᵉ siècle, dessiné par l'architecte danois Petersen, les familles Rendu et Sauvy contribuent à donner aux vins de la région leurs lettres de noblesse.*
*Pour Jean-Louis Rendu, la qualité est le résultat de la recherche d'une harmonie entre climat, terroir et cépages qui tient compte des conditions spécifiques du millésime et de l'art du vigneron. La qualité c'est encore tout ou rien, nous dit-il, avec beaucoup d'humour, et à partir de ce tout, il faut faire de son mieux : c'est cela le secret du vigneron. Le vignoble, richesse du domaine par son encépagement judicieux, s'étend sur des terrasses quaternaires, recouvertes d'un sol argileux et siliceux où la rudesse du climat est tempérée par la proximité de la mer.*
*Une cueillette déterminée au jour près en fonction de la diversité des cépages et des terroirs, un tri méticuleux de la vendange, une vinification très soignée dans un chai bien aménagé, un élevage de qualité dans un bâtiment climatisé, sont autant d'étapes qui permettent aux vins du château de l'Esparrou de bous-*

culer les a priori que peuvent avoir les consommateurs sur les appellations du Midi.

Douze produits raffinés témoignent du perfectionnisme de cette famille.

Les vins de pays « Baron Athanase » apportent la preuve de la bonne maîtrise de la vinification.

L'A.O.C. Côtes du Roussillon est un festival de saveurs et démontre la bonne aptitude au vieillissement de ces vins. Le rivesaltes, ambré vieux, illustre la générosité du terroir par son équilibre onctueux et chaleureux. Le muscat de Rivesaltes 1988, puissant aux saveurs intenses d'agrumes et de raisins frais gorgés d'eau-de-vie, a une finale mellifère très persistante.

# Perpignan

## ■ Mas Pradal

S.C.A. **Coll. Escluse** ◆
58, rue Pépinière-Robin
66000 Perpignan
tél. 68.85.33.42.

# Espira-de-l'Agly

## ■ Henri Desbœufs

39, rue du 4-Septembre
66600 Espira-de-L'Agly
tél. 68.64.11.73.

Sol : schiste et coteaux calcaires. 25 hectares. A.O.C. Muscat de Rivesaltes et Rivesaltes.
Prix départ cave : 38,50 à 57 F T.T.C.
Œnologue conseil : M. Nicolas Dornier.

Un domaine familial à vocation unique de muscat de Rivesaltes, installé sur les coteaux d'un ravissant village, Espira-de-l'Agly.

Sans pour autant faire de l'agrobiologie, Henri Desbœufs pratique depuis dix-huit ans une culture raisonnée de ses terres. Tout est recherche pour produire des vins d'une grande finesse et très aromatiques.

Son millésime 1989, 100% muscat à petits grains, élevé en bouteilles est joliment habillé. Sa robe or clair aux reflets verts affirme sa jeunesse. Le nez dévoile la délicatesse des fruits mûrs. En bouche, une impression de fraîcheur et d'onctuosité se marie pour offrir un équilibre harmonieux et une grande persistance.

Sol : argilo-siliceux, roche calcaire et schiste. 65 hectares entièrement A.O.C. Vins de pays, Muscat sec et Muscat moelleux, A.O.C. Côtes du Roussillon, Muscat de Rivesaltes, Rivesaltes.
Prix départ cave : 15 à 85 F T.T.C.
Œnologue conseil : Mme Madeleine Fourquet.

Le mas Pradal est un domaine familial situé aux portes de Perpignan.
Une cave deux fois centenaire en centreville, un vignoble qui s'étend sur trois communes en font son originalité.
La diversité des sols et des cépages, liée aux techniques d'élaboration guidées par la talentueuse Madeleine Fourquet donnent des vins savoureux de très belle qualité.
Cette famille spécialisée dans la production de vin doux prépare une cuvée du centenaire pour célébrer la première médaille obtenue par le grand-père en 1895.
Leur muscat de Rivesaltes 1988 brille d'un or pur. Le nez puissant et frais développe des senteurs d'exotisme et d'épices. En bouche, la saveur est belle, bien équilibrée et onctueuse.
Une invitation à poursuivre avec le

*Rivesaltes, Prestige 1969 tout en nuances subtiles, un compagnon de repas.*

# Pezilla-la-Rivière

## ▓ Cave coopérative de Pezilla-la-Rivière

Pezilla ◆
66370 Pezilla
tél. 68.92.00.09.

Sol : recouvert de gros galets, argileux et schisteux. 750 hectares. Vins de pays, A.O.C. Côtes du Roussillon et Côtes du Roussillon Villages. A.O.C. Rivesaltes et Muscat de Rivesaltes.
Prix départ cave : 9,50 à 28 F T.T.C.
Œnologue conseil : M. Jean Riere.

*Surtout connu pour ses vins doux naturels raffinés, ce village se voit en 1988 rattaché à l'aire d'appellation Côtes du Roussillon Villages.*

*L'encépagement classique mais de qualité est installé sur un terroir qui bénéficie de conditions pédologiques et climatiques très favorables à la haute tenue des produits.*

*Une très belle cave qui possède des installations techniques importantes, une vinification et un élevage bien orchestrés par le volontaire directeur M. Caillens, concourent à la notoriété des vins de Pezilla.*

*Vinifié par la coopérative, élevé en fûts, le « Château de Blanes », propriété du président M. Bories (également président du cru Côtes du Roussillon) est un très bel ambassadeur de l'appellation. Le rivesaltes, issu de grenache noir en longue macération, est un concentré de fruits rouges bien mûrs comme le cassis et la cerise.*

*Le muscat de Rivesaltes, vinifié pour une part en macération pelliculaire, mis en bouteilles dans sa prime jeunesse est un véritable « cocktail de fruits » très agréable.*

# Rivesaltes

## ▓ S.A. Limouzy

Nouvelle adresse : C.V.R.
60, boulevard Arago
66600 Rivesaltes
tél. 68.64.68.64.

*Les établissements Limouzy, vieille maison de négoce estimée en Roussillon, avaient la particularité d'élever dans ses propres chais des appellations traditionnelles du cru.*

*Le « Château Saint-Pierre » C.R. 1985 est un bel exemple du haut niveau de ces produits remarquablement présentés. La robe est d'une bonne intensité. Il a un nez élégant où dominent des arômes d'épices et de fruits cuits. En bouche, il marie complexité et évolution pour offrir une bonne structure et finir sur des notes fruitées fondues à des tannins de belle qualité.*

*Mais les établissements Limouzy, c'est avant tout des vins doux naturels comme ce muscat de Rivesaltes « Limousine » rempli d'arômes de fruits confits et de raisins très mûrs, le tout enveloppé d'onctuosité avec des notes de miel très présentes.*

*Aujourd'hui Daniel Amadieu, le directeur de cette société de négoce, annonce la fusion de son entreprise avec les établissements Bourdouil de Bernard Daure pour créer la Compagnie vinicole des rivesaltes, le tout rattaché au groupement du Val-d'Orbieu.*

## ■ Les Vignerons de Rivesaltes ♦

1, rue de la Roussillannaise
66600 Rivesaltes
tél. 68.64.06.63.

Sol : calcaire et argilo-calcaire.
1 500 hectares dont 1 000 en A.O.C. Vins de pays, A.O.C. Côtes du Roussillon, A.O.C. Rivesaltes et Muscat de Rivesaltes.
Prix départ cave : 12 à 100 F T.T.C.
Œnologue conseil : M. Riere.

*Issue de la fusion des « vins fins de Salses » et des vignerons de la Roussillannaise » cette cave créée en 1932 en plein cœur de l'appellation Rivesaltes reçoit la vendange de 500 adhérents.*

*Le directeur, M. Cavazza, véritable challenger, peut s'enorgueillir d'avoir su créer avec l'ensemble des dirigeants un esprit novateur afin de s'adapter aux exigences du moment.*

*La cave au top niveau de la technologie de transformation, située dans une région visitée par des millions de touristes où un soleil de plomb brûle une terre aride et rocailleuse, mène une politique de grands crus à travers une gamme de produits élaborés en vrai spécialiste.*

*Outre les côtes du Roussillon déjà présentées, la nouvelle cuvée Arnaud de Villeneuve (vin flatteur aux accents de vanille) devrait dans les années à venir faire beaucoup parler d'elle.*

*Les vins de pays blanc de cépage chardonnay, marsanne, sauvignon, vio-*

*gnier, marqués par une vinification thermorégulée à basse température, sont irréprochables.*

*Le maréchal Joffre, enfant du pays, serait fier de ce muscat de Rivesaltes « La Roussillannaise » à la robe étincelante pailletée d'or-vert, au nez expressif où le citron vert et les notes exotiques apportent une agréable fraîcheur. Il s'ouvre sur une bouche à l'équilibre délicat et suave agrémenté de notes de tilleul et de miel.*

# Terrats

## ■ Les Vignerons du Terrats ♦

66300 Terrats
tél. 68.53.02.50.

Sol : argilo-calcaire, terrasses du quaternaire. 807 ha. A.O.C. Côtes du Roussillon, Muscat de Rivesaltes, Rivesaltes.
Prix départ cave : 14 à 70 F T.T.C.
Œnologue conseil : M. Jean Riere.

*Au sud-est de Thuir, Terrats est une cave remarquée par ses vins doux somptueux, sa technologie de pointe, et ses jeunes vignerons décidés.*

*Dynamique, le directeur Henri Cutzach nous dit être très confiant dans l'avenir.*

*Aujourd'hui, ils s'orientent vers la production des côtes du Roussillon où la syrah plus qualitative dans leur terroir est favorisée.*

*Créée en 1973, la marque Terrassous présente un vieux rivesaltes 1974, très fin, onctueux, délicieusement liquoreux, très long en bouche.*

*Le muscat 1988 brille dans sa robe or pâle. Un vin rempli de charme et d'élégance, intense dans ses arômes, avec du caractère et une structure harmonieuse.*

# Saint-Hippolyte

## ▨ Cave Coopérative de Saint-Hippolyte

66510 Saint-Hippolyte
tél. 68.28.31.85.

Sol : terres d'alluvion et grès caillouteux. 420 hectares. Vins de pays, A.O.C. Côtes du Roussillon, A.O.C. Rivesaltes et Muscat de Rivesaltes. Prix départ cave : 9,50 à 32,50 F T.T.C.
OEnologue conseil : M. Mayol.

*Au cœur du Roussillon, sur ces sols pauvres et arides, la cave de Saint-Hippolyte est confrontée à de dures réalités.*

*Deux cents adhérents dont une poignée seulement vit de la viticulture, un âge moyen très élevé des coopérateurs sont autant de facteurs qui favorisent l'arrachage d'une partie du vignoble vieillissant.*

*L'espoir peut cependant renaître grâce à quelques jeunes adhérents fiers de leur terroir originel qui replantent chardonnay et sauvignon blanc pour répondre à la consommation actuelle.*

*Gageons de la réussite de ces vignerons courageux et opiniâtres nous dit le président René Vidal.*

*Les vignerons de Saint-Hippolyte offrent un A.O.C. Rivesaltes « Cuvée du Docteur Banet » 1984 issu de grenache noir et maccabeu vieilli en fût de chêne de belle qualité.*

*Un vin encore très jeune qui séduit par ses arômes de fruits cuits et d'épices.*

*Le muscat de Rivesaltes à la belle robe or pâle à reflets verts révèle la fraîcheur et la jeunesse de ce vin doux naturel.*

*La bouche bien équilibrée aux arômes persistants de raisins frais nous laisse une agréable sensation de légèreté.*

# Tresserre

## ▨ M. Baillie

22, avenue de Passa
66300 Tresserre
tél. 68.38.80.64.

Sol : argilo-siliceux. 50 hectares morcelés. A.O.C. Côtes du Roussillon, A.O.C. Rivesaltes et Muscat de Rivesaltes. Prix départ cave : 18 à 35 F T.T.C.
OEnologue conseil : M. Marty.

*Située dans la localité de Tresserre, la propriété de René Baillie est aujourd'hui gérée par son fils.*
*Se retrouver du jour au lendemain à la tête d'une exploitation, ce n'est pas facile, nous dit ce jeune comptable de 24 ans mais « nécessité fait loi ».*
*Il veut mettre toutes les chances de son côté, s'entourer de conseils attentionnés, ce qui devrait lui permettre de devenir très rapidement un véritable vigneron et de produire des vins témoignant de la richesse de son terroir.*
*Ses vins, il les veut d'un bon niveau aromatique, harmonieux pour séduire le consommateur et le fidéliser.*
*Il commercialise actuellement un Côtes du Roussillon 83 très équilibré, au caractère de fruits cuits avec des notes de venaison.*
*Le muscat de Rivesaltes est paré d'une belle robe dorée et brillante. Au nez, des arômes de raisins confits et de miel dominent avec des notes plus fraîches de bergamote. En bouche, il est charnu et doté d'un équilibre harmonieux.*

## ▨ M. Pierre-Charles Maler ◆

rue du Canigou
66300 Tresserre
tél. 68.38.82.61.

Sol : argileux et siliceux. 14 hectares. Vins de pays blanc, rosé, rouge, A.O.C. Côtes du Roussillon, A.O.C. Rivesaltes et Muscat de Rivesaltes.

Prix départ cave : 14 à 32 F T.T.C.
Œnologue conseil : M. Marty.

« *A l'origine, je n'ai rien d'un vigneron — nous dit M. Maler — mais très vite j'ai compris que pour faire un métier aussi merveilleux, il me fallait sortir de la cave coopérative et tout faire de A à Z.* »
*Depuis 1984, il rachète 7 hectares de vignes qui viennent compléter le vignoble et aménage une vieille cave pour réaliser son ambition et sa volonté d'aboutir.*
*Le détonateur de cette passion n'est autre qu'André Brugirard, nous dit M. Maler. Il a su nous imprégner de la noblesse du vin et nous faire comprendre que si nous avions des droits, nous avons surtout le devoir de respecter le raisin en y apportant tout le sérieux qu'il convient.*
*Le résultat ne se fait pas attendre et en 1988, il obtient une récompense au grand concours des vins de Mâcon pour son C.R. rouge d'une grande ampleur, aux arômes gorgés d'épices obtenus par macération carbonique, à partir d'une vendange récoltée manuellement et transportée en petites comportes avec beaucoup de vigilance.*
*Les vins de pays dont on notera l'étiquette « Cuvée d'un Sourire » méritent toute notre attention.*
*L'A.O.C. Rivesaltes riche et charnu, à l'équilibre gustatif chaleureux devrait s'assouplir avec le temps.*
*Le Muscat de Rivesaltes « Domaine Maler » 1988, de mise en bouteilles précoce, a conservé toutes les saveurs et le fruité du raisin dont il est issu. Très bien équilibré, harmonieux, il a une finale savoureuse.*

---

# Trouillas

### ▧ **Domaine Sanac**

M. **Michel Sanac,** ◆
26, Grand-Rue
66300 Trouillas
tél. 68.55.91.55.

Sol : argilo-calcaire et sableux. 61 hectares dont 80% en A.O.C. Vins de pays blanc, rosé et rouge, A.O.C. Côtes du Roussillon, A.O.C. Rivesaltes et Muscat de Rivesaltes. Prix départ cave : 13 à 70 F T.T.C. Œnologues conseil : MM. Lupiac et Noe.

*Le vignoble de la famille Sanac s'étend sur trois communes au cœur des Aspres.*
*Le fils Michel y perpétue la cinquième génération de vigneron, et avec beaucoup de mérite entreprend le remembrement de cette exploitation morcelée. Actuellement, il concentre tous ses efforts sur les deux caves du domaine. Une à Bages, très moderne, où l'inox domine, permet la vinification en macération carbonique du cépage carignan et la macération classique des autres variétés.*
*L'autre à Trouillas, plus ancienne, sert uniquement à la conservation et à l'élevage des cuvées.*
*Une exploitation en pleine expansion qui produit des vins dont la « qualité est un tout qui débute par les soins apportés au vignoble et se poursuit jusqu'au verre du consommateur » au prix de milliers d'heures d'un travail méticuleux.*
*Cette cave présente toute une gamme de bons produits allant de vins de pays friands, d'une qualité irréprochable, aux Côtes du Roussillon à la typicité bien affirmée, en passant par un grand Roussillon hors d'âge aux essences de garrigue et de fruits cuits.*
*Le Muscat de Rivesaltes « Domaine Sanac » 1988 est d'une très belle présen-*

*tation dans sa robe brillante. Au nez, des senteurs très fraîches, légèrement mentholées, soulignent des arômes floraux tout en finesse. Une grande plénitude en bouche où le moelleux et l'élégance témoignent du savoir-faire du vinificateur.*

**Muscat de Rivesaltes,** voir aussi :
— Maury : Coopérative de Maury.
— Rivesaltes : Clos del Pila, Mas de la Garrigue, Dom. de Mas Moutou, Emmanuel Munoz, Coopérative de Passa, Coopérative de Ponteilla, Dom. de Sainte-Barbe, Dom. Saint-Luc.
— Fitou : Coopérative de Cascatel, Paul Colomer, Jean-Marc Gautier, Coopérative de Leucate, Château de Nouvelles, Coopérative de Paziols, Coopérative de Tuchan, Coopérative de Villeneuve-les-Corbières.
— Vins de pays des Pyrénées-Orientales : Coopérative de Bages.
— Banyuls : Château des Elmes, Cave Veuve Banyuls.
— Côtes du Roussillon : Coopérative de Calce, Dom. de Canterrane, Château de Casenove, Clos Saint-Georges, Château de Corneilla, Dom. Ferrer, Dom. Galy, Dom. Jammes, Château de Jau, Raymond Laporte, Mas Rancoure, Dom. du Mas-Rous, Dom. du Moulin ; Pierre d'Aspres, Château de Planeres, Coopérative de Rivesaltes, Coopérative de Saint-André, Coopérative de Saint-Jean-de-Lasseille, Salvat père et fils, Dom. Sarda Mallet, Coopérative de Trouillas, Château Villeclare.
— Côtes du Roussillon Villages : Etablissements F. Baills, Coopérative de Baixas, Coopérative de Belesta, Dom. Bonzoms, Dom. Bousquet Comelade, Cazes frères, Cellier des Capitelles, Cellier de la Dona, Destavel, Coopérative d'Estagel (Vignerons de Saint-Vincent), Jean-Paul Henriques, Coopérative de Lesquerde, Gaec Mounié, JP et Mt Pelou, Coopérative de Planezes, Coopérative de Rasigueres, Coopérative de Salses (Société des Vins fins), Coopérative de Tautavel, Vignerons catalans, Coopérative de Vingrau.

## Muscat de Saint-Jean-de-Minervois

A.O.C. depuis le décret du 10 novembre 1949.
Aire d'appellation : 100 ha sur la commune de Saint-Jean-de-Minervois.
Terroir : sols calcaires et argilo-calcaires très cailllouteux.
Encépagement : muscat à petits grains.
Rendement : 28 hl/ha.
Production : 2 300 hl.

Seule la partie sud de la commune de Saint-Jean-de-Minervois offre les conditions idéales pour l'implantation du muscat. L'aspect de ce vignoble est frappant : il s'étend sur un plateau parsemé de cailloux blancs. De temps à autre, un sol rougeâtre indique une terre plus argileuse. Une importante couche calcaire formée au cours du tertiaire couvre toute cette partie de la commune. Plus élevée en altitude au nord, elle donne au vignoble une exposition favorable dotée d'un climat méditerranéen. L'altitude qui atteint presque 300 mètres est cause d'un ralentissement de la maturation du raisin. Une pluviométrie de l'ordre de 700 mm permet au sol de conserver une humidité suffisante, condition indispensable au bon épanouissement du muscat. C'est cet ensemble de facteurs spécifiques qui confère au Muscat de Saint-Jean-de-Minervois sa finesse. Seulement une cave coopérative et quelques caves particulières produisent cette A.O.C.

# Saint-Jean-de-Minervois

## ▓ La Cave « Le Muscat-de-Saint-Jean-de-Minervois »

Saint-Jean-de-Minervois
34360 Saint-Chinian
tél. 67.38.03.24.
Sol : schiste et calcaire. 85 hectares en Muscat. A.O.C. Muscat de Saint-Jean-de-Minervois. A.O.C. Minervois.
Prix départ cave : jusqu'à 35 F T.T.C.
Œnologue conseil : M. Bascou.
Président : M. Barthes.
Directeur : M. Tailhand.

*Dans un site d'exception à 200 m d'altitude sur un plateau calcaire où il faut broyer les cailloux pour planter, le vignoble du muscat continue à se développer.*
*Une situation privilégiée où les raisins mûrissent lentement pour offrir des vins doux d'une grande finesse aromatique. Une cave qui profite de cet agrandissement pour rajeunir son produit.*
*Surtout réputée pour sa « Cuvée Pardeilhan », aux arômes puissants de raisins et d'abricots secs, de miel d'acacia, de rose discrète, très onctueux, ample en bouche ; il demande à être dégusté très frais.*

*Aujourd'hui, la cave élabore un muscat délicat, aux senteurs larges et aériennes de fruits frais, d'églantine. En bouche, la saveur est fraîche et onctueuse.*

## ▓ Domaine Michel Sige

34360 Saint-Jean-de-Minervois
tél. 67.38.03.37.
Sol : argilo-calcaire très caillouteux.
17 hectares. A.O.C. Minervois et Muscat Saint-Jean-de-Minervois.
Prix départ cave : 14 à 32 F T.T.C.
Œnologue conseil : M. Jean Natoli.

*Ni trop sirupeux, ni trop alcoolisé, le Muscat Saint-Jean-de-Minervois est pour Michel Sige une affaire de nuances.*
*De ce vignoble en altitude, gagné sur la garrigue, unique en son genre, si propice au cépage muscat à petits grains, il élabore un vin doux naturel magnifique d'équilibre.*
*Dans ce petit village de 60 habitants, Michel Sige élève ses produits avec dévouement.*
*Il se fera une joie de vous recevoir en toute simplicité, avec beaucoup de gentillesse pour vous faire partager le plaisir de la dégustation.*
*Un muscat comme nous les aimons, aux reflets d'or intenses, aux parfums complexes de pêche-abricot, de miel, relevés par la cannelle et le caramel, à la bouche, juste ce qu'il faut liquoreux, intense de fruits confits à la finale persistante d'une bonne ampleur.*

**Muscat de Saint-Jean,** voir aussi :
— Minervois : domaine de Barroubio.

# Muscat de Frontignan

A.O.C. depuis le décret du 31 mai 1936.
Aire d'appellation : 1 000 ha sur les communes de Frontignan et Vic-la-Gardiole.
Terroir : calcaire et argilo-calcaire.
Encépagement : muscat à petits grains, aussi appelé Muscat de Frontignan.
Rendement : 28 hl/ha.
Production : 24 000 hl.

Déjà dans le passé, le Muscat de Frontignan avait su conquérir de nombreux amateurs. Le comte de Lur-Saluces se rendit à Frontignan au XVIIIᵉ siècle, afin d'étudier la surmaturation du muscat. Il ramena avec lui au château d'Yquem, un maître verrier de Frontignan qui était l'inventeur d'une méthode permettant de fabriquer des bouteilles cylindriques. Aujourd'hui ces mêmes bouteilles sont connues sous le nom de « bordelaises ». Le Muscat de Frontignan se démarque par une grande richesse en arômes fruités, évoquant les raisins secs, la figue et les fruits confits. Les vignes se trouvent sur les coteaux de la montagne de la Gardiole qui les protège des vents du nord. Exposé plein sud, le vignoble de Frontignan possède principalement des sols calcaires et argilo-calcaires. Le climat chaud et sub-humide est influencé par la proximité de la mer, mais marqué par une période de sécheresse d'été d'environ 100 jours. Deux caves coopératives, une quinzaine de négociants et une dizaine de producteurs indépendants commercialisent le Muscat de Frontignan.

## Frontignan

### ▧ Cave Coopérative du Muscat de Frontignan

14, avenue du Muscat
34110 Frontignan
tél. 67.48.12.46.
télex : 485374.

Superficie : 700 hectares entièrement classés A.O.C. Sol : pauvre et argilo-calcaire. V.D.N. Muscat de Frontignan.
Prix départ cave : 38 F T.T.C.
Œnologues conseil : MM. Denis Dubourdieu et Christophe Ollivier.

Responsable technique :
M. Duquenoy.
Président : M. Dussol.

*Depuis fort longtemps, le vignoble de Frontignan sur la bordure méditerranéenne construit sa réputation de vin de qualité dont Colette disait : « Le Muscat de Frontignan, coup de soleil, choc voluptueux, illumination des papilles neuves ! ce sacre me rendit à jamais digne du vin. »*

*Aujourd'hui, parce que ces vignerons ont décidé de faire évoluer le produit, ils font appel à Denis Dubourdieu et Christophe Ollivier, deux talents de l'Institut de Bordeaux en matière de vin blanc.*

*Créée en 1908, la cave vit depuis 1988 un grand chambardement. « On casse tout et on refait tout », nous dit Didier Absil, le directeur commercial, un homme au franc-parler.*

*Le cuvier est entièrement rééquipé pour maîtriser la plus parfaite extraction des constituants de la pellicule du raisin, grands responsables des arômes spécifiques.*

*Le chai de vieillissement superbe par*

*l'alignement des foudres et la superposition des tonneaux permet l'affinage de certaines cuvées ; le hors d'âge est exceptionnel par sa robe ambrée, ses flaveurs et sa tenue en bouche où se mêlent des arômes grillés et confits.*

*La cuvée du Président, surprenante... par la puissance et la complexité du nez dominé par la gousse de vanille où les fruits secs et les épices se dévoilent délicatement.*

*En bouche, étonnante... elle remplit l'espace gustatif par sa puissante vinosité, sa fraîcheur et la rémanence des arômes perçus à l'olfaction.*

## ▓ Château de la Peyrade

**M. Yves Pastourel et fils,**
34110 Frontignan
tél. 67.48.61.19.

Superficie : 25 hectares. Sol : très calcaire. Muscat de Frontignan traditionnel et sélection.
Prix départ cave : 37 à 40 F T.T.C.
Œnologue conseil : M. Gibello.

*Le château de la Peyrade étend son vignoble à l'extrémité de l'étang de Thau. Depuis l'acquisition en 1977 de cette très belle propriété de tous temps réputée, les Pastourel ont la louable ambition d'élaborer des cuvées très fines et d'une belle élégance.*

*Yves, le père et ses deux fils ont su extraire du muscat à petits grains tous les éléments aromatiques du raisin sans en tirer la lourdeur.*

*Ces vignerons de talent sont parvenus à créer un certain style de vin. Un long et patient travail de sélection au vignoble, des méthodes de vinification où la nouvelle technologie est omniprésente sont les facteurs de cette réussite.*

*Leur muscat élaboré dans le souci constant d'éviter toute oxydation se présente dans une robe claire d'une belle brillance. Le nez dévoile des notes très fraîches de mandarine, de citronnelle et de pomme verte qui se prolongent en bouche avec des saveurs exotiques et de miel sauvage.*

*Le bon équilibre à la fois nerveux et liquoreux en fait un muscat savoureux et délicat.*

# Muscat de Lunel

A.O.C. depuis le décret du 27 octobre 1943.
Aire d'appellation : 350 ha sur les 4 communes de Lunel, Lunel-Vieil, Vérargues et Saturargues.
Terroir : silice et galets roulés.
Encépagement : muscat à petits grains.
Rendement : 28 hl/ha.
Production : 9 000 hl.

Le Muscat de Lunel dispose d'un terroir spécifique sur lequel le raisin arrive facilement à pleine maturité. Au sommet des coteaux dont l'altitude varie de 7 à 40 mètres, des nappes alluviales, formées au pliocène, se sont remplies de galets roulés. Ces éboulis mélangés à de l'argile forment des sols souvent profonds qui retiennent bien la fraîcheur. Le climat est typiquement méditerranéen, sec et chaud pendant l'été, mais relativement humide avec 720 mm de pluviométrie au cours de l'année. Les vins qui disposent souvent d'un fruité remarquable, sont produits par une cave coopérative et quelques caves particulières.

# Lunel

## ▓ Domaine de Belle-Côte

G.F.A. **Rostoll**
34400 Lunel
tél. 67.71.03.23.

Superficie : 29 hectares. Sol : argileux très caillouteux. Muscat de Lunel.
Prix départ cave : 30 F T.T.C.
Œnologue conseil : M. Patrick Leenhardt.

*Un joli domaine aux portes de Lunel où un père et ses deux fils exploitent une propriété depuis 1976.*
*Situé sur des terres d'argile rouge recouvertes de galets roulés, le vignoble est complanté de muscat à petits grains.*
*La cave produit un muscat d'une belle robe couleur or aux reflets ambrés.*
*Un vin doux naturel typique du cépage qui allie des notes de fleurs, de raisins confits et de miel.*
*Des arômes que l'on retrouve en bouche dans un équilibre liquoreux.*

## ▓ Clos Bellevue

M. **Francis Lacoste,**
34400 Lunel
tél. 67.83.24.83.

Superficie : 12 hectares. Sol : grès et argile rouge. A.O.C. Muscat de Lunel.
Prix départ cave : 38 à 47 F T.T.C.
Œnologue conseil : M. Marc Auclair.

*La découverte de notre randonnée dans le Lunellois : Francis Lacoste qui cherche à trouver une place au soleil dans le vignoble du Languedoc.*
*Courageux, amoureux du travail bien fait, il est persuadé de la richesse de son terroir.*
*Il produit dans une cave superbe, toute carrelée, des vins doux naturels authentiques et très délicats. Une récolte cueillie manuellement, une sélection des*
*raisins des plus vieilles vignes, une extraction douce des jus les plus riches suivie d'un débourbage au froid avant fermentation, une vinification bien conduite dans une hygiène très stricte, sont autant de facteurs qui permettent à ce jeune vigneron d'élaborer des cuvées raffinées, justement récompensées dans les différents concours.*
*Francis Lacoste, un homme qui a mis toutes les chances de son côté pour devenir un producteur dont on n'a pas fini de parler.*
*La cuvée Prestige du Clos Bellevue allie chaleur et puissance. Un vin gourmand aux arômes très fins qui rappellent le pain d'épice, la pomme et les fruits confits.*
*Onctueux et frais à la fois, c'est un vin distingué qui termine sur des notes d'amande grillée.*
*A noter une présentation soignée dans une bouteille type cognac habillée d'une étiquette peinte par Jean Hugo.*

## ▓ Château du Grès-Saint-Paul

G.F.A. du **Grès Saint-Paul**
34400 Lunel
tél. 67.71.26.54.

Superficie : 63 hectares dont 60 en A.O.C. Sol : argileux et galets roulés. A.O.C. Coteaux du Languedoc et Muscat de Lunel.
Prix départ cave : 10 à 35 F T.T.C.
Œnologue conseil : M. Boussard.

*Construit sur le site d'une ancienne ville italienne du XIX<sup>e</sup> siècle, le château du Grès-Saint-Paul est érigé au milieu d'un vignoble implanté sur deux collines au nord du petit village de Lunel-Viel.*
*L'actuel propriétaire, Jean-Pierre Servière, a depuis 1976 replanté plus de 45 hectares de vignes et produit des A.O.C. Coteaux du Languedoc commercialisés par les établissements Jeanjean et un Muscat de Lunel de belle qualité.*
*Souhaitons à ce producteur courageux, ancien élève de Sciences-Po d'atteindre dans la commercialisa-*

*tion de ses produits le niveau qu'il mérite pour son courage et sa ténacité.*

*Son muscat, habillé d'or pâle, offre un nez intense de raisin sec associé à des notes plus fraîches de citron vert.*

*Onctueux et savoureux, vous serez séduit par sa finesse et sa persistance aromatique.*

## ▧ Cave du Muscat de Lunel

Vérargues
34400 Lunel
tél. 67.86.00.09.

*Le muscat « Château La Tour de Farges » 1987 de cette cave attire par la brillance de sa robe dorée.*

*Les arômes de raisin de corinthe sont discrètement relayés par des notes de miel de garrigue.*

*En bouche, des saveurs persistantes de coing viennent dominer un équilibre gustatif où la sensation liquoreuse l'emporte sur la fraîcheur.*

*La non-communication du directeur ne nous a malheureusement pas permis d'aller plus loin...*

## Muscat de Mireval

A.O.C. depuis le décret du 28 décembre 1959.
Aire d'appellation : 300 ha principalement sur la commune de Mireval, une partie se trouve sur celle de Vic-la-Gardiole.
Terroir : calcaire.
Encépagement : muscat à petits grains.
Rendement : 28 hl/ha.
Production : 7 000 hl.

L'aire du Muscat de Mireval se situe au nord de celle de Frontignan. Le vignoble est implanté sur le bas des coteaux de la montagne de la Gardiole, ne dépassant pas 10 m d'altitude en moyenne. Les conditions d'exposition et de climat sont identiques à celles de Frontignan. Les sols également sont proches, mais on n'y rencontre pas de limons jaunâtres comme c'est le cas dans quelques parties du vignoble de Frontignan. Le Muscat de Mireval est produit par 2 caves coopératives et quelques caves particulières.

# Mireval

## ▧ Domaine de la Capelle

M. **Jean-Pierre Maraval**,
34840 Mireval
tél. 67.78.15.14.

Superficie : 40 hectares dont 20 en A.O.C. Muscat. Sol : argilo-calcaire très caillouteux. V.D.N. Muscat de Mireval.

Prix départ cave : 39 à 49 F T.T.C.

Œnologue conseil : M. Broussard.

*Un domaine familial qui, depuis plusieurs générations, participe active-*

ment à la renommée de cette appellation.

Sur des coteaux arides et caillouteux, la famille Maraval défriche la garrigue et replante. Elle aménage deux caves dont une, toute inox, permet des vinifications toujours mieux adaptées aux cuvées sélectionnées : tout un long et patient travail réalisé avec amour par Jean-Pierre Maraval et sa femme.

Ils nous proposent un muscat fort séduisant par sa robe pâle et brillante aux reflets verts, au nez intense de raisins et d'agrumes. En bouche, il offre une impression de chair juteuse marquée par une note subtile de sucre candi.

## ▓ Domaine du Moulinas

S.C.A. **Les Fils Aymes,**
B.P. 1
34840 Mireval
tél. 67.78.13.97.

Superficie : 28 hectares dont 16,30 en Muscat. Sol : argilo-calcaire. Muscat de Mireval, Vins de pays rouge et rosé.
Prix départ cave : 36 F T.T.C. pour le Muscat.
Œnologue conseil : M. Gibello.

Les noms de Mireval et de Muscat prennent ici toute leur signification puisque Joseph Aymes fut le premier en 1949 à récolter le Muscat de Mireval. A cheval sur les communes de Mireval et Vic-la-Gardiole, ce vignoble immortalisé sous François Ier par Rabelais jouit d'une belle notoriété.

Sur un sol argilo-calcaire très caillouteux, propice à la bonne maturité, les frères Aymes produisent un raisin de qualité aux saveurs exquises. Vinifié avec talent, en faisant appel à la modernité des techniques mais en respectant les méthodes ancestrales, le muscat du domaine du Moulinas développe le maximum des arômes du jus de raisin pressé.

M. Barthez, directeur de la S.C.A. des quatre enfants de Joseph Aymes, nous précise que dans l'élaboration du vin doux naturel tout est affaire de nuance

pour obtenir un produit harmonieux, doté d'un bel équilibre liquoreux.

Tout au long de l'année, sauf le dimanche, vous pourrez déguster dans leur magasin au centre de Mireval « ce vin qui rend douce la solitude et plus agréable la compagnie », comme le précise l'étiquette.

D'une belle couleur jaune pâle, il offre une puissante intensité muscatée dominée par des senteurs florales.

Un muscat plein de finesse et de douceur aux arômes de pêche, d'abricot et de miel délicieux. En apéritif comme au dessert.

## ▓ Cave Rabelais

B.P. 14
34840 Mireval
tél. 67.78.15.79.

Superficie : 123 hectares tout en A.O.C. Sol : du jurassique à dominante calcaire. A.O.C. Muscat de Mireval, mousseux, marc de Muscat.
Prix départ cave : 21 à 70 F T.T.C.
Œnologue conseil : M. Boussard.
Président : Maxime Ganga.

Créée en 1961, cette jeune cave fondée par Henri Fabre a pris le nom de Rabelais en hommage à cet humaniste qui loua les vins de Mirevault.

Sur ce terroir de bord de mer, exposé plein sud, protégé par les monts de la Gardiole, aux sols calcaires d'origine jurassique, fait d'alluvions anciennes et galets roulés, les vignerons produisent un raisin riche, concentré, propice à l'élaboration d'un vin doux naturel. Dans sa magnifique petite cave rutilante, Pierre Nouguier le directeur œnologue a su exploiter toute la richesse du muscat à petits grains et nous proposer des vins qui font le délice des gourmands.

Le mariage réussi des techniques les plus modernes et des procédés ancestraux nous permet d'apprécier un vin doux naturel très aromatique, sans lourdeur, avec beaucoup de finesse, suave, aux arômes mielleux où dominent les saveurs de raisins muscat sur *des notes florales et de pêches au sirop. Le tout s'allie dans un bel équilibre liquoreux à la fois souple et généreux. La cave produit outre un mousseux « Marquis d'Alméras » 100% muscat, une eau-de-vie de marc de muscat pleine de caractère qui viendra clore avec éclat un bon dîner.*

---

# Vic-la-Gardiole

---

## ▨ Mas des Pigeonniers

M. **Gilles Senegas,**
34110 Vic-la-Gardiole
tél. 67.78.14.54.

Superficie : 20 hectares. Sol : très calcaire. V.D.N. Muscat de Mireval. Prix départ cave : 30 F T.T.C. Œnologue conseil : M. Gibello.

*Le mas des Pigeonniers, situé à la sortie du village en allant vers la mer, est une belle bâtisse languedocienne construite sur une ancienne cité gallo-romaine. M. Senegas vous y reçoit fort chaleureusement.*
*Ce vigneron œnologue est avant tout un artisan pour qui dit-il, « le vin est le témoignage de nos racines ».*
*Elaboré avec soin, son muscat est le reflet de son savoir-faire.*
*Il embaume la bouche avec ses saveurs de raisin frais. Délicatement miellé, il s'offre à nous doté d'une belle nervosité. Un vin à savourer dans sa jeunesse.*

# Carthagène

La Carthagène, on peut aussi trouver l'écriture cartagène, n'a aucun lien de parenté avec les Carthaginois tunisiens ni avec les carthagénois espagnols ou colombiens.

Ce vin de liqueur, dont les sources sont aussi anciennes que la provenance incertaine appartient à une longue tradition culturelle.

Chaque région viticole possède le même type de produit appelé Ratafia en Champagne et Bourgogne, Pineau en Charente et Floc en Armagnac. En Languedoc, elle est élaborée à base de grenache blanc principalement, mais les cépages syrah et grenache noir peuvent aussi s'y inclure. Au moût de raisin très riche en sucre est ajouté une eau-de-vie de marc, le tout vieilli en petits fûts de chêne ; une fabrication personnelle et artisanale de vignerons qui garde bien secrètement tous les détails de l'élaboration. De ce fait, les carthagènes sont toutes différentes et semblables à la fois : elles sentent bon le Midi. Mais attention, la douceur en bouche due à une richesse exceptionnelle en sucre dissimule une certaine traîtrise ! ! !...

# Gallician

## ▧ Château Boissy-d'Anglas

**M. Philippe Boissy d'Anglas,** ♦
Gallician
30600 Vauvert
tél. 66.73.30.85.
66.73.32.68.

Carthagène rouge et blanche.
Prix départ cave : 55 F T.T.C.

*« La carthagène au-delà d'un produit, d'une province, toute de soleil est la signature de son terroir », nous dit Philippe Boissy d'Anglas.*
*Habillée d'or aux reflets ambrés, elle caresse nos sens olfactifs. Les parfums de miel d'acacia se ponctuent de nuances boisées et épicées. La bouche de raisins confits déclare toute sa suavité.*

# Nîmes

## ▧ Château de la Tuilerie

**Le Jardin des Vins**
Mme **Chantal Comte,**
Route de Saint-Gilles
30900 Nîmes
tél. 66.70.07.52.
66.70.03.23.

Cartagène : rose et blanche
Prix départ cave : 68 F T.T.C.

*Vinifiés et élevés avec soin dans une cave décorée des fresques de Florence Conti, les vins du château de la Tuilerie sont le symbole de l'excellence. Et comme l'écrit merveilleusement le poète A. Got : « Il est des sucs exquis, des sèves de caresse, des bouquets de saveur charmeresse, doux ou moelleux, fruités, d'un corps plein de finesse. »*

*Au Jardin des Vins du château de la Tuilerie véritable paradis des sens, laissez-vous emporter au véritable plaisir de la dégustation.*
*Un charme évident pour cette carthagène vinifiée selon les méthodes traditionnelles du XVIᵉ siècle, à la parure et la délicatesse de l'or fin, rond et vanillé. Le fruit s'estompe pour faire place à un joli volume en bouche.*

# Pompignan

## ▧ Coupo Santo

**M. Michel Fougairolle,**
Le Lauzas
Pompignan
30170 Saint-Hippolyte-du-Fort
tél. 66.77.91.03.

Carthagène : rosé et ambré.
Prix départ cave : 57 à 88 F T.T.C.

*« Ça fait quatre-vingts ans que la carthagène est sous la table », nous dit Michel Fougairolle, un personnage gaulois fort sympathique qui décide, en 1985, de la mettre sur la table.*
*De ses dix hectares de grenache noir, syrah, ugni blanc, plantés sur des sols très calcaires, il extrait tout le suc substantiel indispensable pour l'élaboration de ses cuvées. Sa Coupo Santo, dite apéritive, à déguster très fraîche (6 à 7°),*

*où la syrah apporte la nuance rosée de sa robe, révèle la gourmandise du « fruit défendu ». Sa Coupo Santo dite de dessert brille de mille éclats et avoue son âge par l'ambre de sa robe. En bouche, elle dévoile le miellé de son fruit, et une touche de vanille qui se fond admirablement dans une sève onctueuse.*

---

# Sallèles-du-Bosc

▓ M.et Mme **Bernard et Elie Vailhe**

34700 Sallèles-du-Bosc
tél. 67.44.70.60.

Carthagène.
Prix départ cave : 45 F T.T.C.

*Paré d'un bel ambre doré, il offre les parfums et les saveurs miellées des raisins blancs confits auxquelles se mêlent harmonieusement des nuances de fleurs séchées. D'une exquise douceur, il exprime avec élégance son caractère complexe.*

N° d'édition : 764 - N° d'imprimeur : 901909
Dépôt légal : septembre 1990
Imprimé en France

Achevé d'imprimer en août 1990
dans les ateliers de Normandie Impression S.A.
à Alençon (Orne)